Émile _

Au Bonheur
des Dames (1883)

Collection dirigée par
Marc Robert

Notes et dossier
Anne Cassou-Noguès
agrégée de lettres modernes

L'ŒUVRE DANS L'HISTOIRE

LIRE L'ŒUVRE

Conception graphique de la maquette :
c-album, Jean-Baptiste Taisne, Rachel Pfleger
Principe de couverture : Double
Mise en pages : Chesteroc Ltd
Iconographie : Hatier Illustration
Suivi éditorial : Luce Camus

© Hatier Paris, 2011
ISBN : 978-2-218-96227-1

L'ŒUVRE DANS UN GENRE

VERS L'ÉPREUVE
ARGUMENTER, CONVAINCRE, RÉDIGER

I

Denise était venue à pied de la gare Saint-Lazare, où un train
de Cherbourg l'avait débarquée avec ses deux frères, après une
nuit passée sur la dure banquette d'un wagon de troisième
classe. Elle tenait par la main Pépé, et Jean la suivait, tous les
5 trois brisés du voyage, effarés et perdus au milieu du vaste
Paris, le nez levé sur les maisons, demandant à chaque carre-
four la rue de la Michodière, dans laquelle leur oncle Baudu
demeurait. Mais, comme elle débouchait enfin sur la place
Gaillon, la jeune fille s'arrêta net de surprise.

10 — Oh ! dit-elle, regarde un peu, Jean !

Et ils restèrent plantés, serrés les uns contre les autres, tout
en noir, achevant les vieux vêtements du deuil de leur père.
Elle, chétive pour ses vingt ans, l'air pauvre, portait un léger
paquet ; tandis que, de l'autre côté, le petit frère, âgé de cinq
15 ans, se pendait à son bras, et que, derrière son épaule, le grand
frère, dont les seize ans superbes florissaient, était debout, les
mains ballantes.

— Ah bien ! reprit-elle après un silence, en voilà un magasin !

C'était, à l'encoignure de la rue de la Michodière et de la rue
20 Neuve-Saint-Augustin[1], un magasin de nouveautés[2] dont les
étalages éclataient en notes vives, dans la douce et pâle journée
d'octobre. Huit heures sonnaient à Saint-Roch[3], il n'y avait sur

1. *L'encoignure de la rue de la Michodière et de la rue Neuve-Saint-Augustin* : à Paris, dans le
2e arrondissement, profondément transformé par les grands travaux d'Haussmann et la
construction de l'Opéra. \ 2. *Magasin de nouveautés* : magasin qui vend des articles de mode,
c'est-à-dire, en principe, de la lingerie, des vêtements et des tissus. \ 3. *Saint-Roch* : l'église
Saint-Roch, rue Saint-Honoré.

les trottoirs que le Paris matinal, les employés filant à leurs
bureaux et les ménagères courant les boutiques. Devant la
25 porte, deux commis[1], montés sur une échelle double, finis-
saient de pendre des lainages, tandis que, dans une vitrine de
la rue Neuve-Saint-Augustin, un autre commis, agenouillé et
le dos tourné, plissait délicatement une pièce de soie bleue. Le
magasin, vide encore de clientes, et où le personnel arrivait à
30 peine, bourdonnait à l'intérieur comme une ruche qui s'éveille.
 — Fichtre ! dit Jean. Ça enfonce Valognes[2]... Le tien n'était
pas si beau.
 Denise hocha la tête. Elle avait passé deux ans là-bas, chez
Cornaille, le premier marchand de nouveautés de la ville ; et ce
35 magasin, rencontré brusquement, cette maison énorme pour
elle, lui gonflait le cœur, la retenait, émue, intéressée, oublieuse
du reste. Dans le pan coupé[3] donnant sur la place Gaillon, la
haute porte, tout en glace, montait jusqu'à l'entresol[4], au
milieu d'une complication d'ornements, chargés de dorures.
40 Deux figures allégoriques, deux femmes riantes, la gorge nue
et renversée, déroulaient l'enseigne : *Au Bonheur des Dames*.
Puis, les vitrines s'enfonçaient, longeaient la rue de la Micho-
dière et la rue Neuve-Saint-Augustin, où elles occupaient,
outre la maison d'angle, quatre autres maisons, deux à gauche,
45 deux à droite, achetées et aménagées récemment. C'était un
développement qui lui semblait sans fin, dans la fuite de la
perspective, avec les étalages du rez-de-chaussée et les glaces
sans tain de l'entresol, derrière lesquelles on voyait toute la vie
intérieure des comptoirs. En haut, une demoiselle, habillée de
50 soie, taillait un crayon, pendant que, près d'elle, deux autres
dépliaient des manteaux de velours.

1. *Commis* : vendeurs. \ **2.** *Valognes* : petite ville du département de la Manche. \ **3.** *Pan coupé* :
surface oblique élevée à l'angle de deux murs. \ **4.** *Entresol* : demi-étage situé entre le rez-
de-chaussée et le premier étage.

 — *Au Bonheur des Dames*, lut Jean avec son rire tendre de bel adolescent, qui avait eu déjà une histoire de femme à Valognes. Hein ? c'est gentil, c'est ça qui doit faire courir le monde !

55 Mais Denise demeurait absorbée, devant l'étalage de la porte centrale. Il y avait là, au plein air de la rue, sur le trottoir même, un éboulement de marchandises à bon marché, la tentation de la porte, les occasions qui arrêtaient les clientes au passage. Cela partait de haut, des pièces de lainage et de

60 draperie, mérinos, cheviottes, molletons[1], tombaient de l'entresol, flottantes comme des drapeaux, et dont les tons neutres, gris ardoise, bleu marine, vert olive, étaient coupés par les pancartes blanches des étiquettes. À côté, encadrant le seuil, pendaient également des lanières de fourrure, des bandes

65 étroites pour garnitures[2] de robe, la cendre fine des dos de petit-gris[3], la neige pure des ventres de cygne, les poils de lapin de la fausse hermine et de la fausse martre[4]. Puis, en bas, dans des casiers, sur des tables, au milieu d'un empilement de coupons, débordaient des articles de bonneterie vendus pour

70 rien, gants et fichus de laine tricotés, capelines[5], gilets, tout un étalage d'hiver aux couleurs bariolées, chinées, rayées, avec des taches saignantes de rouge. Denise vit une tartanelle[6] à quarante-cinq centimes, des bandes de vison d'Amérique à un franc, et des mitaines à cinq sous. C'était un déballage géant

75 de foire, le magasin semblait crever et jeter son trop-plein à la rue.

 L'oncle Baudu était oublié. Pépé lui-même, qui ne lâchait pas la main de sa sœur, ouvrait des yeux énormes. Une voiture les força tous trois à quitter le milieu de la place ; et,

1. *Mérinos, cheviottes, molletons* : trois variétés de lainages, plus ou moins fins. \ **2.** *Garnitures* : ornements. \ **3.** *Petit-gris* : écureuil de Russie dont on utilise la fourrure grise. \ **4.** *Hermine, martre* : deux animaux dont la fourrure, précieuse, est utilisée dans le vêtement. \ **5.** *Capelines* : chapeaux de femmes à larges bords. \ **6.** *Tartanelle* : étoffe de laine à carreaux de différentes couleurs.

80 machinalement, ils prirent la rue Neuve-Saint-Augustin, ils suivirent les vitrines, s'arrêtant de nouveau devant chaque étalage. D'abord, ils furent séduits par un arrangement compliqué : en haut, des parapluies, posés obliquement, semblaient mettre un toit de cabane rustique ; dessous, des bas
85 de soie, pendus à des tringles, montraient des profils arrondis de mollets, les uns semés de bouquets de roses, les autres de toutes nuances, les noirs à jour[1], les rouges à coins brodés, les chairs[2] dont le grain satiné avait la douceur d'une peau de blonde ; enfin, sur le drap[3] de l'étagère, des gants étaient jetés
90 symétriquement, avec leurs doigts allongés, leur paume étroite de vierge byzantine[4], cette grâce raidie et comme adolescente des chiffons de femme qui n'ont pas été portés. Mais la dernière vitrine surtout les retint. Une exposition de soies, de satins et de velours, y épanouissait, dans une gamme souple et vibrante,
95 les tons les plus délicats des fleurs : au sommet, les velours, d'un noir profond, d'un blanc de lait caillé ; plus bas, les satins, les roses, les bleus, aux cassures vives, se décolorant en pâleurs d'une tendresse infinie ; plus bas encore, les soies, toute l'écharpe de l'arc-en-ciel, des pièces retroussées en coques, plis-
100 sées comme autour d'une taille qui se cambre, devenues vivantes sous les doigts savants des commis ; et, entre chaque motif, entre chaque phrase colorée de l'étalage, courait un accompagnement discret, un léger cordon bouillonné[5] de foulard crème. C'était là, aux deux bouts, que se trouvaient, en piles colossales, les
105 deux soies dont la maison avait la propriété exclusive, le Paris-Bonheur et le Cuir-d'Or[6], des articles exceptionnels, qui allaient révolutionner le commerce des nouveautés.

1. *À jour* : décoré de petits trous. \ **2.** *Chairs* : bas de couleur chair, c'est-à-dire de la couleur de la peau. \ **3.** *Drap* : tissu de laine. \ **4.** *Vierge byzantine* : les sujets religieux (christs, vierges, saints), dans l'art byzantin, sont représentés avec des mains très longues et très étroites. \ **5.** *Bouillonné* : froncé. \ **6.** *Le Paris-Bonheur et le Cuir-d'Or* : ces deux soies, la première à lisière bleu et argent, la seconde à lisière rouge et jaune, furent vendues à partir de 1882 au magasin du *Louvre*.

— Oh! cette faille[1] à cinq francs soixante! murmura Denise, étonnée devant le Paris-Bonheur.

Jean commençait à s'ennuyer. Il arrêta un passant.

— La rue de la Michodière, monsieur?

Quand on la lui eut indiquée, la première à droite, tous trois revinrent sur leurs pas, en tournant autour du magasin. Mais, comme elle entrait dans la rue, Denise fut reprise par une vitrine, où étaient exposées des confections[2] pour dames. Chez Cornaille, à Valognes, elle était spécialement chargée des confections. Et jamais elle n'avait vu cela, une admiration la clouait sur le trottoir. Au fond, une grande écharpe en dentelle de Bruges, d'un prix considérable, élargissait un voile d'autel, deux ailes déployées, d'une blancheur rousse; des volants de point d'Alençon se trouvaient jetés en guirlandes; puis, c'était, à pleines mains, un ruissellement de toutes les dentelles, les malines, les valenciennes, les applications de Bruxelles, les points de Venise[3], comme une tombée de neige. À droite et à gauche, des pièces de drap dressaient des colonnes sombres, qui reculaient encore ce lointain de tabernacle[4]. Et les confections étaient là, dans cette chapelle élevée au culte des grâces de la femme: occupant le centre, un article hors ligne, un manteau de velours, avec des garnitures de renard argenté; d'un côté, une rotonde[5] de soie, doublée de petit-gris; de l'autre, un paletot[6] de drap, bordé de plumes de coq; enfin, des sorties de bal[7], en cachemire blanc, en matelassé blanc, garnies de cygne ou de chenille[8]. Il y en avait pour tous les caprices, depuis les sorties de bal à vingt-neuf francs jusqu'au manteau de velours

1. *Faille*: tissu de soie épais, de bonne tenue. \ **2.** *Confections*: prêt-à-porter (par opposition aux vêtements faits sur mesure). \ **3.** Chacune de ces villes renvoie à un type de dentelle différent. \ **4.** *Tabernacle*: petite armoire placée au centre de l'autel d'une église et qui renferme les hosties. \ **5.** *Rotonde*: manteau dont les plis forment un large cercle. \ **6.** *Paletot*: manteau court. \ **7.** *Sortie de bal*: vêtement chaud que l'on porte sur sa robe de bal, décolletée, qui permet de se protéger du froid quand on quitte la soirée. \ **8.** *Chenille*: ornement de velours en forme de chenille.

135 affiché dix-huit cents francs. La gorge ronde des mannequins gonflait l'étoffe, les hanches fortes exagéraient la finesse de la taille, la tête absente était remplacée par une grande étiquette, piquée avec une épingle dans le molleton rouge du col ; tandis que les glaces, aux deux côtés de la vitrine, par un jeu calculé,
140 les reflétaient et les multipliaient sans fin, peuplaient la rue de ces belles femmes à vendre, et qui portaient des prix en gros chiffres, à la place des têtes.

— Elles sont fameuses ! murmura Jean, qui ne trouva rien autre pour dire son émotion.

145 Du coup, il était lui-même redevenu immobile, la bouche ouverte. Tout ce luxe de la femme le rendait rose de plaisir. Il avait la beauté d'une fille, une beauté qu'il semblait avoir volée à sa sœur, la peau éclatante, les cheveux roux et frisés, les lèvres et les yeux mouillés de tendresse. Près de lui, dans son
150 étonnement, Denise paraissait plus mince encore, avec son visage long à la bouche trop grande, son teint fatigué déjà, sous sa chevelure pâle. Et Pépé, également blond, d'un blond d'enfance, se serrait davantage contre elle, comme pris d'un besoin inquiet de caresses, troublé et ravi par les belles dames de la
155 vitrine. Ils étaient si singuliers et si charmants, sur le pavé, ces trois blonds vêtus pauvrement de noir, cette fille triste entre ce joli enfant et ce garçon superbe, que les passants se retournaient avec des sourires.

Depuis un instant, un gros homme à cheveux blancs et à
160 grande face jaune, debout sur le seuil d'une boutique, de l'autre côté de la rue, les regardait. Il était là, le sang aux yeux, la bouche contractée, mis hors de lui par les étalages du *Bonheur des Dames*, lorsque la vue de la jeune fille et de ses frères avait achevé de l'exaspérer. Que faisaient-ils, ces trois nigauds, à
165 bâiller ainsi devant des parades de charlatan ?

— Et l'oncle ? fit remarquer brusquement Denise, comme éveillée en sursaut.

— Nous sommes rue de la Michodière, dit Jean, il doit loger par ici.

170 — Ils levèrent la tête, se retournèrent. Alors, juste devant eux, au-dessus du gros homme, ils aperçurent une enseigne verte, dont les lettres jaunes déteignaient sous la pluie : *Au Vieil Elbeuf, draps et flanelles, Baudu, successeur de Hauchecorne.* La maison, enduite d'un ancien badigeon rouillé, toute plate

175 au milieu des grands hôtels Louis XIV qui l'avoisinaient, n'avait que trois fenêtres de façade ; et ces fenêtres, carrées, sans persiennes, étaient simplement garnies d'une rampe de fer, deux barres en croix. Mais, dans cette nudité, ce qui frappa surtout Denise, dont les yeux restaient pleins des clairs

180 étalages du *Bonheur des Dames*, ce fut la boutique du rez-de-chaussée, écrasée de plafond, surmontée d'un entresol très bas, aux baies de prison, en demi-lune. Une boiserie, de la couleur de l'enseigne, d'un vert bouteille que le temps avait nuancé d'ocre et de bitume, ménageait, à droite et à gauche,

185 deux vitrines profondes, noires, poussiéreuses, où l'on distinguait vaguement des pièces d'étoffe entassées. La porte, ouverte, semblait donner sur les ténèbres humides d'une cave.

— C'est là, reprit Jean,

— Eh bien ! il faut entrer, déclara Denise. Allons, viens,

190 Pépé.

Tous trois pourtant se troublaient, saisis de timidité. Lorsque leur père était mort, emporté par la même fièvre qui avait pris leur mère, un mois auparavant, l'oncle Baudu, dans l'émotion de ce double deuil, avait bien écrit à sa nièce qu'il y aurait

195 toujours chez lui une place pour elle, le jour où elle voudrait tenter la fortune à Paris ; mais cette lettre remontait déjà à près d'une année, et la jeune fille se repentait maintenant d'avoir ainsi quitté Valognes, en un coup de tête, sans avertir son oncle. Celui-ci ne les connaissait point, n'ayant plus remis les pieds

200 là-bas, depuis qu'il en était parti tout jeune, pour entrer

comme petit commis chez le drapier Hauchecorne, dont il avait fini par épouser la fille.

— Monsieur Baudu ? demanda Denise, en se décidant enfin à s'adresser au gros homme, qui les regardait toujours, surpris
205 de leurs allures.

— C'est moi, répondit-il.

Alors, Denise rougit fortement et balbutia :

— Ah ! tant mieux !... Je suis Denise, et voici Jean, et voici Pépé... Vous voyez, nous sommes venus, mon oncle.

210 Baudu parut frappé de stupéfaction. Ses gros yeux rouges vacillaient dans sa face jaune, ses paroles lentes s'embarrassaient. Il était évidemment à mille lieues de cette famille qui lui tombait sur les épaules.

— Comment ! Comment ! vous voilà ! répéta-t-il à plusieurs
215 reprises. Mais vous étiez à Valognes !... Pourquoi n'êtes-vous pas à Valognes ?

De sa voix douce, un peu tremblante, elle dut lui donner des explications. Après la mort de leur père, qui avait mangé jusqu'au dernier sou dans sa teinturerie, elle était restée la mère
220 des deux enfants. Ce qu'elle gagnait chez Cornaille ne suffisait point à les nourrir tous les trois. Jean travaillait bien chez un ébéniste, un réparateur de meubles anciens ; mais il ne touchait pas un sou. Pourtant, il prenait goût aux vieilleries, il taillait des figures dans du bois ; même, un jour, ayant découvert un
225 morceau d'ivoire, il s'était amusé à faire une tête, qu'un monsieur de passage avait vue ; et, justement, c'était ce monsieur qui les avait décidés à quitter Valognes, en trouvant à Paris une place pour Jean, chez un ivoirier.

— Vous comprenez, mon oncle, Jean entrera dès demain en
230 apprentissage, chez son nouveau patron. On ne me demande pas d'argent, il sera logé et nourri... Alors, j'ai pensé que Pépé et moi, nous nous tirerions toujours d'affaire. Nous ne pouvons pas être plus malheureux qu'à Valognes.

Ce qu'elle taisait, c'était l'escapade amoureuse de Jean, des
235 lettres écrites à une fillette noble de la ville, des baisers échangés
par-dessus un mur, tout un scandale qui l'avait déterminée au
départ; et elle accompagnait surtout son frère à Paris pour
veiller sur lui, prise de terreurs maternelles, devant ce grand
enfant si beau et si gai, que toutes les femmes adoraient.

240 L'oncle Baudu ne pouvait se remettre. Il reprenait ses ques-
tions. Cependant, quand il l'eut ainsi entendue parler de ses
frères, il la tutoya.

— Ton père ne vous a donc rien laissé? Moi, je croyais qu'il
y avait encore quelques sous. Ah! je lui ai assez conseillé, dans
245 mes lettres, de ne pas prendre cette teinturerie! Un brave cœur,
mais pas deux liards[1] de tête!... Et tu es restée avec ces
gaillards sur les bras, tu as dû nourrir ce petit monde!

Sa face bilieuse[2] s'était éclairée, il n'avait plus les yeux
saignants dont il regardait le *Bonheur des Dames*. Brusquement,
250 il s'aperçut qu'il barrait la porte.

— Allons, dit-il, entrez, puisque vous êtes venus... Entrez,
ça vaudra mieux que de baguenauder[3] devant des bêtises.

Et, après avoir adressé aux étalages d'en face une dernière
moue de colère, il livra passage aux enfants, il pénétra le
255 premier dans la boutique, en appelant sa femme et sa fille.

— Élisabeth, Geneviève, arrivez donc, voici du monde pour
vous!

Mais Denise et les petits eurent une hésitation devant les
ténèbres de la boutique. Aveuglés par le plein jour de la rue,
260 ils battaient des paupières comme au seuil d'un trou inconnu,
tâtant le sol du pied, ayant la peur instinctive de quelque
marche traîtresse. Et, rapprochés encore par cette crainte vague,
se serrant davantage les uns contre les autres, le gamin toujours

1. *Liards*: ancienne monnaie française qui valait le quart du sou, soit une somme insigni-
fiante. \ 2. *Bilieuse*: encline à la colère et à l'inquiétude. \ 3. *Baguenauder*: flâner.

dans les jupes de la jeune fille et le grand derrière, ils faisaient
265 leur entrée avec une grâce souriante et inquiète. La clarté mati-
nale découpait la noire silhouette de leurs vêtements de deuil,
un jour oblique dorait leurs cheveux blonds.

— Entrez, entrez, répétait Baudu.

En quelques phrases brèves, il mettait au courant M^{me} Baudu
270 et sa fille. La première était une petite femme mangée
d'anémie[1], toute blanche, les cheveux blancs, les yeux blancs,
les lèvres blanches. Geneviève, chez qui s'aggravait encore la
dégénérescence de sa mère, avait la débilité[2] et la décoloration
d'une plante grandie à l'ombre. Pourtant, des cheveux noirs
275 magnifiques, épais et lourds, poussés comme par miracle dans
cette chair pauvre, lui donnaient un charme triste.

— Entrez, firent à leur tour les deux femmes. Vous êtes les
bienvenus.

Et elles firent asseoir Denise derrière un comptoir. Aussitôt,
280 Pépé monta sur les genoux de sa sœur, tandis que Jean, adossé
contre une boiserie, se tenait près d'elle. Ils se rassuraient,
regardaient la boutique, où leurs yeux s'habituaient à l'obscu-
rité. Maintenant, ils la voyaient, avec son plafond bas et
enfumé, ses comptoirs de chêne polis par l'usage, ses casiers
285 séculaires aux fortes ferrures. Des ballots de marchandises
sombres montaient jusqu'aux solives[3]. L'odeur des draps et des
teintures, une odeur âpre de chimie, semblait décuplée par
l'humidité du plancher. Au fond, deux commis et une demoi-
selle rangeaient des pièces de flanelle blanche.

290 — Peut-être ce petit monsieur-là prendrait-il volontiers
quelque chose ? dit Mme Baudu en souriant à Pépé.

— Non, merci, répondit Denise. Nous avons bu une tasse de
lait dans un café, devant la gare.

1. *Anémie* : diminution du nombre de globules rouges dans le sang. \ 2. *Débilité* : extrême
faiblesse. \ 3. *Solives* : pièces de charpente sur lesquelles sont fixés les planchers.

Et, comme Geneviève regardait le léger paquet qu'elle avait
295 posé par terre, elle ajouta :

— J'ai laissé notre malle là-bas.

Elle rougissait, elle comprenait qu'on ne tombait pas de la
sorte chez le monde. Déjà, dans le wagon, dès que le train avait
quitté Valognes, elle s'était sentie pleine de regret ; et voilà
300 pourquoi, à l'arrivée, elle avait laissé la malle et fait déjeuner
les enfants.

— Voyons, dit tout d'un coup Baudu, causons peu et causons
bien… Je t'ai écrit, c'est vrai, mais il y a un an ; et, vois-tu, ma
pauvre fille, les affaires n'ont guère marché, depuis un an…
305 Il s'arrêta, étranglé par une émotion qu'il ne voulait pas
montrer. M^me Baudu et Geneviève, l'air résigné, avaient baissé
les yeux.

— Oh ! continua-t-il, c'est une crise qui passera. Je suis bien
tranquille… Seulement, j'ai diminué mon personnel, il n'y a
310 plus ici que trois personnes, et le moment n'est guère venu d'en
engager une quatrième. Enfin, je ne puis te prendre comme je
te l'offrais, ma pauvre fille.

Denise l'écoutait, saisie, toute pâle. Il insista, en ajoutant :

— Ça ne vaudrait rien, ni pour toi, ni pour nous.
315 — C'est bien, mon oncle, finit-elle par dire péniblement. Je
tâcherai de m'en tirer tout de même.

Les Baudu n'étaient pas de mauvaises gens. Mais ils se plai-
gnaient de n'avoir jamais eu de chance. Au temps où leur
commerce marchait, ils avaient dû élever cinq garçons, dont
320 trois étaient morts à vingt ans ; le quatrième avait mal tourné,
le cinquième venait de partir pour le Mexique[1], comme capi-
taine. Il ne leur restait que Geneviève. Cette famille avait coûté
gros, et Baudu s'était achevé, en achetant à Rambouillet,

1. Allusion à l'expédition française au Mexique, entreprise en 1862 (voir Dossier, « L'œuvre
dans l'histoire, p. 519).

le pays du père de sa femme, une grande baraque de maison.
325 Aussi toute une aigreur grandissait-elle, dans sa loyauté
maniaque de vieux commerçant.

— On prévient, reprit-il en se fâchant peu à peu de sa propre
dureté. Tu pouvais m'écrire, je t'aurais répondu de rester là-
bas… Quand j'ai appris la mort de ton père, parbleu ! je t'ai dit
330 ce qu'on dit d'habitude. Mais tu tombes là, sans crier gare…
C'est très embarrassant.

Il haussait la voix, il se soulageait. Sa femme et sa fille
restaient les regards à terre, en personnes soumises qui ne se
permettaient jamais d'intervenir. Cependant, tandis que Jean
335 blêmissait, Denise avait serré contre sa poitrine Pépé terrifié.
Elle laissa tomber deux grosses larmes.

— C'est bien, mon oncle, répéta-t-elle. Nous allons nous en
aller.

Du coup, il se contint. Un silence embarrassé régna. Puis,
340 il reprit d'un ton bourru :

— Je ne vous mets pas à la porte… Puisque vous êtes entrés
maintenant, vous coucherez toujours en haut, ce soir. Nous
verrons après.

Alors, Mᵐᵉ Baudu et Geneviève comprirent, sur un regard,
345 qu'elles pouvaient arranger les choses. Tout fut réglé. Il n'y avait
point à s'occuper de Jean. Quant à Pépé, il serait à merveille
chez Mᵐᵉ Gras, une vieille dame qui habitait un grand rez-de-
chaussée, rue des Orties, où elle prenait en pension complète des
enfants jeunes, moyennant quarante francs par mois. Denise
350 déclara qu'elle avait de quoi payer le premier mois. Il ne restait
donc qu'à la placer elle-même. On lui trouverait bien une place
dans le quartier.

— Est-ce que Vinçard ne demandait pas une vendeuse ? dit
Geneviève.

355 — Tiens ! c'est vrai ! cria Baudu. Nous irons le voir après
déjeuner. Il faut battre le fer pendant qu'il est chaud.

Pas un client n'était venu déranger cette explication de famille. La boutique restait noire et vide. Au fond, les deux commis et la demoiselle continuaient leur besogne avec des
360 paroles chuchotées et sifflantes. Pourtant, trois dames se présentèrent, Denise resta seule un instant. Elle baisa Pépé, le cœur gros, à l'idée de leur prochaine séparation. L'enfant, câlin comme un petit chat, cachait sa tête, sans prononcer une parole. Quand M^me Baudu et Geneviève revinrent, elles le
365 trouvèrent bien sage, et Denise assura qu'il ne faisait jamais plus de bruit: il restait muet les journées entières, vivant de caresses. Alors, jusqu'au déjeuner, toutes trois parlèrent des enfants, du ménage, de la vie à Paris et en province, par phrases courtes et vagues, en parentes un peu embarrassées de ne pas
370 se connaître. Jean était allé sur le seuil de la boutique et n'en bougeait plus, intéressé par la vie des trottoirs, souriant aux jolies filles qui passaient.

À dix heures, une bonne parut. D'ordinaire, la table était servie pour Baudu, Geneviève et le premier commis. Il y avait
375 une seconde table à onze heures pour M^me Baudu, l'autre commis et la demoiselle.

– À la soupe! cria le drapier, en se tournant vers sa nièce.

Et, comme tous étaient assis déjà dans l'étroite salle à manger, derrière la boutique, il appela le premier commis qui
380 s'attardait.

– Colomban!

Le jeune homme s'excusa, ayant voulu finir de ranger les flanelles. C'était un gros garçon de vingt-cinq ans, lourd et madré[1]. Sa face honnête, à la grande bouche molle, avait des
385 yeux de ruse.

– Que diable! il y a temps pour tout, disait Baudu, qui, installé carrément, découpait un morceau de veau froid, avec

1. *Madré*: malin, rusé.

une prudence et une adresse de patron, pesant les minces parts du coup d'œil, à un gramme près.

390 Il servit tout le monde, coupa même le pain. Denise avait pris Pépé auprès d'elle, pour le faire manger proprement. Mais la salle obscure l'inquiétait ; elle la regardait, elle se sentait le cœur serré, elle qui était habituée aux larges pièces, nues et claires, de sa province. Une seule fenêtre ouvrait sur
395 une petite cour intérieure, communiquant avec la rue par l'allée noire de la maison ; et cette cour, trempée, empestée, était comme un fond de puits, où tombait un rond de clarté louche. Les jours d'hiver, on devait allumer le gaz du matin au soir. Lorsque le temps permettait de ne pas allumer, c'était
400 plus triste encore. Il fallut un instant à Denise, pour accoutumer ses yeux et distinguer suffisamment les morceaux sur son assiette.

— Voilà un gaillard qui a bon appétit, déclara Baudu en constatant que Jean avait achevé son veau. S'il travaille autant
405 qu'il mange, ça fera un rude homme... Mais toi, ma fille, tu ne manges pas ?... Et dis moi, maintenant qu'on peut causer, pourquoi ne t'es-tu pas mariée, à Valognes ?

Denise lâcha son verre qu'elle portait à sa bouche.

— Oh ! mon oncle, me marier ! vous n'y pensez pas !... Et les
410 petits ?

Elle finit par rire, tant l'idée lui semblait baroque.

D'ailleurs, est-ce qu'un homme aurait voulu d'elle, sans un sou, pas plus grosse qu'une mauviette, et pas belle encore ? Non, non, jamais elle ne se marierait, elle avait assez déjà de
415 deux enfants.

— Tu as tort, répétait l'oncle, une femme a toujours besoin d'un homme. Si tu avais trouvé un brave garçon, vous ne seriez pas tombés sur le pavé de Paris, toi et tes frères, comme des bohémiens.

420 Il s'interrompit, pour partager de nouveau, avec une parci-

monie [1] pleine de justice, un plat de pommes de terre au lard,
que la bonne apportait. Puis, désignant de la cuiller Geneviève
et Colomban :

— Tiens ! reprit-il, ces deux-là seront mariés au printemps,
425 si la saison d'hiver est bonne.

C'était l'habitude patriarcale de la maison. Le fondateur,
Aristide Finet, avait donné sa fille Désirée à son premier commis
Hauchecorne ; lui, Baudu, débarqué rue de la Michodière avec
sept francs dans sa poche, avait épousé la fille du père Hauche-
430 corne, Élisabeth : et il entendait à son tour céder sa fille Gene-
viève et la maison à Colomban, dès que les affaires repren-
draient. S'il retardait ainsi un mariage décidé depuis trois ans,
c'était par un scrupule, un entêtement de probité [2] : il avait reçu
la maison prospère, il ne voulait point la passer aux mains d'un
435 gendre, avec une clientèle moindre et des opérations douteuses.

Baudu continua, présenta Colomban qui était de Rambouillet,
comme le père de M[me] Baudu ; même il existait entre eux un
cousinage éloigné. Un gros travailleur, qui, depuis dix années,
trimait dans la boutique, et qui avait gagné ses grades ronde-
440 ment ! D'ailleurs, il n'était pas le premier venu, il avait pour
père ce noceur de Colomban, un vétérinaire connu de tout
Seine-et-Oise, un artiste dans sa partie, mais tellement porté
sur sa bouche [3], qu'il mangeait tout.

— Dieu merci ! dit le drapier pour conclure, si le père boit
445 et court la gueuse, le fils a su apprendre ici le prix de l'argent.

Pendant qu'il parlait, Denise examinait Colomban et Gene-
viève. Ils étaient à table l'un près de l'autre ; mais ils y restaient
bien tranquilles, sans une rougeur, sans un sourire. Depuis le
jour de son entrée, le jeune homme comptait sur ce mariage.
450 Il avait passé par les différentes étapes, petit commis, vendeur

1. *Parcimonie* : mesure, économie. \ 2. *Probité* : honnêteté. \ 3. *Porté sur sa bouche* : gourmand
(expression familière).

appointé, admis enfin aux confidences et aux plaisirs de la famille, le tout patiemment, menant une vie d'horloge, regardant Geneviève comme une affaire excellente et honnête. La certitude de l'avoir l'empêchait de la désirer. Et la jeune fille,
455 elle aussi, s'était accoutumée à l'aimer, mais avec la gravité de sa nature contenue, et d'une passion profonde qu'elle ignorait elle-même, dans son existence plate et réglée de tous les jours.

— Quand on se plaît et qu'on le peut, crut devoir dire Denise en souriant, pour se montrer aimable.

460 — Oui, on finit toujours par là, déclara Colomban, qui n'avait pas encore lâché une parole, mâchant avec lenteur.

Geneviève, après avoir jeté sur lui un long regard, dit à son tour :

— Il faut s'entendre, ensuite, ça va tout seul.

465 Leurs tendresses avaient poussé dans ce rez-de-chaussée du vieux Paris. C'était comme une fleur de cave. Depuis dix ans, elle ne connaissait que lui, vivait les journées à son côté, derrière les mêmes piles de drap, au fond des ténèbres de la boutique ; et, matin et soir, tous deux se retrouvaient coude à coude, dans
470 l'étroite salle à manger, d'une fraîcheur de puits. Ils n'auraient pas été plus cachés, plus perdus, en pleine campagne, sous des feuillages. Seul un doute, une crainte jalouse devait faire découvrir à la jeune fille qu'elle s'était donnée à jamais, au milieu de cette ombre complice, par vide de cœur et ennui de tête.

475 Cependant, Denise avait cru remarquer une inquiétude naissante, dans le regard jeté par Geneviève sur Colomban, Aussi répondit-elle, d'un air d'obligeance :

— Bah ! quand on s'aime, on s'entend toujours.

Mais Baudu surveillait la table avec autorité. Il avait
480 distribué des languettes de brie, et pour fêter ses parents, il demanda un second dessert, un pot de confiture de groseilles, largesse qui parut surprendre Colomban. Pépé, jusque-là très sage, se conduisit mal devant les confitures. Jean, pris d'intérêt

pendant la conversation sur le mariage, dévisageait la cousine
485 Geneviève, qu'il trouvait trop molle, trop pâle, et qu'il compa-
rait au fond de lui à un petit lapin blanc, avec des oreilles noires
et des yeux rouges.

— Assez causé, et place aux autres! conclut le drapier, en
donnant le signal de se lever de table. Ce n'est pas une raison,
490 quand on se permet un extra, pour abuser de tout.

M. Baudu, l'autre commis et la demoiselle, vinrent s'atta-
bler à leur tour. Denise, de nouveau, resta seule, assise près de
la porte, en attendant que son oncle pût la conduire chez
Vinçard. Pépé jouait à ses pieds, Jean avait repris son poste
495 d'observation, sur le seuil. Et, pendant près d'une heure, elle
s'intéressa aux choses qui se passaient autour d'elle. De loin en
loin, entraient des clientes : une dame parut, puis deux autres.
La boutique gardait son odeur de vieux, son demi-jour, où tout
l'ancien commerce, bonhomme et simple, semblait pleurer
500 d'abandon. Mais, de l'autre côté de la rue, ce qui la passionnait,
c'était le *Bonheur des Dames*, dont elle apercevait les vitrines, par
la porte ouverte. Le ciel demeurait voilé, une douceur de pluie
attiédissait l'air, malgré la saison ; et, dans ce jour blanc, où il
y avait comme une poussière diffuse de soleil, le grand magasin
505 s'animait, en pleine vente.

Alors, Denise eut la sensation d'une machine, fonctionnant
à haute pression, et dont le branle[1] aurait gagné jusqu'aux
étalages. Ce n'étaient plus les vitrines froides de la matinée ;
maintenant, elles paraissaient comme chauffées et vibrantes de
510 la trépidation[2] intérieure. Du monde les regardait, des femmes
arrêtées s'écrasaient devant les glaces, toute une foule brutale
de convoitise, Et les étoffes vivaient, dans cette passion du trot-
toir : les dentelles avaient un frisson, retombaient et cachaient
les profondeurs du magasin, d'un air troublant de mystère ;

1. *Branle* : mouvement d'oscillation. \ 2. *Trépidation* : agitation.

515 les pièces de drap elles-mêmes, épaisses et carrées, respiraient, soufflaient une haleine tentatrice ; tandis que les paletots se cambraient davantage sur les mannequins qui prenaient une âme, et que le grand manteau de velours se gonflait, souple et tiède, comme sur des épaules de chair, avec les battements de
520 la gorge et le frémissement des reins. Mais la chaleur d'usine dont la maison flambait, venait surtout de la vente, de la bousculade des comptoirs, qu'on sentait derrière les murs. Il y avait là le ronflement continu de la machine à l'œuvre, un enfournement de clientes, entassées devant les rayons, étourdies sous
525 les marchandises, puis jetées à la caisse. Et cela réglé, organisé avec une rigueur mécanique, tout un peuple de femmes passant dans la force et la logique des engrenages.

Denise, depuis le matin, subissait la tentation. Ce magasin, si vaste pour elle, où elle voyait entrer en une heure plus de
530 monde qu'il n'en venait chez Cornaille en six mois, l'étourdissait et l'attirait ; et il y avait, dans son désir d'y pénétrer, une peur vague qui achevait de la séduire. En même temps, la boutique de son oncle lui causait un sentiment de malaise. C'était un dédain irraisonné, une répugnance instinctive pour
535 ce trou glacial de l'ancien commerce. Toutes ses sensations, son entrée inquiète, l'accueil aigri de ses parents, le déjeuner triste sous un jour de cachot, son attente au milieu de la solitude ensommeillée de cette vieille maison agonisante, se résumaient en une sourde protestation, en une passion de la vie et
540 de la lumière. Et, malgré son bon cœur, ses yeux retournaient toujours au *Bonheur des Dames*, comme si la vendeuse en elle avait eu le besoin de se réchauffer au flamboiement de cette grande vente.

— En voilà qui ont du monde, au moins ! laissa-t-elle
545 échapper.

Mais elle regretta cette parole, en apercevant les Baudu près d'elle. M^{me} Baudu, qui avait achevé de déjeuner, était debout,

toute blanche, ses yeux blancs fixés sur le monstre ; et, résignée, elle ne pouvait le voir, le rencontrer ainsi de l'autre côté de la rue, sans qu'un désespoir muet gonflât ses paupières. Quant à Geneviève, elle surveillait avec une inquiétude croissante Colomban, qui, ne se croyant pas guetté, restait en extase, les regards levés sur les vendeuses des confections, dont on apercevait le comptoir, derrière les glaces de l'entresol. Baudu, la bile[1] au visage, se contenta de dire :

— Tout ce qui reluit n'est pas d'or. Patience !

La famille, évidemment, renfonçait le flot de rancune qui lui montait à la gorge. Une pensée d'amour-propre l'empêchait de se livrer si vite, devant ces enfants arrivés du matin. Enfin, le drapier fit un effort, se détourna pour s'arracher au spectacle de la vente d'en face.

— Eh bien ! reprit-il, voyons chez Vinçard. Les places sont courues, demain il ne serait plus temps peut-être.

Mais, avant de sortir, il donna l'ordre au second commis d'aller à la gare prendre la malle de Denise. De son côté, M^{me} Baudu, à laquelle la jeune fille confiait Pépé, décida qu'elle profiterait d'un moment, pour mener le petit rue des Orties, chez M^{me} Gras, afin de causer et de s'entendre. Jean promit à sa sœur de ne pas bouger de la boutique.

— Nous en avons pour deux minutes, expliqua Baudu, pendant qu'il descendait la rue Gaillon avec sa nièce. Vinçard a créé une spécialité de soie, où il fait encore des affaires. Oh ! il a de la peine comme tout le monde, mais c'est un finaud qui joint les deux bouts par une avarice de chien… Je crois pourtant qu'il veut se retirer, à cause de ses rhumatismes.

Le magasin se trouvait rue Neuve-des-Petits-Champs, près du passage Choiseul. Il était propre et clair, d'un luxe tout moderne, petit pourtant, et pauvre de marchandises. Baudu et

1. *Bile* : liquide sécrété par le foie, qu'on lie aux manifestations de la colère.

Denise trouvèrent Vinçard en grande conférence avec deux
580 messieurs.

— Ne vous dérangez pas, cria le drapier. Nous ne sommes
pas pressés, nous attendrons.

Et, revenant par discrétion vers la porte, se penchant à
l'oreille de la jeune fille, il ajouta :

585 — Le maigre est au *Bonheur* second à la soie, et le gros est un
fabricant de Lyon.

Denise comprit que Vinçard poussait son magasin à Robi-
neau, le commis du *Bonheur des Dames*. L'air franc, la mine
ouverte, il donnait sa parole d'honneur, avec la facilité d'un
590 homme que les serments ne gênaient pas. Selon lui, sa maison
était une affaire d'or ; et, dans l'éclat de sa grosse santé, il s'in-
terrompait pour geindre, pour se plaindre de ses sacrées dou-
leurs, qui le forçaient à manquer sa fortune. Mais Robineau,
nerveux et tourmenté, l'interrompait avec impatience : il
595 connaissait la crise que les nouveautés traversaient, il citait une
spécialité de soie tuée déjà par le voisinage du *Bonheur*. Vinçard,
enflammé, éleva la voix.

— Parbleu ! la culbute de ce grand serin de Vabre[1] était
fatale. Sa femme mangeait tout… Puis, nous sommes ici à plus
600 de cinq cents mètres, tandis que Vabre se trouvait porte à porte
avec l'autre.

Alors, Gaujean, le fabricant de soies, intervint. De nouveau,
les voix baissèrent. Lui, accusait les grands magasins de ruiner
la fabrication française ; trois ou quatre lui faisaient la loi,
605 régnaient en maîtres sur le marché ; et il laissait entendre que
la seule façon de les combattre était de favoriser le petit
commerce, les spécialités surtout, auxquelles l'avenir apparte-
nait. Aussi offrait-il des crédits très larges à Robineau.

1. *Ce grand serin de Vabre* : ce crétin, ce nigaud de Vabre. Ce personnage de commerçant
apparaît dans *Pot-Bouille* (1882), dixième roman des *Rougon-Macquart*. Il est marié à Berthe,
l'une des conquêtes du jeune Octave Mouret.

— Voyez comme le *Bonheur* s'est conduit à votre égard ! répétait-il. Aucun compte des services rendus, des machines à exploiter le monde !... La situation de premier[1] vous était promise depuis longtemps, lorsque Bouthemont, qui arrivait du dehors et qui n'avait aucun titre, l'a obtenue du coup.

La plaie de cette injustice saignait encore chez Robineau. Pourtant, il hésitait à s'établir, il expliquait que l'argent ne venait pas de lui ; c'était sa femme qui avait hérité de soixante mille francs, et il se montrait plein de scrupules devant cette somme, il aurait mieux aimé, disait-il, se couper tout de suite les deux poings, que de la compromettre dans de mauvaises affaires.

— Non, je ne suis pas décidé, finit-il par conclure. Laissez-moi le temps de réfléchir, nous en recauserons.

— Comme vous voudrez, dit Vinçard en cachant son désappointement sous un air bonhomme. Mon intérêt n'est pas de vendre. Allez, sans mes douleurs...

Et, revenant au milieu du magasin :

— Qu'y a-t-il pour votre service, monsieur Baudu ?

Le drapier, qui écoutait d'une oreille, présenta Denise, conta ce qu'il voulut de son histoire, dit qu'elle avait travaillé deux ans en province.

— Et, comme vous cherchez une bonne vendeuse, m'a-t-on appris...

Vinçard affecta un grand désespoir.

— Oh ! c'est jouer de guignon[2] ! Sans doute, j'ai cherché une vendeuse pendant huit jours. Mais je viens d'en arrêter une, il n'y a pas deux heures.

Un silence régna. Denise semblait consternée. Alors, Robineau qui la regardait avec intérêt, apitoyé sans doute par sa mine pauvre, se permit un renseignement.

1. *Premier* : chef de rayon, responsable des achats de marchandise et de la gestion d'un rayon.
\ **2.** *Guignon* : malchance.

— Je sais qu'on a besoin chez nous de quelqu'un, au rayon
640 des confections.

Baudu ne put retenir ce cri de son cœur :

— Chez vous, ah ! non, par exemple !

Puis, il resta embarrassé. Denise était devenue toute rouge ;
entrer dans ce grand magasin, jamais elle n'oserait ! et l'idée d'y
645 être la comblait d'orgueil.

— Pourquoi donc ? reprit Robineau surpris. Ce serait au
contraire une chance pour mademoiselle... Je lui conseille de
se présenter demain matin à M^{me} Aurélie, la première. Le pis
qui puisse lui arriver, c'est de n'être pas acceptée.

650 Le drapier, pour cacher sa révolte intérieure, se jeta dans des
phrases vagues : il connaissait M^{me} Aurélie, ou du moins son
mari, Lhomme, le caissier, un gros qui avait eu le bras droit
coupé par un omnibus. Puis, revenant brusquement à Denise :

— D'ailleurs, c'est son affaire, ce n'est pas la mienne... Elle
655 est bien libre.

Et il sortit, après avoir salué Gaujean et Robineau. Vinçard
l'accompagna jusqu'à la porte, en renouvelant l'expression de
ses regrets. La jeune fille était demeurée au milieu du magasin,
intimidée, désireuse d'obtenir du commis des renseignements
660 plus complets. Mais elle n'osa pas, elle salua à son tour et dit
simplement :

— Merci, monsieur.

Sur le trottoir, Baudu n'adressa pas la parole à sa nièce. Il
marchait vite, il la forçait à courir, comme emporté par ses
665 réflexions. Rue de la Michodière, il allait rentrer chez lui, lors-
qu'un boutiquier voisin, debout sur la porte, l'appela d'un
signe. Denise s'arrêta pour l'attendre.

— Quoi donc, père Bourras ? demanda le drapier.

Bourras était un grand vieillard à tête de prophète, chevelu
670 et barbu, avec des yeux perçants sous de gros sourcils
embroussaillés. Il tenait un commerce de cannes et de para-

pluies, faisait les raccommodages, sculptait même des manches, ce qui lui avait conquis une célébrité d'artiste dans le quartier. Denise donna un coup d'œil aux vitrines de la
675 boutique, où les parapluies et les cannes s'alignaient par files régulières. Mais elle leva les yeux, et la maison surtout l'étonna : une masure prise entre le *Bonheur des Dames* et un grand hôtel Louis XIV, poussée on ne savait comment dans cette fente étroite, au fond de laquelle ses deux étages bas
680 s'écrasaient. Sans les soutiens de droite et de gauche, elle serait tombée, les ardoises de sa toiture tordues et pourries, sa façade de deux fenêtres couturée de lézardes, coulant en longues taches de rouille sur la boiserie à demi mangée de l'enseigne.

— Vous savez qu'il a écrit à mon propriétaire pour acheter la
685 maison, dit Bourras en regardant fixement le drapier de ses yeux de flamme.

Baudu blêmit davantage et plia les épaules. Il y eut un silence, les deux hommes restaient face à face, avec leur air profond.

690 — Il faut s'attendre à tout, murmura-t-il enfin.

Alors, le vieillard s'emporta, secoua ses cheveux et sa barbe de fleuve.

— Qu'il achète la maison, il la payera quatre fois sa valeur !... Mais je vous jure que, moi vivant, il n'en aura pas une pierre.
695 Mon bail est encore de douze ans... Nous verrons, nous verrons !

C'était une déclaration de guerre. Bourras se tournait vers le *Bonheur des Dames*, que ni l'un ni l'autre n'avait nommé. Un instant, Baudu hocha la tête en silence ; puis il traversa la rue
700 pour rentrer chez lui, les jambes cassées, en répétant seulement :

— Ah ! mon Dieu !... ah ! mon Dieu !...

Denise, qui avait écouté, suivit son oncle. Mme Baudu rentrait aussi avec Pépé ; et, tout de suite, elle dit que Mme Gras prendrait l'enfant quand on voudrait. Mais Jean venait de

705 disparaître, ce fut une inquiétude pour sa sœur. Quand il
revint, le visage animé, parlant du boulevard avec passion, elle
le regarda d'un air triste qui le fit rougir. On avait apporté leur
malle, ils coucheraient en haut, sous les toits.

— À propos, et chez Vinçard ? demanda M^{me} Baudu.

710 Le drapier conta sa démarche inutile, puis ajouta qu'on avait
indiqué une place à leur nièce ; et, le bras tendu vers le *Bonheur
des Dames*, dans un geste de mépris, il lâcha ces mots :

— Tiens ! là-dedans !

Toute la famille en demeura blessée. Le soir, la première table

715 était à cinq heures. Denise et les deux enfants reprirent leur
place, avec Baudu, Geneviève et Colomban. Un bec de gaz
éclairait la petite salle à manger, où s'étouffait l'odeur de la
nourriture. Le repas fut silencieux. Mais, au dessert, M^{me} Baudu,
qui ne pouvait tenir en place, quitta la boutique pour venir s'as-

720 seoir derrière sa nièce. Et, alors, le flot contenu depuis le matin
creva, tous se soulagèrent, en tapant sur le monstre.

— C'est ton affaire, tu es bien libre, répéta d'abord Baudu.
Nous ne voulons pas t'influencer… Seulement, si tu savais
quelle maison !

725 Par phrases coupées, il conta l'histoire de cet Octave Mouret.
Toutes les chances ! Un garçon tombé du Midi à Paris, avec
l'audace aimable d'un aventurier ; et, dès le lendemain, des
histoires de femme, une continuelle exploitation de la femme,
le scandale d'un flagrant délit, dont le quartier parlait encore ;

730 puis, la conquête brusque et inexplicable de M^{me} Hédouin, qui
lui avait apporté le *Bonheur des Dames* [1].

— Cette pauvre Caroline ! interrompit M^{me} Baudu. Elle était un
peu ma parente. Ah ! si elle avait vécu, les choses tourneraient
autrement. Elle ne nous laisserait pas assassiner… Et c'est lui qui

[1]. Tous ces épisodes sont racontés dans *Pot-Bouille* (1882), dixième roman des *Rougon-
Macquart*.

735 l'a tuée. Oui, dans ses constructions! Un matin, en visitant les travaux, elle est tombée dans un trou. Trois jours après, elle mourait. Elle qui n'avait jamais été malade, qui était si bien portante, si belle!... Il y a de son sang sous les pierres de la maison.

Au travers des murs, elle désignait le grand magasin de sa 740 main pâle et tremblante. Denise, qui écoutait comme on écoute un conte de fées, eut un léger frisson. La peur qu'il y avait, depuis le matin, au fond de la tentation exercée sur elle, venait peut-être du sang de cette femme, qu'elle croyait voir maintenant dans le mortier rouge du sous-sol.

745 — On dirait que ça lui porte bonheur, ajouta M^{me} Baudu, sans nommer Mouret.

Mais le drapier haussait les épaules, dédaigneux de ces fables de nourrice. Il reprit son histoire, il expliqua la situation, commercialement. Le *Bonheur des Dames* avait été fondé en 1822 par les 750 frères Deleuze. À la mort de l'aîné, sa fille, Caroline, s'était mariée avec le fils d'un fabricant de toile, Charles Hédouin; et, plus tard, étant devenue veuve, elle avait épousé ce Mouret. Elle lui apportait donc la moitié du magasin. Trois mois après le mariage, l'oncle Deleuze décédait à son tour sans enfant; si bien que, lorsque 755 Caroline avait laissé ses os dans les fondations, ce Mouret était resté seul héritier, seul propriétaire du *Bonheur*. Toutes les chances!

— Un homme à idées, un brouillon dangereux qui bouleversera le quartier, si on le laisse faire! continua Baudu. Je crois que Caroline, un peu romanesque elle aussi, a dû être prise 760 par les projets extravagants du monsieur... Bref, il l'a décidée à acheter la maison de gauche, puis la maison de droite; et lui-même, quand il a été seul, en a acheté deux autres; de sorte que le magasin a grandi, toujours grandi, au point qu'il menace de nous manger tous, maintenant!

765 Il s'adressait à Denise, mais il parlait pour lui, remâchant, par un besoin fiévreux de se satisfaire, cette histoire qui le hantait. Dans la famille, il était le bilieux, le violent aux poings

toujours serrés. M^me Baudu n'intervenait plus, immobile sur sa chaise ; Geneviève et Colomban, les yeux baissés, ramassaient
770 et mangeaient par distraction des miettes de pain. Il faisait si chaud, si étouffé dans la petite pièce, que Pépé s'était endormi sur la table, et que les yeux de Jean lui-même se fermaient.

– Patience ! reprit Baudu, saisi d'une soudaine colère, les faiseurs[1] se casseront les reins ! Mouret traverse une crise, je le
775 sais. Il a dû mettre tous ses bénéfices dans ses folies d'agrandissement et de réclame. En outre, pour trouver des capitaux, il s'est avisé de décider la plupart de ses employés à placer leur argent chez lui. Aussi est-il sans un sou maintenant, et si un miracle ne se produit pas, s'il n'arrive pas à tripler sa vente,
780 comme il l'espère, vous verrez quelle débâcle !… Ah ! je ne suis pas méchant, mais ce jour-là, j'illumine, parole d'honneur !

Il poursuivit d'une voix vengeresse, on eût dit que la chute du *Bonheur des Dames* devait rétablir la dignité du commerce compromise. Avait-on jamais vu cela ? un magasin de
785 nouveautés, où l'on vendait de tout ! un bazar alors ! Aussi le personnel était gentil : un tas de godelureaux[2] qui manœuvraient comme dans une gare, qui traitaient les marchandises et les clientes comme des paquets, lâchant le patron ou lâché par lui pour un mot, sans affection, sans mœurs, sans art ! Et
790 il prit tout d'un coup à témoin Colomban ; certes, lui, Colomban, élevé à la bonne école, savait de quelle façon lente et sûre on arrivait aux finesses, aux roueries[3] du métier. L'art n'était pas de vendre beaucoup, mais de vendre cher. Puis, il pouvait dire comment on l'avait traité, comment il était
795 devenu de la famille, soigné lorsqu'il tombait malade, blanchi et raccommodé, surveillé paternellement, aimé enfin !

– Bien sûr, répétait Colomban, après chaque cri du patron.

1. *Faiseurs* : hommes d'affaires peu scrupuleux. \ 2. *Godelureaux* : jeunes gens qui ne se préoccupent que de leur apparence (terme familier et péjoratif). \ 3. *Roueries* : subtilités.

— Tu es le dernier, mon brave, finit par déclarer Baudu attendri. Après toi, on n'en fera plus… Toi seul me consoles,
800 car si c'est une pareille bousculade qu'on appelle à présent le commerce, je n'y entends rien, j'aime mieux m'en aller.

Geneviève, la tête penchée sur une épaule, comme si son épaisse chevelure noire eût pesé trop lourd à son front pâle, examinait le commis souriant ; et, dans son regard, il y avait un
805 soupçon, un désir de voir si Colomban, travaillé d'un remords, ne rougirait pas, sous de tels éloges. Mais, en garçon rompu[1] aux comédies du vieux négoce, il gardait sa carrure tranquille, son air bonasse, avec son pli de ruse aux lèvres.

Cependant, Baudu criait plus fort, en accusant ce déballage
810 d'en face, ces sauvages, qui se massacraient entre eux avec leur lutte pour la vie, d'en arriver à détruire la famille. Et il citait leurs voisins de campagne, les Lhomme, la mère, le père, le fils, tous les trois employés dans la baraque, des gens sans intérieur, toujours dehors, ne mangeant chez eux que le dimanche, une
815 vie d'hôtel et de table d'hôte enfin ! Certes, sa salle à manger n'était pas grande, on aurait pu même y souhaiter plus de jour et plus d'air ; mais au moins sa vie tenait là, il y avait vécu dans la tendresse des siens. En parlant, ses yeux faisaient le tour de la petite pièce ; et un tremblement le prenait, à l'idée inavouée
820 que les sauvages pourraient un jour, s'ils achevaient de tuer sa maison, le déloger de ce trou où il avait chaud, entre sa femme et sa fille. Malgré l'assurance qu'il affectait, quand il annonçait la culbute finale, il était plein de terreur au fond, il sentait bien le quartier envahi, dévoré peu à peu.

825 — Ce n'est pas pour te dégoûter, reprit-il en tâchant d'être calme. Si ton intérêt est d'entrer là-dedans, je serai le premier à te dire : Entres-y.

— Je le pense bien, mon oncle, murmura Denise, étourdie,

1. *Rompu* : habitué.

et dont le désir d'être au *Bonheur des Dames* grandissait, au
830 milieu de toute cette passion.

Il avait posé les coudes sur la table, il la fatiguait de son regard.

— Mais, voyons, toi qui es de la partie, dis-moi s'il est raison-
nable qu'un simple magasin de nouveautés se mette à vendre
de n'importe quoi. Autrefois, quand le commerce était honnête,
835 les nouveautés comprenaient les tissus, pas davantage. Aujour-
d'hui, elles n'ont plus que l'idée de monter sur le dos des voisins
et de tout manger… Voilà ce dont le quartier se plaint, car les
petites boutiques commencent à y souffrir terriblement. Ce
Mouret les ruine… Tiens! Bédoré et sœur, la bonneterie de la
840 rue Gaillon, a déjà perdu la moitié de sa clientèle. Chez
M^{lle} Tatin, la lingère du passage Choiseul, on en est à baisser les
prix, à lutter de bon marché. Et l'effet du fléau, de cette peste,
se fait sentir jusqu'à la rue Neuve-des-Petits-Champs, où je me
suis laissé dire que MM. Vanpouille frères, les fourreurs, ne
845 pouvaient tenir le coup… Hein? des calicots[1] qui vendent des
fourrures, c'est trop drôle! Une idée du Mouret encore!

— Et les gants, dit M^{me} Baudu. N'est-ce pas monstrueux? il a
osé créer un rayon de ganterie!… Hier, comme je passais rue
Neuve-Saint-Augustin, Quinette se trouvait sur sa porte, l'air si
850 triste, que je n'ai pas voulu lui demander si les affaires allaient bien.

— Et les parapluies, reprit Baudu. Ça, c'est le comble!
Bourras est persuadé que le Mouret a voulu simplement le
couler; car, enfin, à quoi ça rime-t-il, des parapluies avec des
étoffes?… Mais Bourras est solide, il ne se laissera pas égorger.
855 Nous allons rire, un de ces jours.

Il parla d'autres commerçants, il passa le quartier en revue.
Parfois, des aveux lui échappaient: si Vinçard tâchait de
vendre, tous n'avaient plus qu'à faire leurs paquets, car Vinçard

1. *Calicot* : toile de coton grossière, puis, par extension, commis dans un magasin de nou-
veautés.

était comme les rats, qui filent des maisons, quand elles vont
860 crouler. Puis, aussitôt, il se démentait, il rêvait une alliance,
une entente des petits détaillants pour tenir tête au colosse.
Depuis un moment, il hésitait à parler de lui, les mains agitées,
la bouche tiraillée par un tic nerveux. Enfin, il se décida.

— Moi, jusqu'ici, je n'ai pas trop à me plaindre. Oh ! il m'a
865 fait du tort, le gredin ! Mais il ne tient encore que les draps de
dame, les draps légers, pour robes, et les draps plus forts, pour
manteaux. On vient toujours chez moi acheter les articles
d'homme, les velours de chasse, les livrées[1] ; sans parler des
flanelles et des molletons, dont je le défie bien d'avoir un assor-
870 timent aussi complet… Seulement, il m'asticote, il croit me
faire tourner le sang, parce qu'il a mis son rayon de draperie, là,
en face. Tu as vu son étalage, n'est-ce pas ? Toujours, il y plante
ses plus belles confections, au milieu d'un encadrement de
pièces de drap, une vraie parade de saltimbanque pour raccro-
875 cher les filles… Foi d'honnête homme ! je rougirais d'employer
de tels moyens. Depuis près de cent ans, le *Vieil Elbeuf* est connu,
et il n'a pas besoin à sa porte de pareils attrape-nigauds. Tant
que je vivrai, la boutique restera telle que je l'ai prise, avec ses
quatre pièces d'échantillon, à droite et à gauche, pas davantage !
880 L'émotion gagnait toute la famille. Geneviève se permit de
prendre la parole, après un silence.

— Notre clientèle nous aime, papa. Il faut espérer…
Aujourd'hui encore, M^me Desforges et M^me de Boves sont
venues. J'attends M^me Marty pour des flanelles.

885 — Moi, déclara Colomban, j'ai reçu hier une commande de
M^me Bourdelais. Il est vrai qu'elle m'a parlé d'une cheviotte[2]
anglaise, affichée en face dix sous meilleur marché, la même
que chez nous, paraît-il.

1. *Livrées* : uniformes portés par tous les domestiques d'une même maison. \ 2. *Cheviotte* :
lainage.

— Et dire, murmura Mme Baudu de sa voix fatiguée, que
890 nous avons vu cette maison-là grande comme un mouchoir de
poche ! Parfaitement, ma chère Denise, lorsque les Deleuze
l'ont fondée, elle avait seulement une vitrine sur la rue Neuve-
Saint-Augustin, un vrai placard, où deux pièces d'indienne [1]
s'étouffaient avec trois pièces de calicot. On ne pouvait pas se
895 retourner dans la boutique, tant c'était petit… À cette époque,
le *Vieil Elbeuf*, qui existait depuis plus de soixante ans, était déjà
tel que tu le vois aujourd'hui… Ah ! tout cela est changé, bien
changé !

Elle secouait la tête, ses paroles lentes disaient le drame de
900 sa vie. Née au *Vieil Elbeuf*, elle en aimait jusqu'aux pierres
humides, elle ne vivait que pour lui et par lui ; et, autrefois
glorieuse de cette maison, la plus forte, la plus richement acha-
landée du quartier, elle avait eu la continuelle souffrance de
voir grandir peu à peu la maison rivale, d'abord dédaignée, puis
905 égale en importance, puis débordante, menaçante. C'était pour
elle une plaie toujours ouverte, elle se mourait du *Vieil Elbeuf*
humilié, vivant encore ainsi que lui par la force de l'impulsion,
mais sentant bien que l'agonie de la boutique serait la sienne,
et qu'elle s éteindrait, le jour où la boutique fermerait.

910 Le silence régna. Baudu battait la retraite [2] du bout des doigts
sur la toile cirée. Il éprouvait une lassitude, presque un regret,
de s'être ainsi soulagé une fois de plus. Dans cet accablement,
toute la famille d'ailleurs, les yeux vagues, continuait à remuer
les amertumes de son histoire. Jamais la chance ne leur avait
915 souri. Les enfants étaient élevés, la fortune venait, lorsque brus-
quement la concurrence apportait la ruine. Et il y avait encore
la maison de Rambouillet, cette maison de campagne où le
drapier faisait depuis dix ans le rêve de se retirer, une occasion,

1. *Indienne* : toile de coton peinte ou imprimée. \ **2.** *Retraite* : musique militaire indiquant
aux troupes qu'elles doivent regagner leur base.

disait-il, une antique bâtisse qu'il devait réparer continuelle-
920 ment, qu'il s'était décidé à louer, et dont les locataires ne le
payaient point. Ses derniers gains passaient là, il n'avait eu que
ce vice, dans sa probité[1] méticuleuse, obstinée aux vieux usages.

— Voyons, déclara-t-il brusquement, il faut laisser la table
aux autres... En voilà des paroles inutiles !

925 Ce fut comme un réveil. Le bec de gaz sifflait, dans l'air mort
et brûlant de la petite pièce. Tous se levèrent en sursaut,
rompant le triste silence. Cependant, Pépé dormait si bien,
qu'on l'allongea sur des pièces de molleton. Jean, qui bâillait,
était déjà retourné à la porte de la rue.

930 — Et, pour finir, tu feras ce que tu voudras, répéta de nouveau
Baudu à sa nièce. Nous te disons les choses, voilà tout... Mais
tes affaires sont tes affaires.

Il la pressait du regard, il attendait une réponse décisive.
Denise, que ces histoires avaient passionnée davantage pour
935 le *Bonheur des Dames* au lieu de l'en détourner, gardait son air
tranquille et doux, d'une volonté têtue de Normande au fond.
Elle se contenta de répondre ;

— Nous verrons, mon oncle.

Et elle parla de monter se coucher de bonne heure avec les
940 enfants, car ils étaient très fatigués tous les trois. Mais six
heures sonnaient à peine, elle voulut bien rester un moment
encore dans la boutique. La nuit s'était faite, elle retrouva la rue
noire, trempée d'une pluie fine et drue, qui tombait depuis le
coucher du soleil. Ce fut pour elle une surprise : quelques
945 instants avaient suffi, la chaussée était trouée de flaques, les
ruisseaux roulaient des eaux sales, une boue épaisse, piétinée,
poissait les trottoirs ; et, sous l'averse battante, on ne voyait plus
que le défilé confus des parapluies, se bousculant, se ballon-
nant, pareils à de grandes ailes sombres, dans les ténèbres. Elle

1. *Probité* : honnêteté.

950 recula d'abord, prise de froid, le cœur serré davantage par la boutique mal éclairée, lugubre à cette heure. Un souffle humide, l'haleine du vieux quartier, venait de la rue ; il semblait que le ruissellement des parapluies coulât jusqu'aux comptoirs, que le pavé avec sa boue et ses flaques entrât,
955 achevât de moisir l'antique rez-de-chaussée, blanc de salpêtre. C'était toute une vision de l'ancien Paris mouillé, dont elle grelottait, avec un étonnement navré de trouver la grande ville si glaciale et si laide.

Mais, de l'autre côté de la chaussée, le *Bonheur des Dames* allu-
960 mait les files profondes de ses becs de gaz[1]. Et elle se rapprocha, attirée de nouveau et comme réchauffée à ce foyer d'ardente lumière. La machine ronflait toujours, encore en activité, lâchant sa vapeur dans un dernier grondement, pendant que les vendeurs repliaient les étoffes et que les caissiers comptaient
965 la recette. C'était, à travers les glaces pâlies d'une buée, un pullulement vague de clartés, tout un intérieur confus d'usine. Derrière le rideau de pluie qui tombait, cette apparition, reculée, brouillée, prenait l'apparence d'une chambre de chauffe géante, où l'on voyait passer les ombres noires des
970 chauffeurs, sur le feu rouge des chaudières. Les vitrines se noyaient, on ne distinguait plus, en face, que la neige des dentelles, dont les verres dépolis d'une rampe de gaz avivaient le blanc ; et, sur ce fond de chapelle, les confections s'enlevaient en vigueur, le grand manteau de velours, garni de renard
975 argenté, mettait le profil cambré d'une femme sans tête, qui courait par l'averse à quelque fête, dans l'inconnu des ténèbres de Paris.

Denise, cédant à la séduction, était venue jusqu'à la porte, sans se soucier du rejaillissement des gouttes, qui la trempait.

1. *Becs de gaz* : réverbères qui fonctionnent au gaz (le *Bonheur des Dames* ne sera éclairé à l'électricité qu'au chapitre XIV).

980 À cette heure de nuit, avec son éclat de fournaise, le *Bonheur des Dames* achevait de la prendre tout entière. Dans la grande ville, noire et muette sous la pluie, dans ce Paris qu'elle ignorait, il flambait comme un phare, il semblait à lui seul la lumière et la vie de la cité. Elle y rêvait son avenir, beaucoup
985 de travail pour élever les enfants, avec d'autres choses encore, elle ne savait quoi, des choses lointaines dont le désir et la crainte la faisaient trembler. L'idée de cette femme morte dans les fondations lui revint ; elle eut peur, elle crut voir saigner les clartés ; puis, la blancheur des dentelles l'apaisa, une espérance
990 lui montait au cœur, toute une certitude de joie ; tandis que la poussière d'eau volante lui refroidissait les mains et calmait en elle la fièvre du voyage.

— C'est Bourras, dit une voix derrière son dos.

Elle se pencha, elle aperçut Bourras, immobile au bout de
995 la rue, devant la vitrine où elle avait remarqué, le matin, toute une construction ingénieuse, faite avec des parapluies et des cannes. Le grand vieillard s'était glissé dans l'ombre, pour s'emplir les yeux de cet étalage triomphal ; et, la face douloureuse, il ne sentait pas même la pluie qui battait sa tête nue,
1000 dont les cheveux blancs ruisselaient.

— Il est bête, fit remarquer la voix, il va prendre du mal.

Alors, en se tournant, Denise vit qu'elle avait de nouveau les Baudu derrière elle. Malgré eux, comme Bourras qu'ils trouvaient bête, ils revenaient toujours là, devant ce spectacle qui
1005 leur crevait le cœur. C'était une rage à souffrir. Geneviève, très pâle, avait constaté que Colomban regardait, à l'entresol, les ombres des vendeuses passer sur les glaces ; et, pendant que Baudu étranglait de rancune rentrée, les yeux de M^{me} Baudu s'étaient emplis de larmes, silencieusement.

1010 — N'est-ce pas, que tu t'y présenteras demain ? finit par demander le drapier, tourmenté d'incertitude, et sentant bien d'ailleurs que sa nièce était conquise comme les autres.

Elle hésita, puis avec douceur :

— Oui, mon oncle, à moins que cela ne vous fasse trop de
1015 peine.

II

Le lendemain, à sept heures et demie, Denise était devant
le *Bonheur des Dames*. Elle voulait s'y présenter, avant de
conduire Jean chez son patron, qui demeurait loin, dans le haut
du faubourg du Temple[1]. Mais, avec ses habitudes matinales,
5 elle s'était trop pressée de descendre : les commis arrivaient à
peine ; et, craignant d'être ridicule, prise de timidité, elle resta
à piétiner un instant sur la place Gaillon.

Un vent froid qui soufflait, avait déjà séché le pavé. De
toutes les rues, éclairées d'un petit jour pâle sous le ciel de
10 cendre, les commis débouchaient vivement, le collet de leur
paletot relevé, les mains dans les poches, surpris par ce premier
frisson de l'hiver. La plupart filaient seuls et s'engouffraient au
fond du magasin, sans adresser ni une parole ni même un
regard à leurs collègues, qui allongeaient le pas autour d'eux ;
15 d'autres allaient par deux ou par trois, parlant vite, tenant la
largeur du trottoir ; et tous, du même geste, avant d'entrer,
jetaient dans le ruisseau leur cigarette ou leur cigare.

Denise s'aperçut que plusieurs de ces messieurs la dévisa-
geaient en passant. Alors, sa timidité augmenta, elle ne se
20 sentit plus la force de les suivre, elle résolut de n'entrer à
son tour que lorsque le défilé aurait cessé, rougissante à l'idée

1. *Faubourg du Temple* : quartier populaire situé dans le 11e arrondissement.

d'être bousculée, sous la porte, au milieu de tous ces hommes. Mais le défilé continuait, et pour échapper aux regards, elle fit lentement le tour de la place. Quand elle revint, elle trouva,
25 planté devant le *Bonheur des Dames*, un grand garçon, blême et dégingandé[1], qui, depuis un quart d'heure, semblait attendre comme elle.

— Mademoiselle, finit-il par lui demander d'une voix balbutiante, vous êtes peut-être vendeuse dans la maison ?

30 Elle resta si émotionnée d'entendre ce garçon inconnu lui adresser la parole, qu'elle ne répondit pas d'abord.

— C'est que, voyez-vous, continua-t-il en s'embrouillant davantage, j'ai l'idée de voir si l'on ne pourrait pas m'y prendre, et vous m'auriez donné un renseignement.

35 Il était aussi timide qu'elle, il se risquait à l'aborder, parce qu'il la sentait tremblante comme lui.

— Ce serait avec plaisir, monsieur, répondit-elle enfin. Mais je ne suis pas plus avancée que vous, je suis là pour me présenter aussi.

40 — Ah ! très bien, dit-il tout à fait décontenancé[2].

Et ils rougirent fortement, leurs deux timidités demeurèrent un instant face à face, attendries par la fraternité de leurs situations, n'osant pourtant se souhaiter tout haut une bonne réussite. Puis, comme ils n'ajoutaient rien et qu'ils se gênaient
45 de plus en plus, ils se séparèrent gauchement, ils recommencèrent à attendre chacun de son côté, à quelques pas l'un de l'autre.

Les commis entraient toujours. Maintenant, Denise les entendait plaisanter, quand ils passaient près d'elle, en lui
50 jetant un coup d'œil oblique. Son embarras grandissait d'être ainsi en spectacle, elle se décidait à faire dans le quartier une promenade d'une demi-heure, lorsque la vue d'un jeune

1. *Dégingandé* : rendu maladroit par sa grande taille. \ **2.** *Décontenancé* : embarrassé, intimidé.

homme, qui arrivait rapidement par la rue Port-Mahon, l'ar-
rêta une minute encore. Évidemment, ce devait être un chef de
55 rayon, car tous les commis le saluaient. Il était grand, la peau
blanche, la barbe soignée ; et il avait des yeux couleur de vieil
or, d'une douceur de velours, qu'il fixa un instant sur elle, au
moment où il traversa la place. Déjà il entrait dans le magasin,
indifférent, qu'elle restait immobile, toute retournée par ce
60 regard, emplie d'une émotion singulière, où il y avait plus de
malaise que de charme. Décidément, la peur la prenait, elle se
mit à descendre lentement la rue Gaillon, puis la rue Saint-
Roch, en attendant que le courage lui revînt.

C'était mieux qu'un chef de rayon, c'était Octave Mouret en
65 personne. Il n'avait pas dormi, cette nuit-là, car au sortir d'une
soirée chez un agent de change, il était allé souper avec un ami
et deux femmes, ramassées dans les coulisses d'un petit théâtre.
Son paletot boutonné cachait son habit et sa cravate blanche.
Vivement, il monta chez lui, se débarbouilla, se changea ; et,
70 quand il vint s'asseoir devant son bureau, dans son cabinet de
l'entresol, il était solide, l'œil vif, la peau fraîche, tout à la
besogne, comme s'il eût passé dix heures au lit. Le cabinet,
vaste, meublé de vieux chêne et tendu de reps [1] vert, avait pour
seul ornement un portrait, le portrait de cette M[me] Hédouin
75 dont le quartier parlait encore. Depuis qu'elle n'était plus,
Octave lui gardait un souvenir attendri, se montrait recon-
naissant à sa mémoire de la fortune dont elle l'avait comblé en
l'épousant. Aussi, avant de se mettre à signer les traites posées
sur son buvard, adressa-t-il au portrait un sourire d'homme
80 heureux. N'était-ce pas toujours devant elle qu'il revenait
travailler, après ses échappées de jeune veuf, au sortir des
alcôves [2] où le besoin du plaisir l'égarait ?

1. *Reps* : tissu d'ameublement à côtés perpendiculaires aux lisières. \ 2. *Alcôve* : enfoncement
destiné au lit dans une chambre et, par extension, lieu des rapports amoureux.

On frappa, et, sans attendre, un jeune homme entra, grand et maigre, aux lèvres minces, au nez pointu, très correct d'ailleurs
85 avec ses cheveux lissés, où des mèches grises se montraient déjà. Mouret avait levé les yeux ; puis, continuant de signer :

— Vous avez bien dormi, Bourdoncle ?

— Très bien, merci, répondit le jeune homme, qui marchait à petits pas, comme chez lui.

90 Bourdoncle, fils d'un fermier pauvre des environs de Limoges, avait débuté jadis au *Bonheur des Dames*, en même temps que Mouret, lorsque le magasin occupait l'angle de la place Gaillon. Très intelligent, très actif, il semblait alors devoir supplanter aisément son camarade, moins sérieux, et qui avait toutes sortes de
95 fuites, une apparente étourderie, des histoires de femme inquiétantes ; mais il n'apportait pas le coup de génie de ce Provençal passionné, ni son audace, ni sa grâce victorieuse. D'ailleurs, par un instinct d'homme sage, il s'était incliné devant lui, obéissant, et cela sans lutte, dès le commencement. Lorsque Mouret avait
100 conseillé à ses commis de mettre leur argent dans la maison, Bourdoncle s'était exécuté un des premiers, lui confiant même l'héritage inattendu d'une tante ; et, peu à peu, après avoir passé par tous les grades, vendeur, puis second, puis chef de comptoir à la soie, il était devenu un des lieutenants du patron, le plus cher et
105 le plus écouté, un des six intéressés[1] qui aidaient celui-ci à gouverner le *Bonheur des Dames*, quelque chose comme un conseil de ministres sous un roi absolu. Chacun d'eux veillait sur une province. Bourdoncle était chargé de la surveillance générale.

— Et vous, reprit-il familièrement, avez-vous bien dormi ?

110 Lorsque Mouret eut répondu qu'il ne s'était pas couché, il hocha la tête, en murmurant :

— Mauvaise hygiène.

1. *Intéressés* : intéressés à la vente, c'est-à-dire dont les revenus dépendent du chiffre d'affaires du magasin.

— Pourquoi donc ? dit l'autre avec gaieté ! Je suis moins fatigué que vous, mon cher. Vous avez les yeux bouffis de sommeil, vous vous alourdissez, à être trop sage… Amusez-vous donc, ça vous fouettera les idées !

C'était toujours leur dispute amicale. Bourdoncle, au début, avait battu ses maîtresses, parce que, disait-il, elles l'empêchaient de dormir. Maintenant, il faisait profession de haïr les femmes, ayant sans doute au-dehors des rencontres dont il ne parlait pas, tant elles tenaient peu de place dans sa vie, et se contentant au magasin d'exploiter les clientes, avec un grand mépris pour leur frivolité à se ruiner en chiffons imbéciles. Mouret, au contraire, affectait des extases, restait devant les femmes ravi et câlin, emporté continuellement dans de nouveaux amours ; et ses coups de cœur étaient comme une réclame à sa vente, on eût dit qu'il enveloppait tout le sexe de la même caresse, pour mieux l'étourdir et le garder à sa merci.

— J'ai vu M^{me} Desforges, cette nuit, reprit-il. Elle était délicieuse à ce bal.

— Ce n'est pas avec elle que vous avez soupé ensuite ? demanda l'associé.

Mouret se récria.

— Oh ! par exemple ! elle est très honnête, mon cher… Non, j'ai soupé avec Héloïse, la petite des Folies [1]. Bête comme une oie, mais si drôle !

Il prit un autre paquet de traites [2] et continua de signer, Bourdoncle marchait toujours à petits pas. Il alla jeter un coup d'œil dans la rue Neuve-Saint-Augustin, par les hautes glaces de la fenêtre, puis revint en disant :

— Vous savez qu'elles se vengeront.

— Qui donc ? demanda Mouret, auquel la conversation échappait.

1. *Folies* : de nombreux théâtres ou cabarets se nommaient ainsi. \ 2. *Traites* : factures.

— Mais les femmes.

145 Alors, il s'égaya davantage, il laissa percer le fond de sa brutalité, sous son air d'adoration sensuelle. D'un haussement d'épaules, il parut déclarer qu'il les jetterait toutes par terre, comme des sacs vides, le jour où elles l'auraient aidé à bâtir sa fortune. Bourdoncle, entêté, répétait de son air froid :

150 — Elles se vengeront... Il y en aura une qui vengera les autres, c'est fatal.

— As pas peur ! cria Mouret en exagérant son accent provençal. Celle-là n'est pas encore née, mon bon. Et, si elle vient, vous savez...

155 Il avait levé son porte-plume, il le brandissait, et il le pointa dans le vide, comme s'il eût voulu percer d'un couteau un cœur invisible. L'associé reprit sa marche, s'inclinant comme toujours devant la supériorité du patron, dont le génie plein de trous le déconcertait pourtant. Lui, si net, si logique, sans passion, sans 160 chute possible, en était encore à comprendre le côté fille du succès, Paris se donnant dans un baiser au plus hardi.

Un silence régna. On n'entendait que la plume de Mouret. Puis, sur des questions brèves posées par lui, Bourdoncle fournit des renseignements au sujet de la grande mise en 165 vente des nouveautés d'hiver, qui devait avoir lieu le lundi suivant. C'était une très grosse affaire, la maison y jouait sa fortune, car les bruits du quartier avaient un fond de vérité, Mouret se jetait en poète dans la spéculation, avec un tel faste, un besoin tel du colossal, que tout semblait devoir 170 craquer sous lui. Il y avait là un sens nouveau du négoce, une apparente fantaisie commerciale, qui autrefois inquiétait M^{me} Hédouin, et qui aujourd'hui encore, malgré de premiers succès, consternait parfois les intéressés. On blâmait à voix basse le patron d'aller trop vite ; on l'accusait d'avoir agrandi 175 dangereusement les magasins, avant de pouvoir compter sur une augmentation suffisante de la clientèle ; on tremblait

surtout en le voyant mettre tout l'argent de la caisse sur un coup de cartes, emplir les comptoirs d'un entassement de marchandises, sans garder un sou de réserve. Ainsi, pour cette
180 mise en vente, après les sommes considérables payées aux maçons, le capital entier se trouvait dehors : une fois de plus, il s'agissait de vaincre ou de mourir. Et lui, au milieu de cet effarement, gardait une gaieté triomphante, une certitude des millions, en homme adoré des femmes, et qui ne peut être
185 trahi. Lorsque Bourdoncle se permit de témoigner certaines craintes, à propos du développement exagéré donné à des rayons dont le chiffre d'affaires restait douteux, il eut un beau rire de confiance en criant :

— Laissez donc, mon cher, la maison est trop petite !

190 L'autre parut abasourdi, pris d'une peur qu'il ne cherchait plus à cacher. La maison trop petite ! une maison de nouveautés où il y avait dix-neuf rayons, et qui comptait quatre cent trois employés !

— Mais sans doute, reprit Mouret, nous serons forcés de nous
195 agrandir avant dix-huit mois… J'y songe sérieusement. Cette nuit, M^{me} Desforges m'a promis de me faire rencontrer demain chez elle avec une personne… Enfin, nous en causerons, quand l'idée sera mûre.

Et, ayant fini de signer les traites, il se leva, il vint donner
200 des tapes amicales sur les épaules de l'intéressé, qui se remettait difficilement. Cet effroi des gens prudents, autour de lui, l'amusait. Dans un des accès de brusque franchise, dont il accablait parfois ses familiers, il déclara qu'il était au fond plus juif que tous les juifs du monde [1] ; il tenait de son père, auquel il
205 ressemblait physiquement et moralement, un gaillard qui connaissait le prix des sous ; et, s'il avait de sa mère ce brin de

1. Il s'agit ici d'un stéréotype très répandu dans la littérature. Il ne faudrait pas y voir une marque d'antisémitisme : Zola s'est ensuite engagé courageusement dans l'affaire Dreyfus (voir Dossier, « L'œuvre dans l'histoire », p. 531).

fantaisie nerveuse, c'était là peut-être le plus clair de sa chance, car il sentait la force invincible de sa grâce à tout oser.

— Vous savez bien qu'on vous suivra jusqu'au bout, finit par dire Bourdoncle.

Alors, avant de descendre dans le magasin jeter leur coup d'œil habituel, tous deux réglèrent encore certains détails. Ils examinèrent le spécimen d'un petit cahier à souches que Mouret venait d'inventer pour les notes de débit. Ce dernier, ayant remarqué que les marchandises démodées, les rossignols, s'enlevaient d'autant plus rapidement que la guelte[1] donnée aux commis était plus forte, avait basé sur cette observation un nouveau commerce. Il intéressait[2] désormais ses vendeurs à la vente de toutes les marchandises, il leur accordait un tant pour cent sur le moindre bout d'étoffe, le moindre objet vendu par eux ; mécanisme qui avait bouleversé les nouveautés, qui créait entre les commis une lutte pour l'existence, dont les patrons bénéficiaient. Cette lutte devenait du reste entre ses mains la formule favorite, le principe d'organisation qu'il appliquait constamment. Il lâchait les passions, mettait les forces en présence, laissait les gros manger les petits, et s'engraissait de cette bataille des intérêts. Le spécimen du cahier fut approuvé : en haut, sur la souche et sur la note à détacher, se trouvaient l'indication du rayon et le numéro du vendeur ; puis, répétées également des deux côtés, il y avait des colonnes pour le métrage, la désignation des articles, les prix ; et le vendeur signait simplement la note, avant de la remettre au caissier. De cette façon, le contrôle était des plus facile, il suffisait de collationner[3] les notes remises par la caisse au bureau de défalcation[4], avec les souches restées entre les mains des commis. Chaque semaine, ces derniers

1. *Guelte* : gratification accordée à un vendeur, proportionnellement à ses ventes. \ 2. *Intéressait* : les payait en fonction des ventes réalisées. \ 3. *Collationner* : comparer. \ 4. *Bureau de défalcation* : bureau chargé de la comptabilité.

toucheraient ainsi leur tant pour cent et leur guelte, sans erreur possible.

— Nous serons moins volés, fit remarquer Bourdoncle avec
240 satisfaction. Vous avez eu là une idée excellente.

— Et j'ai songé cette nuit à autre chose, expliqua Mouret. Oui, mon cher, cette nuit, à ce souper... J'ai envie de donner aux employés du bureau de défalcation une petite prime, pour chaque erreur qu'ils relèveront dans les notes de débit, en les
245 collationnant... Vous comprenez, nous serons certains dès lors qu'ils n'en négligeront pas une seule, car ils en inventeraient plutôt.

Il se mit à rire, pendant que l'autre le regardait d'un air d'admiration. Cette application nouvelle de la lutte pour l'existence
250 l'enchantait, il avait le génie de la mécanique administrative, il rêvait d'organiser la maison de manière à exploiter les appétits des autres, pour le contentement tranquille et complet de ses propres appétits. Quand on voulait faire rendre aux gens tout leur effort, disait-il souvent, et même tirer d'eux un peu
255 d'honnêteté, il fallait d'abord les mettre aux prises avec leurs besoins.

— Eh bien! descendons, reprit Mouret. Il faut s'occuper de cette mise en vente... La soie est arrivée d'hier, n'est-ce pas? et Bouthemont doit être à la réception.

260 Bourdoncle le suivit. Le service de la réception se trouvait dans le sous-sol, du côté de la rue Neuve-Saint-Augustin. Là, au ras du trottoir, s'ouvrait une cage vitrée, où les camions déchargeaient les marchandises. Elles étaient pesées, puis elles basculaient sur une glissoire rapide, dont le chêne et les ferrures
265 luisaient, polis sous le frottement des ballots et des caisses. Tous les arrivages entraient par cette trappe béante; c'était un engouffrement continu, une chute d'étoffes qui tombait avec un ronflement de rivière. Aux époques de grande vente surtout, la glissoire lâchait dans le sous-sol un flot intarissable,

270 les soieries de Lyon, les lainages d'Angleterre, les toiles des Flandres, les calicots d'Alsace, les indiennes de Rouen ; et, parfois, les camions devaient prendre la file ; les paquets en coulant faisaient, au fond du trou, le bruit sourd d'une pierre jetée dans une eau profonde.

275 Lorsqu'il passa, Mouret s'arrêta un instant devant la glissoire. Elle fonctionnait, des files de caisses descendaient toutes seules, sans qu'on vît les hommes dont les mains les poussaient, en haut ; et elles semblaient se précipiter d'elles-mêmes, ruisseler en pluie d'une source supérieure. Puis, des ballots parurent, tournant sur eux-mêmes comme des cailloux roulés.

280 Mouret regardait, sans prononcer une parole. Mais, dans ses yeux clairs, cette débâcle[1] de marchandises qui tombait chez lui, ce flot qui lâchait des milliers de francs à la minute, mettait une courte flamme. Jamais encore il n'avait eu une conscience si nette de la bataille engagée. C'était cette débâcle de marchandises qu'il s'agissait de lancer aux quatre coins de Paris. Il n'ouvrit pas la bouche, il continua son inspection.

285 Dans le jour gris qui venait des larges soupiraux, une équipe d'hommes recevait les envois, tandis que d'autres déclouaient les caisses et ouvraient les ballots, en présence des chefs de rayon. Une agitation de chantier emplissait ce fond de cave, ce sous-sol où des piliers de fonte soutenaient les voûtins, et dont les murs nus étaient cimentés.

290 — Vous avez tout, Bouthemont ? demanda Mouret, en s'approchant d'un jeune homme à fortes épaules, en train de vérifier le contenu d'une caisse.

295 — Oui, tout doit y être, répondit ce dernier. Mais j'en ai pour la matinée à compter.

Le chef de rayon consultait la facture d'un coup d'œil, debout

300 devant un grand comptoir, sur lequel un de ses vendeurs posait,

1. *Débâcle* : fort courant d'eau causé par la rupture des glaces d'un fleuve gelé.

une à une, les pièces de soie qu'il sortait de la caisse. Derrière eux, s'alignaient d'autres comptoirs, encombrés également de marchandises, que tout un petit peuple de commis examinaient. C'était un déballage général, une confusion apparente 305 d'étoffes, étudiées, retournées, marquées, au milieu du bourdonnement des voix.

Bouthemont, qui devenait célèbre sur la place, avait une face ronde de joyeux compère, avec une barbe d'un noir d'encre et de beaux yeux marron. Né à Montpellier, noceur, braillard, il 310 était médiocre pour la vente ; mais, pour l'achat, on ne connaissait pas son pareil. Envoyé à Paris par son père, qui tenait làbas un magasin de nouveautés, il avait absolument refusé de retourner au pays, quand le bonhomme s'était dit que le garçon en savait assez long pour lui succéder dans son commerce ; et, 315 dès lors, une rivalité avait grandi entre le père et le fils, le premier tout à son petit négoce provincial, indigné de voir un simple commis gagner le triple de ce qu'il gagnait lui-même, le second plaisantant la routine du vieux, faisant sonner ses gains et bouleversant la maison, à chacun de ses passages. 320 Comme les autres chefs de comptoir, celui-ci touchait, outre ses trois mille francs d'appointements fixes, un tant pour cent sur la vente. Montpellier, surpris et respectueux, répétait que le fils Bouthemont avait, l'année précédente, empoché près de quinze mille francs ; et ce n'était qu'un commencement, des 325 gens prédisaient au père exaspéré que ce chiffre grossirait encore.

Cependant, Bourdoncle avait pris une des pièces de soie, dont il examinait le grain d'un air attentif d'homme compétent. C'était une faille à lisière bleu et argent, le fameux Paris- 330 Bonheur [1], avec laquelle Mouret comptait porter un coup décisif.

1. *Paris-Bonheur* : soie à lisière bleu et argent, vendue à partir de 1882 au magasin du *Louvre*.

— Elle est vraiment très bonne, murmura l'intéressé.

— Et elle fait surtout plus d'effet qu'elle n'est bonne, dit Bouthemont. Il n'y a que Dumonteil pour nous fabriquer ça... À mon dernier voyage, quand je me suis fâché avec Gaujean, celui-ci voulait bien mettre cent métiers sur ce modèle, mais il exigeait vingt-cinq centimes de plus par mètre.

Presque tous les mois, Bouthemont allait ainsi en fabrique, vivant des journées à Lyon, descendant dans les premiers hôtels, ayant l'ordre de traiter les fabricants à bourse ouverte, il jouissait d'ailleurs d'une liberté absolue, il achetait comme bon lui semblait, pourvu que, chaque année, il augmentât dans une proportion fixée d'avance le chiffre d'affaires de son comptoir ; et c'était même sur cette augmentation qu'il touchait son tant pour cent d'intérêt. En somme, sa situation, au *Bonheur des Dames*, comme celle de tous les chefs, ses collègues, se trouvait être celle d'un commerçant spécial, dans un ensemble de commerces divers, une sorte de vaste cité du négoce.

— Alors, c'est décidé, reprit-il, nous la marquons cinq francs soixante... Vous savez que c'est à peine le prix d'achat.

— Oui ! oui, cinq francs soixante, dit vivement Mouret, et si j'étais seul, je la donnerais à perte.

Le chef de rayon eut un bon rire.

— Oh ! moi, je ne demande pas mieux... Ça va tripler la vente, et comme mon seul intérêt est d'arriver à de grosses recettes...

Mais Bourdoncle restait grave, les lèvres pincées. Lui, touchait son tant pour cent sur le bénéfice total, et son affaire n'était pas de baisser les prix. Justement, le contrôle qu'il exerçait consistait à surveiller la marque, pour que Bouthemont, cédant au seul désir d'accroître le chiffre de vente, ne vendît pas à trop petit gain. Du reste, il était repris de ses inquiétudes anciennes, devant des combinaisons de réclame qui lui échappaient. Il osa montrer sa répugnance, en disant :

365 — Si nous la donnons à cinq francs soixante, c'est comme si nous la donnions à perte, puisqu'il faudra prélever nos frais qui sont considérables... On la vendrait partout à sept francs.

Du coup, Mouret se fâcha. Il tapa de sa main ouverte sur la soie, il cria nerveusement :

370 — Mais je le sais, et c'est pourquoi je désire en faire cadeau à nos clientes... En vérité, mon cher, vous n'aurez jamais le sens de la femme. Comprenez donc qu'elles vont se l'arracher, cette soie !

— Sans doute, interrompit l'intéressé, qui s'entêtait, et plus elles se l'arracheront, plus nous perdrons.

375 — Nous perdrons quelques centimes sur l'article, je le veux bien. Après ? le beau malheur, si nous attirons toutes les femmes et si nous les tenons à notre merci, séduites, affolées devant l'entassement de nos marchandises, vidant leur porte-monnaie sans compter ! Le tout, mon cher, est de les allumer,
380 et il faut pour cela un article qui flatte, qui fasse époque. Ensuite, vous pouvez vendre les autres articles aussi cher qu'ailleurs, elles croiront les payer chez vous meilleur marché. Par exemple, notre Cuir-d'Or[1], ce taffetas à sept francs cinquante, qui se vend partout ce prix, va passer également pour
385 une occasion extraordinaire, et suffira à combler la perte du Paris-Bonheur... Vous verrez, vous verrez !

Il devenait éloquent.

— Comprenez-vous ! je veux que dans huit jours le Paris-Bonheur révolutionne la place. Il est notre coup de fortune, c'est
390 lui qui va nous sauver et qui nous lancera. On ne parlera que de lui, la lisière bleu et argent sera connue d'un bout de la France à l'autre... Et vous entendrez la plainte furieuse de nos concurrents. Le petit commerce y laissera encore une aile. Enterrés, tous ces brocanteurs qui crèvent de rhumatismes, dans leurs caves !
395 Autour du patron, les commis qui vérifiaient les envois,

1. *Cuir d'Or* : soie à lisière rouge et jaune, vendue à partir de 1882 au magasin du *Louvre*.

écoutaient en souriant. Il aimait parler et avoir raison. Bour-
doncle, de nouveau, céda. Cependant, la caisse s'était vidée,
deux hommes en déclouaient une autre.

— C'est la fabrication qui ne rit pas ! dit alors Bouthemont.
400 À Lyon, ils sont furieux contre vous, ils prétendent que vos
bons marchés les ruinent… Vous savez que Gaujean m'a posi-
tivement déclaré la guerre. Oui, il a juré d'ouvrir de longs
crédits aux petites maisons, plutôt que d'accepter mes prix.

Mouret haussa les épaules.

405 — Si Gaujean n'est pas raisonnable, répondit-il, Gaujean
restera sur le carreau… De quoi se plaignent-ils ? Nous les
payons immédiatement, nous prenons tout ce qu'ils fabriquent,
c'est bien le moins qu'ils travaillent à meilleur compte… Et,
d'ailleurs, il suffit que le public en profite.

410 Le commis vidait la seconde caisse, pendant que Bouthemont
s'était remis à pointer les pièces, en consultant la facture. Un
autre commis, sur le bout du comptoir, les marquait ensuite en
chiffres connus, et la vérification finie, la facture, signée par le
chef de rayon, devait être montée à la caisse centrale. Un instant
415 encore, Mouret regarda ce travail, toute cette activité autour de
ces déballages qui montaient et menaçaient de noyer le sous-sol ;
puis, sans ajouter un mot, de l'air d'un capitaine satisfait de ses
troupes, il s'éloigna, suivi de Bourdoncle.

Lentement, tous deux traversèrent le sous-sol. Les soupiraux,
420 de place en place, jetaient une clarté pâle ; et, au fond des coins
noirs, le long d'étroits corridors, des becs de gaz brûlaient,
continuellement. C'était dans ces corridors que se trouvaient
les réserves, des caveaux barrés par des palissades, où les divers
rayons serraient le trop-plein de leurs articles. En passant, le
425 patron donna un coup d'œil au calorifère [1] qu'on devait allumer

1. *Calorifère* : appareil de chauffage qui distribue dans l'ensemble d'un bâtiment la chaleur
produite par une chaudière.

le lundi pour la première fois, et au petit poste de pompiers qui gardait un compteur géant, enfermé dans une cage de fer. La cuisine et les réfectoires, d'anciennes caves transformées en petites salles, étaient à gauche, vers l'angle de la place Gaillon.
430 Enfin, à l'autre bout du sous-sol, il arriva au service du départ. Les paquets que les clientes n'emportaient point, y étaient descendus, triés sur des tables, classés dans des compartiments dont chacun représentait un quartier de Paris ; puis, par un large escalier débouchant juste en face du *Vieil Elbeuf*, on les
435 montait aux voitures, qui stationnaient près du trottoir. Dans le fonctionnement mécanique du *Bonheur des Dames*, cet escalier de la rue de la Michodière dégorgeait sans relâche les marchandises englouties par la glissoire de la rue Neuve-Saint-Augustin, après qu'elles avaient passé, en haut, à travers les
440 engrenages des comptoirs.

— Campion, dit Mouret au chef du départ, un ancien sergent à figure maigre, pourquoi six paires de draps, achetées hier par une dame vers deux heures, n'ont-elles pas été portées le soir ?

— Où demeure cette dame ? demanda l'employé.

445 — Rue de Rivoli, au coin de la rue d'Alger… M^{me} Desforges.

À cette heure matinale, les tables de triage étaient nues, les compartiments ne contenaient que les quelques paquets restés de la veille. Pendant que Campion fouillait parmi ces paquets, après avoir consulté un registre, Bourdoncle regardait Mouret,
450 en songeant que ce diable d'homme savait tout, s'occupait de tout, même aux tables des restaurants de nuit et dans les alcôves de ses maîtresses. Enfin, le chef du départ découvrit l'erreur : la caisse avait donné un faux numéro et le paquet était revenu.

— Quelle est la caisse qui a débité ça ? demanda Mouret.
455 Hein ? vous dites-la caisse 10…

Et, se retournant vers l'intéressé :

— La caisse 10, c'est Albert, n'est-ce pas ?… Nous allons lui dire deux mots.

Mais, avant de faire un tour dans le magasin, il voulut
460 monter au service des expéditions, qui occupait plusieurs
pièces du deuxième étage. C'était là qu'arrivaient toutes les
commandes de la province et de l'étranger ; et, chaque matin,
il allait y voir la correspondance. Depuis deux ans, cette corres-
pondance grandissait de jour en jour. Le service, qui avait
465 d'abord occupé une dizaine d'employés, en nécessitait plus de
trente déjà. Les uns ouvraient les lettres, les autres les lisaient,
aux deux côtés d'une même table ; d'autres encore les clas-
saient, leur donnaient à chacune un numéro d'ordre, qui se
répétait sur un casier ; puis, quand on avait distribué les lettres
470 aux différents rayons et que les rayons montaient les articles,
on mettait au fur et à mesure ces articles dans les casiers, d'après
les numéros d'ordre. Il ne restait qu'à vérifier et qu'à emballer,
au fond d'une pièce voisine, où une équipe d'ouvriers clouait
et ficelait du matin au soir.

475 Mouret posa sa question habituelle :

— Combien de lettres, ce matin, Levasseur ?

— Cinq cent trente-quatre, monsieur, répondit le chef de
service. Après la mise en vente de lundi, j'ai peur de ne pas
avoir assez de monde. Hier, nous avons eu beaucoup de peine
480 à arriver.

Bourdoncle hochait la tête de satisfaction. Il ne comptait
pas sur cinq cent trente-quatre lettres, un mardi. Autour de
la table, les employés coupaient et lisaient, avec un bruit
continu de papier froissé, tandis que, devant les casiers, commen-
485 çait le va-et-vient des articles. C'était un des services les plus
compliqués et les plus considérables de la maison : on y vivait
dans un coup de fièvre perpétuel, car il fallait réglementaire-
ment que les commandes du matin fussent toutes expédiées
le soir.

490 — On vous donnera le monde dont vous aura besoin, Levas-
seur, finit par répondre Mouret, qui d'un regard avait constaté

le bon état du service. Vous le savez, quand il y a du travail, nous ne refusons pas des hommes.

495 En haut, sous les combles, se trouvaient les chambres où couchaient les vendeuses. Mais il redescendit, et il entra à la caisse centrale, installée près de son cabinet. C'était une pièce fermée par un vitrage à guichet de cuivre, dans laquelle on apercevait un énorme coffre-fort, scellé au mur. Deux caissiers y centralisaient les recettes, que, chaque soir, montait Lhomme,
500 le premier caissier de la vente, et faisaient ensuite face aux dépenses, payaient les fabricants, le personnel, tout le petit monde qui vivait de la maison. La caisse communiquait avec une autre pièce, meublée de cartons verts, où dix employés vérifiaient les factures. Puis venait encore un bureau, le bureau
505 de défalcation[1] : six jeunes gens, penchés sur des pupitres noirs, ayant derrière eux des collections de registres, y arrêtaient les comptes du tant pour cent des vendeurs, en collationnant les notes de débit. Ce service, tout nouveau, fonctionnait mal.

Mouret et Bourdoncle avaient traversé la caisse et le bureau
510 de vérification. Quand ils passèrent dans l'autre bureau, les jeunes gens qui riaient, le nez en l'air, eurent une secousse de surprise. Alors, Mouret, sans les réprimander, leur expliqua le système de la petite prime qu'il avait imaginé de leur payer, pour chaque erreur découverte dans les notes de débit ; et, quand
515 il fut sorti, les employés, cessant de rire et comme fouettés, se remirent passionnément au travail, cherchant des erreurs.

Au rez-de-chaussée, dans le magasin, Mouret alla droit à la caisse 10, où Albert Lhomme se polissait les ongles, en attendant la clientèle. On disait couramment : « la dynastie des
520 Lhomme », depuis que Mᵐᵉ Aurélie, la première des confections, après avoir poussé son mari au poste de premier caissier, était parvenue à obtenir une caisse de détail pour son fils, un

1. *Bureau de défalcation* : bureau chargé de la comptabilité.

grand garçon pâle et vicieux, qui ne pouvait rester nulle part et qui lui donnait les plus vives inquiétudes. Mais, devant le
525 jeune homme, Mouret s'effaça : il répugnait à compromettre sa grâce dans un métier de gendarme, il gardait par goût et par tactique son rôle de dieu aimable. Légèrement du coude, il toucha Bourdoncle, l'homme chiffre, qu'il chargeait d'ordinaire des exécutions.

530 — Monsieur Albert, dit ce dernier sévèrement, vous avez encore mal pris une adresse, le paquet est revenu... C'est insupportable.

Le caissier crut devoir se défendre, appela en témoignage le garçon qui avait fait le paquet. Ce garçon, nommé Joseph,
535 appartenait, lui aussi, à la dynastie des Lhomme, car il était le frère de lait d'Albert, et il devait sa place à l'influence de M^{me} Aurélie. Comme le jeune homme voulait lui faire dire que l'erreur venait de la cliente, il balbutiait, il tordait la barbiche qui allongeait son visage couturé[1], combattu entre sa conscience
540 d'ancien soldat et sa gratitude pour ses protecteurs.

— Laissez donc Joseph tranquille, finit par crier Bourdoncle, et surtout ne répondez pas davantage... Ah ! vous êtes heureux que nous ayons égard aux bons services de votre mère !

Mais, à ce moment, Lhomme accourut. De sa caisse, située
545 près de la porte, il apercevait celle de son fils, qui se trouvait au rayon de la ganterie. Déjà tout blanc, alourdi par sa vie sédentaire, il avait une figure molle, effacée, comme usée au reflet de l'argent qu'il comptait sans relâche. Son bras amputé ne le gênait nullement dans cette besogne, et l'on allait même
550 par curiosité le voir vérifier la recette, tellement les billets et les pièces glissaient rapidement dans sa main gauche, la seule qui lui restât. Fils d'un percepteur de Chablis, il était tombé à Paris comme employé aux écritures, chez un négociant du

1. *Couturé* : marqué de cicatrices.

Port-aux-Vins. Puis, demeurant rue Cuvier, il avait épousé la
555 fille de son concierge, petit tailleur alsacien ; et, depuis ce jour,
il était resté soumis devant sa femme, dont les facultés
commerciales le frappaient de respect. Elle se faisait plus de
douze mille francs aux confections, tandis que lui touchait
seulement cinq mille francs d'appointements fixes. Et sa défé-
560 rence pour une femme apportant de telles sommes dans le
ménage, s'élargissait jusqu'à son fils, qui venait d'elle.

— Quoi donc ? murmura-t-il, Albert est en faute ?

Alors, selon son habitude, Mouret rentra en scène, pour
jouer le rôle de bon prince[1]. Quand Bourdoncle s'était fait
565 craindre, lui soignait sa popularité.

— Une bêtise, murmura-t-il. Mon cher Lhomme, votre
Albert est un étourdi qui devrait bien prendre exemple sur
vous.

Puis, changeant de conversation, se montrant plus aimable
570 encore :

— Et ce concert, l'autre jour ?…Étiez-vous bien placé ?

Une rougeur monta aux joues blanches du vieux caissier.
Il n'avait que ce vice, la musique, un vice secret qu'il satisfai-
sait solitairement, courant les théâtres, les concerts, les audi-
575 tions ; malgré son bras amputé, il jouait du cor, grâce à un
système ingénieux de pinces ; et, comme M^{me} Lhomme détes-
tait le bruit, il enveloppait son instrument de drap, le soir, ravi
quand même jusqu'à l'extase par les sons étrangement sourds
qu'il en tirait. Au milieu de la débandade forcée de leur foyer,
580 il s'était fait dans la musique un désert. Ça et l'argent de sa
caisse, il ne connaissait rien autre, en dehors de son admiration
pour sa femme.

— Très bien placé, répondit-il, les yeux brillants. Vous êtes
trop bon, monsieur.

1. *Jouer le rôle de bon prince* : jouer à être généreux et tolérant.

585 Mouret, qui goûtait une jouissance personnelle à satisfaire les passions, donnait parfois à Lhomme les billets que des dames patronnesses[1] lui avaient mis sur la gorge. Et il acheva de l'enchanter, en disant :

— Ah ! Beethoven, ah ! Mozart… Quelle musique !

590 Sans attendre une réponse, il s'éloigna, il rejoignit Bourdoncle, en train déjà de faire le tour des rayons. Dans le hall central, une cour intérieure qu'on avait vitrée, se trouvait la soie. Tous deux suivirent d'abord la galerie de la rue Neuve-Saint-Augustin, que le blanc occupait d'un bout à l'autre. Rien 595 d'anormal ne les frappa, ils passèrent lentement au milieu des commis respectueux. Puis, ils tournèrent dans la rouennerie[2] et la bonneterie, où le même ordre régnait. Mais, aux lainages, le long de la galerie qui revenait perpendiculairement à la rue de la Michodière, Bourdoncle reprit son rôle de grand 600 exécuteur, en apercevant un jeune homme assis sur un comptoir, l'air brisé par une nuit blanche ; et ce jeune homme, nommé Liénard, fils d'un riche marchand de nouveautés d'Angers, courba le front sous la réprimande, ayant la seule peur, dans sa vie de paresse, d'insouciance et de plaisir, d'être rappelé 605 en province par son père. Dès lors, les observations tombèrent dru comme grêle, la galerie de la rue de la Michodière reçut l'orage : à la draperie, un vendeur au pair[3], de ceux qui débutaient et qui couchaient dans leurs rayons, était rentré après onze heures ; à la mercerie, le second venait de se laisser prendre 610 au fond du sous-sol, achevant une cigarette. Et ce fut surtout à la ganterie que la tempête éclata, sur la tête d'un des rares Parisiens de la maison, le joli Mignot, ainsi qu'on l'appelait, bâtard déclassé d'une maîtresse de harpe : son crime était d'avoir fait un scandale au réfectoire, en se plaignant de

1. *Dames patronnesses* : femmes qui se consacrent aux œuvres de bienfaisance. \ **2.** *Rouennerie* : rayon des toiles de coton fabriquées à Rouen. \ **3.** *Au pair* : qui est logé et nourri mais ne touche pas de salaire.

615 la nourriture. Comme il y avait trois tables, une à neuf heures
et demie, l'autre à dix heures et demie, et l'autre à onze heures
et demie, il voulut expliquer qu'étant de la troisième table, il
avait toujours des fonds de sauce, des portions rognées.

— Comment! la nourriture n'est pas bonne? demanda d'un
620 air naïf Mouret, ouvrant enfin la bouche.

Il ne donnait qu'un franc cinquante par jour et par homme
au chef, un terrible Auvergnat, lequel trouvait encore moyen
d'emplir ses poches; et la nourriture était réellement exécrable.
Mais Bourdoncle haussa les épaules: un chef qui avait quatre
625 cents déjeuners et quatre cents dîners à servir, même en trois
séries, ne pouvait guère s'attarder aux raffinements de son art.

— N'importe, reprit le patron bonhomme, je veux que tous
nos employés aient une nourriture saine et abondante… Je
parlerai au chef.

630 Et la réclamation de Mignot fut enterrée. Alors, revenus à
leur point de départ, debout près de la porte, au milieu des
parapluies et des cravates, Mouret et Bourdoncle reçurent le
rapport d'un des quatre inspecteurs, chargés de la surveillance
du magasin. Le père Jouve, un ancien capitaine, décoré à
635 Constantine[1], encore bel homme avec son grand nez sensuel et
sa calvitie majestueuse, leur signala un vendeur qui, sur une
simple remontrance de sa part, l'avait traité de « vieux ramolli »;
et le vendeur fut immédiatement congédié.

Cependant, le magasin restait vide de clientes. Seules, les
640 ménagères du quartier traversaient les galeries désertes. À la
porte, l'inspecteur qui pointait l'arrivée des employés, venait
de refermer son registre et inscrivait à part les retardataires.
C'était le moment où les vendeurs s'installaient dans leurs
rayons, que les garçons avaient balayés et époussetés dès cinq

1. *Constantine*: référence à la conquête de l'Algérie. La ville de Constantine fut prise en
octobre 1837.

645 heures. Chacun casait son chapeau et son pardessus, en étouffant un bâillement, la mine blanche encore de sommeil. Les uns échangeaient des mots, regardaient en l'air, semblaient se dérouiller pour une nouvelle journée de travail ; d'autres, sans se presser, retiraient les serges [1] vertes, dont ils avaient, la veille

650 au soir, couvert les marchandises, après les avoir repliées ; et les piles d'étoffes apparaissaient, rangées symétriquement, tout le magasin était propre et en ordre, d'un éclat tranquille dans la gaieté matinale, en attendant que la bousculade de la vente l'ait une fois de plus obstrué et comme rétréci d'une débâcle de

655 toile, de drap, de soie, et de dentelle.

Sous la lumière vive du hall central, au comptoir des soieries, deux jeunes gens causaient à voix basse. L'un, petit et charmant, les reins solides, la peau rose, cherchait à marier des couleurs de soie, pour un étalage intérieur. Il se nommait Hutin, était fils

660 d'un cafetier d'Yvetot, et avait su, en dix-huit mois, devenir un des premiers vendeurs, par une souplesse de nature, une continuelle caresse de flatterie, qui cachait un appétit furieux, mangeant tout, dévorant le monde, même sans faim, pour le plaisir.

665 — Écoutez, Favier, je l'aurais giflé à votre place, parole d'honneur ! disait-il à l'autre, un grand garçon bilieux [2], sec et jaune, qui était né à Besançon d'une famille de tisserands, et qui, sans grâce, cachait sous un air froid une volonté inquiétante.

— Ça n'avance guère, de gifler les gens, murmura-t-il avec

670 flegme. Il vaut mieux attendre.

Tous deux parlaient de Robineau, qui surveillait les commis, tandis que le chef du comptoir était au sous-sol. Hutin minait [3] sourdement le second, dont il voulait la place. Déjà, pour le blesser et le faire partir, le jour où la situation de premier qu'on

1. *Serge* : étoffe de laine, utilisée ici pour protéger les tissus plus précieux. \ 2. *Bilieux* : inquiet, enclin à la colère. \ 3. *Minait* : attaquait sournoisement.

675 lui avait promise, s'était trouvée libre, il avait imaginé d'amener Bouthemont du dehors. Cependant Robineau tenait bon, et c'était maintenant une bataille de chaque heure. Hutin rêvait d'ameuter contre lui le rayon entier, de le chasser à force de mauvais vouloir et de vexations. D'ailleurs, il opérait de son

680 air aimable, il excitait surtout Favier, qui venait à sa suite comme vendeur, et qui paraissait se laisser conduire, mais avec de brusques réserves, où l'on sentait toute une campagne personnelle, menée en silence.

— Chut ! dix-sept [1] ! dit-il vivement à son collègue, pour le

685 prévenir par ce cri consacré de l'approche de Mouret et de Bourdoncle.

Ceux-ci, en effet, continuaient leur inspection en traversant le hall. Ils s'arrêtèrent, ils demandèrent à Robineau des explications, au sujet d'un stock de velours, dont les cartons empilés

690 encombraient une table. Et, comme celui-ci répondait que la place manquait :

— Je vous le disais, Bourdoncle, s'écria Mouret en souriant, le magasin est déjà trop petit ! Il faudra un jour abattre les murs jusqu'à la rue de Choiseul... Vous verrez l'écrasement, lundi

695 prochain !

Et, à propos de cette mise en vente qu'on préparait dans tous les comptoirs, il interrogea de nouveau Robineau, il lui donna des ordres. Mais, depuis quelques minutes, sans cesser de parler, il suivait du regard le travail de Hutin, qui s'attardait

700 à mettre des soies bleues à côté de soies grises et de soies jaunes, puis qui se reculait, pour juger de l'harmonie des tons. Brusquement, il intervint.

— Mais pourquoi cherchez-vous à ménager l'œil ? dit-il. N'ayez donc pas peur, aveuglez-le... Tenez ! du rouge ! du vert !

705 du jaune !

1. *Dix-sept* : cri d'alerte qui signale l'arrivée du directeur (argot).

Il avait pris les pièces, il les jetait, les froissait, en tirait des gammes éclatantes. Tous en convenaient, le patron était le premier étalagiste de Paris, un étalagiste révolutionnaire à la vérité, qui avait fondé l'école du brutal et du colossal dans la
710 science de l'étalage. Il voulait des écroulements, comme tombés au hasard des casiers éventrés, et il les voulait flambants des couleurs les plus ardentes, s'avivant l'un par l'autre. En sortant du magasin, disait-il, les clientes devaient avoir mal aux yeux. Hutin, qui, au contraire, était de l'école classique de la
715 symétrie et de la mélodie cherchées dans les nuances, le regardait allumer cet incendie d'étoffes au milieu d'une table, sans se permettre la moindre critique, mais les lèvres pincées par une moue d'artiste dont une telle débauche blessait les convictions.

720 — Voilà ! cria Mouret, quand il eut fini. Et laissez-le... Vous me direz s'il raccroche les femmes, lundi !

Justement, comme il rejoignait Bourdoncle et Robineau, une femme arrivait, qui resta quelques secondes plantée et suffoquée devant l'étalage. C'était Denise. Après avoir hésité
725 près d'une heure dans la rue, en proie à une terrible crise de timidité, elle venait de se décider enfin. Seulement, elle perdait la tête, au point de ne pas comprendre les explications les plus claires ; et les commis auxquels elle demandait en balbutiant Mᵐᵉ Aurélie avaient beau lui indiquer l'escalier de l'entresol,
730 elle remerciait, puis elle tournait à gauche, si on lui avait dit de tourner à droite ; de sorte que, depuis dix minutes, elle battait[1] le rez-de-chaussée, allant de rayon en rayon, au milieu de la curiosité méchante et de l'indifférence maussade des vendeurs. C'était à la fois, en elle, une envie de se sauver et un
735 besoin d'admiration qui la retenait. Elle se sentait perdue, toute petite dans le monstre, dans la machine encore au repos,

1. *Battait* : traversait en tous sens.

tremblant d'être prise par le branle dont les murs frémissaient déjà. Et la pensée de la boutique du *Vieil Elbeuf*, noire et étroite, agrandissait encore pour elle le vaste magasin, le lui montrait
740 doré de lumière, pareil à une ville, avec ses monuments, ses places, ses rues, où il lui semblait impossible qu'elle trouvât jamais sa route.

Cependant, elle n'avait point osé jusque-là se risquer dans le hall des soieries, dont le haut plafond vitré, les comptoirs
745 luxueux, l'air d'église lui faisaient peur. Puis, quand elle y était enfin entrée, pour échapper aux commis du blanc qui riaient, elle avait comme buté tout d'un coup contre l'étalage de Mouret ; et, malgré son effarement, la femme se réveillant en elle, les joues subitement rouges, elle s'oubliait à regarder
750 flamber l'incendie des soies.

— Tiens ? dit crûment Hutin à l'oreille de Favier, la grue[1] de la place Gaillon.

Mouret, tout en affectant d'écouter Bourdoncle et Robineau, était flatté au fond du saisissement de cette fille pauvre, de
755 même qu'une marquise est remuée par le désir brutal d'un charretier qui passe. Mais Denise avait levé les yeux, et elle se troubla davantage, quand elle reconnut le jeune homme qu'elle prenait pour un chef de rayon. Elle s'imagina qu'il la regardait avec sévérité. Alors, ne sachant plus comment s'éloigner, égarée
760 tout à fait, elle s'adressa une fois encore au premier commis venu, à Favier qui se trouvait près d'elle.

— M^me Aurélie, s'il vous plaît ?

Favier, désagréable, se contenta de répondre de sa voix sèche :

— À l'entresol.

765 Et Denise, ayant hâte de n'être plus sous les regards de tous ces hommes, disait merci et tournait de nouveau le dos à l'escalier, lorsque Hutin céda naturellement à son instinct de

1. *Grue* : prostituée (terme familier).

galanterie. Il l'avait traitée de grue, et ce fut de son air aimable de beau vendeur qu'il l'arrêta.

770 — Non, par ici, mademoiselle… Si vous voulez bien vous donner la peine…

Même il fit quelques pas devant elle, la conduisit au pied de l'escalier, qui se trouvait à la gauche du hall. Là, il inclina la tête, il lui sourit, du sourire qu'il avait pour toutes les femmes.

775 — En haut, tournez à gauche… Les confections sont en face.

Cette politesse caressante remuait profondément Denise. C'était comme un secours fraternel qui lui arrivait. Elle avait levé les yeux, elle contemplait Hutin, et tout en lui la touchait, le joli visage, le regard dont le sourire dissipait sa crainte, la

780 voix qui lui semblait d'une douceur consolante. Son cœur se gonfla de gratitude, elle donna son amitié, dans les quelques paroles décousues que l'émotion lui permit de balbutier.

— Vous êtes trop bon… Ne vous dérangez pas… Merci mille fois, monsieur.

785 Déjà Hutin rejoignait Favier, auquel il disait tout bas, de sa voix crue :

— Hein ? quelle désossée !

En haut, la jeune fille tomba droit dans le rayon des confections. C'était une vaste pièce, entourée de hautes armoires en

790 chêne sculpté, et dont les glaces sans tain donnaient sur la rue de la Michodière. Cinq ou six femmes vêtues de robes de soie, très coquettes avec leurs chignons frisés et leurs crinolines[1] rejetées en arrière, s'y agitaient en causant. Une, grande et mince, la tête trop longue, ayant une allure de cheval échappé,

795 s'était adossée à une armoire, comme brisée déjà de fatigue.

— Mᵐᵉ Aurélie ? répéta Denise.

La vendeuse la regarda sans répondre, d'un air de dédain pour sa mise pauvre, puis s'adressant à une de ses camarades,

1. *Crinolines* : jupes de dessous, garnies de baleines, servant à gonfler la robe.

petite, d'une mauvaise chair blanche, avec une mine innocente
800 et dégoûtée, elle demanda :

— Mademoiselle Vadon, savez-vous où est la première ?

Celle-là, qui était en train de ranger des rotondes [1] par ordre
de taille, ne prit même pas la peine de lever la tête.

— Non, mademoiselle Prunaire, je n'en sais rien, dit-elle du
805 bout des lèvres.

Un silence se fit. Denise restait immobile, et personne ne
s'occupait plus d'elle. Pourtant, après avoir attendu un instant,
elle s'enhardit jusqu'à poser une nouvelle question.

— Croyez-vous que M^me Aurélie reviendra bientôt ?

810 Alors, la seconde du rayon, une femme maigre et laide
qu'elle n'avait pas vue, une veuve à la mâchoire saillante et aux
cheveux durs, lui cria d'une armoire où elle vérifiait des
étiquettes :

— Attendez, si c'est à M^me Aurélie en personne que vous
815 désirez parler.

Et, questionnant une autre vendeuse, elle ajouta :

— Est-ce qu'elle n'est pas à la réception ?

— Non, madame Frédéric, je ne crois pas, répondit celle-ci.
Elle n'a rien dit, elle ne peut pas être loin.

820 Denise, ainsi renseignée, demeura debout. Il y avait bien
quelques chaises pour les clientes ; mais, comme on ne lui disait
pas de s'asseoir, elle n'osa en prendre une, malgré le trouble qui
lui cassait les jambes. Évidemment, ces demoiselles avaient
flairé la vendeuse qui venait se présenter, et elles la dévisa-
825 geaient, elles la déshabillaient du coin de l'œil, sans bien-
veillance, avec la sourde hostilité des gens à table qui n'aiment
pas se serrer pour faire place aux faims du dehors. Son embarras
grandit, elle traversa la pièce à petits pas et alla regarder dans
la rue, afin de se donner une contenance. Juste devant elle, le

1. *Rotondes* : manteaux dont les plis forment un large cercle.

830 *Vieil Elbeuf*, avec sa façade rouillée et ses vitrines mortes, lui parut si laid, si malheureux, vu ainsi du luxe et de la vie où elle se trouvait, qu'une sorte de remords acheva de lui serrer le cœur.

— Dites, chuchotait la grande Prunaire à la petite Vadon, avez-vous vu ses bottines ?

835 — Et la robe donc ! murmurait l'autre.

Les yeux toujours vers la rue, Denise se sentait mangée. Mais elle était sans colère, elle ne les avait trouvées belles ni l'une ni l'autre, pas plus la grande avec son chignon de cheveux roux tombant sur son cou de cheval, que la petite, avec son teint de

840 lait tourné, qui amollissait sa face plate, et comme sans os. Clara Prunaire, fille d'un sabotier des bois de Vivet, débauchée par les valets de chambre au château de Mareuil, quand la comtesse la prenait pour les raccommodages, était venue plus tard d'un magasin de Langres, et se vengeait à Paris sur les

845 hommes des coups de pied dont le père Prunaire lui bleuissait les reins. Marguerite Vadon, née à Grenoble où sa famille tenait un commerce de toiles, avait dû être expédiée au *Bonheur des Dames*, pour y cacher une faute, un enfant fait par hasard ; et elle se conduisait très bien, elle devait retourner là-bas diriger

850 la boutique de ses parents et épouser un cousin, qui l'attendait.

— Ah bien ! reprit à voix basse Clara, en voilà une qui ne pèsera pas lourd ici !

Mais elles se turent, une femme d'environ quarante-cinq ans entrait. C'était M{me} Aurélie, très forte, sanglée dans sa robe de

855 soie noire, dont le corsage, tendu sur la rondeur massive des épaules et de la gorge, luisait comme une armure. Elle avait, sous des bandeaux [1] sombres, de grands yeux immobiles, la bouche sévère, les joues larges et un peu tombantes ; et, dans sa majesté de première, son visage prenait l'enflure d'un

860 masque empâté de César.

1. *Bandeaux* : mèches de cheveux lissés sur les tempes.

— Mademoiselle Vadon, dit-elle d'une voix irritée, vous n'avez donc pas remis hier à l'atelier le modèle du manteau à taille[1] ?

— Il y avait une retouche à faire, madame, répondit la vendeuse, et c'est M^me Frédéric qui l'a gardé.

865

Alors, la seconde tira le modèle d'une armoire, et l'explication continua. Tout pliait devant M^me Aurélie, quand elle croyait avoir à défendre son autorité. Très vaniteuse, au point de ne pas vouloir être appelée de son nom de Lhomme qui la vexait, et de renier la loge de son père[2], dont elle parlait comme d'un tailleur en boutique, elle n'était bonne femme que pour les demoiselles souples et caressantes, tombant en admiration devant elle. Autrefois, dans l'atelier de confection qu'elle avait voulu monter à son compte, elle s'était aigrie, sans cesse traquée par la mauvaise chance, exaspérée de se sentir des épaules à porter la fortune et de n'aboutir qu'à des catastrophes ; et, aujourd'hui encore, même après son succès au *Bonheur des Dames*, où elle gagnait douze mille francs par an, il semblait qu'elle gardât une rancune au monde, elle se montrait dure pour les débutantes, comme la vie s'était d'abord montrée dure pour elle.

870

875

880

— Assez de paroles ! finit-elle par dire sèchement, vous n'êtes pas plus raisonnable que les autres, madame Frédéric... Qu'on fasse la retouche tout de suite.

Pendant cette explication, Denise avait cessé de regarder dans la rue. Elle se doutait bien que cette dame était M^me Aurélie ; mais, inquiétée par les éclats de sa voix, elle restait debout, elle attendait toujours. Les vendeuses, enchantées d'avoir mis aux prises la première et la seconde du rayon, étaient retournées à leur besogne, d'un air de profonde indifférence. Quelques

885

890

1. *Manteau à taille* : manteau qui marque la taille. \ 2. *La loge de son père* : son père était concierge, rang qu'elle juge inférieur à celui de vendeur ou de tailleur.

minutes se passèrent, personne n'avait la charité de tirer la jeune fille de sa gêne. Enfin, ce fut M^me Aurélie elle-même qui l'aperçut et qui, s'étonnant de la voir immobile, lui demanda ce qu'elle désirait.

895 — Madame Aurélie, je vous prie ?

— C'est moi.

Denise avait la bouche sèche, les mains froides, reprise d'une de ses anciennes peurs d'enfant, lorsqu'elle tremblait d'être fouettée. Elle bégaya sa demande, dut la recommencer pour la 900 rendre intelligible. M^me Aurélie la regardait de ses grands yeux fixes, sans qu'un pli de son masque d'empereur daignât s'attendrir.

— Quel âge avez-vous donc ?

— Vingt ans, madame.

905 — Comment vingt ans ! mais vous n'en paraissez pas seize !

De nouveau, les vendeuses levaient la tête. Denise se hâta d'ajouter :

— Oh ! je suis très forte !

M^me Aurélie haussa ses larges épaules. Puis elle déclara :

910 — Mon Dieu ! je veux bien vous inscrire. Nous inscrivons ce qui se présente… Mademoiselle Prunaire, donnez-moi le registre.

On ne le trouva pas tout de suite, il devait être entre les mains de l'inspecteur Jouve. Comme la grande Clara allait le chercher, 915 Mouret arriva, toujours suivi de Bourdoncle. Ils achevaient le tour des comptoirs de l'entresol, ils avaient traversé les dentelles, les châles, les fourrures, l'ameublement, la lingerie, et ils finissaient par les confections. M^me Aurélie s'écarta, causa un moment avec eux d'une commande de paletots qu'elle comp- 920 tait faire chez un des gros entrepreneurs de Paris ; d'ordinaire, elle achetait directement et sous sa responsabilité ; mais, pour les achats importants, elle préférait consulter la direction. Ensuite, Bourdoncle lui conta la nouvelle négligence de son fils

Albert, qui parut la désespérer : cet enfant la tuerait ; au moins,
925 le père, s'il n'était pas fort, avait pour lui de la conduite. Toute
cette dynastie des Lhomme, dont elle était le chef incontesté,
lui donnait parfois bien du mal.

Cependant, Mouret, surpris de retrouver Denise, se pencha
pour demander à M^me Aurélie ce que cette jeune fille faisait là ;
930 et, quand la première eut répondu qu'elle se présentait comme
vendeuse, Bourdoncle, avec son dédain de la femme, fut
suffoqué de cette prétention.

— Allons donc ! murmura-t-il, c'est une plaisanterie ! Elle est
trop laide.

935 — Le fait est qu'elle n'a rien de beau, dit Mouret, n'osant la
défendre, bien que touché encore de son extase en bas, devant
l'étalage.

Mais on apportait le registre, et M^me Aurélie revint vers
Denise. Celle-ci ne faisait décidément pas une bonne impres-
940 sion. Elle était très propre, dans sa mince robe de laine noire ;
on ne s'arrêtait pas à cette pauvreté de la mise, car on fournis-
sait l'uniforme, la robe de soie réglementaire ; seulement, elle
paraissait bien chétive et elle avait le visage triste. Sans exiger
des filles belles, on les voulait agréables, pour la vente. Et, sous
945 les regards de ces dames et de ces messieurs, qui l'étudiaient,
qui la pesaient, comme une jument que des paysans marchan-
dent à la foire, Denise achevait de perdre contenance.

— Votre nom ? demanda la première, la plume à la main,
prête à écrire sur le bout d'un comptoir.

950 — Denise Baudu, madame.

— Votre âge ?

— Vingt ans et quatre mois.

Et elle répéta, en se hasardant à lever les yeux sur Mouret,
sur ce prétendu chef de rayon qu'elle rencontrait toujours, et
955 dont la présence la troublait :

— Je n'en ai pas l'air, mais je suis très solide.

On sourit. Bourdoncle regardait ses ongles avec impatience.
La phrase d'ailleurs tomba au milieu d'un silence décourageant.

— Dans quelle maison avez-vous été, à Paris ? reprit la première.

960 — Mais, madame, j'arrive de Valognes.

Ce fut un nouveau désastre. D'ordinaire, le *Bonheur des
Dames* exigeait de ses vendeuses un stage d'un an dans une des
petites maisons de Paris. Denise alors désespéra ; et, sans la
pensée des enfants, elle serait partie pour mettre fin à cet inter-
965 rogatoire inutile.

— Où étiez-vous à Valognes ?

— Chez Cornaille.

— Je le connais, bonne maison, laissa échapper Mouret.

Jamais d'habitude il n'intervenait dans cet embauchage des
970 employés, les chefs de rayon ayant la responsabilité de leur
personnel. Mais, avec son sens délicat de la femme, il sentait
chez cette jeune fille un charme caché, une force de grâce et de
tendresse, ignorée d'elle-même. La bonne renommée de la
maison de début était d'un grand poids ; souvent, elle décidait
975 de l'acceptation. M^{me} Aurélie continua d'une vois plus douce :

— Et pourquoi êtes-vous sortie de chez Cornaille ?

— Des raisons de famille, répondit Denise en rougissant.
Nous avons perdu nos parents, j'ai dû suivre mes frères…
D'ailleurs, voici un certificat.

980 Il était excellent. Elle recommençait à espérer, quand une
dernière question la gêna.

— Avez-vous d'autres références à Paris ?… Où demeurez-
vous ?

— Chez mon oncle, murmura-t-elle, hésitant à le nommer,
985 craignant qu'on ne voulût jamais de la nièce d'un concurrent.
Chez mon oncle Baudu, là, en face.

Du coup, Mouret intervint une seconde fois.

— Comment, vous êtes la nièce de Baudu !… Est-ce que c'est
Baudu qui vous envoie ?

990 — Oh! non, monsieur!

Et elle ne put s'empêcher de rire, tant l'idée lui parut singulière. Ce fut une transfiguration. Elle restait rose, et le sourire, sur sa bouche un peu grande, était comme un épanouissement du visage entier. Ses yeux gris prirent une flamme tendre, ses joues se creu-
995 sèrent d'adorables fossettes, ses pâles cheveux eux-mêmes semblè-rent voler, dans la gaieté bonne et courageuse de tout son être.

— Mais elle est jolie! dit tout bas Mouret à Bourdoncle.

L'intéressé refusa d'en convenir, d'un geste d'ennui. Clara avait pincé les lèvres, tandis que Marguerite tournait le dos.
1000 Seule, M^{me} Aurélie approuva Mouret de la tête, quand il reprit:

— Votre oncle a eu tort de ne pas vous amener, sa recomman-dation suffisait… On prétend qu'il nous en veut. Nous sommes d'esprit plus large, et s'il ne peut occuper sa nièce dans sa maison, eh bien! nous lui montrerons que sa nièce n'a eu qu'à frapper
1005 chez nous pour être accueillie… Répétez-lui que je l'aime toujours beaucoup, qu'il doit s'en prendre, non pas à moi, mais aux nouvelles conditions du commerce. Et dites-lui qu'il achè-vera de se couler, s'il s'entête dans un tas de vieilleries ridicules.

Denise redevint toute blanche. C'était Mouret. Personne
1010 n'avait dit son nom, mais il se désignait lui-même, et elle le devinait maintenant, elle comprenait pourquoi ce jeune homme lui avait causé une telle émotion, dans la rue, au rayon des soie-ries, à présent encore. Cette émotion, où elle ne pouvait lire, pesait de plus en plus sur son cœur, comme un poids trop
1015 lourd. Toutes les histoires contées par son oncle revenaient à sa mémoire, grandissant Mouret, l'entourant d'une légende, faisant de lui le maître de la terrible machine, qui depuis le matin la tenait dans les dents de fer de ses engrenages. Et, derrière sa jolie tête, à la barbe soignée, aux yeux couleur de vieil
1020 or, elle voyait la femme morte, cette M^{me} Hédouin, dont le sang avait scellé les pierres de la maison. Alors, elle fut reprise du froid de la veille, elle crut qu'elle avait simplement peur de lui.

Mᵐᵉ Aurélie, cependant, fermait le registre. Il lui fallait une seule vendeuse, et il y avait déjà dix demandes inscrites. Mais elle était trop désireuse d'être agréable au patron pour hésiter. La demande toutefois suivrait sou cours, l'inspecteur Jouve irait aux renseignements, ferait son rapport, et la première prendrait une décision.

— C'est bien, mademoiselle, dit-elle majestueusement, pour réserver son autorité. On vous écrira.

L'embarras tint encore Denise immobile, pendant un instant. Elle ne savait de quel pied sortir, au milieu de tout ce monde. Enfin, elle remercia Mᵐᵉ Aurélie ; et, lorsqu'elle dut passer devant Mouret et Bourdoncle, elle salua. Ceux-ci, d'ailleurs, qui ne s'occupaient déjà plus d'elle, ne lui rendirent pas même son salut, très attentifs à examiner avec Mᵐᵉ Frédéric le modèle du manteau à taille. Clara eut un geste vexé, en regardant Marguerite, comme pour prédire que la nouvelle vendeuse n'aurait pas beaucoup d'agrément[1] au rayon. Sans doute Denise sentit derrière elle cette indifférence et cette rancune, car elle descendit l'escalier avec le même trouble qu'elle l'avait monté, en proie à une singulière angoisse, se demandant si elle devait se désespérer ou se réjouir d'être venue. Pouvait-elle compter sur la place ? elle recommençait à en douter, dans le malaise qui l'avait empêchée de comprendre nettement. De toutes ses sensations, deux persistaient et effaçaient peu à peu les autres : le coup porté en elle par Mouret, profond jusqu'à la peur ; puis, l'amabilité de Hutin, la seule joie de sa matinée, un souvenir d'une douceur charmante, qui l'emplissait de gratitude. Quand elle traversa le magasin pour sortir, elle chercha le jeune homme, heureuse à l'idée de le remercier encore des yeux ; et elle fut triste de ne pas le voir.

— Eh bien ! mademoiselle, avez-vous réussi ? lui demanda une voix émue, comme elle était enfin sur le trottoir.

1. *N'aurait pas beaucoup d'agrément* : n'aurait pas la tâche facile.

Elle se retourna, elle reconnut le grand garçon blême et
1055 dégingandé, qui lui avait adressé la parole, le matin. Lui aussi
sortait du *Bonheur des Dames* et il paraissait plus effaré qu'elle,
tout ahuri de l'interrogatoire qu'il venait de subir.

— Mon Dieu! je n'en sais rien, monsieur, répondit-elle,

— C'est comme moi, alors. Ils ont une manière de vous
1060 regarder et de vous parler, là-dedans!... Je suis pour les
dentelles. Je sors de chez Crèvecœur, rue du Mail.

Ils étaient de nouveau l'un devant l'autre; et, ne sachant de
quelle façon se quitter, ils se mirent à rougir. Puis, le jeune
homme, pour dire encore quelque chose dans l'excès de sa timi-
1065 dité, osa demander, de son air gauche et bon:

— Comment vous nommez-vous, mademoiselle?

— Denise Baudu.

— Moi, je me nomme Henri Deloche.

Maintenant, ils souriaient. Ils cédèrent à la fraternité de leurs
1070 situations, ils se tendirent la main.

— Bonne chance!

— Oui, bonne chance!

III

Chaque samedi, de quatre à six, M^{me} Desforges offrait une
tasse de thé et des gâteaux aux personnes de son intimité, qui
voulaient bien la venir voir. L'appartement se trouvait au troi-
sième, à l'encoignure des rues de Rivoli et d'Alger; et les
5 fenêtres des deux salons ouvraient sur le jardin des Tuileries.

Justement, ce samedi-là, comme un domestique allait l'in-
troduire dans le grand salon, Mouret aperçut de l'antichambre,

par une porte restée ouverte, M^{me} Desforges qui traversait le
petit salon. Elle s'était arrêtée en le voyant, et il entra par là,
10 il la salua d'un air de cérémonie. Puis, quand le domestique eut
refermé la porte, il saisit vivement la main de la jeune femme,
qu'il baisa avec tendresse.

— Prends garde, il y a du monde ! dit-elle tout bas, en dési-
gnant d'un signe la porte du grand salon. Je suis allée chercher
15 cet éventail pour le leur montrer.

Et, du bout de l'éventail, elle lui donna gaiement un léger
coup au visage. Elle était brune, un peu forte, avec de grands
yeux jaloux. Mais il avait gardé sa main, il demanda :

— Viendra-t-il ?

20 — Sans doute, répondit-elle. J'ai sa promesse.

Tous deux parlaient du baron Hartmann[1], directeur du
Crédit Immobilier. M^{me} Desforges, fille d'un conseiller d'État,
était veuve d'un homme de Bourse qui lui avait laissé une
fortune, niée par les uns, exagérée par les autres. Du vivant
25 même de celui-ci, disait-on, elle s'était montrée reconnaissante
pour le baron Hartmann, dont les conseils de grand financier
profitaient au ménage ; et, plus tard, après la mort du mari, la
liaison devait avoir continué, mais toujours discrètement, sans
une imprudence, sans un éclat. Jamais M^{me} Desforges ne s'af-
30 fichait, on la recevait partout, dans la haute bourgeoisie où elle
était née. Même aujourd'hui que la passion du banquier,
homme sceptique et fin, tournait à une simple affection pater-
nelle, si elle se permettait d'avoir des amants qu'il lui tolérait,
elle apportait, dans ses coups de cœur, une mesure et un tact si
35 délicats, une science du monde si adroitement appliquée, que
les apparences restaient sauves et que personne ne se serait
permis de mettre tout haut son honnêteté en doute. Ayant

1. *Baron Hartmann* : son nom rappelle celui du baron Haussmann (voir Dossier, « L'œuvre
dans l'histoire », p. 520).

rencontré Mouret chez des amis communs, elle l'avait détesté d'abord; puis, elle s'était donnée plus tard, comme emportée
40 dans le brusque amour dont il l'attaquait, et, depuis qu'il manœuvrait de manière à tenir par elle le baron, elle se prenait peu à peu d'une tendresse vraie et profonde, elle l'adorait avec la violence d'une femme de trente-cinq ans déjà, qui n'en avouait que vingt-neuf, désespérée de le sentir plus jeune, trem-
45 blant de le perdre,

— Est-il au courant? reprit-il.

— Non, vous lui expliquerez vous-même l'affaire, répondit-elle, cessant de le tutoyer.

Elle le regardait, elle songeait qu'il ne devait rien savoir,
50 pour l'employer ainsi auprès du baron, en affectant de le considérer simplement comme un vieil ami à elle. Mais il lui tenait toujours la main, il l'appelait sa bonne Henriette, et elle sentit son cœur se fondre. Silencieusement, elle tendit les lèvres, les appuya sur les siennes; puis, à voix basse:

55 — Chut! on m'attend… Entre derrière moi.

Des voix légères venaient du grand salon, assourdies par les tentures. Elle poussa la porte, dont elle laissa les deux battants ouverts, et elle remit l'éventail à une des quatre dames, qui étaient assises au milieu de la pièce,

60 — Tenez! le voilà, dit-elle. Je ne savais plus, jamais ma femme de chambre ne l'aurait trouvé.

Et, se tournant, elle ajouta de son air gai:

— Entrez donc, monsieur Mouret, passez par le petit salon. Ce sera moins solennel.

65 Mouret salua ces dames, qu'il connaissait. Le salon, avec son meuble Louis XVI de brocatelle[1] à bouquets, ses bronzes dorés, ses grandes plantes vertes, avait une intimité tendre de femme, malgré la hauteur du plafond; et par les deux fenêtres, on aper-

1. *Brocatelle*: tissu imitant le brocart, riche étoffe de soie rehaussée d'or et d'argent.

cevait les marronniers des Tuileries, dont le vent d'octobre
70 balayait les feuilles.

— Mais il n'est pas vilain du tout, ce chantilly[1] ! s'écria
Mme Bourdelais, qui tenait l'éventail.

C'était une petite blonde de trente ans, le nez fin, les yeux
vifs, une amie de pension d'Henriette, qui avait épousé un
75 sous-chef du ministère des Finances. De vieille famille bour-
geoise, elle menait son ménage et ses trois enfants, avec une
activité, une bonne grâce, un flair exquis de la vie pratique.

— Et tu as payé le morceau vingt-cinq francs ? reprit-elle en
examinant chaque maille de la dentelle. Hein ? tu dis à Luc,
80 chez une ouvrière du pays ?… Non, non, ce n'est pas cher…
Mais il a fallu que tu le fisses monter.

— Sans doute, répondit Mme Desforges. La monture me
coûte deux cents francs.

Alors Mme Bourdelais se mit à rire. Si c'était là ce qu'Hen-
85 riette appelait une occasion ! Deux cents francs, une simple
monture d'ivoire, avec un chiffre[2] ! et pour un bout de chan-
tilly, qui lui avait bien fait économiser cent sous ! On trouvait
à cent vingt francs les mêmes éventails tout montés. Elle cita
une maison, rue Poissonnière.

90 Cependant, l'éventail faisait le tour de ces dames. Mme Guibal
lui accorda à peine un coup d'œil. Elle était grande et mince, de
cheveux roux, avec un visage noyé d'indifférence, où ses yeux gris
mettaient par moments, sous son air détaché, les terribles faims
de l'égoïsme. Jamais on ne la voyait en compagnie de son mari,
95 un avocat connu au Palais, qui, disait-on, menait de son côté la
vie libre, tout à ses dossiers et à ses plaisirs.

— Oh ! murmura-t-elle en passant l'éventail à Mme de Boves,
je n'en ai pas acheté deux dans ma vie… On vous en donne
toujours de trop.

1. *Chantilly* : dentelle noire à fond clair. \ 2. *Chiffre* : initiales entremêlées.

100 La comtesse répondit d'une voix finement ironique :

— Vous êtes heureuse, ma chère, d'avoir un mari galant.

Et, se penchant vers sa fille, une grande personne de vingt ans et demi :

— Regarde donc le chiffre. Blanche. Quel joli travail !...
105 C'est le chiffre qui a dû augmenter ainsi la monture.

M^{me} de Boves venait de dépasser la quarantaine. C'était une femme superbe, à encolure de déesse, avec une grande face régulière et de larges yeux dormants, que son mari, inspecteur général des haras, avait épousée pour sa beauté. Elle paraissait
110 toute remuée par la délicatesse du chiffre, comme envahie d'un désir dont l'émotion pâlissait son regard. Et brusquement :

— Donnez-nous donc votre avis, monsieur Mouret. Est-ce trop cher, deux cents francs, cette monture ?

Mouret était resté debout, au milieu des cinq femmes,
115 souriant, s'intéressant à ce qui les intéressait. Il prit l'éventail, l'examina ; et il allait se prononcer, lorsque le domestique ouvrit la porte, en disant :

— Madame Marty.

Une femme maigre entra, laide, ravagée de petite vérole,
120 mise avec une élégance compliquée. Elle était sans âge, ses trente-cinq ans en valaient quarante ou trente, selon la fièvre nerveuse qui l'animait. Un sac de cuir rouge, qu'elle n'avait pas lâché, pendait à sa main droite.

— Chère madame, dit-elle à Henriette, vous m'excusez, avec
125 mon sac... Imaginez-vous, en venant vous voir, je suis entrée au *Bonheur*, et comme j'ai encore fait des folies, je n'ai pas voulu laisser ceci en bas, dans mon fiacre, de peur d'être volée.

Mais elle venait d'apercevoir Mouret, elle reprit en riant :

— Ah ! monsieur, ce n'était point pour vous faire de la
130 réclame, puisque j'ignorais que vous fussiez là... Vous avez vraiment en ce moment des dentelles extraordinaires.

Cela détourna l'attention de l'éventail, que le jeune homme

posa sur un guéridon[1]. Maintenant, ces dames étaient prises du
besoin curieux de voir ce que M^me Marty avait acheté. On la
135 connaissait pour sa rage de dépense, sans force devant la tenta-
tion, d'une honnêteté stricte, incapable de céder à un amant,
mais tout de suite lâche et la chair vaincue, devant le moindre
bout de chiffon. Fille d'un petit employé, elle ruinait aujour-
d'hui son mari, professeur de cinquième au lycée Bonaparte,
140 qui devait doubler ses six mille francs d'appointements en
courant le cachet[2], pour suffire au budget sans cesse croissant
du ménage. Et elle n'ouvrait pas son sac, elle le serrait sur ses
genoux, parlait de sa fille Valentine, âgée de quatorze ans, une
de ses coquetteries les plus chères, car elle l'habillait comme
145 elle, de toutes les nouveautés de la mode, dont elle subissait
l'irrésistible séduction.

— Vous savez, expliqua-t-elle, on fait cet hiver aux jeunes
filles des robes garnies d'une petite dentelle… Naturellement,
quand j'ai vu une valenciennes[3] très jolie…

150 Elle se décida enfin à ouvrir le sac. Ces dames allongeaient
le cou, lorsque, dans le silence, on entendit le timbre de l'an-
tichambre.

— C'est mon mari, balbutia M^me Marty pleine de trouble. Il
doit venir me chercher, en sortant de Bonaparte.

155 Vivement, elle avait refermé le sac, et elle le fit disparaître
sous un fauteuil, d'un mouvement instinctif. Toutes ces dames
se mirent à rire. Alors, elle rougit de sa précipitation, elle le
reprit sur ses genoux, en disant que les hommes ne compre-
naient jamais et qu'ils n'avaient pas besoin de savoir.

160 — Monsieur de Boves, monsieur de Vallagnosc, annonça le
domestique.

Ce fut un étonnement. M^me de Boves elle-même ne comptait

1. *Guéridon* : petite table ronde. \ 2. *Courant le cachet* : multipliant les cours particuliers à
domicile. \ 3. *Valenciennes* : dentelle fabriquée dans la ville de Valenciennes.

pas sur son mari. Ce dernier, bel homme, portant les mous-
taches à l'impériale, de l'air militairement correct aimé des
165 Tuileries, baisa la main de M^me Desforges, qu'il avait connue
jeune, chez son père. Et il s'effaça pour que l'autre visiteur, un
grand garçon pâle, d'une pauvreté de sang distinguée, pût à son
tour saluer la maîtresse de la maison. Mais, à peine la conver-
sation reprenait-elle, que deux légers cris s'élevèrent :
170 — Comment! c'est toi, Paul!
 — Tiens! Octave!
Mouret et Vallagnosc se serraient les mains. À son tour,
M^me Desforges témoignait sa surprise. Ils se connaissaient donc ?
Certes, ils avaient grandi côte à côte, au collège de Plassans[1] ;
175 et le hasard était qu'ils ne se fussent pas encore rencontrés chez
elle.
Cependant, les mains toujours liées, ils passèrent en plai-
santant dans le petit salon, au moment où le domestique
apportait le thé, un service de Chine sur un plateau d'argent,
180 qu'il posa près de M^me Desforges, au milieu du guéridon de
marbre, à légère galerie de cuivre. Ces dames se rapprochaient,
causaient plus haut, toutes aux paroles sans fin qui se croi-
saient ; pendant que M. de Boves, debout derrière elles, se
penchait par instants, disait un mot avec sa galanterie de beau
185 fonctionnaire. La vaste pièce, si tendre et si gaie d'ameuble-
ment, s'égayait encore de ces voix bavardes, coupées de rires.
 — Ah! ce vieux Paul! répétait Mouret.
Il s'était assis près de Vallagnosc, sur un canapé. Seuls au fond
du petit salon, un boudoir très coquet tendu de soie bouton d'or,
190 loin des oreilles et ne voyant plus eux-mêmes ces dames que par
la porte grande ouverte, ils ricanèrent, les yeux dans les yeux,
en s'allongeant des tapes sur les genoux. Toute leur jeunesse

1. L'adolescence des deux hommes est racontée dans *La Conquête de Plassans* (1874), qua-
trième roman des *Rougon-Macquart*.

s'éveillait, le vieux collège de Plassans, avec ses deux cours, ses études humides, et le réfectoire où l'on mangeait tant de morue, 195 et le dortoir où les oreillers volaient de lit en lit, dès que le pion ronflait. Paul, d'une ancienne famille parlementaire, petite noblesse ruinée et boudeuse, était un fort en thème, toujours premier, donné en continuel exemple par le professeur, qui lui prédisait le plus bel avenir ; tandis qu'Octave, à la queue de la 200 classe, pourrissait parmi les cancres, heureux et gras, se dépensant au-dehors en plaisirs violents. Malgré leur différence de nature, une camaraderie étroite les avait pourtant rendus inséparables, jusqu'à leur baccalauréat, dont ils s'étaient tirés, l'un avec gloire, l'autre tout juste d'une façon suffisante, après deux 205 épreuves fâcheuses. Puis, l'existence les avait emportés, et ils se retrouvaient au bout de dix ans, déjà changés et vieillis.

— Voyons, demanda Mouret, que deviens-tu ?

— Mais je ne deviens rien.

Vallagnosc, dans la joie de leur rencontre, gardait son air las 210 et désenchanté ; et, comme son ami, étonné, insistait, en disant :

— Enfin, tu fais bien quelque chose… Que fais-tu ?

— Rien, répondit-il.

Octave se mit à rire. Rien, ce n'était pas assez. Phrase à 215 phrase, il finit par obtenir l'histoire de Paul, l'histoire commune des garçons pauvres, qui croient devoir à leur naissance de rester dans les professions libérales, et qui s'enterrent au fond d'une médiocrité vaniteuse, heureux encore quand ils ne crèvent pas la faim, avec des diplômes plein leurs tiroirs. Lui, avait fait son 220 droit par tradition de famille ; puis, il était demeuré à la charge de sa mère veuve, qui ne savait déjà comment placer ses deux filles. Une honte enfin l'avait pris, et, laissant les trois femmes vivre mal des débris de leur fortune, il était venu occuper une petite place au ministère de l'Intérieur, où il se tenait enfoui, 225 comme une taupe dans son trou.

— Et qu'est-ce que tu gagnes ? reprit Mouret.

— Trois mille francs.

— Mais c'est une pitié ! Ah ! mon pauvre vieux, ça me fait de la peine pour toi… Comment ! un garçon si fort, qui nous roulait tous ! Et ils ne te donnent que trois mille francs, après t'avoir abruti pendant cinq ans déjà ! Non, ce n'est pas juste !

Il s'interrompit, il fit un retour sur lui-même.

— Moi, je leur ai tiré ma révérence… Tu sais ce que je suis devenu ?

— Oui, dit Vallagnosc. On m'a conté que tu étais dans le commerce. Tu as cette grande maison de la place Gaillon, n'est-ce pas ?

— C'est cela… Calicot [1], mon vieux !

Mouret avait relevé la tête, et il lui tapa de nouveau sur le genou, il répéta avec la gaieté solide d'un gaillard sans honte pour le métier qui l'enrichissait :

— Calicot, en plein !… Ma foi, tu te rappelles, je ne mordais guère à leurs machines, bien qu'au fond je ne me sois jamais jugé plus bête qu'un autre. Quand j'ai eu passé mon bachot, pour contenter ma famille, j'aurais parfaitement pu devenir un avocat ou un médecin comme les camarades ; mais ces métiers-là m'ont fait peur, tant on voit de gens y tirer la langue… Alors, mon Dieu ! j'ai jeté la peau d'âne [2] au vent, oh ! sans regret, et j'ai piqué une tête dans les affaires.

Vallagnosc souriait d'un air d'embarras. Il finit par murmurer :

— Il est de fait que ton diplôme de bachelier ne doit pas te servir à grand-chose pour vendre de la toile.

— Ma foi ! répondit Mouret joyeusement, tout ce que je demande, c'est qu'il ne me gêne pas… Et, tu sais, quand on a eu la bêtise de se mettre ça entre les jambes, il n'est pas commode

1. *Calicot* : toile de coton grossière, puis, par extension, commis dans un magasin de nouveautés. \ 2. *La peau d'âne* : les études et les diplômes (expression familière).

de s'en dépêtrer. On s'en va à pas de tortue dans la vie, lorsque les autres, ceux qui ont les pieds nus, courent comme des dératés.

Puis, remarquant que son ami semblait souffrir, il lui prit les mains, il continua :

260 — Voyons, je ne veux pas te faire de la peine, mais avoue que tes diplômes n'ont satisfait aucun de tes besoins... Sais-tu que mon chef de rayon, à la soie, touchera plus de douze mille francs cette année ? Parfaitement ! un garçon d'une intelligence très nette, qui s'en est tenu à l'orthographe et aux quatre
265 règles... Les vendeurs ordinaires, chez moi, se font trois et quatre mille francs, plus que tu ne gagnes toi-même ; et ils n'ont pas coûté tes frais d'instruction, ils n'ont pas été lancés dans le monde, avec la promesse signée de le conquérir... Sans doute, gagner de l'argent n'est pas tout. Seulement, entre les
270 pauvres diables frottés de science qui encombrent les professions libérales, sans y manger à leur faim, et les garçons pratiques, armés pour la vie, sachant à fond leur métier, ma foi ! je n'hésite pas, je suis pour ceux-ci contre ceux-là, je trouve que les gaillards comprennent joliment leur époque !

275 Sa voix s'était échauffée ; Henriette, qui servait le thé, avait tourné la tête. Quand il la vit sourire, au fond du grand salon, et qu'il aperçut deux autres dames prêtant l'oreille, il s'égaya le premier de ses phrases.

— Enfin, mon vieux, tout calicot qui débute est aujourd'hui
280 dans la peau d'un millionnaire.

Vallagnosc se renversait mollement sur le canapé. Il avait fermé les yeux à demi, dans une pose de fatigue et de dédain, où une pointe d'affectation s'ajoutait au réel épuisement de sa race.

285 — Bah ! murmura-t-il, la vie ne vaut pas tant de peine. Rien n'est drôle.

Et, comme Mouret, révolté, le regardait d'un air de surprise, il ajouta :

— Tout arrive et rien n'arrive. Autant rester les bras croisés.

290 — Alors, il dit son pessimisme, les médiocrités et les avortements de l'existence. Un moment, il avait rêvé de littérature, et il lui était resté de sa fréquentation avec des poètes une désespérance universelle. Toujours, il concluait à l'inutilité de l'effort, à l'ennui des heures également vides, à la bêtise finale du 295 monde. Les jouissances rataient, il n'y avait pas même de joie à mal faire.

— Voyons, est-ce que tu t'amuses, toi ? finit-il par demander...

Mouret en était arrivé à une stupeur d'indignation. Il cria :

— Comment ! si je m'amuse !... Ah ! çà, que chantes-tu ? Tu 300 en es là, mon vieux !... Mais, sans doute, je m'amuse, et même lorsque les choses craquent, parce qu'alors je suis furieux de les entendre craquer. Moi, je suis un passionné, je ne prends pas la vie tranquillement, c'est ce qui m'y intéresse peut-être.

Il jeta un coup d'œil vers le salon, il baissa la voix.

305 — Oh ! il y a des femmes qui m'ont bien embêté, ça je le confesse. Mais, quand j'en tiens une, je la tiens, que diable ! et ça ne rate pas toujours, et je ne donne ma part à personne, je t'assure... Puis, ce ne sont pas encore les femmes, dont je me moque après tout. Vois-tu, c'est de vouloir et d'agir, c'est de créer 310 enfin... Tu as une idée, tu te bats pour elle, tu l'enfonces à coups de marteau dans la tête des gens, tu la vois grandir et triompher... Ah ! oui, mon vieux, je m'amuse !

Toute la joie de l'action, toute la gaieté de l'existence sonnaient dans ses paroles. Il répéta qu'il était de son époque. 315 Vraiment, il fallait être mal bâti, avoir le cerveau et les membres attaqués, pour se refuser à la besogne, en un temps de si large travail, lorsque le siècle entier se jetait à l'avenir. Et il raillait les désespérés, les dégoûtés, les pessimistes, tous ces malades de nos sciences commençantes, qui prenaient des airs 320 pleureurs de poètes ou des mines pincées de sceptiques, au milieu de l'immense chantier contemporain. Un joli rôle, et

propre, et intelligent, que de bâiller d'ennui devant le labeur des autres !

— C'est mon seul plaisir, de bâiller devant les autres, dit
325 Vallagnosc en souriant de son air froid.

Du coup, la passion de Mouret tomba. Il redevint affectueux.

— Ah ! ce vieux Paul, toujours le même, toujours para-doxal !… Hein ? nous ne nous retrouvons pas pour nous quereller. Chacun a ses idées, heureusement. Mais il faudra que
330 je te montre ma machine en branle, tu verras que ce n'est pas si bête… Allons, donne-moi des nouvelles. Ta mère et tes sœurs se portent bien, j'espère ? Et n'as-tu pas dû te marier à Plassans, il y a six mois ?

Un mouvement brusque de Vallagnosc l'arrêta ; et, comme
335 celui-ci avait fouillé le salon d'un regard inquiet, il se tourna à son tour, il remarqua que M^{lle} de Boves ne les quittait pas des yeux. Grande et forte, Blanche ressemblait à sa mère ; seule-ment, chez elle, le masque s'empâtait déjà, les traits gros, souf-flés d'une mauvaise graisse. Paul, sur une question discrète,
340 répondit que rien n'était fait encore ; peut-être même rien ne se ferait. Il avait connu la jeune personne chez M^{me} Desforges, où il était venu beaucoup l'autre hiver, mais où il ne reparais-sait que rarement, ce qui expliquait comment il avait pu ne pas s'y rencontrer avec Octave. À leur tour, les Boves le recevaient,
345 et il aimait surtout le père, un ancien viveur qui prenait sa retraite dans l'administration. D'ailleurs, pas de fortune : M^{me} de Boves n'avait apporté à son mari que sa beauté de Junon[1], la famille vivait d'une dernière ferme hypothéquée, au mince produit de laquelle s'ajoutaient heureusement les neuf
350 mille francs touchés par le comte, comme inspecteur général des haras. Et ces dames, la mère et la fille, très serrées d'argent par celui-ci, que des coups de tendresse continuaient à dévorer

1. *Junon* : divinité romaine, épouse de Jupiter, qui la trompait beaucoup.

au-dehors, en étaient parfois réduites à refaire leurs robes elles-
mêmes.

355 — Alors, pourquoi ? demanda simplement Mouret.

— Mon Dieu ! il faut bien en finir, dit Vallagnosc, avec un
mouvement fatigué des paupières. Et puis, il y a des espérances,
nous attendons la mort prochaine d'une tante.

Cependant, Mouret, qui ne quittait plus du regard M. de
360 Boves, assis, près de M^{me} Guibal, empressé, avec le rire tendre
d'un homme en campagne, se retourna vers son ami et cligna
les yeux d'un air tellement significatif, que ce dernier ajouta :

— Non, pas celle-ci… Pas encore, du moins… Le malheur
est que son service l'appelle aux quatre coins de la France, dans
365 les dépôts d'étalons, et qu'il a de la sorte de continuels prétextes
pour disparaître. Le mois passé, tandis que sa femme le croyait
à Perpignan, il vivait à l'hôtel, en compagnie d'une maîtresse
de piano, au fond d'un quartier perdu.

Il y eut un silence. Puis, le jeune homme, qui surveillait à
370 son tour les galanteries du comte auprès de M^{me} Guibal, reprit
tout bas :

— Ma foi, tu as raison… D'autant plus que la chère dame
n'est guère farouche, à ce qu'on raconte. Il y a sur elle une
histoire d'officier bien drôle… Mais regarde-le donc ! est-il
375 comique, à la magnétiser du coin de l'œil ! La vieille France,
mon cher !… Moi, je l'adore, cet homme-là, et il pourra bien
dire que c'est pour lui, si j'épouse sa fille !

Mouret riait, très amusé. Il questionna de nouveau Valla-
gnosc, et quand il sut que la première idée d'un mariage, entre
380 celui-ci et Blanche, venait de M^{me} Desforges, il trouva l'histoire
meilleure encore. Cette bonne Henriette goûtait un plaisir de
veuve à marier les gens ; si bien que, lorsqu'elle avait pourvu
les filles, il lui arrivait de laisser les pères choisir des amies dans
sa société ; mais cela naturellement, en toute bonne grâce, sans
385 que le monde y trouvât jamais matière à scandale. Et Mouret,

qui l'aimait en homme actif et pressé, habitué à chiffrer ses tendresses, oubliait alors tout calcul de séduction et se sentait pour elle une amitié de camarade.

Justement, elle parut à la porte du petit salon, suivie d'un
390 vieillard, âgé d'environ soixante ans, dont les deux amis n'avaient pas remarqué l'entrée. Ces dames prenaient par moments des vois aiguës, que le léger tintement des cuillers dans les tasses de Chine accompagnait ; et l'on entendait de temps à autre, au milieu d'un court silence, le bruit d'une
395 soucoupe trop vivement reposée sur le marbre du guéridon. Un brusque rayon du soleil couchant, qui venait de paraître au bord d'un grand nuage, dorait les cimes des marronniers du jardin, entrait par les fenêtres en une poussière d'or rouge, dont l'incendie allumait la brocatelle et les cuivres des meubles.
400 — Par ici, mon cher baron, disait M^{me} Desforges. Je vous présente M. Octave Mouret, qui a le plus vif désir de vous témoigner sa grande admiration.

Et, se tournant vers Octave, elle ajouta :
— Monsieur le baron Hartmann.
405 Un sourire pinçait finement les lèvres du vieillard. C'était un homme petit et vigoureux, à grosse tête alsacienne, et dont la face épaisse s'éclairait d'une flamme d'intelligence, au moindre pli de la bouche, au plus léger clignement des paupières. Depuis quinze jours, il résistait au désir d'Henriette, qui lui demandait
410 cette entrevue ; non pas qu'il éprouvât une jalousie exagérée, résigné en homme d'esprit à son rôle de père ; mais parce que c'était le troisième ami dont Henriette lui faisait faire la connaissance, et qu'à la longue, il craignait un peu le ridicule. Aussi, en abordant Octave, avait-il le rire discret d'un protec-
415 teur riche, qui, s'il veut bien se montrer charmant, ne consent pas à être dupe.

— Oh ! monsieur, disait Mouret avec son enthousiasme de Provençal, la dernière opération du Crédit Immobilier a été si

étonnante ! Vous ne sauriez croire combien je suis heureux et
420 fier de vous serrer la main.

— Trop aimable, monsieur, trop aimable, répétait le baron
toujours souriant.

Henriette les regardait de ses yeux clairs, sans un embarras.
Elle restait entre les deux, levait sa jolie tête, allait de l'un à
425 l'autre ; et, dans sa robe de dentelle qui découvrait ses poignets
et son cou délicats, elle avait un air ravi, à les voir si bien d'ac-
cord.

— Messieurs, finit-elle par dire, je vous laisse causer.

Puis, se tournant vers Paul, qui s'était mis debout, elle
430 ajouta :

— Voulez-vous une tasse de thé, monsieur de Vallagnosc ?

— Volontiers, madame.

Et tous deux rentrèrent dans le salon.

Lorsque Mouret eut repris sa place sur le canapé, près du
435 baron Hartmann, il se répandit en nouveaux éloges à propos
des opérations du Crédit Immobilier. Puis, il attaqua le sujet
qui lui tenait au cœur, il parla de la nouvelle voie, du prolon-
gement de la rue Réaumur, dont on allait ouvrir une section,
sous le nom de rue du Dix-Décembre[1], entre la place de la
440 Bourse et la place de l'Opéra. L'utilité publique était déclarée
depuis dix-huit mois, le jury d'expropriation venait d'être
nommé, tout le quartier se passionnait pour cette trouée
énorme, s'inquiétant de l'époque des travaux, s'intéressant aux
maisons condamnées. Il y avait près de trois ans que Mouret
445 attendait ces travaux, d'abord dans la prévision d'un mouve-
ment plus actif des affaires, ensuite avec des ambitions
d'agrandissement, qu'il n'osait avouer tout haut, tant son rêve
s'élargissait. Comme la rue du Dix-Décembre devait couper la

1. *Rue du Dix-Décembre* : aujourd'hui rue du Quatre-Septembre (voir Dossier, « L'œuvre dans
l'histoire », p. 521).

rue de Choiseul et la rue de la Michodière, il voyait le *Bonheur*
450 *des Dames* envahir tout le pâté entouré par ces rues et la rue
Neuve-Saint-Augustin, il l'imaginait déjà avec une façade de
palais sur la voie nouvelle, dominateur, maître de la ville
conquise. Et de là était né son vif désir de connaître le baron
Hartmann, lorsqu'il avait appris que le Crédit Immobilier, par
455 un traité passé avec l'administration, prenait l'engagement de
percer et d'établir la rue du Dix-Décembre, à la condition
qu'on lui abandonnerait la propriété des terrains en bordure.

— Vraiment, répétait-il en tâchant de montrer un air naïf,
vous leur livrerez la rue toute faite, avec les égouts, les trottoirs,
460 les becs de gaz ? Et les terrains en bordure suffiront pour vous
indemniser ? Oh ! c'est curieux, très curieux !

Enfin, il arriva au point délicat. Il avait su que le Crédit
Immobilier faisait, secrètement, acheter les maisons du pâté où
se trouvait le *Bonheur des Dames*, non seulement celles qui
465 devaient tomber sous la pioche des démolisseurs, mais encore
les autres, celles qui allaient rester debout. Et il flairait là le
projet de quelque établissement futur, il était très inquiet pour
les agrandissements dont il élargissait le rêve, pris de peur à
l'idée de se heurter un jour contre une Société puissante,
470 propriétaire d'immeubles qu'elle ne lâcherait certainement pas.
C'était même cette peur qui l'avait décidé à mettre au plus tôt
un lien entre le baron et lui, le lien aimable d'une femme, si
étroit entre les hommes de nature galante. Sans doute, il aurait
pu voir le financier dans son cabinet, pour causer à l'aise de la
475 grosse affaire qu'il voulait lui proposer. Mais il se sentait plus
fort chez Henriette, il savait combien la possession commune
d'une maîtresse rapproche et attendrit. Être tous les deux chez
elle, dans son parfum aimé, l'avoir là prête à les convaincre d'un
sourire, lui semblait une certitude de succès.

480 — N'avez-vous pas acheté l'ancien hôtel Duvillard, cette vieille
bâtisse qui me touche ? finit-il par demander brusquement.

Le baron Hartmann eut une courte hésitation, puis il nia. Mais, le regardant en face, Mouret se mit à rire ; et il joua dès lors le rôle d'un bon jeune homme, le cœur sur la main[1], rond en affaires.

485 — Tenez ! monsieur le baron, puisque j'ai l'honneur inespéré de vous rencontrer, il faut que je me confesse… Oh ! je ne vous demande pas vos secrets. Seulement, je vais vous confier les miens, persuadé que je ne saurais les placer en des mains plus sages… D'ailleurs, j'ai besoin de vos conseils, il y a longtemps

490 que je n'osais vous aller voir.

Il se confessa en effet, il raconta ses débuts, il ne cacha même pas la crise financière qu'il traversait, au milieu de son triomphe. Tout défila, les agrandissements successifs, les gains remis continuellement dans l'affaire, les sommes apportées par

495 ses employés, la maison risquant son existence à chaque mise en vente nouvelle, où le capital entier était joué comme sur un coup de cartes. Pourtant, ce n'était pas de l'argent qu'il demandait, car il avait en sa clientèle une foi de fanatique. Son ambition devenait plus haute, il proposait au baron une association,

500 dans laquelle le Crédit Immobilier apporterait le palais colossal qu'il voyait en rêve, tandis que lui, pour sa part, donnerait son génie et le fonds de commerce déjà créé. On estimerait les apports, rien ne lui paraissait d'une réalisation plus facile.

— Qu'allez-vous faire de vos terrains et de vos immeubles ?

505 demandait-il avec insistance. Vous avez une idée, sans doute. Mais je suis bien certain que votre idée ne vaut pas la mienne. Songez à cela. Nous bâtissons sur les terrains une galerie de vente, nous démolissons ou nous aménageons les immeubles, et nous ouvrons les magasins les plus vastes de Paris, un bazar

510 qui fera des millions.

Et il laissa échapper ce cri du cœur :

— Ah ! si je pouvais me passer de vous !… Mais vous tenez

1. *Le cœur sur la main* : généreux.

tout, maintenant. Et puis, je n'aurais jamais les avances néces-
saires… Voyons, il faut nous entendre, ce serait un meurtre.

515 — Comme vous y allez, cher monsieur ! se contenta de
répondre le baron Hartmann. Quelle imagination !

Il hochait la tête, il continuait de sourire, décidé à ne pas
rendre confidence pour confidence. Le projet du Crédit Immo-
bilier était de créer, sur la rue du Dix-Décembre, une concur-
520 rence au Grand-Hôtel, un établissement luxueux, dont la
situation centrale attirerait les étrangers. D'ailleurs, comme
l'hôtel devait occuper seulement les terrains en bordure, le
baron aurait pu quand même accueillir l'idée de Mouret, traiter
pour le reste du pâté de maisons, d'une superficie très vaste
525 encore. Mais il avait déjà commandité[1] deux amis d'Henriette,
il se lassait un peu de son faste de protecteur complaisant. Puis,
malgré sa passion de l'activité, qui lui faisait ouvrir sa bourse
à tous les garçons d'intelligence et de courage, le coup de génie
commercial de Mouret l'étonnait plus qu'il ne le séduisait.
530 N'était-ce pas une opération fantaisiste et imprudente, ce
magasin gigantesque ? Ne risquait-on pas une catastrophe
certaine, à vouloir élargir ainsi hors de toute mesure le
commerce des nouveautés[2] ? Enfin, il ne croyait pas, il refusait.

— Sans doute, l'idée peut séduire, disait-il. Seulement, elle
535 est d'un poète… Où prendriez-vous la clientèle pour emplir
une pareille cathédrale ?

Mouret le regarda un moment en silence, comme stupéfait
de son refus. Était-ce possible ? un homme d'un tel flair, qui
sentait l'argent à toutes les profondeurs ! Et, tout d'un coup, il
540 eut un geste de grande éloquence, il montra ces dames dans le
salon, en criant :

— La clientèle, mais la voilà !

1. *Commandité* : financé. \ **2.** *Commerce de nouveautés* : commerce d'articles de mode, c'est-à-
dire, en principe, de lingerie, de vêtements et de tissus.

Le soleil pâlissait, la poussière d'or rouge n'était plus qu'une lueur blonde, dont l'adieu se mourait dans la soie des tentures et les panneaux des meubles. À cette approche du crépuscule, une intimité noyait la grande pièce d'une tiède douceur. Tandis que M. de Boves et Paul de Vallagnosc causaient devant une des fenêtres, les yeux perdus au loin sur le jardin, ces dames s'étaient rapprochées, faisaient là, au milieu, un étroit cercle de jupes, d'où montaient des rires, des paroles chuchotées, des questions et des réponses ardentes, toute la passion de la femme pour la dépense et le chiffon. Elles causaient toilette, M^{me} de Boves racontait une robe de bal.

— D'abord, un transparent de soie mauve, et puis, là-dessus, des volants de vieil alençon[1], haut de trente centimètres…

— Oh! s'il est permis! interrompait M^{me} Marty. Il y a des femmes heureuses!

Le baron Hartmann, qui avait suivi le geste de Mouret, regardait ces dames, par la porte restée grande ouverte. Et il les écoutait d'une oreille, pendant que le jeune homme, enflammé du désir de le convaincre, se livrait davantage, lui expliquait le mécanisme du nouveau commerce des nouveautés. Ce commerce était basé maintenant sur le renouvellement continu et rapide du capital, qu'il s'agissait de faire passer en marchandises le plus de fois possible, dans la même année. Ainsi, cette année-là, son capital, qui était seulement de cinq cent mille francs, venait de passer quatre fois et avait ainsi produit deux millions d'affaires. Une misère, d'ailleurs, qu'on décuplerait, car il se disait certain de faire plus tard reparaître le capital quinze et vingt fois, dans certains comptoirs.

— Vous entendez, monsieur le baron, toute la mécanique est là. C'est bien simple, mais il fallait le trouver. Nous n'avons pas besoin d'un gros roulement de fonds. Notre effort unique est

1. *Alençon* : dentelle à l'aiguille, d'une grande valeur, fabriquée dans la ville d'Alençon.

de nous débarrasser très vite de la marchandise achetée, pour
575 la remplacer par d'autre, ce qui fait rendre au capital autant de
fois son intérêt. De cette manière, nous pouvons nous contenter
d'un petit bénéfice ; comme nos frais généraux s'élèvent au
chiffre énorme de seize pour cent, et que nous ne prélevons
guère sur les objets que vingt pour cent de gain, c'est donc un
580 bénéfice de quatre pour cent au plus ; seulement, cela finira par
faire des millions, lorsqu'on opérera sur des quantités de
marchandises considérables et sans cesse renouvelées… Vous
suivez, n'est-ce pas ? rien de plus clair.

Le baron hocha de nouveau la tête. Lui, qui avait accueilli les
585 combinaisons les plus hardies, et dont on citait encore les témé-
rités, lors des premiers essais de l'éclairage au gaz[1], restait
inquiet et têtu.

— J'entends bien, répondit-il. Vous vendez bon marché pour
vendre beaucoup, et vous vendez beaucoup pour vendre bon
590 marché… Seulement, il faut vendre, et j'en reviens à ma ques-
tion : à qui vendrez-vous ? comment espérez-vous entretenir
une vente aussi colossale ?

Un éclat brusque de voix, venu du salon, coupa les explica-
tions de Mouret. C'était M^{me} Guibal qui aurait préféré les
595 volants de vieil alençon en tablier seulement.

— Mais, ma chère, disait M^{me} de Boves, le tablier en était
couvert aussi. Jamais je n'ai rien vu de plus riche.

— Tiens ! vous me donnez une idée, reprenait M^{me} Desforges.
J'ai déjà quelques mètres d'alençon… Il faut que j'en cherche
600 pour une garniture.

Et les voix tombèrent, ne furent plus qu'un murmure. Des
chiffres sonnaient, tout un marchandage fouettait les désirs, ces
dames achetaient des dentelles à pleines mains.

1. La lampe à gaz est inventée en 1799 mais il faut presque un siècle pour que l'éclairage
au gaz se répande dans les grandes villes.

— Eh ! dit enfin Mouret, quand il put parler, on vend ce
605 qu'on veut, lorsqu'on sait vendre ! Notre triomphe est là.

Alors, avec sa verve provençale, en phrases chaudes qui
évoquaient les images, il montra le nouveau commerce à
l'œuvre. Ce fut d'abord la puissance décuplée de l'entassement,
toutes les marchandises accumulées sur un point, se soutenant
610 et se poussant ; jamais de chômage, toujours l'article de la saison
était là ; et, de comptoir en comptoir, la cliente se trouvait prise,
achetait ici l'étoffe, plus loin le fil, ailleurs le manteau, s'ha-
billait, puis tombait dans des rencontres imprévues, cédait au
besoin de l'inutile et du joli. Ensuite, il célébra la marque en
615 chiffres connus [1]. La grande révolution des nouveautés partait de
cette trouvaille. Si l'ancien commerce, le petit commerce agoni-
sait, c'était qu'il ne pouvait soutenir la lutte des bas prix,
engagée par la marque. Maintenant, la concurrence avait lieu
sous les yeux mêmes du public, une promenade aux étalages
620 établissait les prix, chaque magasin baissait, se contentait du
plus léger bénéfice possible ; aucune tricherie, pas de coup de
fortune longtemps médité sur un tissu vendu le double de sa
valeur, mais des opérations courantes, un tant pour cent régu-
lier prélevé sur tous les articles, la fortune mise dans le bon fonc-
625 tionnement d'une vente, d'autant plus large qu'elle se faisait au
grand jour. N'était-ce pas une création étonnante ? Elle boule-
versait le marché, elle transformait Paris, car elle était faite de
la chair et du sang de la femme.

— J'ai la femme, je me fiche du reste ! dit-il dans un aveu
630 brutal, que la passion lui arracha.

À ce cri, le baron Hartmann parut ébranlé. Son sourire perdait
sa pointe ironique, il regardait le jeune homme, gagné peu à peu
par sa foi, pris pour lui d'un commencement de tendresse.

1. *La marque en chiffres connus* : dans les grands magasins, les vêtements et les tissus sont éti-
quetés à un prix fixe. C'est une innovation : jusqu'alors, en effet, c'était le marchandage
qui prévalait.

— Chut! murmura-t-il paternellement, elles vont vous
635 entendre.

Mais ces dames parlaient maintenant toutes à la fois, telle-
ment excitées, qu'elles ne s'écoutaient même plus entre elles.
M^{me} de Boves achevait la description de la toilette de soirée :
une tunique de soie mauve, drapée et retenue par des nœuds
640 de dentelle ; le corsage décolleté très bas, et encore des nœuds
de dentelle aux épaules.

— Vous verrez, disait-elle, je me fais faire un corsage pareil
avec un satin…

— Moi, interrompait M^{me} Bourdelais, j'ai voulu du velours,
645 oh! une occasion !

M^{me} Marty demandait :

— Hein ? combien la soie ?

Puis, toutes les voix repartirent ensemble. M^{me} Guibal,
Henriette, Blanche, mesuraient, coupaient, gâchaient. C'était
650 un saccage d'étoffes, la mise au pillage des magasins, un appétit
de luxe qui se répandait en toilettes jalousées et rêvées, un
bonheur tel à être dans le chiffon, qu'elles y vivaient enfoncées,
ainsi que dans l'air tiède nécessaire à leur existence.

Mouret, cependant, avait jeté un coup d'œil vers le salon. Et,
655 en quelques phrases dites à l'oreille du baron Hartmann, comme
s'il lui eût fait de ces confidences amoureuses qui se risquent
parfois entre hommes, il acheva d'expliquer le mécanisme du
grand commerce moderne. Alors, plus haut que les faits déjà
donnés, au sommet, apparut l'exploitation de la femme. Tout y
660 aboutissait, le capital sans cesse renouvelé, le système de l'en-
tassement des marchandises, le bon marché qui attire, la marque
en chiffres connus qui tranquillise. C'était la femme que les
magasins se disputaient par la concurrence, la femme qu'ils
prenaient au continuel piège de leurs occasions, après l'avoir
665 étourdie devant leurs étalages. Ils avaient éveillé dans sa chair de
nouveaux désirs, ils étaient une tentation immense, où elle

succombait fatalement, cédant d'abord à des achats de bonne
ménagère, puis gagnée par la coquetterie, puis dévorée. En décu-
plant la vente, en démocratisant le luxe, ils devenaient un terrible
670 agent de dépense, ravageaient les ménages, travaillaient au coup
de folie de la mode, toujours plus chère. Et si, chez eux, la femme
était reine, adulée et flattée dans ses faiblesses, entourée de préve-
nances, elle y régnait en reine amoureuse, dont les sujets trafi-
quent, et qui paye d'une goutte de son sang chacun de ses
675 caprices. Sous la grâce même de sa galanterie, Mouret laissait
ainsi passer la brutalité d'un juif vendant de la femme à la livre[1] :
il lui élevait un temple, la faisait encenser par une légion de
commis, créait le rite d'un culte nouveau ; il ne pensait qu'à elle,
cherchait sans relâche à imaginer des séductions plus grandes ;
680 et, derrière elle, quand il lui avait vidé la poche et détraqué les
nerfs, il était plein du secret mépris de l'homme auquel une
maîtresse vient de faire la bêtise de se donner.

— Ayez donc les femmes, dit-il tout bas au baron, en riant
d'un rire hardi, vous vendrez le monde !

685 Maintenant, le baron comprenait. Quelques phrases avaient
suffi, il devinait le reste, et une exploitation si galante l'échauf-
fait, remuait en lui son passé de viveur. Il clignait les yeux d'un
air d'intelligence, il finissait par admirer l'inventeur de cette
mécanique à manger les femmes. C'était très fort. Il eut le mot
690 de Bourdoncle, un mot que lui souffla sa vieille expérience.

— Vous savez qu'elles se rattraperont.

Mais Mouret haussa les épaules, dans un mouvement d'écra-
sant dédain. Toutes lui appartenaient, étaient sa chose, et il
n'était à aucune. Quand il aurait tiré d'elles sa fortune et son
695 plaisir, il les jetterait en tas à la borne[2], pour ceux qui pour-

1. Cette image traduit moins l'antisémitisme de Zola qu'elle ne fait référence à une tradi-
tion littéraire. Elle évoque Shylock, personnage de la tragicomédie de Shakespeare, *Le Mar-
chand de Venise* (vers 1596), qui réclame une livre de chair humaine en paiement d'une dette.
\ **2.** *Il les jetterait en tas à la borne* : il s'en débarrasserait.

raient encore y trouver leur vie. C'était un dédain raisonné de méridional et de spéculateur.

— Eh bien! cher monsieur, demanda-t-il pour conclure, voulez-vous être avec moi? L'affaire des terrains vous semble-t-elle possible?

Le baron, à demi conquis, hésitait pourtant à s'engager de la sorte. Un doute restait au fond du charme qui opérait peu à peu sur lui. Il allait répondre d'une façon évasive, lorsqu'un appel pressant de ces dames lui évita cette peine. Des voix répétaient, au milieu de légers rires:

— Monsieur Mouret! monsieur Mouret!

Et comme celui-ci, contrarié d'être interrompu, feignait de ne pas entendre, M^{me} de Boves, debout depuis un moment, vint jusqu'à la porte du petit salon.

— On vous réclame, monsieur Mouret... Ce n'est guère galant, de vous enterrer dans les coins pour causer d'affaires.

Alors, il se décida, et avec une bonne grâce apparente, un air de ravissement, dont le baron fut émerveillé. Tous deux se levèrent, passèrent dans le grand salon.

— Mais je suis à votre disposition, mesdames, dit-il en entrant, le sourire aux lèvres.

Un brouhaha de triomphe l'accueillit. Il dut s'avancer davantage, ces dames lui firent place au milieu d'elles. Le soleil venait de se coucher derrière les arbres du jardin, le jour tombait, une ombre fine noyait peu à peu la vaste pièce. C'était l'heure attendrie du crépuscule, cette minute de discrète volupté, dans les appartements parisiens, entre la clarté de la rue qui se meurt et les lampes qu'on allume encore à l'office[1]. M. de Boves et Vallagnosc, toujours debout devant une fenêtre, jetaient sur le tapis une nappe d'ombre; tandis que, immobile dans le dernier coup de lumière qui venait de l'autre fenêtre, M. Marty, entré

1. *Office*: pièce attenante à la cuisine, dans laquelle on prépare le service.

discrètement depuis quelques minutes, mettait son profil pauvre, une redingote étriquée et propre, un visage blêmi par le professorat, et que la conversation de ces dames sur la toilette
730 achevait de bouleverser.

— Est-ce toujours pour lundi prochain, cette mise en vente ? demandait justement M^{me} Marty.

— Mais sans doute, madame, répondit Mouret d'une voix de flûte, une voix d'acteur qu'il prenait, quand il parlait aux femmes.
735 Henriette alors intervint.

— Vous savez que nous irons toutes… On dit que vous préparez des merveilles.

— Oh ! des merveilles ! murmura-t-il d'un air de fatuité[1] modeste, je tâche simplement d'être digne de vos suffrages.
740 Mais elles le pressaient de questions. M^{me} Bourdelais, M^{me} Guibal, Blanche elle-même, voulaient savoir.

— Voyons, donnez-nous des détails, répétait M^{me} de Boves avec insistance. Vous nous faites mourir.

Et elles l'entouraient, lorsque Henriette remarqua qu'il
745 n'avait seulement pas pris une tasse de thé. Alors, ce fut une désolation ; quatre d'entre elles se mirent à le servir, mais à la condition qu'il répondrait ensuite. Henriette versait, M^{me} Marty tenait la tasse, pendant que M^{me} de Boves et M^{me} Bourdelais se disputaient l'honneur de le sucrer. Puis, quand il
750 eut refusé de s'asseoir, et qu'il commença à boire son thé lentement, debout au milieu d'elles, toutes se rapprochèrent, l'emprisonnèrent du cercle étroit de leurs jupes. La tête levée, les regards luisants, elles lui souriaient.

— Votre soie, votre Paris-Bonheur, dont tous les journaux
755 parlent ? reprit M^{me} Marty, impatiente.

— Oh ! répondit-il, un article extraordinaire, une faille[2] à gros grain, souple, solide… Vous la verrez, mesdames. Et vous

1. *Fatuité* : prétention, orgueil. \ 2. *Faille* : tissu de soie épais, de bonne tenue.

ne la trouverez que chez nous, car nous en avons acheté la propriété exclusive.

760 — Vraiment! une belle soie à cinq francs soixante! dit M^me Bourdelais enthousiasmée. C'est à ne pas croire.

Cette soie, depuis que les réclames étaient lancées, occupait dans leur vie quotidienne une place considérable. Elles en causaient, elles se la promettaient, travaillées de désir et de 765 doute. Et, sous la curiosité bavarde dont elles accablaient le jeune homme, apparaissaient leurs tempéraments particuliers d'acheteuses: M^me Marty, emportée par sa rage de dépense, prenant tout au *Bonheur des Dames*, sans choix, au hasard des étalages; M^me Guibal, s'y promenant des heures sans jamais 770 faire une emplette, heureuse et satisfaite de donner un simple régal à ses yeux; M^me de Boves, serrée d'argent, toujours torturée d'une envie trop grosse, gardant rancune aux marchandises, qu'elle ne pouvait emporter; M^me Bourdelais, d'un flair de bourgeoise sage et pratique, allant droit aux occasions, usant 775 des grands magasins avec une telle adresse de bonne ménagère, exempte de fièvre, qu'elle y réalisait de fortes économies; Henriette enfin, qui, très élégante, y achetait seulement certains articles, ses gants, de la bonneterie, tout le gros linge.

— Nous avons d'autres étoffes étonnantes de bon marché et 780 de richesse, continuait Mouret de sa voix chantante. Ainsi, je vous recommande notre Cuir-d'Or, un taffetas d'un brillant incomparable... Dans les soies de fantaisie, il y a des dispositions charmantes, des dessins choisis entre mille par notre acheteur; et, comme velours, vous trouverez la plus riche collection 785 de nuances... Je vous avertis qu'on portera beaucoup de drap[1] cette année. Vous verrez nos matelassés, nos cheviottes[2]...

Elles ne l'interrompaient plus, elles resserraient encore leur cercle, la bouche entr'ouverte par un vague sourire, le

1. *Drap*: tissu de laine. \ **2.** *Cheviottes*: étoffes de laine.

visage rapproché et tendu, comme dans un élancement de tout
790 leur être vers le tentateur. Leurs yeux pâlissaient, un léger
frisson courait sur leurs nuques. Et lui gardait son calme de
conquérant, au milieu des odeurs troublantes qui montaient de
leurs chevelures. Il continuait à boire, entre chaque phrase, une
petite gorgée de thé, dont le parfum attiédissait ces odeurs plus
795 âpres, où il y avait une pointe de fauve. Devant une séduction
si maîtresse d'elle-même, assez forte pour jouer ainsi de la
femme, sans se prendre aux ivresses qu'elle exhale, le baron
Hartmann, qui ne le quittait pas du regard, sentait son admi-
ration grandir.

800 — Alors, on portera du drap ? reprit M^me Marty, dont le
visage ravagé s'embellissait de passion coquette. Il faudra que
je voie.

M^me Bourdelais, qui gardait son œil clair, dit à son tour :

— N'est-ce pas ? la vente des coupons est le jeudi, chez
805 vous… J'attendrai, j'ai tout mon petit monde à vêtir.

Et, tournant sa fine tête blonde vers la maîtresse de la
maison :

— Toi, c'est toujours Sauveur qui t'habille ?

— Mon Dieu ! oui, répondit Henriette, Sauveur est très
810 chère, mais il n'y a qu'elle à Paris qui sache faire un corsage…
Et puis, M. Mouret a beau dire, elle a les plus jolis dessins,
des dessins qu'on ne voit nulle part. Moi, je ne peux pas
souffrir de retrouver ma robe sur les épaules de toutes les
femmes.

815 Mouret eut d'abord un sourire discret. Ensuite, il laissa
entendre que M^me Sauveur achetait chez lui ses étoffes ; sans
doute, elle prenait directement chez les fabricants certains
dessins, dont elle s'assurait la propriété ; mais, pour les soieries
noires, par exemple, elle guettait les occasions du *Bonheur des*
820 *Dames*, faisait des provisions considérables, qu'elle écoulait en
doublant et en triplant les prix.

— Ainsi, je suis bien certain que des gens à elle vont nous enlever notre Paris-Bonheur. Pourquoi voulez-vous qu'elle aille payer cette soie en fabrique plus cher qu'elle ne la paiera chez nous ?... Ma parole d'honneur ! nous la donnons à perte.

Ce fut le dernier coup porté à ces dames. Cette idée d'avoir de la marchandise à perte fouettait en elles l'âpreté de la femme, dont la jouissance d'acheteuse est doublée, quand elle croit voler le marchand. Il les savait incapables de résister au bon marché.

— Mais nous vendons tout pour rien ! cria-t-il gaiement, en prenant derrière lui l'éventail de M^me Desforges, resté sur le guéridon. Tenez ! voici cet éventail... Vous dites qu'il a coûté ?

— Le chantilly [1] vingt-cinq francs, et la monture deux cents, dit Henriette.

— Eh bien ! le chantilly n'est pas cher. Pourtant, nous avons le même à dix-huit francs... Quant à la monture, chère madame, c'est un vol abominable. Je n'oserais vendre la pareille plus de quatre-vingt-dix francs.

— Je le disais bien ! cria M^me Bourdelais.

— Quatre-vingt-dix francs ! murmura M^me de Boves, il faut vraiment ne pas avoir un sou pour s'en passer.

Elle avait repris l'éventail, l'examinait de nouveau avec sa fille Blanche ; et, sur sa grande face régulière, dans ses larges yeux dormants, montait l'envie contenue et désespérée du caprice qu'elle ne pourrait contenter. Puis, une seconde fois, l'éventail fit le tour de ces dames, au milieu des remarques et des exclamations. M. de Boves et Vallagnosc, cependant, avaient quitté la fenêtre. Tandis que le premier revenait se placer derrière M^me Guibal, dont il fouillait du regard le corsage, de son air correct et supérieur, le jeune homme se penchait vers Blanche, en tâchant de trouver un mot aimable.

1. *Chantilly* : dentelle noire à fond clair.

— C'est un peu triste, n'est-ce pas ? mademoiselle, cette monture blanche avec cette dentelle noire.

855 — Oh ! moi, répondit-elle toute grave, sans qu'une rougeur colorât sa figure soufflée, j'en ai vu un en nacre et plumes blanches. Quelque chose de virginal !

M. de Boves, qui avait surpris sans doute le regard navré dont sa femme suivait l'éventail, dit enfin son mot dans la 860 conversation.

— Ça se casse tout de suite, ces petites machines.

— Ne m'en parlez pas ! déclara M^me Guibal avec sa moue de belle rousse, jouant l'indifférence. Je suis lasse de faire recoller les miens.

865 Depuis un instant, M^me Marty, très excitée par la conversation, retournait fiévreusement son sac de cuir rouge sur ses genoux. Elle n'avait pu encore montrer ses achats, elle brûlait de les étaler, dans une sorte de besoin sensuel. Et, brusquement, elle oublia son mari, elle ouvrit le sac, sortit quelques mètres 870 d'une étroite dentelle roulée autour d'un carton.

— C'est cette valenciennes [1] pour ma fille, dit-elle. Elle a trois centimètres, et délicieuse, n'est-ce pas ?... Un franc quatre-vingt-dix.

La dentelle passa de main en main. Ces dames se récriaient. 875 Mouret affirma qu'il vendait ces petites garnitures au prix de fabrique. Pourtant, M^me Marty avait refermé le sac, comme pour y cacher des choses qu'on ne montre pas. Mais, devant le succès de la valenciennes, elle ne put résister à l'envie d'en tirer encore un mouchoir.

880 — Il y avait aussi ce mouchoir... De l'application de Bruxelles [2], ma chère... Oh ! une trouvaille ! Vingt francs !

Et, dès lors, le sac devint inépuisable. Elle rougissait de

1. *Valenciennes* : dentelle fabriquée dans la ville de Valenciennes. \ 2. *Application de Bruxelles* : étoffe ornée de dentelle de Bruxelles.

plaisir, une pudeur de femme qui se déshabille la rendait char-
mante et embarrassée, à chaque article nouveau qu'elle sortait.

885 C'était une cravate en blonde espagnole[1] de trente francs : elle
n'en voulait pas, mais le commis lui avait juré qu'elle tenait la
dernière et qu'on allait les augmenter. C'était ensuite une
voilette en chantilly : un peu chère, cinquante francs ; si elle ne
la portait pas, elle en ferait quelque chose pour sa fille.

890 — Mon Dieu ! les dentelles, c'est si joli ! répétait-elle avec son
sourire nerveux. Moi, quand je suis là-dedans, j'achèterais le
magasin.

 — Et ceci ? lui demanda M^{me} de Boves en examinant un
coupon de guipure[2].

895 — Ça, répondit-elle, c'est un entre-deux[3]… Il y en a vingt-
six mètres. Un franc le mètre, comprenez-vous !

 — Tiens ! dit M^{me} Bourdelais surprise, que voulez-vous donc
en faire ?

 — Ma foi, je ne sais pas… Mais elle était si drôle de dessin !

900 À ce moment, comme elle levait les yeux, elle aperçut en
face d'elle son mari terrifié. Il avait blêmi davantage, toute sa
personne exprimait l'angoisse résignée d'un pauvre homme,
qui assiste à la débâcle de ses appointements, si chèrement
gagnés. Chaque nouveau bout de dentelle était pour lui un

905 désastre, d'amères journées de professorat englouties, des
courses au cachet dans la boue dévorées, l'effort continu de sa
vie aboutissant à une gêne secrète, à l'enfer d'un ménage
nécessiteux[4]. Devant l'effarement croissant de son regard, elle
voulut rattraper le mouchoir, la voilette, la cravate ; et elle

910 promenait ses mains fiévreuses, elle répétait avec des rires
gênés :

 — Vous allez me faire gronder par mon mari… Je t'assure,

1. *Blonde espagnole* : dentelle légère en soie écrue, fabriquée à l'origine en Espagne. \ 2. *Gui-
pure* : dentelle très ajourée. \ 3. *Entre-deux* : bande de dentelle qui coupe un tissu. \ 4. *Néces-
siteux* : dans le besoin.

mon ami, que j'ai été encore très raisonnable ; car il y avait une grande pointe[1] de cinq cents francs, oh ! merveilleuse !

915 — Pourquoi ne l'avez-vous pas achetée ? dit tranquillement M^{me} Guibal. M. Marty est le plus galant des hommes.

Le professeur dut s'incliner, en déclarant que sa femme était bien libre. Mais, à l'idée du danger de cette grande pointe, un froid de glace lui avait coulé dans le dos ; et, comme Mouret
920 affirmait justement que les nouveaux magasins augmentaient le bien-être des ménages de la bourgeoisie moyenne, il lui lança un terrible regard, l'éclair de haine d'un timide qui n'ose étrangler les gens.

D'ailleurs, ces dames n'avaient pas lâché les dentelles. Elles
925 s'en grisaient. Les pièces se déroulaient, allaient et revenaient de l'une à l'autre, les rapprochant encore, les liant de fils légers. C'était, sur leurs genoux, la caresse d'un tissu miraculeux de finesse, où leurs mains coupables s'attardaient. Et elles emprisonnaient Mouret plus étroitement, elles l'accablaient de
930 nouvelles questions. Comme le jour continuait de baisser, il devait par moments pencher la tête, effleurer de sa barbe leurs chevelures, pour examiner un point, indiquer un dessin. Mais, dans cette volupté molle du crépuscule, au milieu de l'odeur échauffée de leurs épaules, il demeurait quand même leur
935 maître, sous le ravissement qu'il affectait. Il était femme, elles se sentaient pénétrées et possédées par ce sens délicat qu'il avait de leur être secret, et elles s'abandonnaient, séduites ; tandis que lui, certain dès lors de les avoir à sa merci, apparaissait, trônant brutalement au-dessus d'elles, comme le roi despo-
940 tique du chiffon.

— Oh ! monsieur Mouret ! monsieur Mouret ! balbutiaient des voix chuchotantes et pâmées, au fond des ténèbres du salon.

Les blancheurs mourantes du ciel s'éteignaient dans les

1. *Pointe* : pièce d'étoffe de forme triangulaire.

cuivres des meubles. Seules, les dentelles gardaient un reflet de
945 neige sur les genoux sombres de ces dames, dont le groupe
confus semblait mettre autour du jeune homme de vagues
agenouillements de dévotes[1]. Une dernière clarté luisait au flanc
de la théière, une lueur courte et vive de veilleuse, qui aurait
brûlé dans une alcôve attiédie par le parfum du thé. Mais, tout
950 d'un coup, le domestique entra avec deux lampes, et le charme
fut rompu. Le salon s'éveilla, clair et gai. M{me} Marty replaçait
les dentelles au fond de son petit sac ; M{me} de Boves mangeait
encore un baba, pendant qu'Henriette, qui s'était levée, causait
à demi-voix avec le baron, dans l'embrasure d'une fenêtre.

955 — Il est charmant, dit le baron.

— N'est-ce pas ? laissa-t-elle échapper, dans un cri involon-
taire de femme amoureuse.

Il sourit, il la regarda avec une indulgence paternelle. C'était
la première fois qu'il la sentait conquise à ce point ; et, trop
960 supérieur pour en souffrir, il éprouvait seulement une compas-
sion, à la voir aux mains de ce gaillard si tendre et si parfaite-
ment froid. Alors, il crut devoir la prévenir, il murmura sur un
ton de plaisanterie :

— Prenez garde, ma chère, il vous mangera toutes.

965 Une flamme de jalousie éclaira les beaux yeux d'Henriette.
Elle devinait sans doute que Mouret s'était simplement servi
d'elle pour se rapprocher du baron. Et elle jurait de le rendre
fou de tendresse, lui dont l'amour d'homme pressé avait le
charme facile d'une chanson jetée à tous les vents.

970 — Oh ! répondit-elle, en affectant de plaisanter à son tour,
c'est toujours l'agneau qui finit par manger le loup.

Alors, très intéressé, le baron l'encouragea d'un signe de tête.
Elle était peut-être la femme qui devait venir et qui vengerait
les autres.

1. *Dévotes* : femmes attachées à la religion et à ses pratiques.

975 Lorsque Mouret, après avoir répété à Vallagnosc qu'il voulait lui montrer sa machine en branle, se fut approché pour dire adieu, le baron le retint dans l'embrasure de la fenêtre, en face du jardin noir de ténèbres. Il cédait enfin à la séduction, la foi lui était venue, en le voyant au milieu de ces dames. Tous deux
980 causèrent un instant à voix basse. Puis, le banquier déclara :
— Eh bien ! j'examinerai l'affaire… Elle est conclue, si votre vente de lundi prend l'importance que vous dites.

Ils se serrèrent la main, et Mouret, l'air ravi, se retira, car il dînait mal, quand il n'allait pas, le soir, jeter un coup d'œil sur
985 la recette du *Bonheur des Dames*.

IV

Ce lundi-là, le dix octobre, un clair soleil de victoire perça les nuées grises, qui depuis une semaine assombrissaient Paris. Toute la nuit encore, il avait bruiné une poussière d'eau dont l'humidité salissait les rues ; mais, au petit jour, sous les
5 haleines vives qui emportaient les nuages, les trottoirs s'étaient essuyés ; et le ciel bleu avait une gaieté limpide de printemps.

Aussi, le *Bonheur des Dames*, dès huit heures, flambait-il aux rayons de ce clair soleil, dans la gloire de sa grande mise en vente des nouveautés[1] d'hiver. Des drapeaux flottaient à la
10 porte, des pièces de lainage battaient l'air frais du matin, animant la place Gaillon d'un vacarme de fête foraine ; tandis que, sur les deux rues, les vitrines développaient des sympho-

1. *Nouveautés* : articles de mode, c'est-à-dire, en principe, de la lingerie, des vêtements et des tissus.

nies d'étalages, dont la netteté des glaces avivait encore les tons éclatants. C'était comme une débauche de couleurs, une joie de
15 la rue qui crevait là, tout un coin de consommation largement ouvert, et où chacun pouvait aller se réjouir les yeux.

Mais, à cette heure, il entrait peu de monde, quelques rares clientes affairées, des ménagères du voisinage, des femmes désireuses d'éviter l'écrasement de l'après-midi. Derrière les étoffes
20 qui le pavoisaient[1], on sentait le magasin vide, sous les armes et attendant la pratique[2], avec ses parquets cirés, ses comptoirs débordant de marchandises. La foule pressée du matin donnait à peine un coup d'œil aux vitrines, sans ralentir le pas. Rue Neuve-Saint-Augustin et place Gaillon, où les voitures devaient
25 se ranger, il n'y avait encore, à neuf heures, que deux fiacres[3]. Seuls, les habitants du quartier, les petits commerçants surtout, remués par un tel déploiement de banderoles et de panaches, formaient des groupes, sous les portes, aux coins des trottoirs, le nez levé, pleins de remarques amères. Ce qui les indignait,
30 c'était, rue de la Michodière, devant le bureau du départ, une des quatre voitures que Mouret venait de lancer dans Paris : des voitures à fond vert, rechampies[4] de jaune et de rouge, et dont les panneaux fortement vernis prenaient au soleil des éclats d'or et de pourpre. Celle-là, avec son bariolage tout neuf, écartelée
35 du nom de la maison[5] sur chacune de ses faces, et surmontée en outre d'une pancarte où la mise en vente du jour était annoncée, finit par s'éloigner au trot d'un cheval superbe, lorsqu'on eut achevé de l'emplir des paquets restés de la veille ; et, jusqu'au boulevard, Baudu qui blêmissait sur le seuil du *Vieil Elbeuf*, la
40 regarda rouler, promenant à travers la ville ce nom détesté du *Bonheur des Dames*, dans un rayonnement d'astre.

1. *Le pavoisaient* : le décoraient comme des drapeaux sur les édifices publics les jours de fête. \ **2.** *Pratique* : cliente. \ **3.** *Fiacres* : voitures à cheval louées à la course ou à l'heure. \ **4.** *Rechampies* : dont les ornements, ici jaunes et rouges, se détachent sur le fond. \ **5.** Le nom du magasin commence d'un côté de la voiture et se poursuit sur l'autre côté.

Cependant, quelques fiacres arrivaient et prenaient la file. Chaque fois qu'une cliente se présentait, il y avait un mouvement parmi les garçons de magasin, rangés sous la haute porte,
45 habillés d'une livrée[1], l'habit et le pantalon vert clair, le gilet rayé jaune et rouge. Et l'inspecteur Jouve, l'ancien capitaine retraité, était là, en redingote et en cravate blanche, avec sa décoration, comme une enseigne de vieille probité[2], accueillant les dames d'un air gravement poli, se penchant vers elles pour
50 leur indiquer les rayons. Puis, elles disparaissaient dans le vestibule, changé en un salon oriental.

Dès la porte, c'était ainsi un émerveillement, une surprise qui, toutes, les ravissait. Mouret avait eu cette idée. Le premier, il venait d'acheter dans le Levant[3], à des conditions excellentes,
55 une collection de tapis anciens et de tapis neufs, de ces tapis rares que, seuls, les marchands de curiosités vendaient jusquelà, très cher; et il allait en inonder le marché, il les cédait presque à prix coûtant, en tirait simplement un décor splendide, qui devait attirer chez lui la haute clientèle de l'art. Du
60 milieu de la place Gaillon, on apercevait ce salon oriental, fait uniquement de tapis et de portières[4], que des garçons avaient accrochés sous ses ordres. D'abord, au plafond, étaient tendus des tapis de Smyrne, dont les dessins compliqués se détachaient sur des fonds rouges. Puis, des quatre côtés, pendaient des
65 portières: les portières de Karamanie et de Syrie, zébrées de vert, de jaune et de vermillon; les portières de Diarbékir, plus communes, rudes à la main, comme des sayons[5] de berger; et encore des tapis pouvant servir de tentures, les longs tapis d'Ispahan, de Téhéran et de Kermancha, les tapis plus larges de
70 Schoumaka et de Madras, floraison étrange de pivoines et de palmes, fantaisie lâchée dans le jardin du rêve. À terre, les tapis

1. *Livrée*: uniforme porté par tous les domestiques d'une même maison. \ **2.** *Probité*: honnêteté. \ **3.** *Le Levant*: l'Orient. \ **4.** *Portières*: tentures qui masquent une porte. \ **5.** *Sayons*: vêtements de dessus.

recommençaient, une jonchée de toisons grasses : il y avait, au centre, un tapis d'Agra, une pièce extraordinaire à fond blanc et à large bordure bleu tendre, où couraient des ornements violâtres, d'une imagination exquise ; partout, ensuite, s'étalaient des merveilles, les tapis de La Mecque aux reflets de velours, les tapis de prière du Daghestan à la pointe symbolique, les tapis du Kurdistan, semés de fleurs épanouies ; enfin, dans un coin, un écroulement à bon marché, des tapis de Gheurdès, de Coula et de Kircheer, en tas, depuis quinze francs. Cette tente de pacha somptueux était meublée de fauteuils et de divans, faits avec des sacs de chameau, les uns coupés de losanges bariolés, les autres plantés de roses naïves. La Turquie, l'Arabie, la Perse, les Indes étaient là. On avait vidé les palais, dévalisé les mosquées et les bazars. L'or fauve dominait, dans l'effacement des tapis anciens, dont les teintes fanées gardaient une chaleur sombre, un fondu de fournaise éteinte, d'une belle couleur cuite de vieux maître[1]. Et des visions d'Orient flottaient sous le luxe de cet art barbare, au milieu de l'odeur forte que les vieilles laines avaient gardée du pays de la vermine et du soleil.

Le matin, à huit heures, lorsque Denise, qui allait justement débuter ce lundi-là, avait traversé le salon oriental, elle était restée saisie, ne reconnaissant plus l'entrée du magasin, achevant de se troubler dans ce décor de harem, planté à la porte. Un garçon l'ayant conduite sous les combles[2] et remise entre les mains de M^{me} Cabin, chargée du nettoyage et de la surveillance des chambres, celle-ci l'installa au numéro 7, où l'on avait déjà monté sa malle. C'était une étroite cellule mansardée, ouvrant sur le toit par une fenêtre à tabatière[3], meublée d'un petit lit, d'une armoire de noyer, d'une table de toilette et de deux

1. *Maîtres* : peintres renommés. \ **2.** *Sous les combles* : au dernier étage, sous les toits. \ **3.** *Fenêtre à tabatière* : petite fenêtre ou lucarne à charnière.

chaises. Vingt chambres pareilles s'alignaient le long d'un corridor de couvent, peint en jaune ; et, sur les trente-cinq demoiselles de la maison, les vingt qui n'avaient pas de famille à Paris couchaient là, tandis que les quinze autres logeaient au-dehors, quelques-unes chez des tantes ou des cousines d'emprunt. Tout de suite, Denise ôta la mince robe de laine, usée par la brosse, raccommodée aux manches, la seule qu'elle eût apportée de Valognes. Puis, elle passa l'uniforme de son rayon, une robe de soie noire, qu'on avait retouchée pour elle, et qui l'attendait sur le lit. Cette robe était encore un peu grande, trop large aux épaules. Mais elle se hâtait tellement, dans son émotion, qu'elle ne s'arrêta point à ces détails de coquetterie. Jamais elle n'avait porté de la soie. Quand elle redescendit, endimanchée, mal à l'aise, elle regardait luire la jupe, elle éprouvait une honte aux bruissements tapageurs de l'étoffe.

En bas, comme elle entrait au rayon, une querelle éclatait. Elle entendit Clara dire d'une voix aiguë :

— Madame, je suis arrivée avant elle.

— Ce n'est pas vrai, répondait Marguerite. Elle m'a bousculée à la porte, mais j'avais déjà le pied dans le salon.

Il s'agissait de l'inscription au tableau de ligne, qui réglait les tours de vente. Les vendeuses s'inscrivaient sur une ardoise, dans leur ordre d'arrivée ; et, chaque fois qu'une d'elles avait eu une cliente, elle remettait son nom à la queue. M^{me} Aurélie finit par donner raison à Marguerite.

— Toujours des injustices ! murmura furieusement Clara.

Mais l'entrée de Denise réconcilia ces demoiselles. Elles la regardèrent, puis se sourirent. Pouvait-on se fagoter[1] de la sorte ! La jeune fille alla gauchement s'inscrire au tableau de ligne, où elle se trouvait la dernière. Cependant, M^{me} Aurélie l'examinait avec une moue inquiète. Elle ne put s'empêcher de dire :

1. *Se fagoter* : s'habiller mal.

— Ma chère, deux comme vous tiendraient dans votre robe.
Il faudra la faire rétrécir… Et puis, vous ne savez pas vous
135 habiller. Venez donc, que je vous arrange un peu.

Et elle l'emmena devant une des hautes glaces, qui alter-
naient avec les portes pleines des armoires, où étaient serrées[1]
les confections[2]. La vaste pièce, entourée de ces glaces et de ces
boiseries de chêne sculpté, garnie d'une moquette rouge à
140 grands ramages[3], ressemblait au salon banal d'un hôtel, que
traverse un continuel galop de passants. Ces demoiselles
complétaient la ressemblance, vêtues de leur soie réglemen-
taire, promenant leurs grâces marchandes, sans jamais s'asseoir
sur la douzaine de chaises réservées aux clientes seules. Toutes
145 avaient, entre deux boutonnières du corsage, comme piqué
dans la poitrine, un grand crayon qui se dressait, la pointe en
l'air ; et l'on apercevait, sortant à demi d'une poche, la tache
blanche du cahier de notes de débit. Plusieurs risquaient des
bijoux, des bagues, des broches, des chaînes ; mais leur coquet-
150 terie, le luxe dont elles luttaient, dans l'uniformité imposée de
leur toilette, était leurs cheveux nus, des cheveux débordants,
augmentés de nattes et de chignons quand ils ne suffisaient pas,
peignés, frisés, étalés.

— Tirez donc la ceinture par-devant, répétait M^me Aurélie.
155 Là, vous n'avez plus de bosse dans le dos au moins… Et vos
cheveux, est-il possible de les massacrer ainsi ! Ils seraient
superbes, si vous vouliez.

C'était, en effet, la seule beauté de Denise. D'un blond
cendré, ils lui tombaient jusqu'aux chevilles ; et, quand elle se
160 coiffait, ils la gênaient, au point qu'elle se contentait de les
rouler et de les retenir en un tas, sous les fortes dents d'un
peigne de corne. Clara, très ennuyée par ces cheveux, affectait

1. *Serrées* : rangées. \ 2. *Confections* : prêt-à-porter (par opposition aux vêtements faits sur
mesure). \ 3. *Ramages* : dessins décoratifs.

d'en rire, tellement ils étaient noués de travers, dans leur grâce sauvage. Elle avait appelé d'un signe une vendeuse du rayon de la lingerie, une fille à figure large, l'air agréable. Les deux rayons, qui se touchaient, étaient en continuelle hostilité ; mais ces demoiselles s'entendaient parfois pour se moquer des gens.

— Mademoiselle Cugnot, voyez donc cette crinière, répétait Clara, que Marguerite poussait du coude, en feignant aussi d'étouffer de rire.

Seulement, la lingère n'était pas en train de plaisanter. Elle regardait Denise depuis un instant, elle se rappelait ce qu'elle avait souffert elle-même, les premiers mois, dans son rayon.

— Eh bien ! quoi ? dit-elle. Toutes n'en ont pas, de ces crinières !

Et elle retourna à la lingerie, laissant les deux autres gênées. Denise, qui avait entendu, la suivit d'un regard de remerciement, tandis que M^{me} Aurélie lui remettait un cahier de notes de débit à son nom, en disant :

— Allons, demain, vous vous arrangerez mieux… Et, maintenant, tâchez de prendre les habitudes de la maison, attendez votre tour de vente. La journée d'aujourd'hui sera dure, on va pouvoir juger ce dont vous êtes capable.

Cependant, le rayon restait désert, peu de clientes montaient aux confections, à cette heure matinale. Ces demoiselles se ménageaient, droites et lentes, pour se préparer aux fatigues de l'après-midi. Alors Denise, intimidée par la pensée qu'elles guettaient son début, tailla son crayon, afin d'avoir une contenance ; puis, imitant les autres, elle se l'enfonça dans la poitrine, entre deux boutonnières. Elle s'exhortait au courage, il fallait qu'elle conquît sa place. La veille, on lui avait dit qu'elle entrait au pair, c'est-à-dire sans appointements fixes ; elle aurait uniquement le tant pour cent et la guelte[1] sur les ventes qu'elle ferait. Mais elle espérait bien arriver ainsi à douze cents francs,

1. *Guelte* : gratification accordée à un vendeur, proportionnellement à ses ventes.

car elle savait que les bonnes vendeuses allaient jusqu'à deux
195 mille, quand elles prenaient de la peine. Son budget était réglé,
cent francs par mois lui permettraient de payer la pension de
Pépé et d'entretenir Jean, qui ne touchait pas un sou ; elle-
même pourrait acheter quelques vêtements et du linge. Seule-
ment, pour atteindre ce gros chiffre, elle devait se montrer
200 travailleuse et forte, ne pas se chagriner des mauvaises volontés
autour d'elle, se battre et arracher sa part aux camarades, s'il le
fallait. Comme elle s'excitait ainsi à la lutte, un grand jeune
homme qui passait devant le rayon, lui sourit ; et, lorsqu'elle
eut reconnu Deloche, entré de la veille au rayon des dentelles,
205 elle lui rendit son sourire, heureuse de cette amitié qu'elle
retrouvait, voyant dans ce salut un bon présage.

À neuf heures et demie, une cloche avait sonné le déjeuner
de la première table. Puis, une nouvelle volée appela la
deuxième. Et les clientes ne venaient toujours pas. La seconde,
210 M^{me} Frédéric, qui, dans sa rigidité maussade de veuve, se plai-
sait aux idées de désastre, jurait en phrases brèves, que la
journée était perdue : on ne verrait pas quatre chats, on pouvait
fermer les armoires et s'en aller ; prédiction qui assombrissait
la face plate de Marguerite, très âpre au gain, tandis que Clara,
215 avec ses allures de cheval échappé, rêvait déjà d'une partie[1] au
bois de Verrières, si la maison croulait. Quant à M^{me} Aurélie,
muette, grave, elle promenait son masque de César à travers le
vide du rayon, en général qui a une responsabilité dans la
victoire et la défaite.

220 Vers onze heures, quelques dames se présentèrent. Le tour
de vente de Denise arrivait. Justement, une cliente fut signalée.

— La grosse de province, vous savez, murmura Marguerite.

C'était une femme de quarante-cinq ans, qui débarquait de
loin en loin à Paris, du fond d'un département perdu. Là-bas,

1. *Partie* : divertissement collectif.

225 pendant des mois, elle mettait des sous de côté ; puis, à peine descendue de wagon, elle tombait au *Bonheur des Dames*, elle dépensait tout. Rarement, elle demandait par lettre, car elle voulait voir, avait la joie de toucher la marchandise, faisait jusqu'à des provisions d'aiguilles, qui, disait-elle, coûtaient les
230 yeux de la tête, dans sa petite ville. Tout le magasin la connaissait, savait qu'elle se nommait M^{me} Boutarel et qu'elle habitait Albi, sans s'inquiéter du reste, ni de sa situation, ni de son existence.

— Vous allez bien, madame ? demandait gracieusement M^{me}
235 Aurélie qui s'était avancée. Et que désirez-vous ? On est à vous tout de suite.

Puis, se tournant :

— Mesdemoiselles !

Denise s'approchait, mais Clara s'était précipitée. D'habi-
240 tude, elle se montrait paresseuse à la vente, se moquant de l'argent, en gagnant davantage au-dehors, et sans fatigue. Seulement, l'idée de souffler une bonne cliente à la nouvelle venue, l'éperonnait.

— Pardon, c'est mon tour, dit Denise révoltée.

245 M^{me} Aurélie l'écarta d'un regard sévère, en murmurant :

— Il n'y a pas de tour, je suis la seule maîtresse ici… Attendez de savoir, pour servir les clientes connues.

La jeune fille recula ; et, comme des larmes lui montaient aux yeux, elle voulut cacher cet excès de sensibilité, elle tourna
250 le dos, debout devant les glaces sans tain, feignant de regarder dans la rue. Allait-on l'empêcher de vendre ? Toutes s'entendraient-elles, pour lui enlever ainsi les ventes sérieuses ? La peur de l'avenir la prenait, elle se sentait écrasée entre tant d'intérêts lâchés. Cédant à l'amertume de son abandon, le front
255 contre la glace froide, elle regardait en face le *Vieil Elbeuf*, elle songeait qu'elle aurait dû supplier son oncle de la garder ; peut-être lui-même désirait-il revenir sur sa décision, car il lui avait

semblé bien ému, la veille. Maintenant, elle était toute seule, dans cette maison vaste, où personne ne l'aimait, où elle se trouvait blessée et perdue ; Pépé et Jean vivaient chez des étrangers, eux qui n'avaient jamais quitté ses jupes ; c'était un arrachement, et les deux grosses larmes qu'elle retenait faisaient danser la rue dans un brouillard.

Derrière elle, pendant ce temps, bourdonnaient des voix.

— Celui-ci m'engonce, disait M^me Boutarel.

— Madame a tort, répétait Clara. Les épaules vont à la perfection... À moins que madame ne préfère une pelisse[1] à un manteau.

Mais Denise tressaillit. Une main s'était posée sur son bras, M^me Aurélie l'interpellait avec sévérité.

— Eh bien ! vous ne faites rien maintenant, vous regardez passer le monde ?... Oh ! ça ne peut pas marcher comme ça !

— Puisqu'on m'empêche de vendre, madame.

— Il y a d'autre ouvrage pour vous, mademoiselle. Commencez par le commencement... Faites le déplié[2].

Afin de contenter les quelques clientes qui étaient venues, on avait dû bouleverser déjà les armoires ; et, sur les deux longues tables de chêne, à gauche et à droite du salon, traînait un fouillis de manteaux, de pelisses, de rotondes[3], des vêtements de toutes les tailles et de toutes les étoffes. Sans répondre, Denise se mit à les trier, à les plier avec soin et à les classer de nouveau dans les armoires. C'était la besogne inférieure des débutantes. Elle ne protestait plus, sachant qu'on exigeait une obéissance passive, attendant que la première voulût bien la laisser vendre, ainsi qu'elle semblait d'abord en avoir l'intention. Et elle pliait toujours, lorsque Mouret parut.

1. *Pelisse* : vêtement orné ou doublé de fourrure. \ **2.** *Déplié* : il s'agit de replier et de ranger les vêtements sortis pour être présentés aux clientes. \ **3.** *Rotondes* : manteaux dont les plis forment un large cercle.

Ce fut pour elle une secousse ; elle rougit, elle se sentit reprise de son étrange peur, en croyant qu'il allait lui parler. Mais il ne la voyait seulement pas, il ne se rappelait plus cette petite

290 fille, que l'impression charmante d'une minute lui avait fait appuyer.

— Madame Aurélie ! appela-t-il d'une voix brève.

Il était légèrement pâle, les yeux clairs et résolus pourtant. En faisant le tour des rayons, il venait de les trouver vides, et

295 la possibilité d'une défaite s'était brusquement dressée, dans sa foi entêtée à la fortune. Sans doute, onze heures sonnaient à peine ; il savait par expérience que la foule n'arrivait guère que l'après-midi. Seulement, certains symptômes l'inquiétaient : aux autres mises en vente, un mouvement se produisait dès le

300 matin ; puis, il ne voyait même pas de femmes en cheveux[1], les clientes du quartier, qui descendaient chez lui en voisines. Comme tous les grands capitaines, au moment de livrer sa bataille, une faiblesse superstitieuse l'avait pris, malgré sa carrure habituelle d'homme d'action. Ça ne marcherait pas, il

305 était perdu, et il n'aurait pu dire pourquoi : il croyait lire sa défaite sur les visages mêmes des dames qui passaient.

Justement, M^me^ Boutarel, elle qui achetait toujours, s'en allait en disant :

— Non, vous n'avez rien qui me plaise... Je verrai, je me

310 déciderai.

Mouret la regarda partir. Et, comme M^me^ Aurélie accourait à son appel, il l'emmena à l'écart ; tous deux échangèrent quelques mots rapides. Elle eut un geste désolé, elle répondait visiblement que la vente ne s'allumait pas. Un instant, ils restèrent face à face,

315 gagnés par un de ces doutes que les généraux cachent à leurs soldats. Ensuite, il dit tout haut, de son air brave :

1. *Femmes en cheveux* : femmes du peuple, par opposition aux bourgeoises ou aux aristocrates qui portent des chapeaux.

— Si vous avez besoin de monde, prenez une fille de l'atelier… Elle aidera toujours un peu.

Il continua son inspection, désespéré. Depuis le matin, il ³²⁰ évitait Bourdoncle, dont les réflexions inquiètes l'irritaient. En sortant de la lingerie, où la vente marchait plus mal encore, il tomba sur lui, il dut subir l'expression de ses craintes. Alors, il l'envoya carrément au diable, avec une brutalité qu'il ne ménageait pas même à ses hauts employés, dans les heures ³²⁵ mauvaises.

— Fichez-moi donc la paix ! Tout va bien… Je finirai par flanquer les trembleurs à la porte.

Mouret se planta, seul et debout, au bord de la rampe du hall. De là, il dominait le magasin, ayant autour de lui les rayons de ³³⁰ l'entresol[1], plongeant sur les rayons du rez-de-chaussée. En haut, le vide lui parut navrant : aux dentelles, une vieille dame faisait fouiller tous les cartons, sans rien acheter ; tandis que trois vauriennes, à la lingerie, choisissaient longuement des cols à dix-huit sous. En bas, sous les galeries couvertes, dans les coups ³³⁵ de lumière qui venaient de la rue, il remarqua que les clientes commençaient à être plus nombreuses. C'était un lent défilé, une promenade devant les comptoirs, espacée, pleine de trous ; à la mercerie, à la bonneterie, des femmes en camisole[2] se pressaient ; seulement, il n'y avait presque personne au blanc ni aux ³⁴⁰ lainages. Les garçons de magasin, avec leur habit vert dont les larges boutons de cuivre luisaient, attendaient le monde, les mains ballantes. Par moments, passait un inspecteur, l'air cérémonieux, raidi dans sa cravate blanche. Et le cœur de Mouret était surtout serré par la paix morte du hall : le jour y tombait ³⁴⁵ de haut, d'un vitrage aux verres dépolis, qui tamisait la clarté en une poussière blanche, diffuse et comme suspendue, sous

1. *Entresol* : demi-étage situé entre le rez-de-chaussée et le premier étage. \ 2. *Camisole* : vêtement court, porté sur la chemise.

laquelle le rayon des soieries semblait dormir, au milieu d'un silence frissonnant de chapelle. Le pas d'un commis, des paroles chuchotées, un frôlement de jupe qui traversait, y mettaient
350 seuls des bruits légers, étouffés dans la chaleur du calorifère[1]. Pourtant, des voitures arrivaient : on entendait l'arrêt brusque des chevaux ; puis, des portières se refermaient violemment. Au-dehors, montait un lointain brouhaha, des curieux qui se bous-culaient en face des vitrines, des fiacres qui stationnaient sur la
355 place Gaillon, toute l'approche d'une foule. Mais, en voyant les caissiers inactifs se renverser derrière leur guichet, en constatant que les tables aux paquets restaient nues, avec leurs boîtes à ficelle et leurs mains[2] de papier bleu, Mouret, indigné d'avoir peur, croyait sentir sa grande machine s'immobiliser et se
360 refroidir sous lui.

— Dites donc, Favier, murmura Hutin, regardez le patron, là-haut… Il n'a pas l'air à la noce[3].

— En voilà une sale baraque ! répondit Favier. Quand on pense que je n'ai pas encore vendu !
365 Tous deux, guettant les clientes, se soufflaient ainsi de courtes phrases, sans se regarder. Les autres vendeurs du rayon étaient en train d'empiler des pièces de Paris-Bonheur, sous les ordres de Robineau ; tandis que Bouthemont, en grande conférence avec une jeune femme maigre, paraissait prendre à demi-voix une
370 commande importante. Autour d'eux, sur des étagères d'une élégance frêle, les soies, pliées dans de longues chemises de papier crème, s'entassaient comme des brochures de format inusité. Et, encombrant les comptoirs, des soies de fantaisie, des moires[4], des satins, des velours, semblaient des plates-bandes de fleurs
375 fauchées, toute une moisson de tissus délicats et précieux. C'était

1. *Calorifère* : appareil de chauffage qui distribue dans l'ensemble d'un bâtiment la chaleur produite par une chaudière. \ 2. *Mains* : assemblages de feuilles de papier. \ 3. *Il n'a pas l'air à la noce* : il n'a pas l'air content (expression familière). \ 4. *Moires* : étoffes aux reflets changeants.

le rayon élégant, un salon véritable, où les marchandises, si légères, n'étaient plus qu'un ameublement de luxe.

— Il me faut cent francs pour dimanche, reprit Hutin. Si je ne me fais pas mes douze francs par jour en moyenne, je suis
380 flambé… J'avais compté sur leur mise en vente.

— Bigre ! cent francs, c'est raide, dit Favier. Moi, je n'en demande que cinquante ou soixante… Vous vous payez donc des femmes chic ?

— Mais non, mon cher. Imaginez-vous, une bêtise : j'ai parié
385 et j'ai perdu… Alors, je dois régaler cinq personnes, deux hommes et trois femmes… Sacré mâtin ! la première qui passe, je la tombe de vingt mètres de Paris-Bonheur !

Un moment encore, ils causèrent, ils se dirent ce qu'ils avaient fait la veille et ce qu'ils comptaient faire dans huit
390 jours. Favier pariait aux courses, Hutin canotait[1] et entretenait des chanteuses de café-concert. Mais un même besoin d'argent les fouettait, ils ne songeaient qu'à l'argent, ils se battaient pour l'argent du lundi au samedi, puis ils mangeaient tout le dimanche. Au magasin, c'était là leur préoccupation tyran-
395 nique, une lutte sans trêve ni pitié. Et ce malin de Bouthemont qui venait de prendre pour lui l'envoyée de M^{me} Sauveur, cette femme maigre avec laquelle il causait ! une belle affaire, deux ou trois douzaines de pièces, car la grande couturière avait les bouchées grosses. À l'instant, Robineau s'était bien avisé, lui
400 aussi, de souffler une cliente à Favier !

— Oh ! celui-là, il faut lui régler son compte, reprit Hutin qui profitait des plus minces faits pour ameuter le comptoir contre l'homme dont il voulait la place. Est-ce que les premiers et les seconds devraient vendre !… Parole d'honneur ! mon
405 cher, si jamais je deviens second, vous verrez comme j'agirai gentiment avec vous autres.

1. *Canotait* : faisait du canot, loisir populaire très répandu sur la Marne ou la Seine.

Et toute sa petite personne normande, aimable et grasse, jouait la bonhomie, énergiquement. Favier ne put s'empêcher de lui jeter un regard oblique ; mais il garda son flegme[1]
410 d'homme bilieux, il se contenta de répondre :

— Oui, je sais… Moi, je ne demande pas mieux.

Puis, voyant une dame s'approcher, il ajouta plus bas :

— Attention ! voilà pour vous.

C'était une dame couperosée, avec un chapeau jaune et une
415 robe rouge. Tout de suite Hutin devina la femme qui n'achèterait pas. Il se baissa vivement derrière le comptoir, en feignant de rattacher les cordons d'un de ses souliers ; et, caché, il murmurait :

— Ah ! non, par exemple ! qu'un autre se la paie… Merci !
420 pour perdre mon tour !

Cependant, Robineau l'appelait :

— À qui la ligne, messieurs ? À M. Hutin ?… Où est M. Hutin ?

Et, comme celui-ci ne répondait décidément pas, ce fut le
425 vendeur inscrit à la suite qui reçut la dame couperosée. En effet, elle voulait simplement des échantillons, avec les prix ; et elle retint le vendeur plus de dix minutes, elle l'accabla de questions. Seulement, le second avait vu Hutin se relever, derrière le comptoir. Aussi, lorsqu'une nouvelle cliente se présenta,
430 intervint-il d'un air sévère, en arrêtant le jeune homme qui se précipitait.

— Votre tour est passé… Je vous ai appelé, et comme vous étiez là derrière…

— Mais, monsieur, je n'ai pas entendu.

435 — Assez !… Inscrivez-vous à la queue… Allons, monsieur Favier, c'est à vous.

D'un regard, Favier, très amusé au fond de l'aventure, s'ex-

1. *Flegme* : calme.

cusa auprès de son ami. Hutin, les lèvres pâles, avait détourné la tête. Ce qui l'enrageait, c'était qu'il connaissait bien la cliente, une adorable blonde qui venait souvent au rayon et que les vendeurs appelaient entre eux : « la jolie dame », ne sachant rien d'elle, pas même son nom. Elle achetait beaucoup, faisait porter dans sa voiture, puis disparaissait. Grande, élégante, mise avec un charme exquis, elle paraissait fort riche et du meilleur monde.

— Eh bien ! et votre cocotte[1] ? demanda Hutin à Favier, lorsque celui-ci revint de la caisse, où il avait accompagné la dame.

— Oh ! une cocotte, répondit celui-ci. Non, elle a l'air trop comme il faut. Ça doit être la femme d'un boursier ou d'un médecin, enfin je ne sais pas, quelque chose dans ce genre.

— Laissez donc ! c'est une cocotte... Avec leurs airs de femmes distinguées, est-ce qu'on peut dire aujourd'hui !

Favier regardait son cahier de notes de débit.

— N'importe ! reprit-il, je lui en ai collé pour deux cent quatre-vingt-treize francs. Ça me fait près de trois francs.

Hutin pinça les lèvres, et il soulagea sa rancune sur les cahiers de notes de débit : encore une drôle d'invention qui leur encombrait les poches ! Il y avait entre eux une lutte sourde. Favier, d'habitude, affectait de s'effacer, de reconnaître la supériorité de Hutin, quitte à le manger par-derrière. Aussi ce dernier souffrait-il des trois francs emportés d'une façon si aisée, par un vendeur qu'il ne reconnaissait pas de sa force. Une belle journée, vraiment ! Si ça continuait, il ne gagnerait pas de quoi payer de l'eau de seltz[2] à ses invités. Et, dans la bataille qui s'échauffait, il se promenait devant les comptoirs, les dents longues, voulant sa part, jalousant jusqu'à son chef, en train de reconduire la jeune femme maigre, à laquelle il répétait :

1. *Cocotte* : femme qui se fait entretenir par ses nombreux amants (terme familier et péjoratif). \ **2.** *Eau de seltz* : eau gazeuse.

— Eh bien! c'est entendu. Dites-lui que je ferai mon possible pour obtenir cette faveur de M. Mouret.

470 Depuis longtemps, Mouret n'était plus à l'entresol, debout près de la rampe du hall. Brusquement, il reparut en haut du grand escalier qui descendait au rez-de-chaussée; et, de là, il domina encore la maison entière. Son visage se colorait, la foi renaissait et le grandissait, devant le flot de monde qui, peu à 475 peu, emplissait le magasin. C'était enfin la poussée attendue, l'écrasement de l'après-midi, dont il avait un instant désespéré, dans sa fièvre; tous les commis se trouvaient à leur poste, un dernier coup de cloche venait de sonner la fin de la troisième table; la désastreuse matinée, due sans doute à une averse 480 tombée vers neuf heures, pouvait encore être réparée, car le ciel bleu du matin avait repris sa gaieté de victoire. Maintenant, les rayons de l'entresol s'animaient, il dut se ranger pour laisser passer les dames qui, par petits groupes, montaient à la lingerie et aux confections; tandis que, derrière lui, aux dentelles et aux 485 châles, il entendait voler de gros chiffres. Mais la vue des galeries, au rez-de-chaussée, le rassurait surtout: on s'écrasait devant la mercerie, le blanc et les lainages eux-mêmes étaient envahis, le défilé des acheteuses se serrait, presque toutes en chapeau à présent, avec quelques bonnets[1] de ménagères attar- 490 dées. Dans le hall des soieries, sous la blonde lumière, des dames s'étaient dégantées, pour palper doucement des pièces de Paris-Bonheur, en causant à demi-voix. Et il ne se trompait plus aux bruits qui lui arrivaient du dehors, roulements de fiacres, claquement de portières, brouhaha grandissant de 495 foule. Il sentait, à ses pieds, la machine se mettre en branle, s'échauffer et revivre, depuis les caisses où l'or sonnait, depuis les tables où les garçons de magasin se hâtaient d'empaqueter les marchandises, jusqu'aux profondeurs du sous-sol, au service

1. *Bonnets*: coiffes souples en tissu, portées par les femmes des milieux populaires.

du départ, qui s'emplissait de paquets descendus, et dont le
500 grondement souterrain faisait vibrer la maison. Au milieu de
la cohue, l'inspecteur Jouve se promenait gravement, guettant
les voleuses.

— Tiens! c'est toi! dit Mouret tout à coup, en reconnaissant
Paul de Vallagnosc, que lui amenait un garçon. Non, non, tu
505 ne me déranges pas... Et, d'ailleurs, tu n'as qu'à me suivre, si
tu veux tout voir, car aujourd'hui je reste sur la brèche[1].

Il gardait des inquiétudes. Sans doute le monde venait,
mais la vente serait-elle le triomphe espéré? Pourtant, il riait
avec Paul, il l'emmena gaiement.

510 — Ça paraît vouloir s'allumer un peu, dit Hutin à Favier.
Seulement, je n'ai pas de chance, il y a des jours de guignon[2],
ma parole!... Je viens encore de faire un Rouen[3], cette tuile
ne m'a rien acheté.

Et il désignait du menton une dame qui s'en allait, en jetant
515 des regards dégoûtés sur toutes les étoffes. Ce ne serait pas avec
ses mille francs d'appointements qu'il s'engraisserait, s'il ne
vendait rien; d'habitude, il se faisait sept ou huit francs de tant
pour cent et de guelte, ce qui lui donnait, avec son fixe, une
dizaine de francs par jour, en moyenne. Favier n'arrivait guère
520 qu'à huit; et voilà que ce sabot[4] lui enlevait les morceaux de
la bouche, car il sortait de débiter une nouvelle robe. Un garçon
froid qui n'avait jamais su égayer une cliente! C'était exaspé-
rant.

— Les bonnetons et les bobinards[5] ont l'air de battre
525 monnaie[6], murmura Favier en parlant des vendeurs de la bonne-
terie et de la mercerie.

1. *Je reste sur la brèche*: je n'arrête pas, je suis en pleine activité (expression militaire).
\ **2.** *Guignon*: pas de chance. \ **3.** *Faire un Rouen*: rater une vente (expression familière fai-
sant référence à la crise cotonnière dont la ville de Rouen est l'une des principales victimes).
\ **4.** *Sabot*: incapable (terme familier). \ **5.** *Les bonnetons et les bobinards*: les commis de la bon-
neterie et de la mercerie. \ **6.** *Battre monnaie*: remporter beaucoup d'argent.

Mais Hutin, qui fouillait le magasin du regard, dit brusquement :

— Connaissez-vous M^me Desforges, la bonne amie du
530 patron ?… Tenez ! cette brune à la ganterie, celle à qui Mignot
essaye des gants.

Il se tut, puis il reprit tout bas, comme parlant à Mignot,
qu'il ne quittait plus des yeux :

— Va, va, mon bonhomme, frotte-lui bien les doigts, pour
535 ce que ça t'avance ! On les connaît, tes conquêtes !

Il y avait, entre lui et le gantier, une rivalité de jolis hommes,
qui tous deux affectaient de coqueter[1] avec les clientes.
D'ailleurs, ils n'auraient pu, ni l'un, ni l'autre, se vanter d'aucune bonne fortune réelle ; Mignot vivait sur la légende d'une
540 femme de commissaire de police tombée amoureuse de lui,
tandis que Hutin avait véritablement conquis à son rayon une
passementière[2], lasse de traîner dans les hôtels louches du quartier ; mais ils mentaient, ils laissaient volontiers croire à des
aventures mystérieuses, à des rendez-vous donnés par des
545 comtesses, entre deux achats.

— Vous devriez la faire, dit Favier de son air de pince-sans-rire.

— C'est une idée ! s'écria Hutin. Si elle vient ici, je l'entortille, il me faut cent sous !

550 À la ganterie, toute une rangée de dames étaient assises
devant l'étroit comptoir, tendu de velours vert, à coins de métal
nickelé : et les commis souriants amoncelaient devant elles les
boîtes plates, d'un rose vif, qu'ils sortaient du comptoir même,
pareilles aux tiroirs étiquetés d'un cartonnier[3]. Mignot surtout
555 penchait sa jolie figure poupine, donnait de tendres inflexions

1. *Coqueter* : flirter (terme péjoratif). \ 2. *Passementière* : ouvrière qui coud des ornements
(franges, galons…) sur les vêtements. \ 3. *Cartonnier* : meuble de bureau en forme de casier
rempli de cartons, servant à ranger des papiers.

à sa voix grasseyante[1] de Parisien. Déjà il avait vendu à
M^me Desforges douze paires de gants de chevreau, des gants
Bonheur, la spécialité de la maison. Elle avait ensuite demandé
trois paires de gants de Suède. Et, maintenant, elle essayait des
560 gants de Saxe[2], par crainte que la pointure ne fût pas exacte.

— Oh! à la perfection, madame! répétait Mignot. Le six trois
quarts serait trop grand pour une main comme la vôtre.

À demi couché sur le comptoir, il lui tenait la main, prenait
les doigts un à un, faisant glisser le gant d'une caresse longue,
565 reprise et appuyée ; et il la regardait, comme s'il eût attendu,
sur son visage, la défaillance d'une joie voluptueuse. Mais elle,
le coude au bord du velours, le poignet levé, lui livrait ses
doigts de l'air tranquille dont elle donnait son pied à sa femme
de chambre, pour que celle-ci boutonnât ses bottines. Il n'était
570 pas un homme, elle l'employait aux usages intimes avec son
dédain familier des gens à son service, sans le regarder même.

— Je ne vous fais pas de mal, madame ?

Elle répondit non, d'un signe de tête. L'odeur des gants de
Saxe, cette odeur de fauve comme sucrée du musc[3], la troublait
575 d'habitude ; et elle en riait parfois, elle confessait son goût pour
ce parfum équivoque, où il y a de la bête en folie, tombée dans
la boîte à poudre de riz[4] d'une fille[5]. Mais, devant ce comptoir
banal, elle ne sentait pas les gants, ils ne mettaient aucune
chaleur sensuelle entre elle et ce vendeur quelconque faisant
580 son métier.

— Et avec ça, madame ?

— Rien, merci… Veuillez porter ça à la caisse 10, pour
M^me Desforges, n'est-ce pas ?

En habituée de la maison, elle donnait son nom à une caisse

1. *Grasseyante* : manière de parler sans prononcer clairement les *r*. \ **2.** *Chevreau, Suède, Saxe* :
différentes sortes de cuir, plus ou moins fins et précieux. \ **3.** *Musc* : parfum très fort, sécrété
par un animal proche du chevrotin. \ **4.** *Poudre de riz* : fard. \ **5.** *Fille* : femme entretenue,
aux mœurs légères.

585 et y envoyait chacune de ses emplettes, sans se faire suivre par
un commis. Quand elle se fut éloignée, Mignot cligna les yeux,
en se tournant vers son voisin, auquel il aurait bien voulu
laisser croire que des choses extraordinaires venaient de se
passer.

590 — Hein? murmura-t-il crûment, on la ganterait jusqu'au
bout!

Cependant, M^me Desforges continuait ses achats. Elle revint
à gauche, s'arrêta au blanc, pour prendre des torchons; puis,
elle fit le tour, poussa jusqu'aux lainages, au fond de la galerie.

595 Comme elle était contente de sa cuisinière, elle désirait lui
donner une robe. Le rayon des lainages débordait d'une foule
compacte, toutes les petites bourgeoises s'y portaient, tâtaient
les étoffes, s'absorbaient en muets calculs; et elle dut s'asseoir
un instant. Dans les cases s'étageaient de grosses pièces, que les
600 vendeurs descendaient, une à une, d'un brusque effort des bras.
Aussi, commençaient-ils à ne plus se reconnaître sur les comp-
toirs envahis, où les tissus se mêlaient et s'écroulaient. C'était
une mer montante de teintes neutres, de tons sourds de laine,
les gris fer, les gris jaunes, les gris bleus, où éclataient çà et là
605 des bariolures écossaises, un fond rouge sang de flanelle. Et les
étiquettes blanches des pièces étaient comme une volée de rares
flocons blancs, mouchetant un sol noir de décembre.

Derrière une pile de popeline[1], Liénard plaisantait avec une
grande fille en cheveux, une ouvrière du quartier, envoyée par
610 sa patronne pour rassortir du mérinos[2]. Il abominait ces jours
de grosse vente, qui lui cassaient les bras, et il tâchait d'es-
quiver la besogne, largement entretenu par son père, se
moquant de vendre, en faisant tout juste assez pour ne pas être
mis à la porte.

615 — Écoutez donc, mademoiselle Fanny, disait-il. Vous êtes

1. *Popeline*: étoffe en laine et soie. \ 2. *Mérinos*: laine très fine.

toujours pressée… Est-ce que la vigogne[1] croisée allait bien, l'autre jour ? Vous savez que j'irai toucher ma guelte chez vous.

Mais l'ouvrière s'échappait en riant, et Liénard se trouva devant M^me Desforges, à laquelle il ne put s'empêcher de demander :

620 — Que désire madame ?

Elle voulait une robe pas chère, solide pourtant. Liénard, dans le but d'épargner ses bras, ce qui était son unique souci, manœuvra pour lui faire prendre une des étoffes déjà dépliées sur le comptoir. Il y avait là des cachemires, des serges[2], des vigognes, et il lui jurait qu'il n'existait rien de meilleur, on n'en voyait pas la fin. Mais aucun ne semblait la satisfaire. Elle avait avisé, dans une case, un escot[3] bleuâtre. Alors, il finit par se décider, il descendit l'escot, qu'elle jugea trop rude. Ensuite, ce furent une cheviotte, des diagonales[4], des grisailles[5], toutes les variétés de la laine, qu'elle eut la curiosité de toucher, pour le plaisir, décidée au fond à prendre n'importe quoi. Le jeune homme dut ainsi déménager les cases les plus hautes ; ses épaules craquaient, le comptoir avait disparu sous le grain soyeux des cachemires et des popelines, sous le poil rêche des cheviottes, sous le duvet pelucheux des vigognes. Tous les tissus et toutes les teintes y passaient. Même, sans avoir la moindre envie d'en acheter, elle se fit montrer de la grenadine[6] et de la gaze de Chambéry. Puis, quand elle en eut assez :

640 — Oh ! mon Dieu ! la première est encore la meilleure. C'est pour ma cuisinière… Oui, la serge à petit pointillé, celle à deux francs.

Et, lorsque Liénard eut métré, pâle d'une colère contenue :

1. *Vigogne* : tissu très fin fait avec la laine du vigogne, sorte de lama. \ **2.** *Serges* : tissus de laine solides en raison de leur tissage très serré. \ **3.** *Escot* : tissu de laine avec lequel on fait en général les robes de deuil ou les vêtements des religieuses. \ **4.** *Diagonales* : étoffes dont le tissage adopte des lignes diagonales. \ **5.** *Grisailles* : tissus à petits carreaux noirs et blancs. \ **6.** *Grenadine* : soie légère servant à fabriquer des dentelles.

— Veuillez porter ça à la caisse 10… Pour M^me Desforges.

645 Comme elle s'éloignait, elle reconnut près d'elle M^me Marty, accompagnée de sa fille Valentine, une grande demoiselle de quatorze ans, maigre et hardie, qui jetait déjà sur les marchandises des regards coupables de femme.

— Tiens! c'est vous, chère madame?

650 — Mais oui, chère madame… Hein? quelle foule!

— Oh! ne m'en parlez pas, on étouffe. Un succès!…, Avez-vous vu le salon oriental?

— Superbe! inouï!

Et, au milieu des coups de coude, bousculées par le flot crois-
655 sant des petites bourses qui se jetaient sur les lainages à bon marché, elles se pâmèrent au sujet de l'exposition des tapis. Puis, M^me Marty expliqua qu'elle cherchait une étoffe pour un manteau; mais elle n'était pas fixée, elle avait voulu se faire montrer du matelassé de laine.

660 — Regarde donc, maman, murmura Valentine, c'est trop commun.

— Venez à la soie, dit M^me Desforges. Il faut voir leur fameux Paris-Bonheur.

Un instant, M^me Marty hésita. Ce serait bien cher, elle avait
665 si formellement juré à son mari d'être raisonnable! Depuis une heure, elle achetait, tout un lot d'articles la suivait déjà, un manchon et des ruches [1] pour elle, des bas pour sa fille. Elle finit par dire au commis qui lui montrait le matelassé:

— Eh bien! non, je vais à la soie… Tout cela ne fait pas mon
670 affaire.

Le commis prit les articles et marcha devant ces dames.

À la soie, la foule était aussi venue. On s'écrasait surtout devant l'étalage intérieur, dressé par Hutin, et où Mouret avait

1. *Ruches*: étroites bandes de tulle ou de dentelle froncées qui servent d'ornement pour une robe, par exemple.

donné les touches du maître. C'était, au fond du hall, autour
675 d'une des colonnettes de fonte qui soutenaient le vitrage,
comme un ruissellement d'étoffe, une nappe bouillonnée[1]
tombant de haut et s'élargissant jusqu'au parquet. Des satins
clairs et des soies tendres jaillissaient d'abord : les satins à la
reine, les satins renaissance[2], aux tons nacrés d'eau de source ;
680 les soies légères aux transparences de cristal, vert Nil, ciel
indien, rose de mai, bleu Danube. Puis, venaient des tissus plus
forts, les satins merveilleux, les soies duchesse, teintes chaudes,
roulant à flots grossis. Et, en bas, ainsi que dans une vasque,
dormaient les étoffes lourdes, les armures[3] façonnées, les
685 damas[4], les brocarts[5], les soies perlées[6] et lamées[7], au milieu
d'un lit profond de velours, tous les velours, noirs, blancs, de
couleur, frappés à fond de soie ou de satin, creusant avec leurs
taches mouvantes un lac immobile où semblaient danser des
reflets de ciel et de paysage. Des femmes, pâles de désirs, se
690 penchaient comme pour se voir. Toutes, en face de cette cata-
racte[8] lâchée, restaient debout, avec la peur sourde d'être prises
dans le débordement d'un pareil luxe et avec l'irrésistible envie
de s'y jeter et de s'y perdre.

— Te voilà donc ! dit M^me Desforges, en trouvant M^me Bour-
695 delais installée devant un comptoir.

— Tiens ! bonjour ! répondit celle-ci, qui serra les mains à ces
dames. Oui, je suis entrée donner un coup d'œil.

— Hein ? c'est prodigieux, cet étalage ! On en rêve… Et le
salon oriental, as-tu vu le salon oriental ?
700 — Oui, oui, extraordinaire !

Mais, sous cet enthousiasme qui allait être décidément la

1. *Bouillonné* : ornement fait d'une bande de tissu froncée sur ses deux bords et posée en
applique. \ 2. *Satins à la reine, satins renaissance* : tissus raffinés et précieux. \ 3. *Armures* :
tissus proches des serges. \ 4. *Damas* : tissus qui font apparaître des dessins brillants ou
mats sur l'endroit comme sur l'envers. \ 5. *Brocarts* : riches tissus de soie rehaussés de fils
d'or et d'argent. \ 6. *Perlées* : dont la texture fait penser à de petites perles. \ 7. *Lamées* : tis-
sées d'or ou d'argent. \ 8. *Cataracte* : cascade.

note élégante du jour, M^me^ Bourdelais gardait son sang-froid de ménagère pratique. Elle examinait avec soin une pièce de Paris-Bonheur, car elle était uniquement venue pour profiter
705 du bon marché exceptionnel de cette soie, si elle la jugeait réellement avantageuse. Sans doute elle en fut contente, elle en demanda vingt-cinq mètres, comptant bien couper là-dedans une robe pour elle et un paletot pour sa petite fille.

— Comment ! tu pars déjà ? reprit M^me^ Desforges. Fais donc
710 un tour avec nous.

— Non, merci, on m'attend chez moi… Je n'ai pas voulu risquer les enfants dans cette foule.

Et elle s'en alla, précédée du vendeur qui portait les vingt-cinq mètres de soie, et qui la conduisit à la caisse 10, où le jeune
715 Albert perdait la tête, au milieu des demandes de factures dont il était assiégé. Quand le vendeur put approcher, après avoir débité sa vente d'un trait de crayon sur son cahier à souches, il appela cette vente, que le caissier inscrivit au registre ; puis, il y eut un contre-appel, et la feuille détachée du cahier fut
720 embrochée dans une pique de fer, près du timbre aux acquits [1].

— Cent quarante francs, dit Albert.

M^me^ Bourdelais paya et donna son adresse, car elle était à pied, elle ne voulait pas s'embarrasser les mains. Déjà, derrière la caisse, Joseph tenait la soie, l'empaquetait ; et le paquet, jeté
725 dans un panier roulant, fut descendu au service du départ, où toutes les marchandises du magasin semblaient maintenant vouloir s'engouffrer avec un bruit d'écluse.

Cependant, l'encombrement devenait tel à la soie, que M^me^ Desforges et M^me^ Marty ne purent d'abord trouver un
730 commis libre. Elles restèrent debout, mêlées à la foule des dames qui regardaient les étoffes, les tâtaient, stationnaient là des heures, sans se décider. Mais un grand succès s'indiquait

1. *Acquits* : reconnaissances écrites des paiements.

surtout pour le Paris-Bonheur, autour duquel grandissait une de ces poussées d'engouement, dont la brusque fièvre décide
735 d'une mode en un jour. Tous les vendeurs n'étaient occupés qu'à métrer de cette soie ; on voyait, au-dessus des chapeaux, luire l'éclair pâle des lés [1] dépliés, dans le continuel va-et-vient des doigts le long des mètres de chêne, suspendus à des tiges de cuivre ; on entendait le bruit des ciseaux mordant le tissu,
740 et cela sans arrêt, au fur et à mesure du déballage, comme s'il n'y avait pas eu assez de bras pour suffire aux mains gloutonnes et tendues des clientes.

— C'est qu'elle n'est vraiment pas vilaine pour cinq francs soixante, dit M^me Desforges, qui avait réussi à s'emparer d'une
745 pièce, sur le bord d'une table.

M^me Marty et sa fille Valentine éprouvaient une désillusion. Les journaux en avaient tant parlé, qu'elles s'attendaient à quelque chose de plus fort et de plus brillant. Mais Bouthemont venait de reconnaître M^me Desforges, et désireux de faire sa cour
750 à une belle personne qu'on prétendait toute-puissante sur le patron, il s'avançait avec son amabilité un peu grosse. Comment ! on ne la servait pas ! c'était impardonnable ! Elle devait se montrer indulgente, car on ne savait vraiment plus où donner de la tête. Et il cherchait des chaises au milieu des jupes voisines,
755 il riait de son rire bon enfant, où il y avait un amour brutal de la femme, qui ne semblait pas déplaire à Henriette.

— Dites donc, murmura Favier, en allant prendre un carton de velours dans une case, derrière Hutin, voilà Bouthemont qui vous fait votre particulière.
760 Hutin avait oublié M^me Desforges, mis hors de lui par une vieille dame, qui, après l'avoir gardé un quart d'heure, venait d'acheter un mètre de satin noir pour un corset. Dans les moments de presse, on ne tenait plus compte du tableau de

1. *Lés* : largeurs d'étoffe comprises entre deux lisières.

ligne, les vendeurs servaient au hasard des clientes. Et il répon-
765 dait à M^me Boutarel, en train d'achever son après-midi au
Bonheur des Dames, où elle était déjà restée trois heures le matin,
lorsque l'avertissement de Favier lui causa un sursaut. Est-ce
qu'il allait manquer la bonne amie du patron, dont il avait juré
de tirer cent sous ? Ce serait le comble de la malchance, car il
770 ne s'était pas encore fait trois francs, avec tous ces autres
chignons [1] qui traînaient !

Bouthemont, justement, répétait très haut :

— Voyons, messieurs, quelqu'un par ici !

Alors, Hutin passa M^me Boutarel à Robineau inoccupé.

775 — Tenez ! madame, adressez-vous au second... il vous
répondra mieux que moi.

Et il se précipita, il se fit remettre les articles de M^me Marty
par le vendeur aux lainages, qui avait accompagné ces dames.
Ce jour-là, une excitation nerveuse devait troubler la délicatesse
780 de son flair. D'habitude, au premier coup d'œil jeté sur une
femme, il disait si elle achèterait, et la quantité. Puis, il domi-
nait la cliente, il se hâtait de l'expédier pour passer à une autre,
en lui imposant son choix, en lui persuadant qu'il savait mieux
qu'elle l'étoffe dont elle avait besoin.

785 — Madame, quel genre de soie ? demanda-t-il de son air le
plus galant.

M^me Desforges ouvrait à peine la bouche, qu'il reprenait :

— Je sais, j'ai votre affaire.

Quand la pièce de Paris-Bonheur fut dépliée, sur un coin
790 étroit du comptoir, entre des amoncellements d'autres soies,
M^me Marty et sa fille s'approchèrent. Hutin, un peu inquiet,
comprit qu'il s'agissait d'abord d'une fourniture pour celles-ci.
Des paroles à demi-voix s'échangeaient, M^me Desforges
conseillait son amie.

1. *Chignons* : femmes en cheveux, c'est-à-dire femmes du peuple, qui dépensent peu.

795 — Oh! sans doute, murmurait-elle, une soie de cinq francs soixante n'en vaudra jamais une de quinze, ni même une de dix.

— Elle est bien chiffon, répétait M^{me} Marty. J'ai peur que, pour un manteau, elle n'ait point assez de corps.

800 Cette remarque fit intervenir le vendeur. Il avait une politesse exagérée d'homme qui ne peut se tromper.

— Mais, madame, la souplesse est la qualité de cette soie. Elle ne se chiffonne pas… C'est absolument ce qu'il vous faut.

Impressionnées par une telle assurance, ces dames se 805 taisaient. Elles avaient repris l'étoffe, l'examinaient de nouveau, lorsqu'elles se sentirent touchées à l'épaule. C'était M^{me} Guibal qui, depuis une heure, marchait dans le magasin, d'un pas de promenade, donnant à ses yeux la joie des richesses entassées, sans acheter seulement un mètre de calicot. Et il y eut encore 810 là une explosion de bavardages.

— Comment! c'est vous!

— Oui, c'est moi, un peu bousculée seulement.

— N'est-ce pas? il y a du monde, on ne circule plus… Et le salon oriental?

815 — Ravissant!

— Mon Dieu! quel succès!… Restez donc, nous irons là-haut ensemble.

— Non, merci, j'en viens.

Hutin attendait, cachant son impatience sous le sourire qui 820 ne quittait pas ses lèvres. Est-ce qu'elles allaient le tenir long-temps là? Les femmes vraiment se gênaient peu, c'était comme si elles lui avaient volé de l'argent dans sa bourse. Enfin, M^{me} Guibal s'éloigna, continua sa lente promenade en tournant d'un air ravi, autour du grand étalage de soies.

825 — Moi, à votre place, j'achèterais le manteau tout fait, dit M^{me} Desforges en revenant au Paris-Bonheur, ça vous coûtera moins cher.

— Il est vrai qu'avec les garnitures et la façon, murmura M^me Marty. Puis, on a le choix.

830 Toutes trois s'étaient levées. M^me Desforges reprit, debout devant Hutin :

— Veuillez nous conduire aux confections.

Il resta saisi, n'étant pas habitué à de pareilles défaites. Comment ! la dame brune n'achetait rien ! son flair l'avait donc
835 trompé ! Il abandonna M^me Marty, il insista auprès d'Henriette, essaya sur elle sa puissance de bon vendeur.

— Et vous, madame, ne désirez-vous pas voir nos satins, nos velours ?... Nous avons des occasions extraordinaires.

— Merci, une autre fois, répondit-elle tranquillement, en ne
840 le regardant pas plus qu'elle n'avait regardé Mignot.

Hutin dut reprendre les articles de M^me Marty et marcher devant ces dames, pour les mener aux confections. Mats il eut encore la douleur de voir que Robineau était en train de vendre à M^me Boutarel un fort métrage de soie. Décidément, il n'avait
845 plus de nez, il ne ferait pas quatre sous. Une rage d'homme dépouillé, mangé par les autres, s'aigrissait sous la correction aimable de ses manières.

— Au premier, mesdames, dit-il sans cesser de sourire.

Ce n'était plus chose facile que de gagner l'escalier. Une
850 houle compacte de têtes roulait sous les galeries, s'élargissant en fleuve débordé au milieu du hall. Toute une bataille du négoce montait, les vendeurs tenaient à merci ce peuple de femmes, qu'ils se passaient des uns aux autres, en luttant de hâte. L'heure était venue du branle formidable de l'après-midi,
855 quand la machine surchauffée menait la danse des clientes et leur tirait l'argent de la chair. À la soie surtout, une folie souf-flait, le Paris-Bonheur ameutait une foule telle, que, pendant plusieurs minutes, Hutin ne put faire un pas ; et Henriette, suffoquée, ayant levé les yeux, aperçut en haut de l'escalier
860 Mouret, qui revenait toujours à cette place, d'où il voyait la

victoire. Elle sourit, espérant qu'il descendrait la dégager. Mais il ne la distinguait même pas dans la cohue, il était encore avec Vallagnosc, occupé à lui montrer la maison, la face rayonnante de triomphe. Maintenant, la trépidation intérieure étouffait les
865 bruits du dehors ; on n'entendait plus ni le roulement des fiacres, ni le battement des portières ; il ne restait, au-delà du grand murmure de la vente, que le sentiment de Paris immense, d'une immensité qui toujours fournirait des acheteuses. Dans l'air immobile, où l'étouffement du calorifère
870 attiédissait l'odeur des étoffes, le brouhaha augmentait, fait de tous les bruits, du piétinement continu, des mêmes phrases cent fois répétées autour des comptoirs, de l'or sonnant sur le cuivre des caisses assiégées par une bousculade de porte-monnaie, des paniers roulants dont les charges de paquets
875 tombaient sans relâche dans les caves béantes. Et, sous la fine poussière, tout arrivait à se confondre, on ne reconnaissait pas la division des rayons : là-bas, la mercerie paraissait noyée ; plus loin, au blanc, un angle de soleil, entré par la vitrine de la rue Neuve-Saint-Augustin, était comme une flèche d'or dans la
880 neige ; ici, à la ganterie et aux lainages, une masse épaisse de chapeaux et de chignons barrait les lointains du magasin. On ne voyait même plus les toilettes, les coiffures seules surnageaient, bariolées de plumes et de rubans ; quelques chapeaux d'homme mettaient des taches noires, tandis que le teint pâle
885 des femmes, dans la fatigue et la chaleur, prenait des transparences de camélia. Enfin, grâce à ses coudes vigoureux, Hutin ouvrit un chemin à ces dames, en marchant devant elles. Mais, quand elle eut monté l'escalier, Henriette ne trouva plus Mouret, qui venait de plonger Vallagnosc en pleine foule, pour
890 achever de l'étourdir, et pris lui-même du besoin physique de ce bain du succès. Il perdait délicieusement haleine, c'était là contre ses membres comme un long embrassement de toute sa clientèle.

— À gauche, mesdames, dit Hutin, de sa voix prévenante,
895 malgré son exaspération qui grandissait.

En haut, l'encombrement était le même. On envahissait
jusqu'au rayon de l'ameublement, le plus calme d'ordinaire.
Les châles, les fourrures, la lingerie grouillaient de monde.
Comme ces dames traversaient le rayon des dentelles, une
900 nouvelle rencontre se produisit. M^me de Boves était là, avec sa
fille Blanche, toutes deux enfoncées dans des articles que
Deloche leur montrait. Et Hutin dut faire encore une station,
le paquet à la main.

— Bonjour !... Je pensais à vous.
905 — Moi, je vous ai cherchée. Mais comment voulez-vous
qu'on se retrouve, au milieu de ce monde ?

— C'est magnifique, n'est-ce pas ?

— Éblouissant, ma chère. Nous ne tenons plus debout.

— Et vous achetez ?
910 — Oh ! non, nous regardons. Ça nous repose un peu, d'être
assises.

En effet, M^me de Boves, n'ayant guère dans son porte-
monnaie que l'argent de sa voiture, faisait sortir des cartons
toutes sortes de dentelles, pour le plaisir de les voir et de les
915 toucher. Elle avait senti chez Deloche le vendeur débutant,
d'une gaucherie lente, qui n'ose résister aux caprices des
dames ; et elle abusait de sa complaisance effarée, elle le tenait
depuis une demi-heure, demandant toujours de nouveaux
articles. Le comptoir débordait, elle plongeait les mains dans
920 ce flot montant de guipures [1], de malines, de valenciennes, de
chantilly, les doigts tremblants de désir, le visage peu à peu
chauffé d'une joie sensuelle ; tandis que Blanche, près d'elle,
travaillée de la même passion, était très pâle, la chair soufflée
et molle.

1. *Guipures* : dentelles très ajourées.

925 Cependant, la conversation continuait, Hutin les aurait giflées, immobile, attendant leur bon plaisir.

— Tiens ! dit M^me Marty, vous regardez des cravates et des voilettes pareilles aux miennes.

C'était vrai, M^me de Boves, que les dentelles de M^me Marty
930 tourmentaient depuis le samedi, n'avait pu résister au besoin de se frotter du moins aux mêmes modèles, puisque la gêne où son mari la laissait ne lui permettait pas de les emporter. Elle rougit légèrement, elle expliqua que Blanche avait voulu voir les cravates de blonde espagnole[1]. Puis, elle ajouta :

935 — Vous allez aux confections... Eh bien ! à tout à l'heure. Voulez-vous dans le salon oriental ?

— C'est ça, dans le salon oriental... Hein ? superbe !

Elles se séparèrent en se pâmant, au milieu de l'encombrement produit par la vente des entre-deux[2] et des petites garni-
940 tures à bas prix. Deloche, heureux d'être occupé, s'était remis à vider les cartons devant la mère et la fille. Et, lentement, parmi les groupes pressés le long des comptoirs, l'inspecteur Jouve se promenait de son allure militaire, étalant sa décoration, gardant ces marchandises précieuses et fines, si faciles à
945 cacher au fond d'une manche. Quand il passa derrière M^me de Boves, surpris de la voir les bras plongés dans un tel flot de dentelles, il jeta un regard vif sur ses mains fiévreuses.

— À droite, mesdames, dit Hutin en reprenant sa marche.

Il était hors de lui. N'était-ce donc pas assez de lui faire
950 manquer une vente, en bas ? Voilà qu'elles l'attardaient maintenant, à chaque détour du magasin ! Et, dans son irritation, il y avait surtout la rancune des rayons de tissus contre les rayons d'articles confectionnés, en lutte continuelle, se disputant les clientes, se volant leur tant pour cent et leur guelte. La soie,

1. *Blonde espagnole* : dentelle légère en soie écrue, fabriquée à l'origine en Espagne. \ **2.** *Entre-deux* : bande de dentelle qui coupe un tissu.

955 plus que les lainages encore, enrageait, lorsqu'il lui fallait conduire aux confections une dame, qui se décidait pour un manteau, après s'être fait montrer des taffetas et des failles.

— Mademoiselle Vadon! dit Hutin d'une voix qui se fâchait, lorsqu'il fut enfin dans le comptoir.

960 Mais celle-ci passa sans l'écouter, tout à une vente qu'elle bâclait. La pièce était pleine, une queue de monde la traversait dans un bout, entrant et sortant par la porte des dentelles et celle de la lingerie, qui se faisaient face; tandis que, au fond, des clientes en taille essayaient des vêtements, les reins cambrés 965 devant les glaces. La moquette rouge étouffait le bruit des pas, la voix haute et lointaine du rez-de-chaussée se mourait, ce n'était plus que le murmure discret, la chaleur d'un salon, alourdie par toute une cohue de femmes.

— Mademoiselle Prunaire! cria Hutin.

970 Et, comme celle-là ne s'arrêtait pas davantage, il ajouta entre ses dents, de manière à ne pouvoir être entendu:

— Tas de guenons!

Lui, surtout, ne les aimait guère, les jambes cassées de monter l'escalier pour leur amener des acheteuses, furieux du 975 gain qu'il les accusait de lui prendre ainsi dans la poche. C'était une lutte sourde, où elles-mêmes apportaient une égale âpreté; et, dans leur fatigue commune, toujours sur pied, la chair morte, les sexes disparaissaient, il ne restait plus face à face que des intérêts contraires, irrités par la fièvre du négoce.

980 — Alors, il n'y a personne? demanda Hutin.

Mais il aperçut Denise. On l'occupait au déplié depuis le matin, on ne lui avait abandonné que quelques ventes douteuses, qu'elle avait manquées d'ailleurs. Quand il la reconnut, occupée à débarrasser une table d'un tas énorme de 985 vêtements, il courut la chercher.

— Tenez! mademoiselle, servez donc ces dames qui attendent.

Vivement, il lui mit sur le bras les articles de M^{me} Marty, qu'il était las de promener. Son sourire revenait, et il y avait, dans ce sourire, la secrète méchanceté d'un vendeur d'expérience, se doutant de l'embarras où il allait jeter ces dames et la jeune fille. Celle-ci, cependant, demeurait tout émue devant cette vente inespérée qui se présentait. Pour la seconde fois, il lui apparaissait comme un ami inconnu, fraternel et tendre, toujours prêt dans l'ombre à la sauver. Ses yeux brillèrent de gratitude, elle le suivit d'un long regard, pendant qu'il jouait des coudes, afin de regagner son rayon au plus vite.

— Je désirerais un manteau, dit M^{me} Marty.

Alors, Denise la questionna. Quel genre de manteau ? Mais la cliente n'en savait rien, elle n'avait pas d'idée, elle voulait voir les modèles de la maison. Et la jeune fille, très lasse déjà, étourdie par le monde, perdit la tête ; elle n'avait jamais servi qu'une clientèle rare, chez Cornaille, à Valognes ; elle ignorait encore le nombre des modèles, et leur place, dans les armoires. Aussi n'en finissait-elle plus de répondre aux deux amies qui s'impatientaient, lorsque M^{me} Aurélie aperçut M^{me} Desforges dont elle devait connaître la liaison, car elle se hâta de venir demander :

— On s'occupe de ces dames ?

— Oui, cette demoiselle qui cherche là-bas, répondit Henriette. Mais elle n'a pas l'air très au courant, elle ne trouve rien.

Du coup, la première acheva de paralyser Denise, en allant lui dire à demi-voix :

— Vous voyez bien que vous ne savez pas. Tenez-vous tranquille, je vous prie.

Et appelant :

— Mademoiselle Vadon, un manteau !

Elle resta, pendant que Marguerite montrait les modèles. Celle-ci prenait avec les clientes une voix sèchement polie, une

attitude désagréable de fille vêtue de soie, frottée à toutes les élégances, dont elle gardait, à son insu même, la jalousie et la rancune. Lorsqu'elle entendit M^{me} Marty dire qu'elle ne voulait pas dépasser deux cents francs, elle eut une moue de pitié. Oh !

1025 madame mettrait davantage, il était impossible avec deux cents francs que madame trouvât quelque chose de convenable. Et elle jetait, sur un comptoir, les manteaux ordinaires, d'un geste qui signifiait : « Voyez donc, est-ce pauvre ! » M^{me} Marty n'osait les trouver bien. Elle se pencha pour murmurer à

1030 l'oreille de M^{me} Desforges :

— Hein ? n'aimez-vous pas mieux être servie par des hommes ?... On est plus à l'aise.

Enfin, Marguerite apporta un manteau de soie garni de jais, qu'elle traitait avec respect. Et M^{me} Aurélie appela Denise.

1035 — Servez à quelque chose, au moins... Mettez ça sur vos épaules.

Denise, frappée au cœur, désespérant de jamais réussir dans la maison, était demeurée immobile, les mains ballantes. On allait la renvoyer sans doute, les enfants seraient sans pain. Le

1040 brouhaha de la foule bourdonnait dans sa tête, elle se sentait chanceler, les muscles meurtris d'avoir soulevé des brassées de vêtements, besogne de manœuvre qu'elle n'avait jamais faite. Pourtant, il lui fallut obéir, elle dut laisser Marguerite draper le manteau sur elle, comme sur un mannequin.

1045 — Tenez-vous droite, dit M^{me} Aurélie.

Mais, presque aussitôt, on oublia Denise. Mouret venait d'entrer avec Vallagnosc et Bourdoncle ; et il saluait ces dames, il recevait leurs compliments pour sa magnifique exposition des nouveautés d'hiver. On se récria forcément sur le salon

1050 oriental. Vallagnosc, qui achevait sa promenade à travers les comptoirs, témoignait plus de surprise que d'admiration ; car, après tout, pensait-il dans sa nonchalance de pessimiste, ce n'était jamais que beaucoup de calicot à la fois. Quant à

Bourdoncle, il oubliait qu'il était de l'établissement, il félici-
tait aussi son patron, afin de lui faire oublier ses doutes et ses
persécutions inquiètes du matin.

— Oui, oui, ça marche assez bien, je suis content, répétait
Mouret radieux, répondant par un sourire aux tendres regards
d'Henriette. Mais il ne faut pas que je vous dérange, mesdames.

Alors, tous les yeux revinrent sur Denise. Elle s'abandonnait
aux mains de Marguerite, qui la faisait tourner lentement.

— Hein ? qu'en pensez-vous ? demanda M^{me} Marty à
M^{me} Desforges.

Cette dernière décidait, en arbitre suprême de la mode.

— Il n'est pas mal, et de coupe originale… Seulement, il me
semble peu gracieux de la taille.

— Oh ! intervint M^{me} Aurélie, il faudrait le voir sur madame
elle-même. Vous comprenez, il ne fait aucun effet sur made-
moiselle, qui n'est guère étoffée… Redressez-vous donc, made-
moiselle, donnez-lui toute son importance.

On sourit. Denise était devenue très pâle. Une honte la
prenait, d'être ainsi changée en une machine qu'on examinait
et dont on plaisantait librement. M^{me} Desforges, cédant à une
antipathie de nature contraire, agacée par le visage doux de la
jeune fille, ajouta méchamment :

— Sans doute, il irait mieux si la robe de mademoiselle était
moins large.

Et elle jetait à Mouret le regard moqueur d'une Parisienne,
que l'attifement [1] ridicule d'une provinciale égayait. Celui-ci
sentit la caresse amoureuse de ce coup d'œil, le triomphe de la
femme heureuse de sa beauté et de son art. Aussi, par gratitude
d'homme adoré, crut-il devoir railler à son tour, malgré la bien-
veillance qu'il éprouvait pour Denise, dont sa nature galante
subissait le charme secret.

1. *Attifement* : accoutrement, habillement (terme familier et péjoratif).

1085 — Puis, il faudrait être peignée, murmura-t-il.

Ce fut le comble. Le directeur daignait rire, toutes ces demoiselles éclatèrent. Marguerite risqua un léger gloussement de fille distinguée qui se retient ; Clara avait lâché une vente, pour se faire du bon sang [1] à son aise ; même des vendeuses de
1090 la lingerie étaient venues, attirées par la rumeur. Quant à ces dames, elles s'amusaient plus discrètement, d'un air d'intelligence mondaine ; tandis que, seul, le profil impérial de M^{me} Aurélie ne riait pas, comme si les beaux cheveux sauvages et les fines épaules virginales de la débutante l'eussent désho-
1095 norée, dans la bonne tenue de son rayon. Denise avait encore pâli, au milieu de tout ce monde qui se moquait. Elle se sentait violentée, mise à nu, sans défense. Quelle était donc sa faute, pour qu'on s'attaquât de la sorte à sa taille trop mince, à son chignon trop lourd ? Mais elle souffrait surtout du rire de
1100 Mouret et de M^{me} Desforges, avertie par un instinct de leur entente, le cœur défaillant d'une douleur inconnue ; cette dame était bien mauvaise, de s'en prendre ainsi à une pauvre fille qui ne disait rien ; et lui, décidément, la glaçait d'une peur où tous ses autres sentiments sombraient, sans qu'elle pût les analyser.
1105 Alors, dans son abandon de paria, atteinte à ses plus intimes pudeurs de femme et révoltée contre l'injustice, elle étrangla les sanglots qui lui montaient à la gorge.

— N'est-ce pas ? Qu'elle se peigne demain, c'est inconvenant, répétait à M^{me} Aurélie le terrible Bourdoncle, qui dès
1110 l'arrivée avait condamné Denise, plein de mépris pour ses petits membres.

Et la première vint enfin enlever le manteau des épaules de celle-ci, en lui disant tout bas :

— Eh bien ! mademoiselle, voilà un joli début. Vraiment, si

—————

1. *Se faire du bon sang* : s'amuser (terme familier).

1115 vous avez voulu montrer ce dont vous êtes capable… On n'est pas plus sotte.

Denise, de peur que les larmes ne lui jaillissent des yeux, se hâta de retourner au tas de vêtements qu'elle transportait et qu'elle classait sur un comptoir. Là, au moins, elle était perdue
1120 dans la foule, la fatigue l'empêchait de penser. Mais elle sentit près d'elle la vendeuse de la lingerie, qui, le matin déjà, avait pris sa défense. Cette dernière venait de suivre la scène, elle lui murmurait à l'oreille :

— Ma pauvre fille, ne soyez donc pas si sensible. Renfoncez
1125 ça, autrement on vous en fera bien d'autres… Moi qui vous parle, je suis de Chartres. Oui, parfaitement, Pauline Cugnot ; et mes parents sont meuniers, là-bas… Eh bien ! on m'aurait mangée, les premiers jours, si je ne m'étais pas mise en travers… Allons, du courage ! donnez-moi la main, nous causerons genti-
1130 ment, quand vous voudrez.

Cette main qui se tendait, redoubla le trouble de Denise. Elle la serra furtivement, elle se hâta d'enlever une lourde charge de paletots[1], craignant encore de mal faire et d'être grondée, si on lui savait une amie.

1135 Cependant, M^{me} Aurélie elle-même venait de poser le manteau sur les épaules de M^{me} Marty, et l'on se récriait : Oh ! très bien ! ravissant ! tout de suite, ça prenait une tournure. M^{me} Desforges déclara qu'on ne trouverait pas mieux. Il y eut des saluts, Mouret prit congé, tandis que Vallagnosc, qui avait
1140 aperçu aux dentelles M^{me} de Boves et sa fille, se hâta d'aller offrir son bras à la mère. Déjà Marguerite, debout devant une des caisses de l'entresol, appelait les divers achats de M^{me} Marty, qui paya et qui donna l'ordre de porter le paquet dans sa voiture. M^{me} Desforges avait retrouvé tous ses articles à la caisse 10. Puis,
1145 ces dames se rencontrèrent une fois encore dans le salon oriental.

1. *Paletots* : vêtements de dessus, assez courts et boutonnés devant.

Elles partaient, mais ce fut au milieu d'une crise bavarde d'ad-
miration. M^me Guibal elle-même s'exaltait.

— Oh! délicieux!… On se dirait là-bas!

— N'est-ce pas, un vrai harem? Et pas cher!

1150 — Les Smyrne, ah! les Smyrne! quels tons, quelle finesse!

— Et ce Kurdistan, voyez donc! un Delacroix[1]!

Lentement, la foule diminuait. Des volées de cloche, à une
heure d'intervalle, avaient déjà sonné les deux premières tables
du soir; la troisième allait être servie, et dans les rayons, peu à
1155 peu déserts, il ne restait que des clientes attardées, à qui leur
rage de dépense faisait oublier l'heure. Du dehors, ne venaient
plus que les roulements des derniers fiacres, au milieu de la voix
empâtée de Paris, un ronflement d'ogre repu, digérant les toiles
et les draps, les soies et les dentelles, dont on le gavait depuis
1160 le matin. À l'intérieur, sous le flamboiement des becs de gaz,
qui, brûlant dans le crépuscule, avaient éclairé les secousses
suprêmes de la vente, c'était comme un champ de bataille
encore chaud du massacre des tissus. Les vendeurs, harassés de
fatigue, campaient parmi la débâcle de leurs casiers et de leurs
1165 comptoirs, que paraissait avoir saccagés le souffle furieux d'un
ouragan. On longeait avec peine les galeries du rez-de-chaussée,
obstruées par la débandade des chaises; il fallait enjamber, à la
ganterie, une barricade de cartons, entassés autour de Mignot;
aux lainages, on ne passait plus du tout, Liénard sommeillait au-
1170 dessus d'une mer de pièces, où des piles restées debout, à moitié
détruites, semblaient des maisons dont un fleuve débordé
charrie les ruines; et, plus loin, le blanc avait neigé à terre, on
butait contre des banquises de serviettes, on marchait sur les
flocons légers des mouchoirs. Mêmes ravages en haut, dans les
1175 rayons de l'entresol: les fourrures jonchaient les parquets,

1. *Delacroix*: peintre romantique, Eugène Delacroix (1798-1863) s'est en particulier illus-
tré par une série de toiles sur le Maroc.

les confections s'amoncelaient comme des capotes de soldats mis
hors de combat, les dentelles et la lingerie, dépliées, froissées,
jetées au hasard, faisaient songer à un peuple de femmes qui
se serait déshabillé là, dans le désordre d'un coup de désir ;
1180 tandis que, en bas, au fond de la maison, le service du départ,
en pleine activité, dégorgeait toujours les paquets dont il écla-
tait et qu'emportaient les voitures, dernier branle de la machine
surchauffée. Mais, à la soie surtout, les clientes s'étaient ruées
en masse ; là, elles avaient fait place nette ; on y passait libre-
1185 ment, le hall restait nu, tout le colossal approvisionnement du
Paris-Bonheur venait d'être déchiqueté, balayé, comme sous un
vol de sauterelles dévorantes. Et, au milieu de ce vide, Hutin
et Favier feuilletaient leurs cahiers de débit, calculaient leur tant
pour cent, essoufflés de la lutte. Favier s'était fait quinze francs,
1190 Hutin n'avait pu arriver qu'à treize, battu ce jour-là, enragé de
sa mauvaise chance. Leurs yeux s'allumaient de la passion du
gain, tout le magasin autour d'eux alignait également des
chiffres et flambait d'une même fièvre, dans la gaieté brutale des
soirs de carnage.

1195 — Eh bien ! Bourdoncle, cria Mouret, tremblez-vous encore ?
 Il était revenu à son poste favori, en haut de l'escalier de l'en-
tresol, contre la rampe ; et, devant le massacre d'étoffes qui
s'étalait sous lui, il avait un rire victorieux. Ses craintes du
matin, ce moment d'impardonnable faiblesse que personne ne
1200 connaîtrait jamais, le jetait à un besoin tapageur de triomphe.
La campagne était donc définitivement gagnée, le petit
commerce du quartier mis en pièces, le baron Hartmann
conquis, avec ses millions et ses terrains. Pendant qu'il regar-
dait les caissiers penchés sur leurs registres, additionnant les
1205 longues colonnes de chiffres, pendant qu'il écoutait le petit
bruit de l'or, tombant de leurs doigts dans les sébiles [1] de

1. *Sébiles* : coupelles rondes.

cuivre, il voyait déjà le *Bonheur des Dames* grandir démesuré-
ment, élargir son hall, prolonger ses galeries jusqu'à la rue du
Dix-Décembre.

1210 — Et maintenant, reprit-il, êtes-vous convaincu que la
maison est trop petite ?... On aurait vendu le double.

Bourdoncle s'humiliait, ravi du reste d'être dans son tort. Mais
un spectacle les rendit graves. Comme tous les soirs, Lhomme,
premier caissier de la vente, venait de centraliser les recettes
1215 particulières de chaque caisse ; après les avoir additionnées, il affi-
chait la recette totale, en embrochant dans sa pique de fer la
feuille où elle était inscrite ; et il montait ensuite cette recette à
la caisse centrale, dans un portefeuille et dans des sacs, selon la
nature du numéraire [1]. Ce jour-là, l'or et l'argent dominaient, il
1220 gravissait lentement l'escalier, portant trois sacs énormes. Privé
de son bras droit, coupé au coude, il les serrait de son bras gauche
contre sa poitrine, il en maintenait un avec son menton, pour
l'empêcher de glisser. Son souffle fort s'entendait de loin, il
passait, écrasé et superbe, au milieu du respect des commis.

1225 — Combien, Lhomme ? demanda Mouret.

Le caissier répondit :

— Quatre-vingt mille sept cent quarante-deux francs dix
centimes !

Un rire de jouissance souleva le *Bonheur des Dames*. Le chiffre
1230 courait. C'était le plus gros chiffre qu'une maison de nouveautés
eût encore jamais atteint en un jour.

Et, le soir, lorsque Denise monta se coucher, elle s'appuyait
aux cloisons de l'étroit corridor, sous le zinc de la toiture. Dans
sa chambre, la porte fermée, elle s'abandonna sur le lit, telle-
1235 ment les pieds lui faisaient du mal. Longtemps, elle regarda
d'un air hébété la table de toilette, l'armoire, toute cette nudité

1. *Numéraire* : monnaie.

d'hôtel garni[1]. C'était donc là qu'elle allait vivre ; et sa première journée se creusait, abominable, sans fin. Jamais elle ne trouverait le courage de la recommencer. Puis, elle s'aperçut
1240 qu'elle était vêtue de soie ; cet uniforme l'accablait, elle eut l'enfantillage, pour défaire sa malle, de vouloir remettre sa vieille robe de laine, restée au dossier d'une chaise. Mais quand elle fut rentrée dans ce pauvre vêtement à elle, une émotion l'étrangla, les sanglots qu'elle contenait depuis le matin crevè-
1245 rent brusquement en un flot de larmes chaudes. Elle était retombée sur le lit, elle pleurait au souvenir de ses deux enfants, elle pleurait toujours sans avoir la force de se déchausser, ivre de fatigue et de tristesse.

V

Le lendemain, Denise était descendue au rayon depuis une demi-heure à peine, lorsque M^me Aurélie lui dit de sa voix brève :

— Mademoiselle, on vous demande à la direction.
5 La jeune fille trouva Mouret seul, assis dans le grand cabinet tendu de reps[2] vert. Il venait de se rappeler « la mal peignée », comme la nommait Bourdoncle ; et lui qui répugnait d'ordinaire au rôle de gendarme, il avait eu l'idée de la faire compa-raître pour la secouer un peu, si elle était toujours fagotée en
10 provinciale. La veille, malgré sa plaisanterie, il avait éprouvé devant M^me Desforges une contrariété d'amour-propre, en

1. *Hôtel garni* : établissement qui loue des chambres meublées au mois ou à l'année.
\ 2. *Reps* : tissu d'ameublement à côtes perpendiculaires aux lisières.

voyant discuter l'élégance d'une de ses vendeuses. C'était, chez lui, un sentiment confus, un mélange de sympathie et de colère.

— Mademoiselle, commença-t-il, nous vous avions prise par
15 égard pour votre oncle, et il ne faut pas nous mettre dans la triste nécessité…

Mais il s'arrêta. En face de lui, de l'autre côté du bureau, Denise se tenait droite, sérieuse et pâle. Sa robe de soie n'était plus trop large, serrant sa taille ronde, moulant les lignes pures
20 de ses épaules de vierge ; et, si sa chevelure, nouée en grosses tresses, restait sauvage, elle tâchait du moins de se contenir. Après s'être endormie toute vêtue, les yeux épuisés de larmes, la jeune fille, en se réveillant vers quatre heures, avait eu honte de cette crise de sensibilité nerveuse. Et elle s'était mise immé-
25 diatement à rétrécir la robe, elle avait passé une heure devant l'étroit miroir, le peigne dans ses cheveux, sans pouvoir les réduire, comme elle l'aurait voulu.

— Ah ! Dieu merci ! murmura Mouret, vous êtes mieux, ce matin… Seulement, ce sont encore ces diablesses de mèches !
30 Il s'était levé, il vint corriger sa coiffure, du même geste familier dont M^{me} Aurélie avait essayé de le faire la veille.

— Tenez ! rentrez donc ça derrière l'oreille… Le chignon est trop haut.

Elle n'ouvrait pas la bouche, elle se laissait arranger. Malgré son
35 serment d'être forte, elle était arrivée toute froide dans le cabinet, avec la certitude qu'on l'appelait pour lui signifier son renvoi. Et l'évidente bienveillance de Mouret ne la rassurait pas, elle conti-nuait à le redouter, à ressentir près de lui ce malaise qu'elle expli-quait par un trouble bien naturel, devant l'homme puissant
40 dont sa destinée dépendait. Quand il la vit si tremblante sous ses mains qui lui effleuraient la nuque, il eut regret de ce mouvement d'obligeance[1], car il craignait surtout de perdre son autorité.

1. *Obligeance* : gentillesse, amabilité.

— Enfin, mademoiselle, reprit-il en mettant de nouveau le bureau entre elle et lui, tâchez de veiller sur votre tenue. Vous
45 n'êtes plus à Valognes, étudiez nos Parisiennes... Si le nom de votre oncle a suffi pour vous ouvrir notre maison, je veux croire que vous tiendrez ce que votre personne m'a semblé promettre. Le malheur est que tout le monde ici ne partage point mon avis... Vous voilà prévenue, n'est-ce pas ? Ne me faites pas
50 mentir.

Il la traitait en enfant, avec plus de pitié que de bonté, sa curiosité du féminin simplement mise en éveil par la femme troublante qu'il sentait naître chez cette enfant pauvre et maladroite. Et elle, pendant qu'il la sermonnait, ayant aperçu
55 le portrait de M^{me} Hédouin, dont le beau visage régulier souriait gravement dans le cadre d'or, se trouvait reprise d'un frisson, malgré les paroles encourageantes qu'il lui adressait. C'était la dame morte, celle que le quartier l'accusait d'avoir tuée, pour fonder la maison sur le sang de ses membres.

60 Mouret parlait toujours.

— Allez, dit-il enfin, assis et continuant à écrire.

Elle s'en alla, elle eut dans le corridor un soupir de profond soulagement.

À partir de ce jour, Denise montra son grand courage. Sous
65 les crises de sa sensibilité, il y avait une raison sans cesse agissante, toute une bravoure d'être faible et seul, s'obstinant gaiement au devoir qu'elle s'imposait. Elle faisait peu de bruit, elle allait devant elle, droit à son but, par-dessus les obstacles ; et cela simplement, naturellement, car sa nature même était dans
70 cette douceur invincible.

D'abord, elle eut à surmonter les terribles fatigues du rayon. Les paquets de vêtements lui cassaient les bras, au point que, pendant les six premières semaines, elle criait la nuit en se retournant, courbaturée, les épaules meurtries. Mais elle souf-
75 frit plus encore de ses souliers, de gros souliers apportés de

Valognes, et que le manque d'argent l'empêchait de remplacer par des bottines légères. Toujours debout, piétinant du matin au soir, grondée si on la voyait s'appuyer une minute contre une boiserie, elle avait les pieds enflés, des petits pieds de fillette
80 qui semblaient broyés dans des brodequins de torture[1]; les talons battaient de fièvre, la plante s'était couverte d'ampoules, dont la peau arrachée se collait à ses bas. Puis, elle éprouvait un délabrement du corps entier, les membres et les organes tirés par cette lassitude des jambes, de brusques troubles dans
85 son sexe de femme, que trahissaient les pâles couleurs de sa chair. Et elle, si mince, l'air si fragile, résista, pendant que beaucoup de vendeuses devaient quitter les nouveautés, atteintes de maladies spéciales. Sa bonne grâce à souffrir, l'entêtement de sa vaillance la maintenaient souriante et droite,
90 lorsqu'elle défaillait, à bout de force, épuisée par un travail auquel des hommes auraient succombé.

Ensuite, son tourment fut d'avoir le rayon contre elle. Au martyre physique s'ajoutait la sourde persécution de ses camarades. Après deux mois de patience et de douceur, elle ne les
95 avait pas encore désarmées. C'étaient des mots blessants, des inventions cruelles, une mise à l'écart qui la frappait au cœur, dans son besoin de tendresse. On l'avait longtemps plaisantée sur son début fâcheux; les mots de «sabot[2]», de «tête de pioche» circulaient, celles qui manquaient une vente étaient
100 envoyées à Valognes, elle passait enfin pour la bête du comptoir. Puis, lorsqu'elle se révéla plus tard comme une vendeuse remarquable, au courant désormais du mécanisme de la maison, il y eut une stupeur indignée; et, à partir de ce moment, ces demoiselles s'entendirent de manière à ne jamais lui laisser une cliente
105 sérieuse. Marguerite et Clara la poursuivaient d'une haine

1. *Brodequins de torture*: pièces de bois servant à serrer les jambes d'un condamné afin de le faire parler; par extension, chaussures montantes. \ 2. *Sabot*: incapable (terme familier).

instinctive, serraient les rangs pour ne pas être mangées par cette nouvelle venue, qu'elles redoutaient sous leur affectation de dédain. Quant à M^me Aurélie, elle était blessée de la réserve fière de la jeune fille, qui ne tournait pas autour de sa jupe d'un
110 air d'admiration caressante ; aussi l'abandonnait-elle aux rancunes de ses favorites, des préférées de sa cour, toujours agenouillées, occupées à la nourrir d'une flatterie continue, dont sa forte personne autoritaire avait besoin pour s'épanouir. Un instant, la seconde, M^me Frédéric, parut ne pas entrer dans le
115 complot ; mais ce devait être par inadvertance[1], car elle se montra également dure dès qu'elle s'aperçut des ennuis où ses bonnes manières pouvaient la mettre. Alors, l'abandon fut complet, toutes s'acharnèrent sur « la mal peignée », celle-ci vécut dans une lutte de chaque heure, n'arrivant avec tout son
120 courage qu'à se maintenir au rayon, difficilement.

Maintenant, telle était sa vie. Il lui fallait sourire, faire la brave et la gracieuse, dans une robe de soie qui ne lui appartenait point ; et elle agonisait de fatigue, mal nourrie, mal traitée, sous la continuelle menace d'un renvoi brutal. Sa chambre était
125 son unique refuge, le seul endroit où elle s'abandonnait encore à des crises de larmes, lorsqu'elle avait trop souffert durant le jour. Mais un froid terrible y tombait du zinc de la toiture, couverte des neiges de décembre ; elle devait se pelotonner dans son lit, jeter tous ses vêtements sur elle, pleurer sous la couver-
130 ture, pour que la gelée ne lui gerçât pas le visage. Mouret ne lui adressait plus la parole. Quand elle rencontrait le regard sévère de Bourdoncle pendant le service, elle était prise d'un tremblement, car elle sentait en lui un ennemi naturel, qui ne lui pardonnerait pas la plus légère faute. Et, au milieu de cette
135 hostilité générale, l'étrange bienveillance de l'inspecteur Jouve l'étonnait ; s'il la trouvait à l'écart, il lui souriait, cherchait un

1. *Inadvertance* : manque d'attention.

mot aimable ; deux fois, il lui avait évité des réprimandes, sans qu'elle lui en témoignât de la gratitude, plus troublée que touchée de sa protection.

140 Un soir, après le dîner, comme ces demoiselles rangeaient les armoires, Joseph vint avertir Denise qu'un jeune homme la demandait, en bas. Elle descendit, très inquiète.

 — Tiens ! dit Clara, la mal peignée a donc un amoureux ?

 — Faut avoir faim, dit Marguerite.

145 En bas, sous la porte, Denise trouva son frère Jean. Elle lui avait formellement défendu de se présenter ainsi au magasin, ce qui produisait le plus mauvais effet. Mais elle n'osa le gronder, tellement il paraissait hors de lui, sans casquette, essoufflé d'être venu en courant du Faubourg du Temple.

150 — As-tu dix francs ? balbutia-t-il. Donne-moi dix francs ou je suis un homme perdu.

 Ce grand galopin aux cheveux blonds envolés, était si drôle, avec son beau visage de fille, en lançant cette phrase de mélo-drame[1], qu'elle aurait souri, sans l'angoisse où la mettait la 155 demande d'argent.

 — Comment ! dix francs ? murmura-t-elle. Qu'y a-t-il donc ?

 Il rougit, il expliqua qu'il avait rencontré la sœur d'un cama-rade. Denise le fit taire, gagnée par son embarras, n'ayant pas besoin d'en savoir davantage. À deux reprises, il était accouru 160 déjà pratiquer des emprunts semblables ; mais il s'agissait seulement, la première fois de vingt-cinq sous, et la seconde de trente sous. Toujours, il retombait dans des histoires de femme.

 — Je ne peux pas te donner dix francs, reprit-elle. Le mois de Pépé n'est pas encore payé, et j'ai tout juste l'argent. Il me 165 restera à peine de quoi acheter des bottines dont j'ai grand besoin... À la fin, tu n'es pas raisonnable, Jean. C'est très mal.

1. *Mélodrame* : pièce de théâtre populaire, pleine de rebondissements, dans laquelle les émo-tions souvent excessives des personnages sont soulignées par un accompagnement musical.

— Alors, je suis perdu, répéta-t-il avec un geste tragique. Écoute, petite sœur : c'est une grande brune, nous sommes allés au café en compagnie du frère, moi je ne me doutais pas que les consommations…

Elle dut l'interrompre de nouveau, et comme des larmes montaient aux yeux du cher écervelé, elle tira son porte-monnaie, en sortit une pièce de dix francs, qu'elle lui glissa dans la main. Tout de suite, il se mit à rire.

— Je savais bien… Mais, parole d'honneur ! jamais plus désormais ! Il faudrait être un fameux chenapan.

Et il reprit sa course, après l'avoir baisée sur les joues comme un fou. Dans le magasin, des employés s'étonnaient.

Cette nuit-là, Denise dormit d'un mauvais sommeil. Depuis son entrée au *Bonheur des Dames*, l'argent était son cruel souci. Elle restait toujours au pair, sans appointements fixes ; et, comme ces demoiselles du rayon l'empêchaient de vendre, elle arrivait tout juste à payer la pension de Pépé, grâce aux clientes sans conséquence qu'on lui abandonnait. C'était pour elle une misère noire, la misère en robe de soie. Souvent elle devait passer la nuit, elle entretenait son mince trousseau, reprisant son linge, raccommodant ses chemises comme de la dentelle ; sans compter qu'elle avait posé des pièces à ses souliers, aussi adroitement qu'un cordonnier aurait pu le faire. Elle risquait des lessives dans sa cuvette. Mais sa vieille robe de laine l'inquiétait surtout ; elle n'en avait pas d'autres, elle était forcée de la remettre chaque soir, quand elle quittait la soie d'uniforme, ce qui l'usait terriblement ; une tache lui donnait la fièvre, le moindre accroc devenait une catastrophe. Et rien à elle, pas un sou, pas de quoi acheter les menus objets dont une femme a besoin : elle avait dû attendre quinze jours pour renouveler sa provision de fil et d'aiguilles. Aussi étaient-ce des désastres, lorsque Jean, avec ses histoires d'amour, tombait tout d'un coup et saccageait le budget. Une pièce de vingt sous emportée creusait un gouffre.

200 Quant à trouver dix francs le lendemain, il ne fallait pas y songer un instant. Jusqu'au petit jour, elle eut des cauchemars, Pépé jeté à la rue, tandis qu'elle retournait les pavés de ses doigts meurtris, pour voir s'il n'y avait pas de l'argent dessous.

Le lendemain, justement, elle eut à sourire, à jouer son rôle
205 de fille bien mise. Des clientes connues vinrent au rayon, M^{me} Aurélie l'appela plusieurs fois, lui jeta sur les épaules des manteaux, afin qu'elle en fît valoir les coupes nouvelles. Et, tandis qu'elle se cambrait, avec des grâces imposées de gravure de mode, elle songeait aux quarante francs de la pension de
210 Pépé, qu'elle avait promis de payer le soir. Elle se passerait bien encore de bottines, ce mois-là ; mais, en joignant même aux trente francs qui lui restaient, les quatre francs mis de côté sou à sou, cela ne lui ferait jamais que trente-quatre francs ; et, où prendrait-elle six francs pour compléter la somme ? C'était une
215 angoisse dont son cœur défaillait.

— Remarquez, les épaules sont libres, disait M^{me} Aurelie. C'est très distingué et très commode… Mademoiselle peut croiser les bras.

— Oh ! parfaitement, répétait Denise, qui gardait un air
220 aimable. On ne le sent pas… Madame en sera contente.

Maintenant, elle se reprochait d'être allée, l'autre dimanche, chercher Pépé chez M^{me} Gras, pour le promener aux Champs-Élysées. Le pauvre enfant sortait si rarement avec elle ! Mais il avait fallu lui acheter du pain d'épice et une pelle, puis le
225 mener voir Guignol ; et tout de suite cela était monté à vingt-neuf sous. Vraiment, Jean ne songeait guère au petit, lorsqu'il faisait des sottises. Ensuite, tout retombait sur elle.

— Du moment qu'il ne plaît pas à madame…, reprenait la première. Tenez ! mademoiselle, mettez la rotonde[1], afin que
230 madame juge.

1. *Rotonde* : manteau dont les plis forment un large cercle.

Et Denise marchait à petits pas, la rotonde aux épaules, en disant :

— Elle est plus chaude… C'est la mode de cette année.

Jusqu'au soir, derrière sa bonne grâce de métier, elle se
235 tortura ainsi pour savoir où trouver de l'argent. Ces demoiselles, débordées, lui laissèrent faire une vente importante ; mais on était au mardi, il fallait attendre quatre jours, avant de toucher la semaine. Après le dîner, elle résolut de remettre au lendemain sa visite chez M^me Gras. Elle s'excuserait, dirait
240 avoir été retenue ; et d'ici là, peut-être aurait-elle les six francs.

Comme Denise évitait les moindres dépenses, elle montait se coucher de bonne heure. Que pouvait-elle faire sur les trottoirs, sans un sou, avec sa sauvagerie [1], et toujours inquiétée par la grande ville, où elle ne connaissait que les rues voisines du
245 magasin ? Après s'être risquée jusqu'au Palais-Royal, pour prendre l'air, elle rentrait vite, s'enfermait, se mettait à coudre ou à savonner. C'était, le long du couloir des chambres, une promiscuité [2] de caserne, des filles souvent peu soignées, des commérages d'eaux de toilette et de linges sales, toute une
250 aigreur qui se dépensait en brouilles et en raccommodements continuels. Du reste, défense de remonter pendant le jour ; elles ne vivaient pas là, elles y logeaient la nuit, n'y rentrant le soir qu'à la dernière minute, s'en échappant le matin, endormies encore, mal réveillées par un débarbouillage rapide ; et ce coup
255 de vent qui balayait sans cesse le couloir, la fatigue des treize heures de travail qui les jetait au lit sans un souffle, achevaient de changer les combles en une auberge traversée par la maussaderie éreintée d'une débandade de voyageurs. Denise n'avait pas d'amie. De toutes ces demoiselles, une seule, Pauline
260 Cugnot, lui témoignait quelque tendresse ; et encore, les rayons

1. *Sauvagerie* : timidité. \ 2. *Promiscuité* : proximité excessive qui ne laisse aucun espace de liberté ou de solitude.

des confections et de la lingerie, installés côte à côte, se trouvant en guerre ouverte, la sympathie des deux vendeuses avait dû jusque-là se borner à de rares paroles, échangées en courant. Pauline occupait bien une chambre voisine, à droite de la
265 chambre de Denise ; mais, comme elle disparaissait au sortir de table et ne revenait pas avant onze heures, cette dernière l'entendait seulement se mettre au lit, sans jamais la rencontrer, en dehors des heures de travail.

Cette nuit-là, Denise s'était résignée à faire de nouveau le
270 cordonnier. Elle tenait ses souliers, les examinait, regardait comment elle pourrait les mener au bout du mois. Enfin, avec une forte aiguille, elle avait pris le parti de recoudre les semelles, qui menaçaient de quitter l'empeigne. Pendant ce temps, un col et des manches trempaient dans la cuvette, pleine d'eau de
275 savon.

Chaque soir, elle entendait les mêmes bruits, ces demoiselles qui rentraient une à une, de courtes conversations chuchotées, des rires, parfois des querelles, qu'on étouffait. Puis, les lits craquaient, il y avait des bâillements ; et les chambres tombaient
280 à un lourd sommeil. Sa voisine de gauche rêvait souvent tout haut, ce qui l'avait effrayée d'abord. Peut-être, d'autres, à son exemple, veillaient-elles pour se raccommoder, malgré le règlement ; mais ce devait être avec les précautions qu'elle prenait elle-même, les gestes ralentis, les moindres chocs évités, car un
285 silence frissonnant sortait seul des portes closes.

Onze heures étaient sonnées depuis dix minutes, lorsqu'un bruit de pas lui fit lever la tête. Encore une de ces demoiselles qui se trouvait en retard ! Et elle reconnut Pauline, en entendant celle-ci ouvrir la porte d'à côté. Mais elle demeura stupé-
290 faite : la lingère revenait doucement et frappait chez elle.

— Dépêchez-vous, c'est moi.

Il était défendu aux vendeuses de se recevoir dans leurs chambres. Aussi Denise tourna-t-elle la clef vivement, pour

que sa voisine ne fût pas surprise par M^me Cabin, qui veillait
à la stricte observation du règlement.

— Elle était là ? demanda-t-elle en refermant la porte.

— Qui ? M^me Cabin ? dit Pauline. Oh ! ce n'est pas d'elle que
j'ai peur... Avec cent sous !

Puis, elle ajouta :

— Voici longtemps que je veux causer. En bas, on ne peut
jamais... Puis, vous m'avez eu l'air si triste, ce soir, à table !

Denise la remerciait, la priait de s'asseoir, touchée de son air
bonne fille. Mais, dans le trouble où cette visite imprévue la
mettait, elle n'avait pas lâché le soulier qu'elle était en train de
recoudre ; et les yeux de Pauline tombèrent sur ce soulier. Elle
hocha la tête, regarda autour d'elle, aperçut les manches et le
col dans la cuvette.

— Ma pauvre enfant, je m'en doutais, reprit-elle. Allez ! Je
connais ça. Dans les premiers temps, quand je suis arrivée de
Chartres, et que le père Cugnot ne m'envoyait pas un sou, j'en
ai lavé de ces chemises ! Oui, oui, jusqu'à mes chemises ! J'en
avais deux, vous en auriez toujours trouvé une qui trempait.

Elle s'était assise, essoufflée d'avoir couru. Sa large face, aux
petits yeux vifs, à la grande bouche tendre, avait une grâce, sous
l'épaisseur des traits. Et, sans transition, tout d'un coup, elle
conta son histoire : sa jeunesse au moulin, le père Cugnot ruiné
par un procès, et qui l'avait envoyée à Paris faire fortune, avec
vingt francs dans la poche ; ensuite, ses débuts comme vendeuse,
d'abord au fond d'un magasin des Batignolles, puis au *Bonheur
des Dames*, de terribles débuts, toutes les blessures et toutes les
privations ; enfin, sa vie actuelle, les deux cents francs qu'elle
gagnait par mois, les plaisirs qu'elle prenait, l'insouciance où
elle laissait couler ses journées. Des bijoux, une broche, une
chaîne de montre, luisaient sur sa robe de drap gros bleu, pincée
coquettement à la taille ; et elle souriait sous sa toque de velours,
ornée d'une grande plume grise.

Denise était devenue très rouge, avec son soulier. Elle voulait balbutier une explication.

— Puisque ça m'est arrivé ! répéta Pauline. Voyons, je suis
330 votre aînée, j'ai vingt-six ans et demi, sans que cela paraisse... Contez-moi vos petites affaires.

Alors, Denise céda, devant cette amitié qui s'offrait si franchement. Elle s'assit en jupon, un vieux châle noué sur les épaules, près de Pauline en toilette ; et une bonne causerie s'en-
335 gagea entre elles. Il gelait dans la chambre, le froid semblait y couler des murs mansardés, d'une nudité de prison ; mais elles ne s'apercevaient pas que leurs doigts avaient l'onglée[1], elles étaient tout à leurs confidences. Peu à peu, Denise se livra, parla de Jean et de Pépé, dit combien la question d'argent la tortu-
340 rait ; ce qui les amena toutes deux à tomber sur ces demoiselles des confections. Pauline se soulageait.

— Oh ! les mauvaises teignes ! Si elles se conduisaient en bonnes camarades, vous pourriez vous faire plus de cent francs.

— Tout le monde m'en veut, sans que je sache pourquoi,
345 disait Denise gagnée par les larmes. Ainsi M. Bourdoncle est sans cesse à me guetter pour me prendre en faute, comme si je le gênais... Il n'y a guère que le père Jouve...

L'autre l'interrompit.

— Ce vieux singe d'inspecteur ! Ah ! ma chère, ne vous y fiez
350 point... Vous savez, les hommes qui ont des grands nez comme ça ! Il a beau étaler sa décoration, on raconte une histoire qu'il aurait eue chez nous, à la lingerie... Mais que vous êtes donc enfant de vous chagriner ainsi ! Est-ce malheureux d'être si sensible ! Pardi ! ce qui vous arrive, arrive à toutes : on vous fait
355 payer la bienvenue[2].

— Elle lui saisit les mains, elle l'embrassa, emportée par son

1. _Onglée_ : engourdissement douloureux du bout des doigts, provoqué par le froid. \ 2. _On vous fait payer la bienvenue_ : vous subissez des brimades comme tous les nouveaux venus (expression familière).

bon cœur. La question d'argent était plus grave. Certainement, une pauvre fille ne pouvait soutenir ses deux frères, payer la pension du petit et régaler les maîtresses du grand, en ramas-
360 sant les quelques sous douteux dont les autres ne voulaient point ; car il était à craindre qu'on ne l'appointât [1] pas avant la reprise des affaires, en mars.

— Écoutez, il est impossible que vous teniez le coup davan-tage, dit Pauline. Moi, à votre place...

365 Mais un bruit, venu du corridor, la fit taire. C'était peut-être Marguerite, qu'on accusait de se promener en chemise la nuit, pour moucharder [2] le sommeil des autres. La lingère, qui serrait toujours les mains de son amie, la regarda un moment en silence, l'oreille tendue. Puis, elle recommença très bas, d'un
370 air de tendre conviction :

— Moi, à votre place, je prendrais quelqu'un.

— Comment, quelqu'un ? murmura Denise, sans comprendre d'abord.

Lorsqu'elle eut compris, elle retira ses mains, elle resta toute
375 sotte. Ce conseil la gênait comme une idée qui ne lui était jamais venue, et dont elle ne voyait pas l'avantage.

— Oh ! non, répondit-elle simplement.

— Alors, continua Pauline, vous ne vous en sortirez pas, c'est moi qui vous le dis !... Les chiffres sont là : quarante francs pour
380 le petit, des pièces de cent sous de temps à autre au grand ; et vous ensuite, vous qui ne pouvez toujours aller mise comme une pauvresse, avec des souliers dont ces demoiselles plaisan-tent ; oui, parfaitement, vos souliers vous font du tort... Prenez quelqu'un, ce sera beaucoup mieux.

385 — Non, répéta Denise.

— Eh bien ! vous n'êtes pas raisonnable... C'est forcé, ma chère, et si naturel ! Nous avons toutes passé par là. Moi, tenez !

1. *Appointât* : donnât un salaire fixe. \ 2. *Moucharder* : espionner en vue de dénoncer.

j'étais au pair[1], comme vous. Pas un liard[2]. On est couchée et nourrie, bien sûr ; mais il y a la toilette, puis il est impossible de rester sans un sou, renfermée dans sa chambre, à regarder voler les mouches. Alors, mon Dieu ! il faut se laisser aller…

Et elle parla de son premier amant, un clerc d'avoué, qu'elle avait connu dans une partie, à Meudon. Après celui-là, elle s'était mise avec un employé des postes. Enfin, depuis l'automne, elle fréquentait un vendeur du *Bon Marché*, un grand garçon très gentil, chez lequel elle passait toutes ses heures libres. Jamais qu'un à la fois, du reste. Elle était honnête, elle s'indignait, lorsqu'on parlait de ces filles qui se donnent au premier venu.

— Je ne vous dis point de vous mal conduire, au moins ! reprit-elle vivement. Ainsi je ne voudrais pas être rencontrée en compagnie de votre Clara, de peur qu'on ne m'accusât de faire la noce comme elle. Mais, quand on est tranquillement avec quelqu'un, et qu'on n'a aucun reproche à s'adresser… Ça vous semble donc vilain ?

— Non, répondit Denise. Ça ne me va pas, voilà tout.

Il y eut un nouveau silence. Dans la petite chambre glacée, toutes deux se souriaient, émues de cette conversation à voix basse.

— Et puis, il faudrait d'abord avoir de l'amitié pour quelqu'un, reprit-elle, les joues roses.

La lingère fut très étonnée. Elle finit par rire, et elle l'embrassa une seconde fois, en disant :

— Mais, ma chérie, quand on se rencontre et qu'on se plaît ! Êtes-vous drôle ! On ne vous forcera pas… Voyons, voulez-vous que dimanche Baugé nous conduise quelque part à la campagne ? Il amènera un de ses amis.

1. *Au pair* : qui est logé et nourri mais ne touche pas de salaire. \ 2. *Liard* : ancienne monnaie française qui valait le quart du sou, soit une somme insignifiante.

— Non, répéta Denise avec une douceur entêtée.

Alors, Pauline n'insista plus. Chacune était maîtresse d'agir
420 à son goût. Ce qu'elle en avait dit, c'était par bonté de cœur,
car elle éprouvait un véritable chagrin de voir si malheureuse
une camarade. Et, comme minuit allait sonner, elle se leva pour
partir. Mais, auparavant, elle força Denise à accepter les six
francs qui lui manquaient, en la suppliant de ne pas se gêner,
425 de ne les rendre que lorsqu'elle gagnerait davantage.

— Maintenant, ajouta-t-elle, éteignez votre bougie, pour
qu'on ne sache pas quelle porte s'ouvre… Vous la rallumerez
ensuite.

La bougie éteinte, toutes deux se serrèrent encore les mains ;
430 et Pauline fila légèrement, rentra chez elle, sans laisser d'autres
bruits que le frôlement de sa jupe, au milieu du sommeil,
écrasé de fatigue, des autres petites chambres.

Avant de se mettre au lit, Denise voulut achever de recoudre
son soulier et faire son savonnage. Le froid devenait plus vif, à
435 mesure que la nuit avançait. Mais elle ne le sentait pas, cette
causerie avait remué tout le sang de son cœur. Elle n'était point
révoltée, il lui semblait bien permis d'arranger l'existence
comme on l'entendait, lorsqu'on se trouvait seule et libre sur
la terre. Jamais elle n'avait obéi à des idées, sa raison adroite et
440 sa nature saine la maintenaient simplement dans l'honnêteté
où elle vivait. Vers une heure, elle se coucha enfin. Non, elle
n'aimait personne. Alors, à quoi bon déranger sa vie, gâter le
dévouement maternel qu'elle avait voué à ses deux frères ?
Pourtant, elle ne s'endormait pas, des frissons tièdes montaient
445 à sa nuque, l'insomnie faisait passer devant ses paupières closes
des formes indistinctes, qui s'évanouissaient dans la nuit.

À partir de ce moment, Denise s'intéressa aux histoires
tendres de son rayon. En dehors des heures de gros travail, on
y vivait dans une préoccupation constante de l'homme. Des
450 commérages couraient, des aventures égayaient ces demoiselles

pendant huit jours. Clara était un scandale, avait trois entrete-
neurs, disait-on, sans compter la queue d'amants de hasard,
qu'elle traînait derrière elle ; et, si elle ne quittait pas le
magasin, où elle travaillait le moins possible, dans le dédain
455 d'un argent gagné plus agréablement ailleurs, c'était pour se
couvrir aux yeux de sa famille ; car elle avait la continuelle
terreur du père Prunaire, qui menaçait de tomber à Paris lui
casser les bras et les jambes à coups de sabot. Au contraire,
Marguerite se conduisait bien, on ne lui connaissait pas
460 d'amoureux ; cela causait une surprise, toutes se racontaient son
aventure, les couches qu'elle était venue cacher à Paris ; alors,
comment avait-elle pu faire cet enfant, si elle était vertueuse ?
et certaines parlaient d'un hasard, en ajoutant qu'elle se gardait
maintenant pour son cousin de Grenoble. Ces demoiselles plai-
465 santaient aussi M^{me} Frédéric, lui prêtaient des relations
discrètes avec de grands personnages ; la vérité était qu'on ne
savait rien de ses affaires de cœur, elle disparaissait le soir, raidie
dans sa maussaderie de veuve, l'air pressé, sans que personne
pût dire où elle courait si fort. Quant aux passions de
470 M^{me} Aurélie, à ses prétendues fringales de jeunes hommes
obéissants, elles étaient certainement fausses : on inventait cela
entre vendeuses mécontentes, histoire de rire. Peut-être la
première avait-elle témoigné autrefois trop de maternité à un
ami de son fils, seulement elle occupait aujourd'hui, dans les
475 nouveautés, une situation de femme sérieuse, qui ne s'amusait
plus à de pareils enfantillages. Puis, venait le troupeau, la déban-
dade du soir, neuf sur dix que des amants attendaient à la porte ;
c'était, sur la place Gaillon, le long de la rue de la Michodière et
de la rue Neuve-Saint-Augustin, toute une faction d'hommes
480 immobiles, guettant du coin de l'œil ; et, quand le défilé
commençait, chacun tendait le bras, emmenait la, sienne, dispa-
raissait en causant, avec une tranquillité maritale.

Mais ce qui troubla le plus Denise, ce fut de surprendre le

secret de Colomban. À toute heure, elle le trouvait de l'autre
485 côté de la rue, sur le seuil du *Vieil Elbeuf*, les yeux levés et ne
quittant pas du regard ces demoiselles des confections. Quand
il se sentait guetté par elle, il rougissait, détournait la tête,
comme s'il eût redouté que la jeune fille ne le vendît à sa
cousine Geneviève, bien qu'il n'y eût plus aucun rapport entre
490 les Baudu et leur nièce, depuis l'entrée de celle-ci au *Bonheur
des Dames*. D'abord, elle le crut amoureux de Marguerite, à voir
ses airs transis d'amant qui désespère, car Marguerite, sage et
couchant au magasin, n'était point commode. Puis, elle resta
stupéfaite, lorsqu'elle acquit la certitude que les regards
495 ardents du commis s'adressaient à Clara. Il y avait des mois
qu'il brûlait ainsi, sur le trottoir d'en face, sans trouver le
courage de se déclarer ; cela pour une fille libre, qui demeurait
rue Louis-le-Grand, qu'il aurait pu aborder, avant qu'elle s'en
allât chaque soir au bras d'un nouvel homme ! Clara elle-même
500 ne paraissait pas se douter de sa conquête. La découverte de
Denise l'emplit d'une émotion douloureuse. Était-ce donc si
bête, l'amour ? Quoi ! ce garçon qui avait tout un bonheur sous
la main, et qui gâtait sa vie, et qui adorait une gueuse comme
un saint-sacrement[1] ! À partir de ce jour, elle éprouva un
505 serrement de cœur, chaque fois qu'elle aperçut, derrière les
carreaux verdâtres du *Vieil Elbeuf*, le profil pâle et souffrant de
Geneviève.

 Le soir, Denise songeait ainsi, en regardant ces demoiselles
s'en aller avec leurs amants. Celles qui ne couchaient pas au
510 *Bonheur des Dames*, disparaissaient jusqu'au lendemain, rappor-
taient à leurs rayons l'odeur du dehors dans leurs jupes, tout
un inconnu troublant. Et la jeune fille devait parfois répondre
par un sourire au signe de tête amical dont la saluait Pauline,

1. *Saint-sacrement* : chez les chrétiens, pain consacré pendant la messe ou eucharistie ; par
extension, chose extrêmement précieuse.

que Baugé attendait régulièrement dès huit heures et demie,
515 debout à l'angle de la fontaine Gaillon. Puis, après être sortie
la dernière et avoir fait son tour furtif de promenade, toujours
seule, elle était rentrée la première, elle travaillait ou se
couchait, la tête occupée d'un rêve, prise de curiosité sur cette
existence de Paris, qu'elle ignorait. Certes, elle ne jalousait pas
520 ces demoiselles, elle était heureuse de sa solitude, de cette
sauvagerie où elle vivait enfermée, comme au fond d'un refuge ;
mais son imagination l'emportait, tâchait de deviner les choses,
évoquait les plaisirs sans cesse contés devant elle, les cafés, les
restaurants, les théâtres, les dimanches passés sur l'eau et dans
525 les guinguettes[1]. Toute une fatigue d'esprit lui en restait, un
désir mêlé de lassitude ; et il lui semblait être déjà rassasiée de
ces amusements, dont elle n'avait jamais goûté.

Cependant, il y avait peu de place pour les songeries dange-
reuses, au milieu de son existence de travail. Dans le magasin,
530 sous l'écrasement des treize heures de besogne, on ne pensait
guère à des tendresses, entre vendeurs et vendeuses. Si la
bataille continuelle de l'argent n'avait effacé les sexes, il aurait
suffi, pour tuer le désir, de la bousculade de chaque minute, qui
occupait la tête et rompait les membres. À peine pouvait-on
535 citer quelques rares liaisons d'amour, parmi les hostilités et les
camaraderies d'homme à femme, les coudoiements sans fin de
rayon à rayon. Tous n'étaient plus que des rouages, se trou-
vaient emportés par le branle de la machine, abdiquant leur
personnalité, additionnant simplement leurs forces, dans ce
540 total banal et puissant de phalanstère[2]. Au-dehors seulement,
reprenait la vie individuelle, avec la brusque flambée des
passions qui se réveillaient.

1. *Guinguettes* : cafés populaires, souvent en plein air (au bord de la Seine ou de la Marne
par exemple, sur lesquelles on fait du canot), où l'on boit et l'on danse. \ 2. *Phalanstère* :
association de travailleurs vivant en communauté. Ce système a été conçu par le socialiste
utopique Fourier (1772-1837).

Denise vit pourtant un jour Albert Lhomme, le fils de la première, glisser un billet dans la main d'une demoiselle de la lingerie, après avoir traversé plusieurs fois le rayon, d'un air d'indifférence. On arrivait alors à la morte-saison d'hiver, qui va de décembre à février ; et elle avait des moments de repos, des heures passées debout, les yeux perdus dans les profondeurs du magasin, à attendre les clientes. Les vendeuses des confections voisinaient surtout avec les vendeurs des dentelles, sans que l'intimité forcée allât plus loin que des plaisanteries, échangées tout bas. Il y avait, aux dentelles, un second farceur qui poursuivait Clara de confidences abominables, simplement pour rire, si détaché au fond, qu'il n'essayait seulement pas de la retrouver dehors ; et c'étaient ainsi, d'un comptoir à l'autre, entre ces messieurs et ces demoiselles, des coups d'œil d'intelligence, des mots qu'eux seuls comprenaient, parfois des causeries sournoises, le dos à demi tourné, l'air rêveur, pour donner le change au terrible Bourdoncle. Quant à Deloche, longtemps il se contenta de sourire, en regardant Denise ; puis, il s'enhardit, lui murmura un mot d'amitié, lorsqu'il la coudoya. Le jour où elle aperçut le fils de M^{me} Aurélie donnant un billet à la lingère, Deloche justement lui demandait si elle avait bien déjeuné, par besoin de s'intéresser à elle, et ne trouvant rien de plus aimable. Lui aussi vit la tache blanche de la lettre ; il regarda la jeune fille, tous deux rougirent de cette intrigue nouée devant eux.

Mais Denise, sous ces haleines chaudes qui éveillaient peu à peu la femme en elle, gardait encore sa paix d'enfant. Seule, la rencontre de Hutin lui remuait le cœur. Du reste, ce n'était à ses yeux que de la reconnaissance, elle se croyait uniquement touchée de la politesse du jeune homme. Il ne pouvait amener une cliente au rayon, sans qu'elle demeurât confuse. Plusieurs fois, en revenant d'une caisse, elle se surprit faisant un détour, traversant inutilement le comptoir des soieries, la gorge gonflée

d'émotion. Une après-midi, elle y trouva Mouret qui semblait la suivre d'un sourire. Il ne s'occupait plus d'elle, ne lui adressait de loin en loin une parole que pour la conseiller sur sa toilette et la plaisanter, en fille manquée, en sauvage qui tenait 580 du garçon et dont il ne tirerait jamais une coquette, malgré sa science d'homme à bonnes fortunes[1]; même il en riait, il descendait jusqu'à des taquineries, sans vouloir s'avouer le trouble que lui causait cette petite vendeuse, avec ses cheveux si drôles. Devant ce sourire muet, Denise trembla, comme si 585 elle était en faute. Savait-il donc pourquoi elle traversait la soierie, lorsqu'elle-même n'aurait pu expliquer ce qui la poussait à un pareil détour?

Hutin, d'ailleurs, ne paraissait nullement s'apercevoir des regards reconnaissants de la jeune fille. Ces demoiselles 590 n'étaient pas son genre, il affectait de les mépriser, en se vantant plus que jamais d'aventures extraordinaires avec des clientes: à son comptoir, une baronne avait eu le coup de foudre, et la femme d'un architecte lui était tombée entre les bras, un jour qu'il allait chez elle pour une erreur de métrage. Sous cette 595 hâblerie[2] normande, il cachait simplement des filles ramassées au fond des brasseries et des cafés-concerts. Comme tous les jeunes messieurs des nouveautés, il avait une rage de dépense, se battant la semaine entière à son rayon, avec une âpreté[3] d'avare, dans le seul désir de jeter le dimanche son argent à la 600 volée, sur les champs de course, au travers des restaurants et des bals; jamais une économie, pas une avance, le gain aussitôt dévoré que touché, l'insouciance absolue du lendemain. Favier n'était pas de ces parties. Hutin et lui, si liés au magasin, se saluaient à la porte et ne se parlaient plus; beaucoup de 605 vendeurs, en continuel contact, devenaient ainsi des étrangers,

1. *Homme à bonnes fortunes*: homme qui a du succès auprès des femmes. \ 2. *Hâblerie*: manière de parler en exagérant et en se vantant sans cesse. \ 3. *Âpreté*: violence, ardeur.

ignorant leurs vies, dès qu'ils mettaient le pied dans la rue. Mais Hutin avait pour intime Liénard. Tous deux habitaient le même hôtel, l'hôtel de Smyrne, rue Sainte-Anne, une maison noire entièrement occupée par des employés de commerce. Le matin, ils arrivaient ensemble ; puis, le soir, le premier libre, lorsque le déplié[1] de son comptoir était fait, allait attendre l'autre au café Saint-Roch, rue Saint-Roch, un petit café où se réunissaient d'habitude les commis du *Bonheur des Dames*, braillant et buvant, jouant aux cartes dans la fumée des pipes. Souvent, ils restaient là, ne partaient que vers une heure, lorsque le maître de l'établissement, fatigué, les jetait dehors. D'ailleurs, depuis un mois, ils passaient la soirée trois fois par semaine au fond d'un « beuglant[2] » de Montmartre ; et ils emmenaient des camarades, ils y faisaient un succès à M[lle] Laure, forte chanteuse, la dernière conquête de Hutin, dont ils appuyaient le talent de si violents coups de canne et de telles clameurs, qu'à deux reprises déjà la police avait dû intervenir.

L'hiver passa de la sorte, Denise obtint enfin trois cents francs d'appointements fixes. Il était temps, ses gros souliers ne tenaient plus. Le dernier mois, elle évitait même de sortir, pour ne pas les crever d'un coup.

— Mon Dieu ! mademoiselle, vous faites un bruit avec vos chaussures ! répétait souvent M[me] Aurélie, d'un air agacé. C'est insupportable... Qu'avez-vous donc aux pieds ?

Le jour où Denise descendit, chaussée de bottines d'étoffe, qu'elle avait payées cinq francs, Marguerite et Clara s'étonnè-rent à demi-voix, de façon à être entendues.

— Tiens ! la mal peignée qui a lâché ses galoches[3], dit l'une.

— Ah bien ! reprit l'autre, elle a dû en pleurer... C'étaient les galoches de sa mère.

1. *Déplié* : il s'agit de replier et de ranger les vêtements sortis pour être présentés aux clientes. \ **2.** *Beuglant* : café-concert populaire à la fin du XIX[e] siècle (terme familier). \ **3.** *Galoches* : sabots en cuir à semelle de bois. Le terme est ici employé péjorativement.

D'ailleurs, un soulèvement général se produisit contre Denise. Le comptoir avait fini par découvrir son amitié avec Pauline, et il voyait une bravade dans cette affection donnée à une vendeuse d'un comptoir ennemi. Ces demoiselles parlaient de trahison, l'accusaient d'aller répéter à côté leurs moindres paroles. La guerre de la lingerie et des confections en prit une violence nouvelle, jamais elle n'avait soufflé si rudement : des mots furent échangés, raides comme des balles, et il y eut même une gifle, un soir, derrière les cartons de chemises. Peut-être cette lointaine querelle venait-elle de ce que la lingerie portait des robes de laine, lorsque les confections étaient vêtues de soie ; en tout cas, les lingères parlaient de leurs voisines avec des moues révoltées d'honnêtes filles ; et les faits leur donnaient raison, on avait remarqué que la soie semblait influer sur les débordements des confectionneuses. Clara était souffletée du troupeau de ses amants, Marguerite elle-même avait reçu son enfant à la tête, tandis qu'on accusait M^{me} Frédéric de passions cachées. Tout cela à cause de cette Denise !

— Mesdemoiselles, pas de vilains mots, tenez-vous ! disait M^{me} Aurélie d'un air grave, au milieu des colères déchaînées de son petit peuple. Montrez qui vous êtes.

Elle préférait se désintéresser. Comme elle le confessait un jour, répondant à une question de Mouret, ces demoiselles ne valaient pas plus cher les unes que les autres. Mais, brusquement, elle se passionna, lorsqu'elle apprit de la bouche de Bourdoncle qu'il venait de trouver au fond du sous-sol son fils en train d'embrasser une lingère, cette vendeuse à qui le jeune homme glissait des lettres. C'était abominable, et elle accusa carrément la lingerie d'avoir fait tomber Albert dans un guet-apens ; oui, le coup était monté contre elle, on cherchait à la déshonorer en perdant un enfant sans expérience, après s'être convaincu que son rayon restait inattaquable. Elle ne criait si fort que pour embrouiller les choses, car elle n'avait aucune illu-

sion sur son fils, elle le savait capable de toutes les sottises. Un instant, l'affaire faillit devenir grave, le gantier Mignot s'y trouva mêlé ! il était l'ami d'Albert, il avantageait les maîtresses que ce dernier lui adressait, des filles en cheveux [1] qui fouillaient pendant des heures dans les cartons ; et il y avait, en outre, une histoire de gants de Suède donnés à la lingère, dont personne n'eut le dernier mot. Enfin, le scandale fut étouffé, par égard pour la première des confections, que Mouret lui-même traitait avec déférence. Bourdoncle, huit jours plus tard, se contenta de congédier, sous un prétexte, la vendeuse coupable de s'être laissé embrasser. S'ils fermaient les yeux sur les terribles noces du dehors, ces messieurs ne toléraient pas la moindre gaudriole [2] dans la maison.

Et ce fut Denise qui souffrit de l'aventure. M^me Aurélie, toute renseignée qu'elle était, lui garda une sourde rancune ; elle l'avait vue rire avec Pauline, elle crut à une bravade [3], à des commérages sur les amours de son fils. Alors, dans le rayon, elle isola la jeune fille davantage encore. Depuis longtemps, elle projetait d'emmener ces demoiselles passer un dimanche, près de Rambouillet, aux Rigolles, où elle avait acheté une propriété, sur ses cent premiers mille francs d'économie ; et, tout d'un coup, elle se décida, c'était une façon de punir Denise, de la mettre ouvertement à l'écart. Seule, cette dernière ne fut pas invitée. Quinze jours à l'avance, le rayon ne causa que de la partie [4] : on regardait le ciel attiédi par le soleil de mai, on occupait déjà chaque heure de la journée, on se promettait tous les plaisirs, des ânes, du lait, du pain bis [5]. Et rien que des femmes, ce qui était plus amusant ! D'habitude, M^me Aurélie tuait de la sorte ses jours de congé, en se promenant avec des dames ; car elle avait si peu l'habitude de se trouver en famille, elle était si mal à son aise, si dépaysée, les

1. *Des filles en cheveux* : des filles ne portant pas de chapeau. \ 2. *Gaudriole* : jeu de séduction (terme familier). \ 3. *Bravade* : insolence. \ 4. *Partie* : divertissement collectif. \ 5. *Pain bis* : pain au son.

rares soirs où elle pouvait dîner chez elle, entre son mari et son
700 fils, qu'elle préférait, même ces soirs-là, lâcher le ménage et aller
dîner au restaurant. L'homme filait de son côté, ravi de reprendre
son existence de garçon[1], et Albert, soulagé, courait à ses
gueuses ; si bien que, désaccoutumés du foyer, se gênant et s'en-
nuyant ensemble le dimanche, tous les trois ne faisaient guère
705 que traverser leur appartement, ainsi qu'un hôtel banal où l'on
couche à la nuit. Pour la partie de Rambouillet, M^{me} Aurélie
déclara simplement que les convenances empêchaient Albert
d'en être, et que le père lui-même montrerait du tact en refusant
de venir ; ce dont les deux hommes furent enchantés. Cependant,
710 le bienheureux jour approchait, ces demoiselles ne tarissaient
plus, racontaient des préparatifs de toilette, comme si elles
partaient pour un voyage de six mois ; tandis que Denise devait
les entendre, pâle et silencieuse dans son abandon.

— Hein ? elles vous font rager ? lui dit un matin Pauline.
715 C'est moi, à votre place, qui les attraperais ! Elles s'amusent, je
m'amuserais, pardi !... Accompagnez-nous dimanche, Baugé
me mène à Joinville.

— Non, merci, répondit la jeune fille avec sa tranquille obsti-
nation.

720 — Mais pourquoi ?... Vous avez encore peur qu'on ne vous
prenne de force ?

Et Pauline riait d'un bon rire. Denise sourit à son tour. Elle
savait bien comment arrivaient les choses : c'était dans une
partie semblable que chacune de ces demoiselles avait connu
725 son premier amant, un ami amené comme par hasard ; et elle
ne voulait pas.

— Voyons, reprit Pauline, je vous jure que Baugé n'amènera
personne. Nous ne serons que tous les trois... Puisque ça vous
déplaît, je n'irais pas vous marier, bien sûr.

1. *Garçon* : célibataire.

730 Denise hésitait, tourmentée d'un tel désir, qu'un flot de sang montait à ses joues. Depuis que ses camarades étalaient leurs plaisirs champêtres, elle étouffait, prise d'un besoin de plein ciel, rêvant de grandes herbes où elle entrait jusqu'aux épaules, d'arbres géants dont les ombres coulaient sur elle comme une
735 eau fraîche. Son enfance, passée dans les verdures grasses du Cotentin, s'éveillait, avec le regret du soleil.

 — Eh bien ! oui, dit-elle enfin.

 Tout fut réglé. Baugé devait venir prendre ces demoiselles à huit heures, sur la place Gaillon ; de là, on irait en fiacre à la
740 gare de Vincennes. Denise, dont les vingt-cinq francs d'appointements fixes étaient chaque mois dévorés par les enfants, n'avait pu que rafraîchir sa vieille robe de laine noire, en la garnissant de biais de popeline[1] à petits carreaux ; et elle s'était fait elle-même un chapeau, avec une forme de capote[2] recou-
745 verte de soie et ornée d'un ruban bleu. Dans cette simplicité, elle avait l'air très jeune, un air de fille grandie trop vite, d'une propreté de pauvre, un peu honteuse et embarrassée du luxe débordant de ses cheveux, qui crevaient la nudité de son chapeau. Au contraire, Pauline étalait une robe de soie printa-
750 nière, à raies violettes et blanches, une toque appareillée[3], chargée de plumes, des bijoux au cou et aux mains, toute une richesse de commerçante cossue. C'était comme une revanche de la semaine, de la soie le dimanche, lorsqu'elle se trouvait condamnée à la laine dans son rayon ; tandis que Denise, qui
755 traînait sa soie d'uniforme du lundi au samedi, reprenait le dimanche la laine mince de sa misère.

 — Voilà Baugé, dit Pauline, en désignant un grand garçon, debout près de la fontaine.

 Elle présenta son amant, et tout de suite Denise fut à son

1. *Biais de popeline* : ruban de soie. \ 2. *Capote* : chapeau de femme en tissu plissé. \ 3. *Appareillée* : assortie.

760 aise, tellement il lui parut brave homme. Baugé, énorme, d'une force lente de bœuf au labour, avait une longue face flamande, où des yeux vides riaient avec une puérilité d'enfant. Né à Dunkerque, fils cadet d'un épicier, il était venu à Paris, presque chassé par son père et son frère, qui le jugeaient trop bête. 765 Cependant, au *Bon Marché*, il se faisait trois mille cinq cents francs. Il était stupide, mais très bon pour les toiles. Les femmes le trouvaient gentil.

— Et le fiacre? demanda Pauline.

Il fallut aller jusqu'au boulevard. Déjà le soleil chauffait, la 770 belle matinée de mai riait sur le pavé des rues; et pas un nuage au ciel, toute une gaieté volait dans l'air bleu, d'une transparence de cristal. Un sourire involontaire entrouvrait les lèvres de Denise; elle respirait fortement, il lui semblait que sa poitrine se dégageait d'un étouffement de six mois. Enfin, elle 775 ne sentait donc plus sur elle l'air enfermé, les pierres lourdes du *Bonheur des Dames*! elle avait donc devant elle toute une journée de libre campagne! et c'était comme une nouvelle santé, une joie infinie, où elle entrait avec des sensations neuves de gamine. Pourtant, dans le fiacre, elle détourna les yeux, 780 gênée, lorsque Pauline mit un gros baiser sur les lèvres de son amant.

— Tiens! dit-elle, la tête toujours à la portière, M. Lhomme, là-bas… Comme il marche!

— Il a son cor, ajouta Pauline qui s'était penchée. En voilà 785 un vieux toqué! Si l'on ne dirait pas qu'il court à un rendez-vous!

Lhomme, en effet, l'étui de son instrument sous le bras, filait le long du Gymnase[1], le nez tendu, riant d'aise tout seul, à l'idée du régal qu'il se promettait. Il allait passer la journée 790 chez un ami, une flûte[2] d'un petit théâtre, où des amateurs

1. *Gymnase*: théâtre situé boulevard Bonne-Nouvelle. \ 2. *Flûte*: joueur de flûte.

faisaient le dimanche de la musique de chambre[1], dès leur café au lait.

— À huit heures ! quel enragé ! reprit Pauline. Et vous savez que M^me Aurélie et toute sa clique ont dû prendre le train de
795 Rambouillet qui part à six heures vingt-cinq… Pour sûr, le mari et la femme ne se rencontreront pas.

Toutes deux causèrent de la partie de Rambouillet. Elles ne souhaitaient pas de la pluie aux autres, parce qu'elles auraient aussi gobé le bouillon ; mais, s'il pouvait crever un nuage là-bas,
800 sans que les éclaboussures en vinssent jusqu'à Joinville, ce serait drôle tout de même. Puis, elles tombèrent sur Clara, une gâcheuse qui ne savait comment dépenser l'argent de ses entre-teneurs : est-ce qu'elle n'achetait pas trois paires de bottines à la fois, des bottines qu'elle jetait le lendemain, après les avoir
805 coupées avec des ciseaux, à cause de ses pieds qui étaient pleins de bosses ? D'ailleurs, ces demoiselles des nouveautés ne se montraient guère plus raisonnables que ces messieurs : elles mangeaient tout, jamais un sou d'économie, des deux et des trois cents francs passaient par mois à des chiffons et à des friandises.
810 — Mais il n'a qu'un bras ! dit tout à coup Baugé. Comment fait-il pour jouer du cor ?

Il n'avait pas quitté Lhomme des yeux. Alors, Pauline, qui s'amusait parfois de sa naïveté, lui raconta que le caissier appuyait l'instrument contre un mur ; et il la crut parfaite-
815 ment, en trouvant ça très ingénieux. Puis, lorsque, prise de remords, elle lui expliqua de quelle façon Lhomme adaptait à son moignon un système de pinces, dont il se servait ensuite comme d'une main, il hocha la tête, saisi de méfiance, décla-rant qu'on ne lui ferait pas avaler celle-là.
820 — Tu es trop bête ! finit-elle par dire en riant. Ça ne fait rien, je t'aime tout de même.

1. *Musique de chambre* : musique écrite pour un petit nombre d'interprètes.

Le fiacre roulait, on arriva à la gare de Vincennes, juste pour un train. C'était Baugé qui payait ; mais Denise avait déclaré qu'elle entendait prendre sa part des dépenses ; on réglerait le
825 soir. Ils montèrent en secondes, toute une gaieté bourdonnante s'échappait des wagons. À Nogent, une noce débarqua, au milieu des rires. Enfin, ils descendirent à Joinville, passèrent dans l'île tout de suite, pour commander le déjeuner ; et ils restèrent là, le long des berges, sous de hauts peupliers qui
830 bordaient la Marne. L'ombre était froide, une haleine vive soufflait dans le soleil, élargissait au loin, sur l'autre rive, la pureté limpide d'une plaine, déroulant des cultures. Denise s'attardait derrière Pauline et son amant, qui marchaient les bras à la taille ; elle avait cueilli une poignée de boutons d'or, elle regar-
835 dait l'eau couler, heureuse, le cœur défaillant, baissant la tête, quand Baugé se penchait pour baiser la nuque de son amie. Des larmes lui montèrent aux yeux. Cependant, elle ne souffrait pas. Qu'avait-elle à étouffer ainsi, et pourquoi cette vaste campagne, où elle s'était promis tant d'insouciance, l'emplis-
840 sait-elle d'un regret vague dont elle n'aurait pu dire la cause ? Puis, au déjeuner, les rires bruyants de Pauline l'étourdirent. Celle-ci, qui adorait la banlieue d'une passion de cabotine[1] vivant au gaz, dans l'air épais des foules, avait voulu manger sous un berceau[2], malgré la fraîcheur du vent. Elle s'égayait des
845 souffles brusques qui rabattaient la nappe, elle trouvait drôle la tonnelle[3], nue encore, avec son treillage repeint, dont les losanges se découpaient sur le couvert. D'ailleurs, elle dévorait, d'une gourmandise affamée de fille mal nourrie au magasin, se donnant dehors une indigestion des choses qu'elle aimait ;
850 c'était son vice, tout son argent passait là, en gâteaux, en crudités, en petits plats dégustés lestement aux heures libres.

1. *Cabotine* : mauvaise actrice ; par extension, personne qui agit de manière exagérée et affectée. \ 2. *Berceau* : voûte de feuillage. \ 3. *Tonnelle* : petite construction circulaire sur laquelle on fait pousser de la verdure.

Comme Denise semblait avoir assez des œufs, de la friture et du poulet sauté, elle se retint, elle n'osa commander des fraises, une primeur encore chère, de crainte de trop augmenter l'addition.

855

— Maintenant, qu'allons-nous faire ? demanda Baugé, lorsque le café fut servi.

D'habitude, l'après-midi, Pauline et lui rentraient dîner à Paris, pour finir leur journée dans un théâtre. Mais, sur le désir de Denise, ils décidèrent qu'on resterait à Joinville ; ce serait drôle, on se donnerait de la campagne par-dessus la tête. Et, toute l'après-midi, ils battirent[1] les champs. Un instant, l'idée d'une promenade en canot fut discutée ; puis, ils l'abandonnèrent, Baugé ramait trop mal. Mais leur flânerie, au hasard des sentiers, revenait quand même le long de la Marne ; ils s'intéressaient à la vie de la rivière, aux escadres de yoles[2] et de norvégiennes[3], aux équipes de canotiers qui la peuplaient. Le soleil baissait, ils retournaient vers Joinville, lorsque deux yoles, descendant le courant et luttant de vitesse, échangèrent des bordées d'injures, où dominaient les cris répétés de « caboulots[4] » et de « calicots[5] ».

860

865

870

— Tiens ! dit Pauline, c'est M. Hutin.

— Oui, reprit Baugé, qui étendait la main devant le soleil, je reconnais la yole d'acajou... L'autre yole doit être montée par une équipe d'étudiants.

875

Et il expliqua la vieille haine qui mettait souvent aux prises la jeunesse des écoles et les employés de commerce. Denise, en entendant prononcer le nom de Hutin, s'était arrêtée ; et, les yeux fixes, elle suivait la mince embarcation, elle cherchait le

1. *Battirent* : explorèrent. \ **2.** *Yoles* : embarcations étroites et allongées, propulsées à l'aviron. Nombreux sont les canotiers qui s'en emparent le dimanche sur les bords de la Marne ou de la Seine, à la fin du XIX[e] siècle. \ **3.** *Norvégiennes* : barques recourbées à l'avant. \ **4.** *Caboulots* : ceux qui fréquentent les cabarets et les beuglants. \ **5.** *Calicots* : commis dans un magasin de nouveautés.

880 jeune homme parmi les rameurs, sans distinguer autre chose que les taches blanches de deux femmes, dont l'une, assise à la barre, avait un chapeau rouge. Les voix se perdirent au milieu du grand ruissellement de la rivière.

— À l'eau, les caboulots !

885 — Les calicots, à l'eau ! à l'eau !

Le soir, on retourna au restaurant de l'île. Mais l'air était devenu trop vif, il fallut manger dans une des deux salles fermées, où l'humidité de l'hiver trempait encore les nappes d'une fraîcheur de lessive. Dès six heures, les tables manquè-

890 rent, les promeneurs se hâtaient, cherchaient un coin ; et les garçons apportaient toujours des chaises, des bancs, rappro- chaient les assiettes, entassaient le monde. On étouffait main- tenant, on fit ouvrir les fenêtres. Dehors, le jour pâlissait, un crépuscule verdâtre tombait des peupliers, si rapide, que le

895 restaurateur, mal outillé pour ces repas à couvert, n'ayant pas de lampes, dut faire mettre une bougie sur chaque table. Le bruit était assourdissant, des rires, des appels, des chocs de vais- selle ; au vent des fenêtres, les bougies s'effaraient et coulaient ; tandis que des papillons de nuit battaient des ailes, dans l'air

900 chauffé par l'odeur des viandes, et que traversaient de petits souffles glacés.

— Hein ! s'amusent-ils ? disait Pauline enfoncée dans une matelote [1], qu'elle déclarait extraordinaire.

Elle se pencha pour ajouter :

905 — Vous n'avez pas reconnu M. Albert, là-bas ?

C'était, en effet, le jeune Lhomme, au milieu de trois femmes équivoques [2], une vieille dame en chapeau jaune, à mine basse de pourvoyeuse [3], et deux mineures, deux fillettes de treize ou quatorze ans, déhanchées, d'une effronterie

1. *Matelote* : poisson cuisiné dans une sauce au vin et aux oignons. \ 2. *Équivoques* : aux mœurs douteuses. \ 3. *Pourvoyeuse* : intermédiaire entre les prostituées et les jeunes gens.

910 gênante. Lui, très ivre déjà, tapait son verre sur la table, parlait de rosser le garçon, s'il n'apportait pas des liqueurs tout de suite.

— Ah bien ! reprit Pauline, en voilà, une famille ! la mère à Rambouillet, le père à Paris et le fils à Joinville... Ils ne se
915 marcheront pas sur les pieds.

Denise, qui détestait le bruit, souriait pourtant, goûtait la joie de ne plus penser, au milieu d'un tel vacarme. Mais, tout d'un coup, il y eut, dans la salle voisine, un éclat de voix qui couvrit les autres. C'étaient des hurlements, que des gifles
920 durent suivre, car on entendit des poussées, des chaises abattues, toute une lutte, où revenaient les cris de la rivière :

— À l'eau, les calicots !

— Les caboulots, à l'eau ! à l'eau !

Et, lorsque la grosse voix du cabaretier eut calmé la bataille,
925 Hutin brusquement parut. En vareuse[1] rouge, une toque renversée derrière le crâne, il avait à son bras la grande fille blanche, la barreuse, qui, pour porter les couleurs de la yole, s'était planté une touffe de coquelicots sur l'oreille. Des clameurs, des applaudissements accueillirent leur entrée ; et il
930 rayonnait, il bombait la poitrine en se dandinant avec le roulis des marins, il étalait un coup de poing qui lui bleuissait la joue, tout gonflé de la joie d'être remarqué. Derrière eux, l'équipe suivait. Une table fut prise d'assaut, le tapage devint formidable.

935 — Il paraît, expliqua Baugé, après avoir écouté les conversations derrière lui, il paraît que les étudiants ont reconnu la femme de Hutin, une ancienne du quartier, qui chante à présent dans un beuglant, à Montmartre. Et alors on s'est cogné pour elle... Ces étudiants, ça ne paie jamais les femmes !

940 — En tout cas, dit Pauline d'un air pincé, elle est joliment

1. *Vareuse*: blouse de toile que portent marins et pêcheurs pour protéger leurs vêtements.

laide, celle-là, avec ses cheveux carotte… Vrai, je ne sais où
M. Hutin les ramasse, mais elles sont toutes plus sales les unes
que les autres.

Denise avait pâli. C'était en elle un froid de glace, comme
945 si, goutte à goutte, le sang de son cœur se fût retiré. Déjà, sur
la berge, devant la yole rapide, elle avait senti un premier
frisson ; et, maintenant, elle ne pouvait douter, cette fille était
bien avec Hutin. La gorge serrée, les mains tremblantes, elle
ne mangeait plus.

950 — Qu'avez-vous ? demanda son amie.

— Rien, balbutia-t-elle, il fait un peu chaud.

Mais la table de Hutin était voisine, et quand il eut aperçu
Baugé, qu'il connaissait, il engagea la conversation d'une voix
aiguë, pour continuer à occuper la salle.

955 — Dites donc, cria-t-il, êtes-vous toujours vertueux, au *Bon
Marché ?*

— Pas tant que ça, répondit l'autre très rouge.

— Laissez donc ! ils ne prennent que des vierges, et ils ont un
confessionnal en permanence pour les vendeurs qui les regar-
960 dent… Une maison où l'on fait des mariages, merci !

Des rires s'élevèrent. Liénard, qui était de l'équipe, ajouta :

— Ce n'est pas comme au *Louvre*… Il y a une accoucheuse
attachée au comptoir des confections. Parole d'honneur !

La gaieté redoubla. Pauline elle-même éclatait, tellement
965 l'accoucheuse lui semblait drôle. Mais Baugé restait vexé des
plaisanteries sur l'innocence de sa maison. Il se lança tout d'un
coup.

— Avec ça que vous êtes bien, au *Bonheur des Dames !* Flan-
qués à la porte pour un mot ! et un patron qui a l'air de raccro-
970 cher ses clientes !

Hutin ne l'écoutait plus, entamait l'éloge de la *Place Clichy.*
Il y connaissait une jeune fille, qui était si convenable, que les
acheteuses n'osaient s'adresser à elle, de peur de l'humilier.

Ensuite, il rapprocha son couvert, il raconta qu'il avait fait cent
975 quinze francs pendant la semaine ; oh ! une semaine épatante,
Favier laissé à cinquante-deux francs, tout le tableau de ligne
roulé ; et ça se voyait, n'est-ce pas ? il bouffait la monnaie, il ne
se coucherait pas avant d'avoir liquidé les cent quinze francs.
Puis, comme il se grisait, il tomba sur Robineau, ce gringalet [1]
980 de second qui affectait de se tenir à part, au point de ne pas
vouloir, dans la rue, marcher avec un de ses vendeurs.

— Taisez-vous, dit Liénard, vous parlez trop, mon cher.

La chaleur avait grandi, les bougies coulaient sur les nappes
tachées de vin ; et, par les fenêtres ouvertes, lorsque le bruit des
985 dîneurs tombait brusquement, entrait une voix lointaine,
prolongée, la voix de la rivière et des grands peupliers, qui
s'endormaient dans la nuit calme. Baugé venait de demander
l'addition, en voyant que Denise n'allait pas mieux, toute
blanche, le menton convulsé par les larmes qu'elle retenait ;
990 mais le garçon ne reparaissait plus, et elle dut subir encore les
éclats de voix de Hutin. Maintenant, il se disait plus chic que
Liénard, parce que Liénard mangeait simplement l'argent de
son père, tandis que lui mangeait de l'argent gagné, le fruit de
son intelligence. Enfin, Baugé paya, les deux femmes sortirent.
995 — En voilà une du *Louvre*, murmura Pauline dans la
première salle, en regardant une grande fille mince qui mettait
son manteau.

— Tu ne la connais pas, tu n'en sais rien, dit le jeune homme.

— Avec ça ! et la façon de se draper !… Rayon de l'accou-
1000 cheuse, va ! Si elle a entendu, elle doit être contente !

Ils étaient dehors. Denise eut un soupir de soulagement. Elle
avait cru mourir, dans cette chaleur suffocante, au milieu de ces
cris ; et elle expliquait toujours son malaise par le manque d'air.
À présent, elle respirait. Une fraîcheur tombait du ciel étoilé.

1. *Gringalet* : homme de petite taille, maigre et chétif.

1005 Comme les deux jeunes filles quittaient le jardin du restaurant, une voix timide murmura dans l'ombre :

— Bonsoir, mesdemoiselles.

C'était Deloche. Elles ne l'avaient pas vu au fond de la première salle, où il dînait seul, après être venu de Paris à pied, 1010 pour le plaisir. En reconnaissant cette voix amie, Denise, souffrante, céda machinalement au besoin d'un soutien.

— Monsieur Deloche, vous rentrez avec nous, dit-elle. Donnez-moi votre bras.

Déjà Pauline et Baugé marchaient devant. Ils s'étonnèrent. 1015 Ils n'auraient pas cru que ça se ferait ainsi, et avec ce garçon. Pourtant, comme on avait une heure encore avant de prendre le train, ils allèrent jusqu'au bout de l'île, ils suivirent la berge, sous les grands arbres ; et, de temps à autre, ils se retournaient, ils murmuraient :

1020 — Où sont-ils donc ? Ah ! les voici… C'est drôle tout de même.

D'abord, Denise et Deloche avaient gardé le silence. Lentement, le vacarme du restaurant se mourait, prenait une douceur musicale, au fond de la nuit ; et ils entraient plus avant 1025 dans le froid des arbres, encore fiévreux de cette fournaise, dont les bougies s'éteignaient une à une, derrière les feuilles. En face d'eux, c'était comme un mur de ténèbres, une masse d'ombre, si compacte, qu'ils ne distinguaient pas même la trace pâle du sentier. Cependant, ils allaient avec douceur, sans crainte. Puis, 1030 leurs yeux s'accoutumèrent, ils virent à droite les troncs des peupliers, pareils à des colonnes sombres portant les dômes de leurs branches, criblés d'étoiles ; tandis que, sur la droite, l'eau par moments avait dans le noir un luisant de miroir d'étain[1]. Le vent tombait, ils n'entendaient plus que le ruissellement de 1035 la rivière.

1. *Étain* : métal blanc grisâtre.

— Je suis très content de vous avoir rencontrée, finit par balbutier Deloche, qui se décida à parler le premier. Vous ne savez pas combien vous me faites plaisir, en consentant à vous promener avec moi.

1040 Et, les ténèbres aidant, après bien des paroles embarrassées, il osa dire qu'il l'aimait. Depuis longtemps, il voulait le lui écrire ; et jamais elle ne l'aurait su peut-être, sans cette belle nuit complice, sans cette eau qui chantait et ces arbres qui les couvraient du rideau de leurs ombrages. Pourtant, elle ne 1045 répondait point, elle marchait toujours à son bras, du même pas de souffrance. Il cherchait à lui voir le visage, lorsqu'il entendit un léger sanglot.

— Oh ! mon Dieu ! reprit-il, vous pleurez, mademoiselle, vous pleurez… Est-ce que je vous ai fait de la peine ?

1050 — Non, non, murmura-t-elle.

Elle tâchait de retenir ses larmes, mais elle ne le pouvait pas. À table déjà, elle avait cru que son cœur éclatait. Et, maintenant, elle s'abandonnait dans cette ombre, des sanglots venaient de l'étouffer, en pensant que, si Hutin se trouvait à la 1055 place de Deloche et lui disait ainsi des tendresses, elle serait sans force. Cet aveu qu'elle se faisait enfin, l'emplissait de confusion. Une honte lui brûlait la face, comme si elle fût tombée sous ces arbres, aux bras de ce garçon qui s'étalait avec des filles.

1060 — Je ne voulais pas vous offenser, répétait Deloche que les larmes gagnaient.

— Non, écoutez, dit-elle d'une voix encore tremblante, je n'ai aucune colère contre vous. Seulement, je vous en prie, ne me parlez plus comme vous venez de le faire… Ce que vous 1065 demandez est impossible. Oh ! vous êtes un bon garçon, je veux bien être votre amie, mais pas davantage… Entendez-vous, votre amie !

Il frémissait. Après quelques pas faits en silence, il balbutia :

— Enfin, vous ne m'aimez pas ?

1070 Et, comme elle lui évitait le chagrin d'un non brutal, il reprit d'une voix douce et navrée :

— D'ailleurs, je m'y attendais… Jamais je n'ai eu de chance, je sais que je ne puis être heureux. Chez moi, on me battait. À Paris, j'ai toujours été un souffre-douleur. Voyez-vous, lors-

1075 qu'on ne sait pas prendre les maîtresses des autres, et qu'on est assez gauche pour ne pas gagner de l'argent autant qu'eux, eh bien ! on devrait crever tout de suite dans un coin… Oh ! soyez tranquille, je ne vous tourmenterai plus. Quant à vous aimer, vous ne pouvez m'en empêcher, n'est-ce pas ? Je vous aimerai

1080 pour rien, comme une bête… Voilà ! tout fiche le camp, c'est ma part dans la vie.

À son tour, il pleura. Elle le consolait, et dans leur effusion amicale, ils apprirent qu'ils étaient du même pays, elle de Valognes, lui de Briquebec, à treize kilomètres. Ce fut un

1085 nouveau lien. Son père à lui, petit huissier nécessiteux, d'une jalousie maladive, le rossait en le traitant de bâtard, exaspéré de sa longue figure blême et de ses cheveux de chanvre, qui, disait-il, n'étaient pas dans la famille. Ils en arrivèrent à parler des grands herbages entourés de haies vives, des sentiers couverts

1090 qui se perdent sous les ormes, des routes gazonnées comme des allées de parc. Autour d'eux, la nuit pâlissait encore, ils distin-guaient les joncs de la rive, la dentelle des ombrages, noire sur le scintillement des étoiles ; et un apaisement leur venait, ils oubliaient leurs maux, rapprochés par leur malchance, dans une

1095 amitié de bons camarades.

— Eh bien ? demanda vivement Pauline à Denise, en la prenant à part, quand ils furent devant la station.

La jeune fille comprit au sourire et au ton de tendre curio-sité. Elle devint très rouge, en répondant :

1100 — Mais jamais, ma chère ! Puisque je vous ai dit que je ne voulais pas !… Il est de mon pays. Nous causions de Valognes.

Pauline et Baugé restèrent perplexes, dérangés dans leurs idées, ne sachant plus que croire. Deloche les quitta sur la place de la Bastille; comme tous les jeunes gens au pair, il couchait au magasin, où il devait être à onze heures. Ne voulant pas rentrer avec lui, Denise, qui s'était fait donner une permission de théâtre, accepta d'accompagner Pauline chez Baugé. Celui-ci, pour se rapprocher de sa maîtresse, était venu demeurer rue Saint-Roch. On prit un fiacre, et Denise demeura stupéfaite, lorsque, en chemin, elle sut que son amie allait passer la nuit avec le jeune homme. Rien n'était plus facile, on donnait cinq francs à M^{me} Cabin, toutes ces demoiselles en usaient. Baugé fit les honneurs de sa chambre, garnie de vieux meubles Empire, envoyés par son père. Il se fâcha quand Denise parla de régler, puis finit par accepter les quinze francs soixante, qu'elle avait posés sur la commode; mais il voulut alors lui offrir une tasse de thé, et il se battit contre une bouilloire à esprit-de-vin[1], fut obligé de redescendre acheter du sucre. Minuit sonnait, quand il emplit les tasses.

— Il faut que je m'en aille, répétait Denise.

Et Pauline répondait:

— Tout à l'heure… Les théâtres ne ferment pas si tôt.

Denise était gênée dans cette chambre de garçon. Elle avait vu son amie se mettre en jupon et en corset, elle la regardait préparer le lit, l'ouvrir, taper les oreillers de ses bras nus; et ce petit ménage d'une nuit d'amour, fait devant elle, la troublait, lui causait une honte, en éveillant de nouveau, dans son cœur blessé, le souvenir de Hutin. Ce n'était guère salutaire des journées pareilles. Enfin, à minuit un quart, elle les quitta. Mais elle partit confuse, lorsque, en réponse à son souhait innocent d'une bonne nuit, Pauline cria étourdiment:

— Merci, la nuit sera bonne!

1. *Esprit-de-vin*: alcool éthylique, qui sert ici à chauffer l'eau.

La porte particulière qui menait à l'appartement de Mouret et aux chambres du personnel, se trouvait rue Neuve-Saint-Augustin. M^me Cabin tirait le cordon, puis donnait un coup d'œil, pour pointer la rentrée. Une veilleuse éclairait faiblement le vestibule, Denise se trouva dans cette lueur, hésitante, prise d'une inquiétude, car en tournant le coin de la rue, elle avait vu la porte se refermer sur l'ombre vague d'un homme. Ce devait être le patron, rentrant de soirée ; et l'idée qu'il était là, dans le noir, à l'attendre peut-être, lui causait une de ces peurs étranges, dont il la bouleversait encore, sans motif raisonnable. Quelqu'un remua au premier, des bottes craquaient. Alors, elle perdit la tête, elle poussa une porte qui donnait sur le magasin, et qu'on laissait ouverte, pour les rondes de surveillance. Elle était dans le rayon de la rouennerie [1].

— Mon Dieu ! comment faire ? balbutia-t-elle, au milieu de son émotion.

La pensée lui vint qu'il existait, en haut, une autre porte de communication, conduisant aux chambres. Seulement, il fallait traverser tout le magasin. Elle préféra ce voyage, malgré les ténèbres qui noyaient les galeries. Pas un bec de gaz ne brûlait, il n'y avait que des lampes à huile, accrochées de loin en loin aux branches des lustres ; et ces clartés éparses, pareilles à des taches jaunes, et dont la nuit mangeait les rayons, ressemblaient aux lanternes pendues dans des mines. De grandes ombres flottaient, on distinguait mal les amoncellements de marchandises, qui prenaient des profils effrayants, colonnes écroulées, bêtes accroupies, voleurs à l'affût. Le silence lourd, coupé de respirations lointaines, élargissait encore ces ténèbres. Pourtant, elle s'orienta : le blanc, à sa gauche, faisait une coulée pâle, comme le bleuissement des maisons d'une rue, sous un ciel d'été ; alors,

1. *Rouennerie* : rayon des toiles de coton fabriquées à Rouen.

elle voulut traverser tout de suite le hall, mais elle se heurta dans des piles d'indienne[1] et jugea plus sûr de suivre la bonneterie, puis les lainages. Là, un tonnerre l'inquiéta, le ronflement sonore de Joseph, le garçon, qui dormait derrière les articles de deuil. Elle se jeta vite dans le hall, que le vitrage éclairait d'une lumière crépusculaire ; il semblait agrandi, plein de l'effroi nocturne des églises, avec l'immobilité de ses casiers et les silhouettes de ses grands mètres, qui dessinaient des croix renversées. Maintenant elle fuyait. À la mercerie, à la ganterie, elle faillit enjamber encore des garçons de service, et elle se crut seulement sauvée, lorsqu'elle trouva enfin l'escalier. Mais, en haut, devant le rayon des confections, une terreur la saisit, en apercevant une lanterne, dont l'œil clignotant marchait : c'était une ronde, deux pompiers en train de marquer leur passage aux cadrans des indicateurs. Elle resta une minute sans comprendre, elle les regarda passer des châles à l'ameublement, puis à la lingerie, épouvantée de leur manœuvre étrange, de la clef qui grinçait, des portes de tôle qui retombaient avec un bruit de massacre. Quand ils approchèrent, elle se réfugia au fond du salon des dentelles, d'où le brusque appel d'une voix la fit aussitôt ressortir, pour gagner la porte de communication en courant. Elle avait reconnu la voix de Deloche, il couchait dans son rayon, sur un petit lit de fer, qu'il dressait lui-même tous les soirs ; et il n'y dormait pas encore, il y revivait, les yeux ouverts, les heures douces de la soirée.

— Comment ! c'est vous, mademoiselle ! dit Mouret, que Denise trouva devant elle, dans l'escalier, une petite bougie de poche à la main.

Elle balbutia, voulut expliquer qu'elle venait de chercher quelque chose au rayon. Mais il ne se fâchait point, il la regardait de son air à la fois paternel et curieux.

1. *Indienne* : toile de coton peinte ou imprimée.

— Vous aviez donc une permission de théâtre ?

1195 — Oui, monsieur.

— Et vous êtes-vous divertie ?... À quel théâtre êtes-vous allée ?

— Monsieur, je suis allée à la campagne.

Cela le fit rire. Puis, il demanda, en appuyant sur les mots :

1200 — Toute seule ?

— Non, monsieur, avec une amie, répondit-elle, les joues empourprées, honteuse de la pensée qu'il avait sans doute.

Alors, il se tut. Mais il la regardait toujours, dans sa petite robe noire, coiffée de son chapeau garni d'un seul ruban bleu.

1205 Est-ce que cette sauvageonne finirait par devenir une jolie fille ? Elle sentait bon de sa course au grand air, elle était charmante avec ses beaux cheveux épeurés[1] sur son front. Et lui qui, depuis six mois, la traitait en enfant, qui la conseillait parfois, cédant à des idées d'expérience, à des envies méchantes de

1210 savoir comment une femme poussait et se perdait dans Paris, il ne riait plus, il éprouvait un sentiment indéfinissable de surprise et de crainte, mêlé de tendresse. Sans doute, c'était un amant qui l'embellissait ainsi. À cette pensée, il lui sembla qu'un oiseau favori, dont il jouait, venait de le piquer au sang.

1215 — Bonsoir, monsieur, murmura Denise, en continuant de monter, sans attendre.

Il ne répondit pas, la regarda disparaître. Puis, il rentra chez lui.

1. *Épeurés* : comme dressés sous l'effet de la peur.

VI

Quand la morte-saison d'été fut venue, un vent de panique souffla au *Bonheur des Dames*. C'était le coup de terreur des congés, les renvois en masse dont la direction balayait le magasin, vide de clientes pendant les chaleurs de juillet et d'août.

Mouret, chaque matin, lorsqu'il faisait avec Bourdoncle son inspection, prenait à part les chefs de comptoir, qu'il avait poussés, l'hiver, pour que la vente ne souffrît pas, à engager plus de vendeurs qu'il ne leur en fallait, quitte à écrémer ensuite leur personnel. Il s'agissait maintenant de diminuer les frais, en rendant au pavé un bon tiers des commis, les faibles qui se laissaient manger par les forts.

— Voyons, disait-il, vous en avez là-dedans qui ne font pas votre affaire... On ne peut les garder pourtant à rester ainsi, les mains ballantes.

Et, si le chef de comptoir hésitait, ne sachant lesquels sacrifier :

— Arrangez-vous, six vendeurs doivent vous suffire... Vous en reprendrez en octobre, il en traîne assez dans les rues !

D'ailleurs, Bourdoncle se chargeait des exécutions. Il avait, de ses lèvres minces, un terrible : « Passez à la caisse ! » qui tombait comme un coup de hache. Tout lui devenait prétexte pour déblayer le plancher. Il inventait des méfaits, il spéculait sur les plus légères négligences. « Vous étiez assis, monsieur : passez à la caisse ! — Vous répondez, je crois : passez à la caisse ! — Vos souliers ne sont pas cirés : passez à la caisse ! » Et les braves eux-mêmes tremblaient, devant le massacre qu'il laissait derrière lui. Puis, la mécanique ne fonctionnant pas assez vite, il avait imaginé un traquenard, où, en quelques jours, il

30 étranglait sans fatigue le nombre de vendeurs condamnés d'avance. Dès huit heures, il se tenait debout sous la porte, sa montre à la main ; et, à trois minutes de retard, l'implacable : « Passez à la caisse ! » hachait les jeunes gens essoufflés. C'était de la besogne vivement et proprement faite.

35 — Vous avez une sale figure, vous ! finit-il par dire un jour à un pauvre diable dont le nez de travers l'agaçait. Passez à la caisse !

Les protégés obtenaient quinze jours de vacances, qu'on ne leur payait pas, ce qui était une façon plus humaine de dimi-
40 nuer les frais. Du reste, les vendeurs acceptaient leur situation précaire, sous le fouet de la nécessité et de l'habitude. Depuis leur débarquement à Paris, ils roulaient sur la place, ils commençaient leur apprentissage à droite, le finissaient à gauche, étaient renvoyés ou s'en allaient d'eux-mêmes, tout
45 d'un coup, au hasard de l'intérêt. L'usine chômait, on suppri- mait le pain aux ouvriers ; et cela passait dans le branle indiffé- rent de la machine, le rouage inutile était tranquillement jeté de côté, ainsi qu'une roue de fer, à laquelle on ne garde aucune reconnaissance des services rendus. Tant pis pour ceux qui ne
50 savaient pas se tailler leur part !

Maintenant, les rayons ne causaient plus d'autre chose. Chaque jour, de nouvelles histoires circulaient. On nommait les vendeurs congédiés, comme, en temps d'épidémie, on compte les morts. Les châles et les lainages surtout furent
55 éprouvés : sept commis y disparurent en une semaine. Puis, un drame bouleversa la lingerie, où une acheteuse s'était trouvée mal, en accusant la demoiselle qui la servait de manger de l'ail ; et celle-ci fut chassée sur l'heure, bien que, peu nourrie et toujours affamée, elle achevât simplement au comptoir toute
60 une provision de croûtes de pain. La direction se montrait impitoyable, devant la moindre plainte des clientes ; aucune excuse n'était admise, l'employé avait toujours tort, devait

disparaître ainsi qu'un instrument défectueux, nuisant au bon mécanisme de la vente ; et les camarades baissaient la tête, ne
65 tentaient même pas de le défendre. Dans la panique qui soufflait, chacun tremblait pour soi : Mignot, un jour qu'il sortait un paquet sous sa redingote, malgré le règlement, faillit être surpris et se crut du coup sur le pavé ; Liénard, dont la paresse était célèbre, dut à la situation de son père dans les nouveautés,
70 de n'être pas mis à la porte, une après-midi que Bourdoncle le trouva dormant debout, entre deux piles de velours anglais. Mais les Lhomme surtout s'inquiétaient, s'attendaient chaque matin au renvoi de leur fils Albert : on était très mécontent de la façon dont il tenait sa caisse, des femmes venaient le
75 distraire ; et deux fois M^{me} Aurélie dut fléchir la direction.

Cependant, Denise, au milieu de ce coup de balai, était si menacée, qu'elle vivait dans la continuelle attente d'une catastrophe. Elle avait beau être courageuse, lutter de toute sa gaieté et de toute sa raison, pour ne pas céder aux crises de sa nature
80 tendre : des larmes l'aveuglaient dès qu'elle avait refermé la porte de sa chambre, elle se désolait en se voyant à la rue, fâchée avec son oncle, ne sachant où aller, sans un sou d'économie, et ayant sur les bras les deux enfants. Les sensations des premières semaines renaissaient, il lui semblait être un grain de mil[1] sous
85 une meule puissante ; et c'était, en elle, un abandon découragé, à se sentir si peu de chose, dans cette grande machine qui l'écraserait avec sa tranquille indifférence. Aucune illusion n'était possible : si l'on congédiait une vendeuse des confections, elle se trouvait désignée. Sans doute, pendant la partie
90 de Rambouillet, ces demoiselles avaient monté la tête de M^{me} Aurélie, car cette dernière la traitait depuis lors d'un air de sévérité, où il entrait comme une rancune. On ne lui pardonnait pas d'ailleurs d'être allée à Joinville, on voyait là

1. *Mil* : céréale à petits grains.

une révolte, une façon de narguer le comptoir tout entier, en
95 s'affichant dehors avec une demoiselle du comptoir ennemi.
Jamais Denise n'avait plus souffert au rayon, et maintenant elle
désespérait de le conquérir.

— Laissez-les donc ! répétait Pauline, des poseuses [1] qui sont
bêtes comme des oies !

100 Mais c'était justement ces allures de dame qui intimidaient
la jeune fille. Presque toutes les vendeuses, dans leur frottement
quotidien avec la clientèle riche, prenaient des grâces, finis-
saient par être d'une classe vague, flottant entre l'ouvrière et la
bourgeoise ; et sous leur art de s'habiller, sous les manières et
105 les phrases apprises, il n'y avait souvent qu'une instruction
fausse, la lecture des petits journaux, des tirades de drame,
toutes les sottises courantes du pavé de Paris.

— Vous savez que la mal peignée a un enfant, dit un matin
Clara, en arrivant au rayon.

110 Et, comme on s'étonnait :

— Puisque je l'ai vue hier soir qui promenait le mioche !...
Elle doit le remiser quelque part.

À deux jours de là, Marguerite, en remontant de dîner,
donna une autre nouvelle.

115 — C'est du propre, je viens de voir l'amant de la mal
peignée... Un ouvrier, imaginez-vous ! oui, un sale petit ouvrier,
avec des cheveux jaunes, qui la guettait à travers les vitres.

Dès lors, ce fut une vérité acquise : Denise avait un
manœuvre pour amant, et cachait un enfant dans le quartier.
120 On la cribla d'allusions méchantes. La première fois qu'elle
comprit, elle devint toute pâle, devant la monstruosité de
pareilles suppositions. C'était abominable, elle voulut s'ex-
cuser, elle balbutia :

1. *Poseuses* : femmes prétentieuses qui cherchent sans cesse à se faire valoir par leurs gestes
et leurs attitudes.

— Mais ce sont mes frères !

125 — Oh ! ses frères ! dit Clara de sa voix de blague.

Il fallut que M^me Aurélie intervînt.

— Taisez-vous ! mesdemoiselles, vous feriez mieux de changer ces étiquettes... Mademoiselle Baudu est bien libre de se mal conduire dehors. Si elle travaillait ici, au moins !

130 Et cette défense sèche était une condamnation. La jeune fille, suffoquée comme si on l'avait accusée d'un crime, tâcha vainement d'expliquer les faits. On riait, on haussait les épaules. Elle en garda une plaie vive au cœur. Deloche, lorsque le bruit se répandit, fut tellement indigné, qu'il parlait de gifler ces

135 demoiselles des confections ; et, seule, la crainte de la compromettre le retint. Depuis la soirée de Joinville, il avait pour elle un amour soumis, une amitié presque religieuse, qu'il lui témoignait par ses regards de bon chien. Personne ne devait soupçonner leur affection, car on se serait moqué d'eux ; mais

140 cela ne l'empêchait pas de rêver de brusques violences, le coup de poing vengeur, si jamais on s'attaquait à elle devant lui.

Denise finit par ne plus répondre. C'était trop odieux, personne ne le croirait. Quand une camarade risquait une nouvelle allusion, elle se contentait de la regarder fixement,

145 d'un air triste et calme. D'ailleurs, elle avait d'autres ennuis, des soucis matériels qui la préoccupaient davantage. Jean continuait à n'être pas raisonnable, il la harcelait toujours de demandes d'argent. Peu de semaines se passaient, sans qu'elle reçût de lui toute une histoire, en quatre pages ; et, quand le

150 vaguemestre [1] de la maison lui remettait ces lettres d'une grosse écriture passionnée, elle se hâtait de les cacher dans sa poche, car les vendeuses affectaient de rire, en chantonnant des gaillardises. Puis, après avoir inventé des prétextes pour aller déchiffrer les lettres à l'autre bout du magasin, elle était prise de

1. *Vaguemestre* : terme militaire désignant le sous-officier chargé de la poste.

155 terreurs : ce pauvre Jean lui semblait perdu. Toutes les bourdes[1]
réussissaient auprès d'elle, des aventures d'amour extraordi-
naires, dont son ignorance de ces choses exagérait encore les
périls. C'étaient une pièce de quarante sous pour échapper à la
jalousie d'une femme, et des cinq francs, et des six francs qui
160 devaient réparer l'honneur d'une pauvre fille, que son père
tuerait sans cela. Alors, comme ses appointements et son tant
pour cent ne suffisaient point, elle avait eu l'idée de chercher
un petit travail, en dehors de son emploi. Elle s'en était ouverte
à Robineau, qui lui restait sympathique, depuis leur première
165 rencontre chez Vinçard ; et il lui avait procuré des nœuds de
cravate, à cinq sous la douzaine. La nuit, de neuf heures à une
heure, elle pouvait en coudre six douzaines, ce qui lui faisait
trente sous, sur lesquels il fallait déduire une bougie de quatre
sous. Mais ces vingt-six sous par jour entretenaient Jean, elle
170 ne se plaignait pas du manque de sommeil, elle se serait
estimée très heureuse, si une catastrophe n'avait une fois encore
bouleversé son budget. À la fin de la seconde quinzaine, lors-
qu'elle s'était présentée chez l'entrepreneuse des nœuds de
cravate, elle avait trouvé porte close : une faillite, une banque-
175 route, qui lui emportait dix-huit francs trente centimes,
somme considérable, et sur laquelle, depuis huit jours, elle
comptait absolument. Toutes les misères du rayon disparais-
saient devant ce désastre.

— Vous êtes triste, lui dit Pauline, qui la rencontra, dans la
180 galerie de l'ameublement. Est-ce que vous avez besoin de
quelque chose, dites ?

Mais Denise devait déjà douze francs à son amie. Elle
répondit, en essayant de sourire :

— Non, merci… J'ai mal dormi, voilà tout.

185 C'était le vingt juillet, au plus fort de la panique des renvois.

1. *Bourdes* : mensonges.

Sur les quatre cents employés, Bourdoncle en avait déjà balayé cinquante ; et le bruit courait d'exécutions nouvelles. Elle ne songeait guère pourtant aux menaces qui soufflaient, elle était tout entière à l'angoisse d'une aventure de Jean, plus terrifiante que les autres. Ce jour-là, il lui fallait quinze francs, dont l'envoi pouvait seul le sauver de la vengeance d'un mari trompé. La veille, elle avait reçu une première lettre, posant le drame ; puis, coup sur coup, il en était venu deux autres, la dernière surtout qu'elle achevait, quand Pauline l'avait rencontrée, et où Jean lui annonçait sa mort pour le soir, s'il n'avait pas les quinze francs. Elle se torturait l'esprit. Impossible de prendre sur la pension de Pépé, payée depuis deux jours. Toutes les malchances tombaient à la fois, car elle espérait rentrer dans ses dix-huit francs trente, en s'adressant à Robineau, qui retrouverait peut-être l'entrepreneuse des nœuds de cravate ; mais Robineau, ayant obtenu un congé de deux semaines, n'était pas revenu la veille, comme on l'attendait.

Cependant, Pauline la questionnait encore, amicalement. Lorsque toutes deux se rejoignaient ainsi, au fond d'un rayon écarté, elles causaient quelques minutes, l'œil aux aguets. Soudain, la lingère eut un geste de fuite : elle venait d'apercevoir la cravate blanche d'un inspecteur, qui sortait des châles.

— Ah ! non, c'est le père Jouve, murmura-t-elle d'un air rassuré. Je ne sais ce qu'il a, ce vieux, à rire, quand il nous voit ensemble… À votre place, j'aurais peur, car il est trop gentil pour vous. Un chien fini, mauvais comme la gale, et qui croit encore parler à ses troupiers[1] !

En effet, le père Jouve était détesté de tous les vendeurs, pour la sévérité de sa surveillance. Plus de la moitié des renvois se faisaient sur ses rapports. Son grand nez rouge d'ancien

1. *Troupiers* : soldats (terme familier).

capitaine noceur ne s'humanisait que dans les comptoirs tenus par des femmes.

— Pourquoi aurais-je peur ? demanda Denise.

220 — Dame ! répondit Pauline en riant, il exigera peut-être de la reconnaissance… Plusieurs de ces demoiselles se le ménagent.

Jouve s'était éloigné, en feignant de ne pas les voir ; et elles l'entendirent qui tombait sur un vendeur des dentelles, 225 coupable de regarder un cheval abattu, dans la rue Neuve-Saint-Augustin.

— À propos, reprit Pauline, est-ce que vous ne cherchiez pas M. Robineau, hier ? Il est revenu.

Denise se crut sauvée.

230 — Merci, Je vais faire le tour alors et passer par la soierie… Tant pis ! on m'a envoyée là-haut, à l'atelier, pour un poignard[1].

Elles se séparèrent. La jeune fille, d'un air affairé, comme si elle courait de caisse en caisse, à la recherche d'une erreur, 235 gagna l'escalier et descendit dans le hall. Il était dix heures moins un quart, la première table venait d'être sonnée. Un lourd soleil chauffait les vitrages, et malgré les stores de toile grise, la chaleur tombait dans l'air immobile. Par moments, une haleine fraîche montait des parquets, que des garçons de 240 magasin arrosaient d'un mince filet d'eau. C'était une somnolence, une sieste d'été, au milieu du vide élargi des comptoirs, pareils à des chapelles, où l'ombre dort, après la dernière messe. Des vendeurs nonchalants se tenaient debout, quelques rares clientes suivaient les galeries, traversaient le hall, de ce pas 245 abandonné des femmes que le soleil tourmente.

Comme Denise descendait, Favier métrait justement une

1. *Poignard* : retouche (terme spécifique aux grandes maisons, que Zola a noté dans son dossier préparatoire).

robe de soie légère, à pois roses, pour M^me Boutarel, débarquée
la veille du Midi. Depuis le commencement du mois, les
départements donnaient, on ne voyait guère que des dames
250 fagotées[1], des châles jaunes, des jupes vertes, le déballage en
masse de la province. Les commis, indifférents, ne riaient
même plus. Favier accompagna M^me Boutarel à la mercerie, et
quand il reparut, il dit à Hutin :

— Hier toutes auvergnates, aujourd'hui toutes proven-
255 çales... J'en ai mal à la tête.

Mais Hutin se précipita, c'était son tour, et il avait reconnu
« la jolie dame », cette blonde adorable que le rayon désignait
ainsi, ne sachant rien d'elle, pas même son nom. Tous lui
souriaient, il ne se passait point de semaine sans qu'elle entrât
260 au *Bonheur*, toujours seule. Cette fois, elle avait avec elle un
petit garçon de quatre ou cinq ans. On en causa.

— Elle est donc mariée ? demanda Favier, lorsque Hutin
revint de la caisse, où il avait fait débiter trente mètres de satin
duchesse.

265 — Possible, répondit ce dernier, quoique ça ne prouve rien,
ce mioche. Il pourrait être à une amie... Ce qu'il y a de sûr,
c'est qu'elle doit avoir pleuré. Oh ! une tristesse, et des yeux
rouges !

Un silence régna. Les deux vendeurs regardaient vaguement
270 dans les lointains du magasin. Puis, Favier reprit d'une voix
lente :

— Si elle est mariée, son mari lui a peut-être bien allongé des
gifles.

— Possible, répéta Hutin, à moins que ce ne soit un amant
275 qui l'ait plantée là.

Et il conclut, après un nouveau silence :

— Ce que je m'en fiche !

1. *Fagotées* : mal habillées.

À ce moment, Denise traversait le rayon des soieries, en ralentissant sa marche et en regardant autour d'elle, pour
280 découvrir Robineau. Elle ne le vit pas, alla dans la galerie du blanc, puis traversa une seconde fois. Les deux vendeurs s'étaient aperçus de son manège.

— La voilà encore, cette désossée! murmura Hutin.

— Elle cherche Robineau, dit Favier. Je ne sais ce qu'ils frico-
285 tent ensemble. Oh! rien de drôle, Robineau est trop bête là-dessus… On raconte qu'il lui a procuré un petit travail, des nœuds de cravate. Hein? quel négoce!

Hutin méditait une méchanceté. Lorsque Denise passa près de lui, il l'arrêta, en disant:
290 — C'est moi que vous cherchez?

Elle devint très rouge. Depuis la soirée de Joinville, elle n'osait lire dans son cœur, où se heurtaient des sentiments confus. Elle le revoyait sans cesse avec cette fille aux cheveux roux, et si elle frémissait encore devant lui, c'était peut-être de
295 malaise. L'avait-elle aimé? l'aimait-elle toujours? elle ne voulait point remuer ces choses, qui lui étaient pénibles.

— Non, monsieur, répondit-elle, embarrassée.

Alors, Hutin s'amusa de sa gêne.

— Si vous désirez qu'on vous le serve… Favier, servez donc
300 Robineau à mademoiselle.

Elle le regarda fixement, du regard triste et calme dont elle recevait les allusions blessantes de ces demoiselles. Ah! il était méchant, il la frappait ainsi que les autres! Et il y avait en elle comme un déchirement, un dernier lien qui se rompait. Son
305 visage exprima une telle souffrance, que Favier, peu tendre de son naturel, vint pourtant à son secours.

— M. Robineau est au rassortiment [1], dit-il. Il rentrera pour

1. *Rassortiment*: il s'agit d'aller chercher dans des maisons de gros les produits qui font défaut au rayon.

déjeuner sans doute… Vous le trouverez cette après-midi, si vous avez à lui parler.

310 Denise remercia, remonta aux confections, où M^{me} Aurélie l'attendait, dans une colère froide. Comment ! elle était partie depuis une demi-heure ! d'où sortait-elle ? pas de l'atelier, bien sûr ? La jeune fille baissait la tête, songeait à cet acharnement du malheur. C'était fini, si Robineau ne rentrait pas. Cepen-
315 dant, elle se promettait de redescendre.

 Aux soieries, le retour de Robineau avait déchaîné toute une révolution. Le comptoir espérait qu'il ne rentrerait pas, dégoûté des ennuis qu'on lui créait sans cesse ; et, un moment, en effet, toujours pressé par Vinçard, qui voulait lui céder son
320 fonds de commerce, il avait failli le prendre. Le sourd travail de Hutin, la mine qu'il creusait depuis de longs mois sous les pieds du second, allait enfin éclater. Pendant le congé de celui-ci, comme il le suppléait à titre de premier vendeur, il s'était efforcé de lui nuire dans l'esprit des chefs, de s'installer à sa
325 place, par des excès de zèle : c'étaient de petites irrégularités découvertes et étalées, des projets d'améliorations soumis, des dessins nouveaux qu'il imaginait. Tous, d'ailleurs, dans le rayon, depuis le débutant rêvant de passer vendeur, jusqu'au premier convoitant la situation d'intéressé, tous n'avaient
330 qu'une idée fixe, déloger le camarade au-dessus de soi pour monter d'un échelon, le manger s'il devenait un obstacle ; et cette lutte des appétits, cette poussée des uns sur les autres, était comme le bon fonctionnement même de la machine, ce qui enrageait la vente et allumait cette flambée du succès dont
335 Paris s'étonnait. Derrière Hutin, il y avait Favier, puis derrière Favier, les autres, à la file. On entendait un gros bruit de mâchoires. Robineau était condamné, chacun déjà emportait son os. Aussi, lorsque le second reparut, le grognement fut-il général. Il fallait en finir, l'attitude des vendeurs lui avait
340 semblé si menaçante, que le chef du comptoir, pour donner à

la direction le temps de prendre un parti, venait d'envoyer Robineau au rassortiment.

— Nous préférons nous en aller tous, si on le garde, déclarait Hutin.

345 Cette affaire ennuyait Bouthemont, dont la gaieté s'accommodait mal d'un tel tracas intérieur. Il souffrait de ne plus avoir autour de lui que des visages renfrognés. Pourtant, il voulait être juste.

— Voyons, laissez-le tranquille, il ne vous fait rien.

350 Mais des protestations éclataient.

— Comment ! il ne nous fait rien ?… Un être insupportable, toujours nerveux, et qui vous passerait sur le corps, tant il est fier !

C'était la grande rancune du rayon. Robineau, avec des nerfs
355 de femme, avait des raideurs et des susceptibilités inacceptables. On racontait vingt anecdotes, un petit jeune homme qui en était tombé malade, jusqu'à des clientes qu'il avait humiliées par ses remarques cassantes.

— Enfin, messieurs, dit Bouthemont, je ne peux rien prendre
360 sur moi… J'ai averti la direction, je vais en causer tout à l'heure.

On sonnait la seconde table, une volée de cloche montait du sous-sol, lointaine et assourdie dans l'air mort du magasin. Hutin et Favier descendirent. De tous les comptoirs, des
365 vendeurs arrivaient un à un, débandés[1], se pressant en bas, à l'entrée étroite du couloir de la cuisine, un couloir humide que des becs de gaz éclairaient continuellement. Le troupeau s'y hâtait, sans un rire, sans une parole, au milieu d'un bruit croissant de vaisselle et dans une odeur forte de nourriture. Puis, à
370 l'extrémité du couloir, il y avait une halte brusque, devant un guichet. Flanqué de piles d'assiettes, armé de fourchettes et de

1. *Débandés* : en ordre dispersé.

cuillers qu'il plongeait dans des bassines de cuivre, un cuisi-
nier y distribuait les portions. Et, quand il s'écartait, derrière
son ventre tendu de blanc, on apercevait la cuisine flambante.

375 — Allons, bon ! murmura Hutin en consultant le menu, écrit
sur un tableau noir, au-dessus du guichet, du bœuf sauce
piquante, ou de la raie... Jamais de rôti, dans cette baraque !
Ça ne tient pas au corps, leur bouilli et leur poisson !

Du reste, le poisson était généralement méprisé, car la
380 bassine restait pleine. Favier prit pourtant de la raie. Derrière
lui, Hutin se baissa en disant :

— Bœuf sauce piquante.

De son geste mécanique, le cuisinier avait piqué un morceau
de viande, puis l'avait arrosé d'une cuillerée de sauce ; et Hutin,
385 suffoqué d'avoir reçu au visage le souffle ardent du guichet,
emportait à peine sa portion, que déjà derrière lui les mots :
« Bœuf sauce piquante... Bœuf sauce piquante... », se suivaient
comme des litanies ; pendant que, sans relâche, le cuisinier
piquait des morceaux et les arrosait de sauce, avec le mouve-
390 ment rapide et rythmique d'une horloge bien réglée.

— Elle est froide, leur raie, déclara Favier, dont la main ne
sentait pas de chaleur.

Tous, maintenant, filaient, le bras tendu, leur assiette droite,
pris de la crainte de se heurter. Dix pas plus loin, s'ouvrait la
395 buvette, un autre guichet, avec un comptoir d'étain[1] luisant,
où étaient rangées les parts de vin, de petites bouteilles sans
bouchon, encore humides du rinçage. Et chacun, de sa main
vide, recevait au passage une de ces bouteilles, puis, dès lors
embarrassé, gagnait sa table d'un air sérieux, veillant à l'équi-
400 libre.

Hutin grondait sourdement :

— En voilà une promenade, avec cette vaisselle !

1. *Étain* : métal blanc grisâtre.

Leur table, à Favier et à lui, se trouvait au bout du corridor, dans la dernière salle à manger. Toutes les salles se ressem-
405 blaient, étaient d'anciennes caves, de quatre mètres sur cinq, qu'on avait enduites au ciment et aménagées en réfectoires ; mais l'humidité crevait la peinture, les murailles jaunes se marbraient de taches verdâtres ; et, du puits étroit des soupi-raux, ouvrant sur la rue, au ras du trottoir, tombait un jour
410 livide, sans cesse traversé par les ombres vagues des passants. En juillet comme en décembre, on y étouffait, dans la buée chaude, chargée d'odeurs nauséabondes, que soufflait le voisi-nage de la cuisine.

Cependant, Hutin était entré le premier. Sur la table, scellée
415 d'un bout dans le mur et couverte d'une toile cirée, il n'y avait que les verres, les fourchettes et les couteaux, marquant les places. Des piles d'assiettes de rechange se dressaient à chaque extrémité ; tandis que, au milieu, s'allongeait un gros pain, percé d'un couteau, le manche en l'air. Hutin se débarrassa de
420 sa bouteille, posa son assiette ; puis, après avoir pris sa serviette, au bas du casier, qui était le seul ornement des murailles, il s'assit en poussant un soupir.

— Avec ça, j'ai une faim ! murmura-t-il.

— C'est toujours ainsi, dit Favier, qui s'installait à sa gauche.
425 Il n'y a rien, quand on crève.

La table se remplissait rapidement. Elle contenait vingt-deux couverts. D'abord, il n'y eut qu'un tapage violent de four-chettes, une goinfrerie de grands gaillards aux estomacs creusés par treize heures de fatigues quotidiennes. Dans les commen-
430 cements, les commis, qui avaient une heure pour manger, pouvaient aller prendre leur café dehors ; aussi dépêchaient-ils le déjeuner en vingt minutes, avec la hâte de gagner la rue. Mais cela les remuait trop, ils rentraient distraits, l'esprit détourné de la vente ; et la direction avait décidé qu'ils ne sortiraient plus,
435 qu'ils paieraient trois sous de supplément, pour une tasse de

café, s'ils en voulaient. Aussi, maintenant, faisaient-ils traîner le repas, peu soucieux de remonter au rayon avant l'heure. Beaucoup, en avalant de grosses bouchées, lisaient un journal, plié et tenu debout contre leur bouteille. D'autres, quand leur première faim était satisfaite, causaient bruyamment, revenaient aux éternels sujets de la mauvaise nourriture, de l'argent gagné, de ce qu'ils avaient fait, le dimanche précédent, et de ce qu'ils feraient, l'autre dimanche.

— Dites donc, et votre Robineau ? demanda un vendeur à Hutin.

La lutte des soyeux contre leur second occupait tous les comptoirs. On discutait la question chaque jour, au café Saint-Roch, jusqu'à minuit. Hutin, qui s'acharnait sur son morceau de bœuf, se contenta de répondre :

— Eh bien ! il est revenu, Robineau.

Puis, se fâchant tout d'un coup :

— Mais, sacredieu ; ils m'ont donné de l'âne !… À la fin, c'est dégoûtant, ma parole d'honneur !

— Ne vous plaignez donc pas ! dit Favier. Moi qui ai fait la bêtise de prendre de la raie… Elle est pourrie.

Tous parlaient à la fois, s'indignaient, plaisantaient. Dans un coin de la table, contre le mur, Deloche mangeait silencieusement. Il était affligé d'un appétit excessif, qu'il n'avait jamais satisfait, et comme il gagnait trop peu pour se payer des suppléments, il se taillait des tranches de pain énormes, il avalait les platées les moins ragoûtantes, d'un air de gourmandise. Aussi tous s'amusaient-ils de lui, criant :

— Favier, passez votre raie à Deloche… Il l'aime comme ça.

— Et votre viande, Hutin : Deloche la demande pour son dessert.

Le pauvre garçon haussait les épaules, ne répondait même pas. Ce n'était point sa faute, s'il crevait de faim. D'ailleurs, les autres avaient beau cracher sur les plats, ils se gavaient tout de même.

Mais un léger sifflement les fit taire. On signalait la présence
470 de Mouret et de Bourdoncle dans le couloir. Depuis quelque
temps, les plaintes des employés devenaient telles, que la direc-
tion affectait de descendre juger par elle-même la qualité de la
nourriture. Sur les trente sous qu'elle donnait au chef, par jour
et par tête, celui-ci devait tout payer, provisions, charbon, gaz,
475 personnel ; et elle montrait des étonnements naïfs, quand ce
n'était pas très bon. Le matin encore, chaque rayon avait délégué
un vendeur, Mignot et Liénard s'étaient chargés de parler au
nom de leurs camarades. Aussi, dans le brusque silence, les
oreilles se tendirent, on écouta des voix qui sortaient de la salle
480 voisine, où Mouret et Bourdoncle venaient d'entrer. Celui-ci
déclarait le bœuf excellent ; et Mignot, suffoqué par cette affir-
mation tranquille, répétait : « Mâchez-le, pour voir » ; pendant
que Liénard, s'attaquant à la raie, disait avec douceur : « Mais elle
pue, monsieur ! » Alors, Mouret se répandit en paroles cordiales :
485 il ferait tout pour le bien-être de ses employés, il était leur père,
il préférait manger du pain sec que de les savoir mal nourris.

— Je vous promets d'étudier la question, finit-il par
conclure, en haussant le ton, de manière à être entendu d'un
bout du couloir à l'autre.

490 L'enquête de la direction était terminée, le bruit des four-
chettes recommença. Hutin murmurait :

— Oui, compte là-dessus, et bois de l'eau !… Ah ! ils ne sont
pas chiches de bonnes paroles. Veux-tu des promesses, en voilà !
Et ils vous nourrissent de vieilles semelles, et ils vous flanquent
495 à la porte comme des chiens !

Le vendeur qui l'avait déjà questionné, répéta :

— Vous dites donc que votre Robineau… ?

Mais un tapage de grosse vaisselle couvrit sa voix. Les
commis changeaient d'assiettes eux-mêmes, les piles dimi-
500 nuaient, à gauche et à droite. Et, comme un aide de cuisine
apportait de grands plats de fer-blanc, Hutin s'écria :

— Du riz au gratin, c'est complet!

— Bon pour deux sous de colle! dit Favier en se servant.

Les uns l'aimaient, les autres trouvaient ça trop mastic. Et
505 ceux qui lisaient, restaient silencieux, enfoncés dans le feuilleton
de leur journal, ne sachant même pas ce qu'ils mangeaient. Tous
s'épongeaient le front, l'étroit caveau s'emplissait d'une vapeur
rousse; tandis que les ombres des passants, continuellement,
couraient en barres noires sur le couvert débandé.

510 — Passez le pain à Deloche, cria un farceur.

Chacun coupait son morceau, puis replantait le couteau dans
la croûte, jusqu'au manche; et le pain circulait toujours.

— Qui prend mon riz contre son dessert? demanda Hutin.

Quand il eut conclu le marché avec un petit jeune homme
515 mince, il tenta aussi de vendre son vin; mais personne n'en
voulut, on le trouvait exécrable.

— Je vous disais donc que Robineau est de retour, continua-
t-il, au milieu des rires et des conversations qui se croisaient.
Oh! son affaire est grave… Imaginez-vous qu'il débauche les
520 vendeuses! Oui, il leur procure des nœuds de cravate!

— Silence! murmura Favier. Voilà qu'on le juge.

Du coin de l'œil, il montrait Bouthemont, qui marchait
dans le couloir, entre Mouret et Bourdoncle, tous trois
absorbés, parlant à demi-voix, vivement. La salle à manger des
525 chefs de comptoir et des seconds se trouvait justement en face.
Lorsque Bouthemont avait vu passer Mouret, il s'était levé de
table, ayant fini, et il contait les ennuis de son rayon, il disait
son embarras. Les deux autres l'écoutaient, refusant encore de
sacrifier Robineau, un vendeur de premier ordre, qui datait
530 de M^me Hédouin. Mais, quand il en vint à l'histoire des nœuds
de cravate, Bourdoncle s'emporta. Est-ce que ce garçon était
fou, de s'entremettre pour donner des travaux supplémentaires
aux vendeuses? La maison payait assez cher le temps de ces
demoiselles; si elles travaillaient à leur compte la nuit, elles

535 travaillaient moins dans le jour au magasin, c'était clair ; elles
les volaient donc, elles risquaient leur santé qui ne leur appar-
tenait pas. La nuit était faite pour dormir, toutes devaient
dormir, ou bien on les flanquerait dehors !

— Ça chauffe, fit remarquer Hutin.

540 Chaque fois que les trois hommes, dans leur promenade lente,
passaient devant la salle à manger, les commis les guettaient,
commentaient leurs moindres gestes. Ils en oubliaient le riz au
gratin, où un caissier venait de trouver un bouton de culotte.

— J'ai entendu le mot « cravate », dit Favier. Et vous avez vu
545 le nez de Bourdoncle qui a blanchi tout d'un coup.

Cependant, Mouret partageait l'indignation de l'intéressé.
Une vendeuse réduite à travailler la nuit, lui semblait une
attaque contre l'organisation du *Bonheur*. Quelle était donc la
sotte qui ne savait pas se suffire, avec ses bénéfices sur la vente ?
550 Mais, quand Bouthemont eut nommé Denise, il se radoucit, il
trouva des excuses. Ah ! oui, cette petite fille : elle n'était pas
encore très adroite et elle avait des charges, assurait-on. Bour-
doncle l'interrompit pour déclarer qu'il fallait la renvoyer sur
l'heure. On ne tirerait jamais rien d'un laideron pareil, il l'avait
555 toujours dit ; et il semblait satisfaire une rancune. Alors,
Mouret, pris d'embarras, affecta de rire. Mon Dieu ! quel
homme sévère ! ne pouvait-on pardonner une fois ? On ferait
venir la coupable, on la gronderait. En somme, c'était Robineau
qui avait tous les torts, car il aurait dû la détourner, lui, un
560 ancien commis au courant des habitudes de la maison.

— Eh bien ! voilà le patron qui rit maintenant ! reprit Favier
étonné, comme le groupe passait de nouveau devant la porte.

— Ah sacristi ! jura Hutin, s'ils s'obstinent à nous coller leur
Robineau sur les épaules, nous allons leur donner de l'agré-
565 ment !

Bourdoncle regardait Mouret en face. Puis, il eut simple-
ment un geste dédaigneux, pour dire qu'il comprenait enfin et

que c'était imbécile. Bouthemont avait repris ses plaintes : les vendeurs menaçaient de partir, et il s'en trouvait d'excellents
570 parmi eux. Mais ce qui parut toucher ces messieurs davantage, ce fut le bruit des bons rapports de Robineau avec Gaujean : celui-ci, disait-on, poussait le premier à s'établir à son compte dans le quartier, lui offrait les crédits les plus larges, afin de battre en brèche le *Bonheur des Dames*. Il y eut un silence. Ah !
575 ce Robineau rêvait de bataille ! Mouret était devenu sérieux ; il affecta le mépris, il évita de prendre une décision, comme si l'affaire n'avait pas eu d'importance. On verrait, on lui parlerait. Et, tout de suite, il plaisanta avec Bouthemont, dont le père, débarqué l'avant-veille de sa petite boutique de Mont-
580 pellier, avait failli étouffer de stupeur et d'indignation, en tombant dans le hall énorme où régnait son fils. On riait encore du bonhomme, qui, retrouvant son aplomb de méridional, s'était mis à tout dénigrer et à prétendre que les nouveautés allaient finir sur le trottoir.

585 — Justement, voici Robineau, murmura le chef de rayon. Je l'avais envoyé au rassortiment, pour éviter un conflit regrettable… Pardonnez-moi si j'insiste, mais les choses en sont à un état si aigu, qu'il faut agir.

En effet, Robineau, qui rentrait, passait et saluait ces
590 messieurs, en se rendant à sa table.

Mouret se contenta de répéter :

— C'est bon, nous verrons cela.

Ils partirent. Hutin et Favier les attendaient toujours. Lorsqu'ils ne les virent pas reparaître, ils se soulagèrent. Est-ce que
595 la direction, maintenant, descendrait ainsi à chaque repas compter leurs bouchées ? Ce serait gai, si l'on ne pouvait même plus être libre en mangeant ! La vérité était qu'ils venaient de voir rentrer Robineau, et que la belle humeur du patron les inquiétait sur l'issue de la lutte engagée par eux. Ils baissèrent
600 la voix, ils cherchèrent des vexations nouvelles.

— Mais je meurs! continua Hutin tout haut. On a encore plus faim en sortant de table!

Pourtant, il avait mangé deux parts de confiture, la sienne et celle qu'il avait échangée contre sa portion de riz. Tout d'un 605 coup, il cria:

— Zut! je me fends d'un supplément!... Victor, une troisième confiture!

Le garçon achevait de servir les desserts. Ensuite, il apporta le café; et ceux qui en prenaient, lui donnaient tout de suite 610 leurs trois sous. Quelques vendeurs s'en étaient allés, flânant le long du corridor, cherchant les coins noirs pour fumer une cigarette. Les autres restaient alanguis, devant la table encombrée de vaisselle grasse. Ils roulaient des boulettes de mie de pain, revenaient sur les mêmes histoires, dans l'odeur de graillon, 615 qu'ils ne sentaient plus, et dans la chaleur d'étuve, qui leur rougissait les oreilles. Les murs suaient, une asphyxie lente tombait de la voûte moisie. Adossé contre le mur, Deloche, bourré de pain, digérait en silence, les yeux levés sur le soupirail; et sa récréation, tous les jours, après le déjeuner, était de 620 regarder ainsi les pieds des passants qui filaient vite au ras du trottoir, des pieds coupés aux chevilles, gros souliers, bottes élégantes, fines bottines de femme, un va-et-vient continu de pieds vivants, sans corps et sans tête. Les jours de pluie, c'était très sale.

625 — Comment! déjà! cria Hutin.

Une cloche sonnait au bout du couloir, il fallait laisser la place à la troisième table. Les garçons de service arrivaient avec des seaux d'eau tiède et de grosses éponges, pour laver les toiles cirées. Lentement, les salles se vidaient, les vendeurs 630 remontaient à leurs rayons, en traînant le long des marches. Et, dans la cuisine, le chef avait repris sa place devant le guichet, entre ses bassines de raie, de bœuf et de sauce, armé de ses fourchettes et de ses cuillers, prêt à remplir de nouveau

les assiettes, de son mouvement rythmique d'horloge bien
635 réglée.

Comme Hutin et Favier s'attardaient, ils virent descendre
Denise.

— M. Robineau est de retour, mademoiselle, dit le premier,
avec une politesse moqueuse.

640 — Il déjeune, ajouta l'autre. Mais si ça presse trop, vous
pouvez entrer.

Denise descendait toujours sans répondre, sans tourner la
tête. Pourtant, lorsqu'elle passa devant la salle à manger des
chefs de comptoir et des seconds, elle ne put s'empêcher d'y
645 jeter un coup d'œil. Robineau était là, en effet. Elle tâcherait
de lui parler, l'après-midi ; et elle continua de suivre le corridor,
pour se rendre à sa table, qui se trouvait à l'autre bout.

Les femmes mangeaient à part, dans deux salles réservées.
Denise entra dans la première. C'était également une ancienne
650 cave, transformée en réfectoire ; mais on l'avait aménagée avec
plus de confort. Sur la table ovale, placée au milieu, les quinze
couverts s'espaçaient davantage, et le vin était dans des carafes ;
un plat de raie et un plat de bœuf à la sauce piquante tenaient
les deux bouts. Des garçons en tablier blanc servaient ces
655 dames, ce qui évitait à celles-ci le désagrément de prendre
elles-mêmes leurs portions au guichet. La direction avait
trouvé cela plus décent.

— Vous avez donc fait le tour ? demanda Pauline, assise déjà
et se coupant du pain.

660 — Oui, répondit Denise en rougissant, j'accompagnais une
cliente.

Elle mentait. Clara poussa le coude d'une vendeuse, sa
voisine. Qu'avait donc la mal peignée, ce jour-là ? Elle était
toute singulière. Coup sur coup, elle recevait des lettres de son
665 amant ; puis, elle courait le magasin comme une perdue, elle
prétextait des commissions à l'atelier, où elle n'allait seulement

pas. Pour sûr, il se passait quelque histoire. Alors, Clara, tout en mangeant sa raie sans dégoût, avec une insouciance de fille nourrie autrefois de lard rance, causa d'un drame affreux, dont 670 le récit emplissait les journaux.

— Vous avez lu, cet homme qui a guillotiné sa maîtresse d'un coup de rasoir ?

— Dame ! fit remarquer une petite lingère, de visage doux et délicat, il l'avait trouvée avec un autre. C'est bien fait.

675 Mais Pauline se récria. Comment ! parce qu'on n'aimera plus un monsieur, il lui sera permis de vous trancher la gorge ! Ah ! non, par exemple ! Et, s'interrompant, se tournant vers le garçon de service :

— Pierre, je ne puis pas avaler le bœuf, vous savez… Dites 680 donc qu'on me fasse un petit supplément, une omelette, hein ! et moelleuse, s'il est possible !

Pour attendre, comme elle avait toujours des gourmandises dans les poches, elle en sortit des pastilles de chocolat, qu'elle se mit à croquer avec son pain.

685 — Certainement, ce n'est pas drôle, un homme pareil, reprit Clara. Et il y en a des jaloux ! L'autre jour encore, c'était un ouvrier qui jetait sa femme dans un puits !

Elle ne quittait pas Denise des yeux, elle crut avoir deviné, en la voyant pâlir. Évidemment, cette sainte-nitouche[1] trem-690 blait d'être giflée par son amoureux, qu'elle devait tromper. Ce serait drôle, s'il la relançait jusque dans le magasin, comme elle semblait le craindre. Mais la conversation tournait, une vendeuse donnait une recette pour détacher le velours. On parla ensuite d'une pièce de la Gaieté[2], où des amours de 695 petites filles dansaient mieux que des grandes personnes. Pauline, attristée un instant par la vue de son omelette qui était

1. *Sainte-nitouche* : femme qui affiche une innocence excessive et souvent ridicule. \ **2.** *La Gaieté* : théâtre situé dans le quartier Montparnasse.

trop cuite, reprenait sa gaieté, en ne la trouvant pas trop mauvaise.

— Passez-moi donc le vin, dit-elle à Denise. Vous devriez
700 vous commander une omelette.

— Oh ! le bœuf me suffit, répondit la jeune fille, qui, pour ne rien dépenser, s'en tenait à la nourriture de la maison, si répugnante qu'elle fût.

Lorsque le garçon apporta le riz au gratin, ces demoiselles
705 protestèrent. Elles l'avaient laissé, la semaine d'auparavant, et elles espéraient qu'il ne reparaîtrait plus. Denise, distraite, troublée au sujet de Jean par les histoires de Clara, fut la seule à en manger ; et toutes la regardaient, d'un air de dégoût. Il y eut une débauche de suppléments, elles s'emplirent de confi-
710 ture. C'était du reste une élégance, il fallait se nourrir sur son argent.

— Vous savez que ces messieurs ont réclamé, dit la lingère délicate, et que la direction a promis…

On l'interrompit avec des rires, on ne causa plus que de la
715 direction. Toutes prenaient du café, sauf Denise, qui ne pouvait le supporter, disait-elle. Et elles s'attardèrent devant leurs tasses, les lingères en laine, d'une simplicité de petites bourgeoises, les confectionneuses en soie, la serviette au menton pour ne pas attraper de taches, pareilles à des dames qui seraient descendues
720 manger à l'office [1], avec leurs femmes de chambre. On avait ouvert le châssis vitré du soupirail, afin de changer l'air étouf-fant et empesté ; mais il fallut le refermer tout de suite, les roues des fiacres semblaient passer sur la table.

— Chut ! souffla Pauline, voici cette vieille bête !

725 C'était l'inspecteur Jouve. Il rôdait ainsi volontiers, vers la fin des repas, du côté de ces demoiselles. D'ailleurs, il avait la surveillance de leurs salles. Les yeux souriants, il entrait, faisait

1. *Office* : pièce attenante à la cuisine, dans laquelle on prépare le service.

le tour de la table ; quelquefois même, il causait, voulait savoir si elles avaient déjeuné de bon appétit. Mais, comme il les
730 inquiétait et les ennuyait, toutes se hâtaient de fuir. Bien que la cloche n'eût pas sonné, Clara disparut la première ; d'autres la suivirent. Il ne resta bientôt plus que Denise et Pauline. Celle-ci, après avoir bu son café, achevait ses pastilles de chocolat.

735 — Tiens ! dit-elle en se levant, je vais envoyer un garçon me chercher des oranges… Venez-vous ?

— Tout à l'heure, répondit Denise, qui mordillait une croûte, résolue à demeurer la dernière, de façon à pouvoir aborder Robineau, quand elle remonterait.

740 Cependant, lorsqu'elle fut seule avec Jouve, elle ressentit un malaise ; et, contrariée, elle quitta enfin la table. Mais, en la voyant se diriger vers la porte, il lui barra le passage :

— Mademoiselle Baudu…

Debout devant elle, il souriait d'un air paterne[1]. Ses grosses
745 moustaches grises, ses cheveux taillés en brosse, lui donnaient une grande honnêteté militaire. Et il poussait en avant sa poitrine, où s'étalait son ruban rouge.

— Quoi donc, monsieur Jouve ? demanda-t-elle rassurée.

— Je vous ai encore aperçue, ce matin, causant là-haut,
750 derrière les tapis. Vous savez que c'est contraire au règlement, et si je faisais mon rapport… Elle vous aime donc bien, votre amie Pauline ?

Ses moustaches remuèrent, une flamme incendia son nez énorme, un nez creux et recourbé, aux appétits de taureau.

755 — Hein ? qu'avez-vous, toutes les deux, pour vous aimer comme ça ?

Denise, sans comprendre, était reprise de malaise. Il s'approchait trop, il lui parlait dans la figure.

1. *Air paterne* : air qui affecte bonté et douceur.

— C'est vrai, nous causions, monsieur Jouve, balbutia-t-elle,
760 mais il n'y a pas grand mal à causer un peu… Vous êtes bien
bon pour moi, merci tout de même.

— Je ne devrais pas être bon, dit-il. La justice, je ne connais
que ça… Seulement, quand on est si gentille…

Et il s'approchait encore. Alors, elle eut tout à fait peur. Les
765 paroles de Pauline lui revenaient à la mémoire, elle se rappe-
lait les histoires qui couraient, des vendeuses terrorisées par le
père Jouve, achetant sa bienveillance. Au magasin, d'ailleurs,
il se contentait de petites privautés[1], claquait doucement de ses
doigts enflés les joues des demoiselles complaisantes, leur
770 prenait les mains, puis les gardait, comme s'il les avait oubliées
dans les siennes. Cela restait paternel, et il ne lâchait le taureau[2]
que dehors, lorsqu'on voulait bien accepter des tartines de
beurre, chez lui, rue des Moineaux.

— Laissez-moi, murmura la jeune fille en reculant.

775 — Voyons, disait-il, vous n'allez pas faire la sauvage avec un
ami qui vous ménage toujours. Soyez aimable, venez ce soir
tremper une tartine dans une tasse de thé. C'est de bon cœur.

Elle se débattait, maintenant.

— Non ! non !

780 La salle à manger demeurait vide, le garçon n'avait point
reparu. Jouve, l'oreille tendue au bruit des pas, jeta vivement
un regard autour de lui ; et, très excité, sortant de sa tenue,
dépassant ses familiarités de père, il voulut la baiser sur le cou.

— Petite méchante, petite bête… Quand on a des cheveux
785 comme ça, est-ce qu'on est si bête ? Venez donc ce soir, c'est
pour rire.

Mais elle s'affolait, dans une révolte terrifiée, à l'approche de
ce visage brûlant, dont elle sentait le souffle. Tout d'un coup,

1. *Privautés* : gestes familiers. \ **2.** *Il ne lâchait le taureau* : il n'avait de relations sexuelles (expression familière).

elle le poussa, d'un effort si rude, qu'il chancela et faillit tomber
790 sur la table. Une chaise heureusement le reçut ; tandis que le
choc faisait rouler une carafe de vin, qui éclaboussa la cravate
blanche et trempa le ruban rouge. Et il restait là, sans s'essuyer,
étranglé de colère, devant une brutalité pareille. Comment !
lorsqu'il ne s'attendait à rien, lorsqu'il n'y mettait pas ses forces
795 et qu'il cédait simplement à sa bonté !

— Ah ! mademoiselle, vous vous en repentirez, parole d'hon-
neur !

Denise s'était enfuie. Justement, la cloche sonnait ; et, trou-
blée, encore frémissante, elle oublia Robineau, elle remonta au
800 comptoir. Puis, elle n'osa plus redescendre. Comme le soleil,
l'après-midi, chauffait la façade de la place Gaillon, on étouf-
fait dans les salons de l'entresol, malgré les stores. Quelques
clientes vinrent, mirent ces demoiselles en nage, sans rien
acheter. Tout le rayon bâillait, sous les grands yeux somnolents
805 de M^{me} Aurélie. Enfin, vers trois heures, Denise, voyant la
première s'assoupir, fila doucement, reprit sa course à travers
le magasin, de son air affairé. Pour dépister[1] les curieux, qui
pouvaient la suivre du regard, elle ne descendit pas directe-
ment à la soie ; d'abord, elle parut avoir affaire aux dentelles,
810 elle aborda Deloche, lui demanda un renseignement ; ensuite,
au rez-de-chaussée, elle traversa la rouennerie[2], et elle entrait
aux cravates, lorsqu'un sursaut de surprise l'arrêta net. Jean
était devant elle.

— Comment ! c'est toi ? murmura-t-elle toute pâle.

815 Il avait gardé sa blouse de travail, et il était nu-tête, avec ses
cheveux blonds en désordre, dont les frisures coulaient sur sa
peau de fille. Debout devant un casier de minces cravates
noires, il semblait réfléchir profondément.

— Que fais-tu là ? reprit-elle.

1. *Dépister* : égarer, semer. \ 2. *Rouennerie* : rayon des toiles de coton fabriquées à Rouen.

820 — Dame! répondit-il, je t'attendais… Tu me défends de venir. Alors, je suis entré, mais je n'ai rien dit à personne. Oh! tu peux être tranquille. Ne fais pas semblant de me connaître, si tu veux.

Des vendeurs les regardaient déjà, l'air étonné. Jean baissa la voix.

825 — Tu sais, elle a voulu m'accompagner. Oui, elle est sur la place, devant la fontaine… Donne vite les quinze francs, ou nous sommes fichus, aussi vrai que le soleil nous éclaire!

Alors, Denise fut saisie d'un grand trouble. On ricanait, on écoutait cette aventure. Et, comme un escalier du sous-sol s'ou-
830 vrait derrière le rayon des cravates, elle y poussa son frère, elle le fit descendre vivement. En bas, il continua son histoire, embarrassé, cherchant les faits, craignant de n'être point cru.

— L'argent n'est pas pour elle. Elle est trop distinguée… Et son mari, ah! bien, il se fiche joliment de quinze francs! Pour
835 un million, il n'autoriserait pas sa femme. Un fabricant de colle, te l'ai-je dit? des gens extrêmement bien… Non, c'est pour une crapule, un ami à elle qui nous a vus; et, tu comprends, si je ne lui donne pas les quinze francs, ce soir…

— Tais-toi, murmura Denise. Tout à l'heure… Marche donc!
840 Ils étaient descendus dans le service du départ. La morte-saison endormait la vaste cave, sous le jour blafard des soupi-raux. Il y faisait froid, un silence tombait de la voûte. Mais pourtant un garçon prenait, dans un des compartiments, les quelques paquets destinés au quartier de la Madeleine; et, sur
845 la grande table de triage, Campion, le chef de service, était assis, les jambes ballantes, les yeux ouverts.

Jean recommençait:

— Le mari qui a un grand couteau…

— Va donc! répéta Denise, en le poussant toujours.
850 Ils suivirent un des corridors étroits, où le gaz brûlait conti-nuellement. À droite et à gauche, au fond des caveaux obscurs, les marchandises des réserves entassaient des ombres derrière

les palissades. Enfin, elle s'arrêta contre une de ces claies[1] de bois. Personne ne viendrait sans doute ; mais c'était défendu, et elle avait un frisson.

— Si cette crapule parle, reprit Jean, le mari qui a un grand couteau...

— Où veux-tu que je trouve quinze francs ? s'écria Denise désespérée. Tu ne peux donc pas être raisonnable ? Il t'arrive sans cesse des choses si drôles !

Il se frappa la poitrine. Au milieu de ses inventions romanesques, lui-même ne savait plus l'exacte vérité. Il dramatisait simplement ses besoins d'argent, il y avait toujours au fond quelque nécessité immédiate.

— Sur ce que j'ai de plus sacré, cette fois c'est bien vrai.. Je la tenais comme ça, et elle m'embrassait...

Elle le fit taire de nouveau, elle se fâcha, torturée, poussée à bout.

— Je ne veux pas savoir. Garde pour toi ta mauvaise conduite. C'est trop vilain, entends-tu !... Et tu me tourmentes chaque semaine, je me tue à t'entretenir de pièces de cent sous. Oui, je passe les nuits... Sans compter que tu enlèves le pain de la bouche de ton frère.

Jean restait béant, la face pâle. Comment ! c'était vilain ? et il ne comprenait pas, il avait depuis l'enfance traité sa sœur en camarade, il lui semblait bien naturel de vider son cœur. Mais ce qui l'étranglait surtout, c'était d'apprendre qu'elle passait les nuits. L'idée qu'il la tuait et qu'il mangeait la part de Pépé, le bouleversa tellement, qu'il se mit à pleurer.

— Tu as raison, je suis un chenapan, cria-t-il. Mais ce n'est pas vilain, va ! au contraire, et voilà pourquoi on recommence... Celle-là, vois-tu, a déjà vingt ans. Elle croyait rire, parce que j'en ai à peine dix-sept... Mon Dieu ! que je suis donc furieux contre moi ! Je me flanquerais des gifles !

1. *Claies* : assemblages de lattes de bois.

Il lui avait pris les mains, il les baisait, les mouillait de
885 larmes.

— Donne-moi les quinze francs, ce sera la dernière fois, je te
le jure… Ou bien, non! ne me donne rien, j'aime mieux
mourir. Si le mari m'assassine, tu seras bien débarrassée.

Et, comme elle aussi pleurait, il eut un remords.

890 — Je dis ça, je n'en sais rien. Peut-être qu'il ne veut tuer
personne. Nous nous arrangerons, je te le promets, petite sœur.
Allons, adieu, je pars.

Mais un bruit de pas, au bout du corridor, les inquiéta. Elle
le ramena contre la réserve, dans un coin d'ombre. Pendant un
895 instant, ils n'entendirent plus que le sifflement d'un bec de gaz,
près d'eux. Puis, les pas se rapprochèrent; et, en allongeant la
tête, elle reconnut l'inspecteur Jouve qui venait de s'engager
dans le corridor, de son air raide. Passait-il par hasard? quelque
autre surveillant, de planton [1] à la porte, l'avait-il averti? Elle
900 fut prise d'une telle crainte, qu'elle perdit la tête; et elle poussa
Jean hors du trou de ténèbres où ils se cachaient, le chassa
devant elle, balbutia :

— Va-t'en! va-t'en!

Tous deux galopaient, en entendant derrière leurs talons le
905 souffle du père Jouve, qui s'était mis également à courir. Ils
traversèrent de nouveau le service du départ, ils arrivèrent au
pied de l'escalier dont la cage vitrée débouchait sur la rue de
la Michodière.

— Va-t'en! répétait Denise, va-t'en!… Si je peux, je t'en-
910 verrai les quinze francs tout de même.

Jean, étourdi, se sauva. Hors d'haleine, l'inspecteur, qui arri-
vait, distingua seulement un coin de la blouse blanche et les
boucles des cheveux blonds, envolés dans le vent du trottoir.
Un instant, il souffla, pour retrouver la correction de sa tenue.

1. *De planton* : de garde.

915 Il avait une cravate blanche toute neuve, prise au rayon de la
lingerie, et dont le nœud, très large, luisait comme une neige.

— Eh bien! c'est propre, mademoiselle, dit-il, les lèvres trem-
blantes. Oui, c'est propre, c'est très propre... Si vous espérez
que je vais tolérer, dans le sous-sol, des choses si propres.

920 Et il la poursuivait de ce mot, tandis qu'elle remontait au
magasin, la gorge serrée d'émotion, sans trouver une parole de
défense. Maintenant, elle était désolée d'avoir couru. Pourquoi
ne pas s'expliquer, montrer son frère? On allait encore s'ima-
giner des vilenies; et elle aurait beau jurer, on ne la croirait pas.
925 Une fois de plus, elle oublia Robineau, elle rentra directement
au comptoir.

Sans attendre, Jouve se rendit à la direction, pour faire son
rapport. Mais le garçon de service lui dit que le directeur était
avec M. Bourdoncle et M. Robineau: tous trois causaient
930 depuis un quart d'heure. La porte, d'ailleurs, restait entr'ou-
verte; on entendait Mouret demander gaiement au commis s'il
venait de passer de bonnes vacances; il n'était nullement ques-
tion d'un renvoi, la conversation au contraire tomba sur
certaines mesures à prendre dans le rayon.

935 — Vous désirez quelque chose, monsieur Jouve? cria Mouret.
Entrez donc.

Mais un instinct avertit l'inspecteur. Bourdoncle étant sorti,
Jouve préféra tout lui conter. Lentement, ils suivirent la galerie
des châles, marchant côte à côte, l'un penché et parlant très bas,
940 l'autre écoutant, sans qu'un trait de son visage sévère laissât
voir ses impressions.

— C'est bien, finit par dire ce dernier.

Et, comme ils étaient arrivés devant les confections, il entra.
Justement, Mᵐᵉ Aurélie se fâchait contre Denise. D'où venait-
945 elle encore? cette fois, elle ne dirait peut-être pas qu'elle était
montée à l'atelier. Vraiment ces disparitions continuelles ne
pouvaient se tolérer davantage.

— Madame Aurélie ! appela Bourdoncle.

Il se décidait à un coup de force, il ne voulait pas consulter
950 Mouret, de peur d'une faiblesse. La première s'avança, et de
nouveau l'histoire fut contée à voix basse. Tout le rayon atten-
dait, flairant une catastrophe. Enfin, M^{me} Aurélie se tourna,
l'air solennel.

— Mademoiselle Baudu…

955 Et son masque empâté d'empereur avait l'immobilité inexo-
rable de la toute-puissance.

— Passez à la caisse !

La terrible phrase sonna très haut, dans le rayon alors vide
de clientes. Denise était demeurée droite et blanche, sans un
960 souffle. Puis, elle eut des mots. entrecoupés.

— Moi ! moi !… Pourquoi donc ? qu'ai-je fait ? Bourdoncle
répondit durement qu'elle le savait, qu'elle ferait mieux de ne
pas provoquer une explication ; et il parla des cravates, et il dit
que ce serait joli, si toutes ces demoiselles voyaient des hommes
965 dans le sous-sol.

— Mais c'est mon frère ! cria-t-elle avec la colère douloureuse
d'une vierge violentée.

Marguerite et Clara se mirent à rire, tandis que M^{me} Frédéric,
si discrète d'habitude, hochait également la tête d'un air incré-
970 dule. Toujours son frère ! c'était bête à la fin ! Alors, Denise les
regarda tous : Bourdoncle, qui dès la première heure ne voulait
pas d'elle ; Jouve, resté là pour témoigner, et dont elle n'atten-
dait aucune justice ; puis, ces filles qu'elle n'avait pu toucher par
neuf mois de courage souriant, ces filles heureuses enfin de la
975 pousser dehors. À quoi bon se débattre ? pourquoi vouloir s'im-
poser, quand personne ne l'aimait ? Et elle s'en alla sans ajouter
une parole, elle ne jeta même pas un dernier regard, dans ce
salon où elle avait lutté si longtemps.

Mais, dès qu'elle fut seule, devant la rampe du hall, une
980 souffrance plus vive serra son cœur. Personne ne l'aimait, et la

pensée brusque de Mouret venait de lui ôter toute sa résigna-
tion. Non ! elle ne pouvait accepter un pareil renvoi. Peut-être
croirait-il cette vilaine histoire, ce rendez-vous avec un homme,
au fond des caves. Une honte la torturait à cette idée, une
985 angoisse dont elle n'avait jamais encore senti l'étreinte. Elle
voulait l'aller trouver, elle lui expliquerait les choses, pour le
renseigner simplement ; car il lui était égal de partir, lorsqu'il
saurait la vérité. Et son ancienne peur, le frisson qui la glaçait
devant lui, éclatait soudain en un besoin ardent de le voir, de
990 ne point quitter la maison, sans lui jurer qu'elle n'avait pas
appartenu à un autre.

Il était près de cinq heures, le magasin reprenait un peu de
vie, dans l'air rafraîchi du soir. Vivement, elle se dirigea vers
la direction. Mais, lorsqu'elle fut devant la porte du cabinet,
995 une tristesse désespérée l'envahit de nouveau. Sa langue s'em-
barrassait, l'écrasement de l'existence retombait sur ses épaules.
Il ne la croirait pas, il rirait comme les autres ; et cette crainte
la fit défaillir. C'était fini, elle serait mieux seule, disparue,
morte. Alors, sans même prévenir Deloche ni Pauline, elle
1000 passa tout de suite à la caisse.

— Mademoiselle, dit l'employé, vous avez vingt-deux jours,
ça fait dix-huit francs soixante-dix auxquels il faut ajouter sept
francs de tant pour cent et de guelte. C'est bien votre compte,
n'est-ce pas ?

1005 — Oui, monsieur… Merci.

Et Denise s'en allait avec son argent, lorsqu'elle rencontra
enfin Robineau. Il avait appris déjà le renvoi, il lui promit de
retrouver l'entrepreneuse de cravates. Tout bas, il la consolait,
il s'emportait : quelle existence ! se voir à la continuelle merci
1010 d'un caprice ! être jeté dehors d'une heure à l'autre, sans pouvoir
même exiger les appointements du mois entier ! Denise monta
prévenir Mme Cabin, qu'elle tâcherait de faire prendre sa malle
dans la soirée. Cinq heures sonnaient, lorsqu'elle se trouva sur

le trottoir de la place Gaillon, étourdie, au milieu des fiacres
1015 et de la foule.

Le soir même, comme Robineau rentrait chez lui, il reçut
une lettre de la direction, l'avertissant en quatre lignes que,
pour des raisons d'ordre intérieur, elle se voyait forcée de
renoncer à ses services. Il était depuis sept ans dans la maison ;
1020 l'après-midi encore, il avait causé avec ces messieurs ; ce fut un
coup de massue. Hutin et Favier chantaient victoire à la soie,
aussi bruyamment que Marguerite et Clara triomphaient aux
confections. Bon débarras ! les coups de balai font de la place !
Seuls, quand ils se rencontraient, à travers la cohue des rayons,
1025 Deloche et Pauline échangeaient des mots navrés, regrettant
Denise, si douce, si honnête.

— Ah ! disait le jeune homme, si elle réussissait jamais autre
part, je voudrais qu'elle rentrât ici, pour leur mettre le pied sur
la gorge, à toutes ces pas grand'chose !

1030 Et ce fut Bourdoncle qui, dans cette affaire, supporta le choc
violent de Mouret. Lorsque ce dernier apprit le renvoi de Denise,
il entra dans une grande irritation. D'habitude, il s'occupait fort
peu du personnel ; mais il affecta cette fois de voir là un empié-
tement de pouvoir, une tentative d'échapper à son autorité. Est-
1035 ce qu'il n'était plus le maître, par hasard, pour qu'on se permît
de donner des ordres ? Tout devait lui passer sous les yeux, abso-
lument tout ; et il briserait comme une paille quiconque résis-
terait. Puis, quand il eut fait une enquête personnelle, dans un
tourment nerveux qu'il ne pouvait cacher, il se fâcha de nouveau.
1040 Elle ne mentait pas, cette pauvre fille : c'était bien son frère,
Campion l'avait parfaitement reconnu. Alors, pourquoi la
renvoyer ? Il parla même de la reprendre.

Cependant, Bourdoncle, fort de sa résistance passive,
pliait l'échine[1] sous la bourrasque. Il étudiait Mouret. Enfin,

1. *Pliait l'échine* : se soumettait.

1045 un jour où il le vit plus calme, il osa dire, d'une voix parti-
culière :

— Il vaut mieux pour tout le monde qu'elle soit partie.

Mouret resta gêné, le sang au visage.

— Ma foi, répondit-il en riant, vous avez peut-être raison…

1050 Descendons voir la vente. Ça remonte, on a fait près de cent
mille francs, hier.

VII

Un instant, Denise était restée étourdie sur le pavé, dans
le soleil encore brûlant de cinq heures. Juillet chauffait les
ruisseaux, Paris avait sa lumière crayeuse d'été, aux aveu-
glantes réverbérations. Et la catastrophe venait d'être si
5 brusque, on l'avait poussée dehors si rudement, qu'elle
retournait au fond de sa poche ses vingt-cinq francs soixante-
dix, d'une main machinale, en se demandant où aller et que
faire.

Toute une file de fiacres l'empêchait de quitter le trottoir du
10 *Bonheur des Dames*. Quand elle put se hasarder entre les roues,
elle traversa la place Gaillon, comme si elle avait voulu gagner
la rue Louis-le-Grand ; puis, elle se ravisa, descendit vers la rue
Saint-Roch. Mais elle n'avait toujours aucun projet, car elle
s'arrêta à l'angle de la rue Neuve-des-Petits-Champs, qu'elle
15 finit par suivre, après avoir regardé autour d'elle d'un air
indécis. Le passage Choiseul s'étant présenté, elle y entra, se
trouva rue Monsigny sans savoir comment, retomba dans la rue
Neuve-Saint-Augustin. Un grand bourdonnement emplissait
sa tête, l'idée de sa malle lui revint, à la vue d'un commis-

20 sionnaire [1] ; mais chez qui la faire porter, et pourquoi toute cette peine, lorsqu'une heure plus tôt elle avait encore un lit où coucher le soir ?

Alors, les yeux levés sur les maisons, elle se mit à examiner les fenêtres. Des écriteaux défilaient. Elle les voyait confusé-
25 ment, sans cesse reprise par le branle intérieur qui l'agitait tout entière. Était-ce possible ? seule d'une minute à l'autre, perdue dans cette grande ville inconnue, sans appui, sans ressources ! Il fallait manger et dormir cependant. Les rues se succédaient, la rue des Moulins, la rue Sainte-Anne. Elle battait le quartier,
30 tournant sur elle-même, ramenée toujours au seul carrefour qu'elle connaissait bien. Brusquement, elle demeura stupéfaite, elle était de nouveau devant le *Bonheur des Dames* ; et, pour échapper à cette obsession, elle se jeta dans la rue de la Micho-dière.

35 Heureusement, Baudu n'était pas sur sa porte, le *Vieil Elbeuf* semblait mort, derrière ses vitrines noires. Jamais elle n'aurait osé se présenter chez son oncle, car il affectait de ne plus la reconnaître, et elle ne voulait point tomber à sa charge, dans le malheur qu'il lui avait prédit. Mais, de l'autre côté de la rue,
40 un écriteau jaune l'arrêta : *Chambre garnie à louer*. C'était le premier qui ne lui faisait pas peur, tellement la maison parais-sait pauvre. Puis, elle la reconnut, avec ses deux étages bas, sa façade couleur de rouille, étranglée entre le *Bonheur des Dames* et l'ancien hôtel Duvillard. Au seuil de la boutique de para-
45 pluies, le vieux Bourras, chevelu et barbu comme un prophète, des besicles [2] sur le nez, étudiait l'ivoire d'une pomme de canne. Locataire de toute la maison, il sous-louait en garni les deux étages, pour diminuer son loyer.

— Vous avez une chambre, monsieur ? demanda Denise,
50 obéissant à une poussée instinctive.

1. *Commissionnaire :* coursier. \ **2.** *Besicles :* lunettes rondes.

Il leva ses gros yeux embroussaillés, resta surpris de la voir. Toutes ces demoiselles lui étaient connues. Et il répondit, après avoir regardé sa petite robe propre, sa tournure honnête :

— Ça ne fait pas pour vous.

55 — Combien donc ? reprit Denise.

— Quinze francs par mois.

Alors, elle voulut visiter. Dans l'étroite boutique, comme il la dévisageait toujours de son air étonné, elle dit son départ du magasin et son désir de ne pas gêner son oncle. Le vieillard finit

60 par aller chercher une clef sur une planche de l'arrière-boutique, une pièce obscure, où il faisait sa cuisine et où il couchait ; au delà, derrière un vitrage poussiéreux, on apercevait le jour verdâtre d'une cour intérieure, large de deux mètres à peine.

— Je passe devant, pour que vous ne tombiez pas, dit Bourras

65 dans l'allée humide qui longeait la boutique.

Il buta contre une marche, il monta, en multipliant les avertissements. Attention ! la rampe était contre la muraille, il y avait un trou au tournant, parfois les locataires laissaient leurs boîtes à ordures. Denise, dans une obscurité complète, ne

70 distinguait rien, sentait seulement la fraîcheur des vieux plâtres mouillés. Au premier étage pourtant, un carreau donnant sur la cour lui permit de voir vaguement, comme au fond d'une eau dormante, l'escalier déjeté [1], les murailles noires de crasse, les portes craquées et dépeintes.

75 — Si encore l'une de ces deux chambres était libre ! reprit Bourras. Vous y seriez bien… Mais elles sont toujours occupées par des dames.

Au deuxième étage, le jour grandissait, éclairant d'une pâleur crue la détresse du logis. Un garçon boulanger occupait

80 la première chambre ; et c'était l'autre, celle du fond, qui se trouvait vacante. Quand Bourras l'eut ouverte, il dut rester sur

1. *Déjeté* : déformé.

le palier, pour que Denise put la visiter à l'aise. Le lit, dans l'angle de la porte, laissait tout juste le passage d'une personne. Au bout, il y avait une petite commode de noyer, une table de
85 sapin noirci et deux chaises. Les locataires qui faisaient un peu de cuisine, s'agenouillaient devant la cheminée, où se trouvait un fourneau de terre.

— Mon Dieu! disait le vieillard, ce n'est pas riche, mais la fenêtre est gaie, on voit le monde dans la rue.

90 Et, comme Denise regardait avec surprise l'angle du plafond, au-dessus du lit, où une dame de passage avait écrit son nom : Ernestine, en promenant la flamme d'une chandelle, il ajouta d'un air bonhomme :

— Si l'on réparait, on ne joindrait jamais les deux bouts…
95 Enfin, voilà tout ce que j'ai.

— Je serai très bien, déclara la jeune fille.

Elle paya un mois d'avance, demanda le linge, une paire de draps et deux serviettes, et fit son lit sans attendre, heureuse, soulagée de savoir où coucher le soir. Une heure plus tard, elle
100 avait envoyé un commissionnaire chercher sa malle, elle était installée.

Ce furent d'abord deux mois de terrible gêne. Ne pouvant plus payer la pension de Pépé, elle l'avait repris et le couchait sur une vieille bergère [1] prêtée par Bourras. Il lui fallait strictement
105 trente sous chaque jour, le loyer compris, en consentant à vivre elle-même de pain sec, pour donner un peu de viande à l'enfant. La première quinzaine encore, les choses marchèrent : elle était entrée avec dix francs en ménage, puis elle eut la chance de retrouver l'entrepreneuse de cravates, qui lui paya ses dix-huit
110 francs trente. Mais, ensuite, son dénuement devint complet. Elle eut beau se présenter dans les magasins, à la *Place Clichy*, au *Bon Marché*, au *Louvre*: la morte-saison arrêtait partout les affaires,

1. *Bergère* : fauteuil large et profond.

on la renvoyait à l'automne, plus de cinq mille employés de commerce, congédiés comme elle, battaient le pavé, sans place.
115 Alors, elle tâcha de se procurer de petits travaux ; seulement, dans son ignorance de Paris, elle ne savait où frapper, acceptait des besognes ingrates, ne touchait même pas toujours son argent. Certains soirs, elle faisait dîner Pépé tout seul, d'une soupe, en lui disant qu'elle avait mangé dehors ; et elle se mettait au lit, la
120 tête bourdonnante, nourrie par la fièvre qui lui brûlait les mains. Lorsque Jean tombait au milieu de cette pauvreté, il se traitait de scélérat, avec une telle violence de désespoir, qu'elle était obligée de mentir ; souvent, elle trouvait encore le moyen de lui glisser une pièce de quarante sous, pour lui prouver qu'elle avait
125 des économies. Jamais elle ne pleurait devant ses enfants. Les dimanches où elle pouvait faire cuire un morceau de veau dans la cheminée, à genoux sur le carreau, l'étroite pièce retentissait d'une gaieté de gamins, insoucieux de l'existence. Puis, Jean retourné chez son patron, Pépé endormi, elle passait une nuit
130 affreuse, dans l'angoisse du lendemain.

D'autres craintes la tenaient éveillée. Les deux dames du premier recevaient des visites très tard ; et parfois un homme se trompait, montait donner des coups de poing dans sa porte. Bourras lui ayant dit tranquillement de ne pas répondre, elle
135 s'enfonçait la tête sous l'oreiller, pour échapper aux jurons. Puis, son voisin, le boulanger, avait voulu rire ; celui-là ne rentrait que le matin, la guettait, quand elle allait chercher son eau ; il faisait même des trous dans la cloison, la regardait se débarbouiller, ce qui la forçait à pendre ses vêtements le long
140 du mur. Mais elle souffrait davantage encore des importunités de la rue, de la continuelle obsession des passants. Elle ne pouvait descendre acheter une bougie, sur ces trottoirs boueux où rôdait la débauche des vieux quartiers, sans entendre derrière elle un souffle ardent, des paroles crues de convoitise ;
145 et les hommes la poursuivaient jusqu'au fond de l'allée noire,

encouragés par l'aspect sordide de la maison. Pourquoi donc n'avait-elle pas un amant ? cela étonnait, semblait ridicule. Il faudrait bien qu'elle succombât un jour. Elle-même n'aurait pu expliquer comment elle résistait, sous la menace de la faim, et
150 dans le trouble des désirs dont on chauffait l'air autour d'elle.

Un soir, Denise n'avait pas même de pain pour la soupe de Pépé, lorsqu'un monsieur décoré s'était mis à la suivre. Devant l'allée, il devint brutal, et ce fut dans une révolte de dégoût qu'elle lui jeta la porte au visage. Puis, en haut, elle s'assit, les
155 mains tremblantes. Le petit dormait. Que répondrait-elle, s'il s'éveillait et s'il demandait à manger ? Cependant, elle n'aurait eu qu'à consentir. Sa misère finissait, elle avait de l'argent, des robes, une belle chambre. C'était facile, on disait que toutes en arrivaient là, puisqu'une femme, à Paris, ne pouvait vivre de
160 son travail. Mais un soulèvement de son être protestait, sans indignation contre les autres, répugnant simplement aux choses salissantes et déraisonnables. Elle se faisait de la vie une idée de logique, de sagesse et de courage.

Bien des fois, Denise s'interrogea de la sorte. Une ancienne
165 romance chantait dans sa mémoire, la fiancée du matelot que son amour gardait des périls de l'attente. À Valognes, elle fredonnait le refrain sentimental, en regardant la rue déserte. Avait-elle donc, elle aussi, une tendresse au cœur pour être si brave ? Elle songeait encore à Hutin, pleine de malaise. Chaque jour, elle le
170 voyait passer sous sa fenêtre. Maintenant qu'il était second, il marchait seul, au milieu du respect des simples vendeurs. Jamais il ne levait la tête, elle croyait souffrir de la vanité de ce garçon, le suivait des yeux, sans craindre d'être surprise. Et, dès qu'elle apercevait Mouret, qui passait également tous les soirs, un trem-
175 blement l'agitait, elle se cachait vite, la gorge battante. Il n'avait pas besoin d'apprendre où elle logeait ; puis, elle était honteuse de la maison, elle souffrait de ce qu'il pouvait penser d'elle, bien qu'ils ne dussent jamais plus se rencontrer.

D'ailleurs, Denise vivait toujours dans le branle du *Bonheur*
180 *des Dames*. Un simple mur séparait sa chambre de son ancien
rayon ; et, dès le matin, elle recommençait ses journées, elle
sentait monter la foule, avec le ronflement plus large de la vente.
Les moindres bruits ébranlaient la vieille masure collée au flanc
du colosse : elle battait dans ce pouls énorme. En outre, Denise
185 ne pouvait éviter certaines rencontres. Deux fois, elle s'était
trouvée en face de Pauline, qui lui avait offert ses services, désolée
de la savoir malheureuse ; même il lui avait fallu mentir, pour
éviter de recevoir son amie ou d'aller lui rendre visite, un
dimanche, chez Baugé. Mais elle se défendait plus difficilement
190 contre l'affection désespérée de Deloche ; il la guettait, n'igno-
rait aucun de ses soucis, l'attendait sous les portes ; un soir, il avait
voulu lui prêter trente francs, les économies d'un frère, disait-il,
très rouge. Et ces rencontres la ramenaient au continuel regret
du magasin, l'occupaient de la vie intérieure qu'on y menait,
195 comme si elle ne l'avait pas quitté.

Personne ne montait chez Denise. Une après-midi, elle fut
surprise d'entendre frapper. C'était Colomban. Elle le reçut
debout. Lui, très gêné, balbutia d'abord, demanda de ses
nouvelles, parla du *Vieil Elbeuf*. Peut-être l'oncle Baudu l'en-
200 voyait-il, regrettant sa rigueur ; car il continuait à ne pas même
saluer sa nièce, bien qu'il ne pût ignorer la misère où elle se
trouvait. Mais, quand elle questionna nettement le commis,
celui-ci parut plus embarrassé encore : non, non, ce n'était pas
le patron qui l'envoyait ; et il finit par nommer Clara, il voulait
205 simplement causer de Clara. Peu à peu, il s'enhardissait, deman-
dait des conseils, dans l'idée que Denise pouvait lui être utile
auprès de son ancienne camarade. Vainement, elle le désespéra,
en lui reprochant de faire souffrir Geneviève pour une fille sans
cœur. Il remonta un autre jour, il prit l'habitude de la venir voir.
210 Cela suffisait à son amour timide, sans cesse il recommençait la
même conversation, malgré lui, tremblant de la joie d'être avec

une femme qui avait approché Clara. Et Denise, alors, vécut davantage au *Bonheur des Dames*.

Ce fut vers les derniers jours de septembre que la jeune fille connut la misère noire. Pépé était tombé malade, un gros rhume inquiétant. Il aurait fallu le nourrir de bouillon, et elle n'avait pas même de pain. Un soir que, vaincue, elle sanglotait, dans une de ces débâcles sombres qui jettent les filles au ruisseau ou à la Seine[1], le vieux Bourras frappa doucement. Il apportait un pain et une boîte à lait pleine de bouillon.

— Tenez ! voilà pour le petit, dit-il de son air brusque. Ne pleurez pas si fort, ça dérange mes locataires.

Et, comme elle le remerciait, dans une nouvelle crise de larmes :

— Taisez-vous donc !... Demain, venez me parler. J'ai du travail pour vous.

Bourras, depuis le coup terrible que le *Bonheur des Dames* lui avait porté en créant un rayon de parapluies et d'ombrelles, n'employait plus d'ouvrières. Il faisait tout lui-même, pour diminuer ses frais : les nettoyages, les reprises, la couture. Sa clientèle, du reste, diminuait au point qu'il manquait de travail parfois. Aussi dut-il inventer de la besogne, le lendemain, lorsqu'il installa Denise dans un coin de sa boutique. Il ne pouvait pas laisser mourir le monde chez lui.

— Vous aurez quarante sous par jour, dit-il. Quand vous trouverez mieux, vous me lâcherez.

Elle avait peur de lui, elle dépêcha son travail si vite, qu'il fut embarrassé pour lui en donner d'autre. C'étaient des lés[2] de soie à coudre, des dentelles à réparer. Les premiers jours, elle n'osait lever la tête, gênée de le sentir autour d'elle, avec sa

1. *Au ruisseau ou à la Seine* : aux jeunes filles comme Denise, ne s'offrent que deux solutions : soit la pauvreté les conduit aux pires abjections et elles en sont parfois réduites à la prostitution, soit elles se suicident, en se jetant dans la Seine. \ **2.** *Lés* : largeurs d'étoffes comprises entre deux lisières.

crinière de vieux lion, son nez crochu et ses yeux perçants, sous les touffes raides de ses sourcils. Il avait la voix dure, les gestes fous, et les mères du quartier terrifiaient leurs marmots en menaçant de l'envoyer chercher, comme on envoie chercher les
245 gendarmes. Cependant, les gamins ne passaient jamais devant sa porte, sans lui crier quelque vilenie, qu'il ne semblait même pas entendre. Toute sa colère de maniaque s'exhalait contre les misérables qui déshonoraient son métier, en vendant du bon marché, de la camelote, des articles dont les chiens, disait-il,
250 n'auraient pas voulu se servir.

Denise tremblait, quand il lui criait furieusement :

— L'art est fichu, entendez-vous !... Il n'y a plus un manche propre. On fait des bâtons, mais des manches, c'est fini !... Trouvez-moi un manche, et je vous donne vingt francs !

255 C'était son orgueil d'artiste, pas un ouvrier à Paris n'était capable d'établir un manche pareil aux siens, léger et solide. Il en sculptait surtout la pomme avec une fantaisie charmante, renouvelant toujours les sujets, des fleurs, des fruits, des animaux, des têtes, traités d'une façon vivante et libre. Un canif
260 lui suffisait, on le voyait les journées entières, le nez chaussé de besicles[1], fouillant le buis ou l'ébène.

— Un tas d'ignorants, disait-il, qui se contentent de coller de la soie sur des baleines ! Ils achètent leurs manches à la grosse[2], des manches tout fabriqués... Et ça vend ce que ça
265 veut ! Entendez-vous, l'art est fichu !

Denise, enfin, se rassura. Il avait voulu que Pépé descendît jouer dans la boutique, car il adorait les enfants. Quand le petit marchait à quatre pattes, on ne pouvait plus remuer, elle au fond de son coin faisant des raccommodages, lui, devant la vitrine
270 creusant le bois, à l'aide de son canif. Maintenant, chaque journée ramenait les mêmes besognes et la même conversation.

1. *Besicles* : lunettes rondes. \ 2. *À la grosse* : par douze douzaine.

En travaillant, il retombait toujours sur le *Bonheur des Dames*, il expliquait sans se lasser où en était son terrible duel. Depuis 1845, il occupait la maison, pour laquelle il avait un bail de trente années, moyennant un loyer de dix-huit cents francs; et, comme il rattrapait un millier de francs avec ses quatre chambres garnies, il payait huit cents francs la boutique. C'était peu, il n'avait pas de frais, il pouvait tenir longtemps encore. À l'entendre, sa victoire ne faisait pas un doute, il mangerait le monstre.

Brusquement, il s'interrompait.

— Est-ce qu'ils en ont, des têtes de chien comme ça?

Et il clignait les yeux derrière ses lunettes, pour juger la tête de dogue qu'il sculptait, la lèvre retroussée, les crocs dehors, dans un grognement plein de vie. Pépé, en extase devant le chien, se soulevait, appuyait ses deux petits bras sur les genoux du vieux.

— Pourvu que je joigne les deux bouts, je me moque du reste, reprenait celui-ci, en attaquant délicatement la langue de la pointe de son canif. Les coquins ont tué mes bénéfices; mais, si je ne gagne plus, je ne perds pas encore, ou peu de chose du moins. Et, voyez-vous, je suis décidé à y laisser ma peau, plutôt que de céder.

Il brandissait son outil, ses cheveux blancs s'envolaient sous un vent de colère.

— Cependant, risquait doucement Denise, sans lever les yeux de son aiguille, si l'on vous offrait une somme raisonnable, il serait plus sage d'accepter.

Alors, son obstination féroce éclatait.

— Jamais!... La tête sous le couteau, je dirai non, tonnerre de Dieu!... J'ai encore dix ans de bail, ils n'auront pas la maison avant dix ans, lorsque je devrais crever de faim entre les quatre murs vides... Deux fois déjà, ils sont venus pour m'entortiller. Ils m'offraient douze mille francs de mon fonds

305 et les années à courir du bail, dix-huit mille francs, en tout trente mille… Pas pour cinquante mille ! Je les tiens, je veux les voir lécher la terre devant moi !

— Trente mille francs, c'est beau, reprenait Denise. Vous pourriez aller vous établir plus loin… Et s'ils achetaient la maison ?

310 Bourras, qui terminait la langue de son dogue, s'absorbait une minute, avec un rire d'enfant vaguement épandu sur sa face neigeuse de Père éternel. Puis, il repartait.

— La maison, pas de danger !… Ils parlaient de l'acheter l'année dernière, ils en donnaient quatre-vingt mille francs, le

315 double de ce qu'elle vaut aujourd'hui. Mais le propriétaire, un ancien fruitier, un gredin comme eux, a voulu les faire chanter. Et, d'ailleurs, ils se méfient de moi, ils savent bien que je céderais encore moins… Non ! non ! j'y suis, j'y reste ! L'empereur, avec tous ses canons, ne m'en délogerait pas.

320 Denise n'osait plus souffler. Elle continuait de tirer son aiguille, pendant que le vieillard lâchait d'autres phrases entrecoupées, entre deux entailles de son canif : ça commençait à peine, on verrait plus tard des choses extraordinaires, il avait des idées qui balayeraient leur comptoir de parapluies ; et, au

325 fond de son obstination, grondait la révolte du petit fabricant personnel, contre l'envahissement banal des articles de bazar.

Pépé, cependant, finissait par grimper sur les genoux de Bourras. Il tendait, vers la tête de dogue, des mains impatientes.

— Donne, monsieur.

330 — Tout à l'heure, mon petit, répondait le vieux d'une voix qui devenait tendre. Il n'a pas d'yeux, il faut lui faire des yeux, maintenant.

Et, tout en fignolant un œil, il s'adressait de nouveau à Denise.

335 — Les entendez-vous ?… Ronflent-ils encore, à côté ! c'est ça qui m'exaspère le plus, parole d'honneur ! de les avoir sans cesse dans le dos, avec leur sacrée musique de locomotive.

Sa petite table en tremblait, disait-il. Toute la boutique était secouée, il passait ses après-midi sans un client, dans la trépi-
340 dation de la foule qui s'écrasait au *Bonheur des Dames*. C'était un sujet d'éternel rabâchage. Encore une bonne journée, on tapait derrière le mur, la soierie avait dû faire dix mille francs ; ou bien, il se gaudissait [1], le mur était resté froid, un coup de pluie avait tué la recette. Et les moindres rumeurs, les souffles
345 les plus faibles, lui fournissaient ainsi des commentaires sans fin.

— Tenez, on a glissé. Ah ! s'ils pouvaient tous se casser les reins !... Ça, ma chère, ce sont des dames qui se disputent. Tant mieux ! tant mieux !... Hein ! entendez-vous les paquets tomber
350 dans les sous-sols ? C'est dégoûtant !

Il ne fallait pas que Denise discutât ses explications, car il rappelait alors amèrement la manière indigne dont on l'avait congédiée. Puis, elle devait lui conter, pour la centième fois, son passage aux confections, les souffrances du début, les
355 petites chambres malsaines, la mauvaise nourriture, la continuelle bataille des vendeurs ; et tous deux, du matin au soir, ne parlaient ainsi que du magasin, le buvaient à chaque heure dans l'air même qu'ils respiraient.

— Donne, monsieur, répétait ardemment Pépé, les mains
360 toujours tendues.

La tête de dogue était finie, Bourras la reculait, l'avançait, avec une gaieté bruyante.

— Prends garde, il va te mordre... Là, amuse-toi, et ne le casse pas, si c'est possible.

365 Puis, repris par son idée fixe, il brandissait le poing vers la muraille.

— Vous avez beau pousser pour que la maison tombe... Vous ne l'aurez pas, quand même vous envahiriez la rue entière !

1. *Gaudissait* : réjouissait.

Denise, maintenant, avait du pain tous les jours. Elle en
370 gardait une vive gratitude au vieux marchand, dont elle sentait
le bon cœur, sous les étrangetés violentes. Son vif désir était
cependant de trouver ailleurs du travail, car elle le voyait
inventer de petites besognes, elle comprenait qu'il n'avait pas
besoin d'une ouvrière, dans la débâcle de son commerce, et
375 qu'il l'employait par charité pure. Six mois s'étaient passés, on
venait de retomber dans la morte-saison d'hiver. Elle désespé-
rait de se caser avant mars, lorsque, un soir de janvier, Deloche,
qui la guettait sous une porte, lui donna un conseil. Pourquoi
n'allait-elle pas se présenter chez Robineau, où l'on avait peut-
380 être besoin de monde ?

En septembre, Robineau s'était décidé à acheter le fonds de
Vinçard, tout en redoutant de compromettre les soixante mille
francs de sa femme. Il avait payé quarante mille francs la spécia-
lité de soies, et il se lançait avec les vingt mille autres. C'était
385 peu, mais il avait derrière lui Gaujean, qui devait le soutenir par
de longs crédits. Depuis sa brouille avec le *Bonheur des Dames*,
ce dernier rêvait de susciter au colosse des concurrences ; il
croyait la victoire certaine, si l'on créait dans le voisinage
plusieurs spécialités, où les clientes trouveraient un choix très
390 varié d'articles. Seuls, les riches fabricants de Lyon, comme
Dumonteil, pouvaient accepter les exigences des grands maga-
sins ; ils se contentaient d'alimenter avec eux leurs métiers,
quittes à chercher ensuite des bénéfices, en vendant aux maisons
moins importantes. Mais Gaujean était loin d'avoir les reins
395 solides de Dumonteil. Longtemps simple commissionnaire, il
n'avait des métiers à lui que depuis cinq ou six ans, et encore
faisait-il travailler beaucoup de façonniers[1], auxquels il four-
nissait la matière première, et qu'il payait tant du mètre. C'était

1. *Façonniers* : travailleurs à façon, c'est-à-dire qui travaillent sans fournir la matière pre-
mière.

même ce système qui, haussant ses prix de revient, ne lui
400 permettait pas de lutter contre Dumonteil, pour la fourniture
du Paris-Bonheur. Il en gardait une rancune, il voyait en Robi-
neau l'instrument d'une bataille décisive, livrée à ces bazars des
nouveautés, qu'il accusait de ruiner la fabrication française.

Lorsque Denise se présenta, elle trouva M^{me} Robineau seule.
405 Fille d'un piqueur[1] des ponts et chaussées, absolument ignorante
des choses du commerce, celle-ci avait encore la gaucherie char-
mante d'une pensionnaire élevée dans un couvent de Blois. Elle
était très brune, très jolie, avec une douceur gaie qui lui donnait
un grand charme. Du reste, elle adorait son mari et ne vivait que
410 de cet amour. Comme Denise allait laisser son nom, Robineau
rentra, et il la prit sur-le-champ, l'une de ses vendeuses l'ayant
brusquement quitté la veille, pour entrer au *Bonheur des Dames*.

— Ils ne nous laissent pas un bon sujet, dit-il. Enfin, avec
vous, je serai tranquille, car vous êtes comme moi, vous ne
415 devez guère les aimer… Venez demain.

Le soir, Denise fut embarrassée pour annoncer à Bourras
qu'elle le quittait. Il la traita en effet d'ingrate, s'emporta ; puis,
lorsqu'elle se défendit, les larmes aux yeux, en lui faisant
entendre qu'elle n'était pas dupe de ses charités, il s'attendrit
420 à son tour, bégaya qu'il avait beaucoup de travaux, qu'elle
l'abandonnait juste au moment où il allait lancer un parapluie
de son invention.

— Et Pépé ? demanda-t-il.

L'enfant était le grand souci de Denise. Elle n'osait le
425 remettre chez M^{me} Gras et ne pouvait pourtant le laisser seul
dans sa chambre, enfermé du matin au soir.

— C'est bon, je le garderai, reprit le vieux. Il est bien dans
ma boutique, ce petit… Nous ferons la cuisine ensemble.

Et, comme elle refusait, craignant de le gêner :

1. *Piqueur* : agent chargé d'assister le conducteur de travaux publics.

430 — Tonnerre de Dieu! vous vous méfiez de moi… Je ne le mangerai pas, votre enfant!

Denise fut plus heureuse chez Robineau. Il la payait peu, soixante francs par mois, et nourrie seulement, sans intérêt sur la vente, comme dans les vieilles maisons. Mais elle était traitée
435 avec beaucoup de douceur, surtout par M^me Robineau, toujours souriante à son comptoir. Lui, nerveux, tourmenté, avait parfois des brusqueries. Au bout d'un mois, Denise faisait partie de la famille, ainsi que l'autre vendeuse, une petite femme poitrinaire[1] et silencieuse. On ne se gênait plus devant elle, on
440 causait des affaires, à table, dans l'arrière-boutique, qui donnait sur une grande cour. Et ce fut là qu'un soir on décida l'entrée en campagne contre le *Bonheur des Dames*.

Gaujean était venu dîner. Dès le rôti, un gigot bourgeois, il avait abordé la question, de sa voix blanche de Lyonnais,
445 épaissie par les brouillards du Rhône.

— Ça devient impossible, répétait-il. Ils arrivent chez Dumonteil, n'est-ce pas? se réservent la propriété d'un dessin, emportent du coup trois cents pièces, en exigeant une diminution de cinquante centimes par mètre; et, comme ils payent
450 comptant, ils bénéficient encore de l'escompte[2] de dix-huit pour cent… Souvent, Dumonteil ne gagne pas vingt centimes. Il travaille pour occuper ses métiers, car tout métier qui chôme est un métier qui meurt… Alors, comment voulez-vous que nous, avec notre outillage plus restreint, et surtout avec nos
455 façonniers, nous puissions soutenir la lutte?

Robineau, rêveur, oubliait de manger.

— Trois cents pièces! murmura-t-il. Moi, je tremble, quand j'en prends douze, et à quatre-vingt-dix jours[3]… Ils peuvent

1. *Poitrinaire*: atteinte de tuberculose. \ 2. *Escompte*: réduction obtenue par un paiement anticipé. \ 3. *À quatre-vingt-dix jours*: Robineau demande un délais de quatre-vingt-dix jours pour payer la marchandise (le produit de la vente l'aide ainsi à rembourser ses fournisseurs).

afficher un franc, deux francs, meilleur marché que nous. J'ai
460 calculé qu'il y a une baisse de quinze pour cent au moins sur
leurs articles de catalogue, quand on les compare à nos prix…
C'est ce qui tue le petit commerce.

Il était dans une heure de découragement. Sa femme,
inquiète, le regardait d'un air tendre. Elle ne mordait point aux
465 affaires, la tête cassée par tous ces chiffres, ne comprenant pas
qu'on se donnât un pareil souci, lorsqu'il était si facile de rire
et de s'aimer. Pourtant, il suffisait que son mari voulût vaincre :
elle se passionnait avec lui, serait morte à son comptoir.

— Mais pourquoi tous les fabricants ne s'entendent-ils pas
470 ensemble ? reprit violemment Robineau. Ils leur feraient la loi,
au lieu de la subir.

Gaujean, qui avait redemandé une tranche de gigot, mâchait
avec lenteur.

— Ah ! pourquoi, pourquoi… Il faut que les métiers
475 travaillent, je vous l'ai dit. Quand on a des tissages un peu
partout, aux environs de Lyon, dans le Gard, dans l'Isère, on ne
peut chômer un jour, sans des pertes énormes… Puis, nous
autres qui employons parfois des façonniers ayant dix ou quinze
métiers, nous sommes davantage maîtres de la production, au
480 point de vue du stock ; tandis que les grands fabricants se trou-
vent obligés d'avoir de continuels débouchés, les plus larges et
les plus rapides possible… Aussi sont-ils à genoux devant les
grands magasins. J'en connais trois ou quatre qui se les dispu-
tent, qui consentent à perdre pour obtenir leurs ordres. Et ils
485 se rattrapent avec les petites maisons comme la vôtre. Oui, s'ils
existent par eux, ils gagnent par vous… La crise finira Dieu sait
comment !

— C'est odieux ! conclut Robineau, que ce cri de colère
soulagea.

490 Denise écoutait, en silence. Elle était secrètement pour les
grands magasins, dans son amour instinctif de la logique et de

la vie. On se taisait, on mangeait des haricots verts de conserve ; et elle finit par se risquer à dire d'un air gai :

— Le public ne se plaint pas, lui !

495 Mᵐᵉ Robineau ne put retenir un léger rire, qui mécontenta son mari et Gaujean. Sans doute, le client était satisfait, puisque, en fin de compte, c'était le client qui bénéficiait de la baisse des prix. Seulement, il fallait bien que chacun vécût : où irait-on, si, sous le prétexte du bonheur général, on engraissait 500 le consommateur au détriment du producteur ? Et une discussion s'engagea. Denise affectait de plaisanter, tout en apportant des arguments solides : les intermédiaires disparaissaient, agents de fabrique, représentants, commissionnaires, ce qui entrait pour beaucoup dans le bon marché ; du reste, les fabri- 505 cants ne pouvaient même plus vivre sans les grands magasins, car dès qu'un d'entre eux perdait leur clientèle, la faillite deve- nait fatale ; enfin, il y avait là une évolution naturelle du commerce, on n'empêcherait pas les choses d'aller comme elles devaient aller, quand tout le monde y travaillait, bon gré, mal 510 gré.

— Alors, vous êtes pour ceux qui vous ont flanquée à la rue ? demanda Gaujean.

Denise devint très rouge. Elle restait surprise elle-même de la vivacité de sa défense. Qu'avait-elle au cœur, pour qu'une 515 flamme pareille lui fût montée dans la poitrine ?

— Mon Dieu ! non, répondit-elle. J'ai tort peut-être, car vous êtes plus compétent... Seulement, je dis ma pensée. Les prix, au lieu d'être faits comme autrefois par une cinquantaine de maisons, sont faits aujourd'hui par quatre ou cinq, qui les ont 520 baissés, grâce à la puissance de leurs capitaux et à la force de leur clientèle. Tant mieux pour le public, voilà tout !

Robineau ne se fâcha pas. Il était devenu grave, il regardait la nappe. Souvent, il avait senti ce souffle du commerce nouveau, cette évolution dont parlait la jeune fille ; et il se demandait, aux

525 heures de vision nette, pourquoi vouloir résister à un courant d'une telle énergie, qui emporterait tout. M^{me} Robineau elle-même, en voyant son mari songeur, approuvait du regard Denise, retombée modestement dans son silence.

— Voyons, reprit Gaujean pour couper court, tout ça, c'est
530 des théories… Parlons de notre affaire.

Après le fromage, la bonne venait de servir des confitures et des poires. Il prit des confitures, les mangea à la cuiller, avec la gourmandise inconsciente d'un gros homme adorant le sucre.

535 — Voilà, il faut que vous battiez en brèche leur Paris-Bonheur, qui a fait leur succès, cette année… Je me suis entendu avec plusieurs de mes confrères de Lyon, je vous apporte une offre exceptionnelle, une soie noire, une faille, que vous pourrez vendre à cinq francs cinquante… Ils vendent la leur cinq francs
540 soixante, n'est-ce pas ? Eh bien ! ce sera deux sous de moins, et cela suffit, vous les coulerez.

Les yeux de Robineau s'étaient rallumés. Dans son continuel tourment nerveux, il sautait souvent ainsi de la crainte à l'espoir.

545 — Vous avez un échantillon ? demanda-t-il.

Et, lorsque Gaujean eut tiré de son portefeuille un petit carré de soie, il acheva de s'exalter et cria :

— Mais elle est plus belle que le Paris-Bonheur ! En tout cas, elle fait plus d'effet, le grain est plus gros… Vous avez raison,
550 il faut tenter le coup. Ah ! tenez ! je les veux à mes pieds, ou j'y resterai, cette fois !

M^{me} Robineau, partageant cet enthousiasme, déclara la soie superbe. Denise elle-même crut au succès. La fin du dîner fut ainsi très gaie. On parlait fort, il semblait que le *Bonheur des*
555 *Dames* agonisât. Gaujean, qui achevait le pot de confiture, expliquait quels sacrifices énormes lui et ses collègues allaient s'imposer, pour livrer une pareille étoffe à si bon compte ; mais

ils s'y ruineraient plutôt, ils avaient juré de tuer les grands magasins. Comme on apportait le café, la gaieté fut encore
560 accrue l'arrivée de Vinçard. Il entrait en passant dire un petit bonjour à son successeur.

— Fameux! cria-t-il, en palpant la soie. Vous les roulerez, je vous en réponds!... Hein! vous me devrez une fière chandelle. Je vous le disais bien, qu'il y avait ici une affaire d'or!

565 Lui, venait de prendre un restaurant à Vincennes. C'était un rêve ancien, nourri sournoisement tandis qu'il se débattait dans les soies, tremblant de ne pas trouver à vendre son fonds avant la débâcle, se jurant de mettre son pauvre argent dans un commerce où l'on pût voler à l'aise. Cette idée d'un restaurant
570 lui était venue après la noce d'un cousin; la bouche allait toujours, on leur avait fait payer dix francs de l'eau de vaisselle, où nageaient des pâtes. Et, devant les Robineau, sa joie de leur avoir mis sur les épaules une mauvaise affaire dont il désespérait de se débarrasser, élargissait encore sa face aux yeux ronds
575 et à la grande bouche loyale, qui crevait de santé.

— Et vos douleurs? demanda obligeamment M^{me} Robineau.

— Hein? mes douleurs? murmura-t-il étonné.

— Oui, ces rhumatismes qui vous tourmentaient ici.

Il se souvint, il rougit légèrement.

580 — Oh! j'en souffre toujours... Pourtant, l'air de la campagne, vous comprenez... N'importe, vous avez fait une riche affaire. Sans mes rhumatismes, je me retirais avec dix mille francs de rente, avant dix ans... parole d'honneur!

Quinze jours plus tard, la lutte s'engageait entre Robineau et
585 le *Bonheur des Dames*. Elle fut célèbre, elle occupa un instant tout le marché parisien. Robineau, usant des armes de son adversaire, avait fait de la publicité dans les journaux. En outre, il soignait son étalage, entassait à ses vitrines des piles énormes de la fameuse soie, l'annonçait par de grandes pancartes blanches, où
590 se détachait en chiffres géants le prix de cinq francs cinquante.

C'était ce chiffre qui révolutionnait les femmes : deux sous de meilleur marché qu'au *Bonheur des Dames*, et la soie paraissait plus forte. Dès les premiers jours, il vint un flot de clientes : Mᵐᵉ Marty, sous le prétexte de se montrer économe, acheta une
595 robe dont elle n'avait pas besoin ; Mᵐᵉ Bourdelais trouva l'étoffe belle, mais elle préféra attendre, flairant sans doute ce qui allait se passer. La semaine suivante, en effet, Mouret, baissant carrément le Paris-Bonheur de vingt centimes, le donna à cinq francs quarante ; il avait eu, avec Bourdoncle et les intéressés, une
600 discussion vive, avant de les convaincre qu'il fallait accepter la bataille, quitte à perdre sur l'achat ; ces vingt centimes étaient une perte sèche, puisqu'on vendait déjà au prix coûtant. Le coup fut rude pour Robineau, il ne croyait pas que son rival baisserait, car ces suicides de la concurrence, ces ventes à perte étaient
605 encore sans exemple ; et le flot des clientes, obéissant au bon marché, avait tout de suite reflué vers la rue Neuve-Saint-Augustin, tandis que le magasin de la rue Neuve-des-Petits-Champs se vidait. Gaujean accourut de Lyon, il y eut des conciliabules effarés [1], on finit par prendre une résolution héroïque : la
610 soie serait baissée, on la laisserait à cinq francs trente, prix au-dessous duquel personne ne pouvait descendre, sans folie. Le lendemain, Mouret mettait son étoffe à cinq francs vingt. Et, dès lors, ce fut une rage : Robineau répliqua par cinq francs quinze, Mouret afficha cinq francs dix. Tous deux ne se battaient plus
615 que d'un sou, perdant des sommes considérables, chaque fois qu'ils faisaient ce cadeau au public. Les clientes riaient, enchantées de ce duel, émues des coups terribles que se portaient les deux maisons, pour leur plaire. Enfin, Mouret osa le chiffre de cinq francs ; chez lui, le personnel était pâle, glacé d'un tel défi
620 à la fortune. Robineau, atterré, hors d'haleine, s'arrêta de même à cinq francs, ne trouvant pas le courage de descendre davantage.

1. *Effarés* : pleins de surprise et de crainte.

Ils couchaient sur leurs positions, face à face, avec le massacre de leurs marchandises autour d'eux.

Mais si, de part et d'autre, l'honneur était sauf, la situation 625 devenait meurtrière pour Robineau. Le *Bonheur des Dames* avait des avances et une clientèle qui lui permettaient d'équilibrer les bénéfices ; tandis que lui, soutenu seulement par Gaujean, ne pouvant se rattraper sur d'autres articles, restait épuisé, glissait chaque jour un peu sur la pente de la faillite. Il mourait de sa 630 témérité, malgré la clientèle nombreuse que les péripéties de lutte lui avaient amenée. Un de ses tourments secrets était de voir cette clientèle le quitter lentement, retourner au *Bonheur*, après l'argent perdu et les efforts qu'il avait faits pour la conquérir.

Un jour même, la patience lui échappa. Une cliente, M^me de 635 Boves, était venue voir chez lui des manteaux, car il avait joint un comptoir de confections à sa spécialité de soies. Elle ne se décidait pas, se plaignait de la qualité des étoffes. Enfin, elle dit :

— Leur Paris-Bonheur est beaucoup plus fort.

Robineau se contenait, lui affirmait qu'elle se trompait, avec 640 sa politesse marchande, d'autant plus respectueux, qu'il craignait de laisser éclater sa révolte intérieure.

— Mais voyez donc la soie de cette rotonde [1] ! reprit-elle, on jurerait de la toile d'araignée... Vous avez beau dire, monsieur, leur soie à cinq francs est du cuir à côté de celle-ci.

645 Il ne répondait plus, le sang au visage, les lèvres serrées. Justement, il avait imaginé le coup ingénieux d'acheter, pour ses confections, la soie chez son rival. De cette façon, c'était Mouret, ce n'était pas lui qui perdait sur l'étoffe. Il coupait simplement la lisière.

650 — Vraiment, vous trouvez le Paris-Bonheur [2] plus épais ? murmura-t-il.

1. *Rotonde* : manteau dont les plis forment un large cercle. \ 2. *Paris-Bonheur* : soie à lisière bleu et argent.

— Oh! cent fois, dit M^me de Boves. Il n'y a pas de comparaison.

Cette injustice de la cliente, dépréciant quand même la marchandise, l'indignait. Et, comme elle retournait toujours la rotonde de son air dégoûté, un petit bout de la lisière bleu et argent, échappé aux ciseaux, parut sous la doublure. Alors, il ne put se contraindre davantage, il avoua, il aurait donné sa tête.

— Eh bien! madame, cette soie est du Paris-Bonheur, je l'ai achetée moi-même, parfaitement!… Voyez la lisière.

M^me de Boves partit très vexée. Beaucoup de ces dames le quittèrent, l'histoire avait couru. Et lui, au milieu de cette ruine, lorsque l'épouvante du lendemain le prenait, ne tremblait que pour sa femme, élevée dans une paix heureuse, incapable de vivre pauvre. Que deviendrait-elle, si une catastrophe les mettait sur le pavé, avec des dettes? C'était sa faute, jamais il n'aurait dû toucher aux soixante mille francs. Il fallait qu'elle le consolât. Est-ce que cet argent n'était pas à lui comme à elle? Il l'aimait bien, elle n'en demandait pas davantage, elle lui donnait tout, son cœur, sa vie. Dans l'arrière-boutique, on les entendait s'embrasser. Peu à peu, le train de la maison se régularisa; chaque mois, les pertes augmentaient, dans une proportion lente, qui reculait l'issue fatale. L'espoir tenace les laissait debout, ils annonçaient toujours la déconfiture prochaine du *Bonheur des Dames*.

— Bah! disait-il, nous sommes jeunes aussi, nous autres… L'avenir est à nous.

— Et puis, qu'importe? si tu as fait ce que tu voulais faire, reprenait-elle. Pourvu que tu te contentes, ça me contente, mon bon chéri.

Denise se prenait d'affection, en voyant leur tendresse. Elle tremblait, elle sentait la chute inévitable; mais elle n'osait plus intervenir. Ce fut là qu'elle acheva de comprendre la puissance

685 du nouveau commerce et de se passionner pour cette force qui transformait Paris. Ses idées mûrissaient, une grâce de femme se dégageait, en elle, de l'enfant sauvage débarquée de Valognes. Du reste, sa vie était assez douce, malgré sa fatigue et son peu d'argent. Lorsqu'elle avait passé la journée debout, il lui fallait 690 rentrer vite, s'occuper de Pépé, que le vieux Bourras, heureusement, s'obstinait à nourrir ; mais c'étaient encore des soins, une chemise à laver, une blouse à recoudre, sans compter le tapage du petit, dont elle avait la tête fendue. Elle ne se couchait jamais avant minuit. Le dimanche était un jour de grosse besogne : elle 695 nettoyait sa chambre, se raccommodait elle-même, si occupée, qu'elle ne se peignait souvent qu'à cinq heures. Cependant, elle sortait quelquefois par raison, emmenait l'enfant, lui faisait faire une longue course à pied, du côté de Neuilly ; et leur régal était de boire, là-bas, une tasse de lait chez un nourrisseur[1], qui 700 les laissait s'asseoir dans sa cour. Jean dédaignait ces parties ; il se montrait de loin en loin, les soirs de semaine, puis disparaissait, en prétextant d'autres visites ; il ne demandait plus d'argent, mais il arrivait avec des airs si mélancoliques, que sa sœur, inquiète, avait toujours pour lui une pièce de cent sous de côté. 705 Son luxe était là.

— Cent sous ! criait chaque fois Jean. Sacristi ! tu es trop gentille !… Justement, il y a la femme du papetier…

— Tais-toi, interrompait Denise. Je n'ai pas besoin de savoir.

Mais il croyait qu'elle l'accusait de se vanter.

710 — Quand je te dis qu'elle est la femme d'un papetier !… Oh ! quelque chose de magnifique !

Trois mois se passèrent. Le printemps revenait, Denise refusa de retourner à Joinville avec Pauline et Baugé. Elle les rencontrait parfois rue Saint-Roch, en sortant de chez Robi-715 neau. Pauline, dans une de ces rencontres, lui confia qu'elle

1. *Nourrisseur* : il nourrit les vaches pour vendre leur lait.

allait peut-être épouser son amant ; c'était elle qui hésitait encore, on n'aimait guère les vendeuses mariées au *Bonheur des Dames*. Cette idée de mariage surprit Denise, elle n'osa conseiller son amie. Un jour que Colomban venait de l'arrêter

720 près de la fontaine, pour lui parler de Clara, celle-ci justement traversa la place ; et la jeune fille dut s'échapper, car il la suppliait de demander à son ancienne camarade si elle voulait bien se marier avec lui. Qu'avaient-ils donc tous ? Pourquoi se tourmenter de la sorte ? Elle s'estimait très heureuse de

725 n'aimer personne.

— Vous savez la nouvelle ? lui dit un soir le marchand de parapluies, comme elle rentrait.

— Non, monsieur Bourras.

— Eh bien ! les gredins ont acheté l'hôtel Duvillard... Je suis
730 cerné !

Il agitait ses grands bras, dans une crise de fureur qui hérissait sa crinière blanche.

— Un micmac à n'y rien comprendre ! reprit-il. Il paraît que l'hôtel appartenait au Crédit Immobilier, dont le président, le
735 baron Hartmann, vient de le céder à notre fameux Mouret... Maintenant, ils me tiennent à droite, à gauche, derrière, tenez ! voyez-vous, comme je tiens dans mon poing cette pomme de canne !

C'était vrai, on avait dû signer la cession la veille. La petite
740 maison de Bourras, serrée entre le *Bonheur des Dames* et l'hôtel Duvillard, accrochée là comme un nid d'hirondelle dans la fente d'un mur, semblait devoir être écrasée du coup, le jour où le magasin envahirait l'hôtel, et ce jour était venu, le colosse tournait le faible obstacle, le ceignait de son entassement de
745 marchandises, menaçait de l'engloutir, de l'absorber par la seule force de son aspiration géante. Bourras sentait bien l'étreinte dont craquait sa boutique. Il croyait la voir diminuer, il craignait d'être bu lui-même, de passer de l'autre côté avec

ses parapluies et ses cannes, tant la terrible mécanique ronflait
750 à cette heure.

— Hein! les entendez-vous? criait-il. Si l'on ne dirait pas
qu'ils mangent les murailles! Et, dans ma cave, dans mon
grenier, partout, c'est le même bruit de scie mordant le plâtre...
N'importe! ils ne m'aplatiront peut-être pas comme une feuille
755 de papier. Je resterai, quand ils feraient éclater mon toit et que
la pluie tomberait à seaux dans mon lit!

Ce fut à ce moment que Mouret fit faire à Bourras de
nouvelles propositions: on grossissait le chiffre, on achetait son
fonds et le droit au bail cinquante mille francs. Cette offre
760 redoubla la colère du vieillard, il refusa avec des injures. Fallait-
il que ces gredins volassent le monde, pour payer cinquante
mille francs une chose qui n'en valait pas dix mille! Et il défen-
dait sa boutique comme une fille honnête défend sa vertu, au
nom de l'honneur, par respect de lui-même.

765 Denise vit Bourras préoccupé pendant une quinzaine de
jours. Il tournait fiévreusement, métrait les murs de sa maison,
la regardait du milieu de la rue, avec des airs d'architecte. Puis,
un matin, des ouvriers arrivèrent. C'était la bataille décisive, il
avait l'idée téméraire de battre le *Bonheur des Dames* sur son
770 terrain, en faisant des concessions au luxe moderne. Les clientes,
qui lui reprochaient sa boutique sombre, reviendraient certai-
nement, quand elles la verraient flamber, toute neuve. D'abord,
on boucha les crevasses et on badigeonna la façade; ensuite, on
repeignit les boiseries de la devanture en vert clair; même
775 on poussa la splendeur jusqu'à dorer l'enseigne. Trois mille
francs, que Bourras tenait de côté comme une ressource
suprême, furent dévorés. D'ailleurs, le quartier était en révolu-
tion; on venait le contempler au milieu de ces richesses, perdant
la tête, ne retrouvant pas ses habitudes. Il ne semblait plus chez
780 lui, dans ce cadre luisant, sur ces fonds tendres, effaré avec sa
grande barbe et ses cheveux. Maintenant, du trottoir d'en face,

les passants s'étonnaient, à le regarder agiter les bras et sculpter ses manches. Et il était galopé de fièvre, il craignait de salir, il s'engouffrait davantage, dans ce commerce luxueux, auquel il ne comprenait rien.

Cependant, comme chez Robineau, la campagne contre le *Bonheur des Dames* était ouverte chez Bourras. Il venait de lancer son invention, le parapluie à godet[1], qui plus tard devait se populariser. Du reste, le *Bonheur* perfectionna immédiatement l'invention. Alors, la lutte s'engagea sur les prix. Il eut un article à un franc quatre-vingt-quinze, en zanella[2], monture acier, inusable, disait l'étiquette. Mais il voulut surtout battre son concurrent avec ses manches, des manches de bambou, de cornouiller, d'olivier, de myrte, de rotin, toutes les variétés de manches imaginables. Le *Bonheur*, moins artiste, soignait l'étoffe, vantait ses alpagas et ses mohairs, ses sergés et ses taffetas cuits. Et la victoire lui resta, le vieillard désespéré répéta que l'art était fichu, qu'il en était réduit à tailler ses manches pour le plaisir, sans espoir de les vendre.

— C'est ma faute! criait-il à Denise. Est-ce que j'aurais dû tenir des saletés à un franc quatre-vingt-quinze?... Voilà où les idées nouvelles peuvent conduire. J'ai voulu suivre l'exemple de ces brigands, tant mieux si j'en crève!

Juillet fut très chaud. Denise souffrait dans son étroite chambre, sous les ardoises. Aussi lorsqu'elle sortait de son magasin, prenait-elle Pépé chez Bourras; et au lieu de monter tout de suite, elle allait respirer un peu au jardin des Tuileries, jusqu'à la fermeture des grilles. Un soir, comme elle se dirigeait vers les marronniers, elle resta saisie: à quelques pas, marchant droit à elle, il lui semblait reconnaître Hutin. Puis, son cœur battit violemment. C'était Mouret, qui avait dîné sur la rive gauche et qui se hâtait de se rendre à pied chez M^me Desforges.

1. *À godet*: dont les larges plis tombent en s'évasant. \ 2. *Zanella*: toile imperméable.

Au brusque mouvement que fit la jeune fille pour lui échapper, il la regarda. La nuit tombait, il la reconnut pourtant.

815 — C'est vous, mademoiselle.

Elle ne répondit pas, éperdue qu'il eût daigné s'arrêter. Lui, souriant, cachait sa gêne sous un air d'aimable protection.

— Vous êtes toujours à Paris?

— Oui, monsieur, dit-elle enfin.

820 Lentement, elle reculait, elle cherchait à saluer, pour continuer sa promenade. Mais il revint lui-même sur ses pas, il la suivit sous les ombres noires des grands marronniers. Une fraîcheur tombait, des enfants riaient au loin, en poussant des cerceaux.

825 — C'est votre frère, n'est-ce pas? demanda-t-il encore, les yeux sur Pépé.

Celui-ci intimidé par cette présence extraordinaire d'un monsieur, marchait gravement près de sa sœur, dont il tenait la main:

830 — Oui, monsieur, répondit-elle de nouveau.

Elle avait rougi, elle songeait aux inventions abominables de Marguerite et de Clara. Sans doute, Mouret comprit la cause de sa rougeur, car il ajouta vivement:

— Écoutez, mademoiselle, j'ai des excuses à vous présenter…

835 Oui, j'aurais été heureux de vous dire plus tôt combien j'ai regretté l'erreur qui a été commise. On vous a accusée trop légèrement d'une faute… Enfin, le mal est fait, je voulais seulement vous apprendre que tout le monde, chez nous, connaît aujourd'hui votre tendresse pour vos frères…

840 Il continua, fut d'une politesse respectueuse, à laquelle les vendeuses du *Bonheur des Dames* n'étaient guère habituées de sa part. Le trouble de Denise avait augmenté; mais une joie inondait son cœur. Il savait donc qu'elle ne s'était donnée à personne! Tous deux gardaient le silence, il restait près d'elle,

845 réglant ses pas sur les petits pas de l'enfant; et les bruits loin-

tains de Paris se mouraient, sous les ombres noires des grands arbres.

— Je n'ai qu'une réhabilitation à vous offrir, mademoiselle, reprit-il. Naturellement, si vous désirez rentrer chez nous…

850 Elle l'interrompit, elle refusa avec une hâte fébrile.

— Monsieur, je ne puis pas… Je vous remercie tout de même, mais j'ai trouvé ailleurs.

Il le savait, on lui avait appris depuis peu qu'elle était chez Robineau. Et, tranquillement, sur un pied d'égalité charmante,

855 il lui parla de ce dernier, auquel il rendait justice : un garçon d'une intelligence vive, trop nerveux seulement. Il aboutirait à une catastrophe, Gaujean l'avait écrasé d'une affaire très lourde, où tous deux resteraient. Alors, Denise, gagnée par cette familiarité, se livra davantage, laissa voir qu'elle était pour

860 les grands magasins, dans la bataille livrée entre ceux-ci et le petit commerce ; elle s'animait, citait des exemples, se montrait au courant de la question, remplie même d'idées larges et nouvelles. Lui, ravi, l'écoutait avec surprise. Il se tournait, tâchait de distinguer ses traits, dans la nuit grandissante. Elle

865 semblait toujours la même, vêtue d'une robe simple, le visage doux ; mais, de cet effacement modeste, montait un parfum pénétrant dont il subissait la puissance. Sans doute, cette petite s'était faite à l'air de Paris, la voilà qui devenait femme, et elle était troublante, si raisonnable, avec ses beaux cheveux, lourds

870 de tendresse.

— Puisque vous êtes des nôtres, dit-il en riant, pourquoi restez-vous chez nos adversaires ?… Ainsi, ne m'a-t-on pas dit également que vous logiez chez ce Bourras ?

— Un bien digne homme, murmura-t-elle.

875 — Non, laissez donc ! un vieux toqué, un fou qui me forcera à le mettre sur la paille, lorsque je voudrais m'en débarrasser avec une fortune !… D'abord, votre place n'est pas chez lui, sa maison est mal famée, il loue à des personnes…

Mais il sentit la jeune fille confuse, il se hâta d'ajouter :

880 — On peut être honnête partout, et il y a même plus de mérite à l'être, quand on n'est pas riche.

Ils firent de nouveau quelques pas en silence. Pépé semblait écouter de son air attentif d'enfant précoce. Par moments, il levait les yeux sur sa sœur, dont la main brûlante, secouée de

885 légers tressaillements, l'étonnait :

— Tenez ! reprit gaiement Mouret, voulez-vous être mon ambassadeur ? Demain, j'avais l'intention d'augmenter encore mon offre, de faire proposer à Bourras quatre-vingt mille francs… Parlez-lui en la première, dites-lui donc qu'il se

890 suicide. Il vous écoutera peut-être, puisqu'il a de l'amitié pour vous, et vous lui rendriez un véritable service.

— Soit ! répondit Denise, souriante elle aussi. Je ferai la commission, mais je doute de réussir.

Et le silence retomba. Ni l'un ni l'autre n'avait plus rien à

895 se dire. Un instant, il essaya de causer de l'oncle Baudu ; puis, il dut se taire, en voyant le malaise de la jeune fille. Cependant, ils continuaient de se promener côte à côte, ils débouchèrent enfin, vers la rue de Rivoli, dans une allée où il faisait jour encore. Au sortir de la nuit des arbres, ce fut comme un

900 brusque réveil. Il comprit qu'il ne pouvait la retenir davantage.

— Bonsoir, mademoiselle.

— Bonsoir, monsieur.

Mais il ne s'en allait pas. En levant les yeux, d'un coup d'œil, il venait d'apercevoir devant lui, au coin de la rue d'Alger, les

905 fenêtres éclairées de M^{me} Desforges, qui l'attendait. Et il avait reporté ses regards sur Denise, il la voyait bien, dans le pâle crépuscule : elle était toute chétive auprès d'Henriette, pourquoi donc lui chauffait-elle ainsi le cœur ? C'était un caprice imbécile.

910 — Voici un petit garçon qui se fatigue, reprit-il pour dire encore quelque chose. Et rappelez-vous bien, n'est-ce pas ? que

notre maison vous est ouverte. Vous n'aurez qu'à y frapper, je vous donnerai toutes les compensations désirables… Bonsoir, mademoiselle.

915 — Bonsoir, monsieur.

Quand Mouret l'eut quittée, Denise rentra sous les marronniers, dans l'ombre noire. Longtemps, elle marcha sans but, entre les troncs énormes, le sang au visage, la tête bourdonnante d'idées confuses. Pépé, toujours pendu à sa main, allon- 920 geait ses courtes jambes pour la suivre. Elle l'oubliait. Il finit par dire :

— Tu vas trop fort, petite mère.

Alors, elle s'assit sur un banc : et, comme il était las, l'enfant s'endormit en travers de ses genoux. Elle le tenait, le serrait 925 contre sa poitrine de vierge, les yeux perdus au fond des ténèbres. Lorsque, une heure plus tard, elle revint doucement avec lui rue de la Michodière, elle avait son tranquille visage de fille raisonnable.

— Tonnerre de Dieu ! lui cria Bourras, du plus loin qu'il 930 l'aperçut, le coup est fait… Cette canaille de Mouret vient d'acheter ma maison.

Il était hors de lui, il se battait tout seul, au milieu de la boutique, avec des gestes si désordonnés, qu'il menaçait d'enfoncer les vitrines.

935 — Ah ! la crapule !… C'est le fruitier qui m'écrit. Et vous ne savez pas combien il l'a vendue, ma maison ? cent cinquante mille francs, quatre fois ce qu'elle vaut ! Encore un joli voleur, celui-là !… Imaginez-vous qu'il a prétexté mes embellissements ; oui, il a fait valoir que la maison venait d'être remise à 940 neuf… Est-ce qu'ils n'auront pas bientôt fini de se ficher de moi ?

Cette idée que son argent, dépensé en badigeon et en peinture, avait pu profiter au fruitier, l'exaspérait. Et, maintenant, voilà Mouret qui devenait son propriétaire : c'était à lui qu'il

945 devrait payer ! c'était chez lui, chez ce concurrent abhorré, qu'il logerait désormais ! Une telle pensée achevait de le soulever de fureur.

— Je les entendais bien trouer le mur... À cette heure, ils sont ici, c'est comme s'ils mangeaient dans mon assiette !

950 Et, de son poing abattu sur le comptoir, il secouait la boutique, il faisait danser les parapluies et les ombrelles.

Denise, étourdie, n'avait pu placer un mot. Elle restait immobile, attendait la fin de la crise ; pendant que Pépé, très las, s'endormait sur une chaise. Enfin, quand Bourras se calma

955 un peu, elle résolut de faire la commission de Mouret ; sans doute, le vieillard était irrité, mais l'excès même de sa colère, l'impasse où il se trouvait, pouvaient déterminer une acceptation brusque.

— Justement, j'ai rencontré quelqu'un commença-t-elle.

960 Oui, une personne du *Bonheur*, et très bien informée... Il paraît que, demain, on vous offrira quatre vingt mille francs...

Il l'interrompit d'un éclat de voix terrible :

— Quatre-vingt mille francs ! quatre-vingt mille francs !... Pas pour un million, maintenant !

965 Elle voulut le raisonner. Mais la porte de la boutique s'ouvrit, et elle recula tout d'un coup, muette et pâle. C'était l'oncle Baudu, avec sa face jaune, l'air vieilli. Bourras saisit les boutons du paletot de son voisin, lui cria dans le visage, sans le laisser dire un mot, fouetté par sa présence :

970 — Savez-vous ce qu'ils ont le toupet de m'offrir ? quatre-vingt mille francs ! Ils en sont là, les bandits ! ils croient que je vais me vendre comme une fille... Ah ! ils ont acheté la maison, et ils pensent me tenir ! Eh bien, c'est fini, ils ne l'auront pas ! J'aurais cédé peut-être, mais puisqu'elle est à eux, qu'ils

975 essayent donc de la prendre !

— Alors, la nouvelle est vraie ? dit Baudu de sa voix lente. On me l'avait affirmé, je venais pour savoir.

— Quatre-vingt mille francs! répétait Bourras. Pourquoi pas cent mille? C'est tout cet argent qui m'indigne. Est-ce qu'ils croient qu'ils me feraient commettre une coquinerie, avec leur argent?... Ils ne l'auront pas, tonnerre de Dieu! Jamais, jamais, entendez-vous!

Denise sortit de son silence, pour dire de son air calme:

— Ils l'auront dans neuf ans, quand votre bail sera fini.

Et, malgré la présence de son oncle, elle conjura le vieillard d'accepter. La lutte devenait impossible, il se battait contre une force supérieure, il ne pouvait, sans démence, refuser la fortune qui se présentait. Mais, lui, répondait toujours non. Dans neuf ans, il espérait bien être mort, pour ne pas voir ça.

— Vous entendez, monsieur Baudu? reprit-il, votre nièce est avec eux, c'est elle qu'ils ont chargée de me corrompre... Elle est avec les brigands, parole d'honneur!

L'oncle, jusque-là, avait paru ne pas voir Denise. Il levait la tête, du mouvement bourru qu'il affectait sur le seuil de sa boutique, chaque fois qu'elle passait. Mais, lentement, il se tourna, il la regarda. Ses grosses lèvres tremblèrent.

— Je le sais, répondit-il à demi-voix.

Et il continuait à la regarder. Denise, touchée aux larmes, le trouvait bien changé par le chagrin. Lui, pris du sourd remords de ne l'avoir pas secourue, songeait peut-être à la vie de misère qu'elle venait de traverser. Puis, la vue de Pépé endormi sur la chaise, au milieu des éclats de la discussion, sembla l'attendrir.

— Denise, dit-il simplement, entre donc demain manger la soupe, avec le petit... Ma femme et Geneviève m'ont prié de t'inviter, si je te rencontrais.

Elle devint très rouge, elle l'embrassa. Et, lorsqu'il partit, Bourras, heureux de cette réconciliation, lui cria encore:

— Corrigez-la, elle a du bon... Moi, la maison peut crouler, on me trouvera sous les pierres.

— Nos maisons croulent déjà, voisin, dit Baudu d'un air sombre. Nous y resterons tous.

VIII

Cependant, tout le quartier causait de la grande voie qu'on allait ouvrir, du nouvel Opéra à la Bourse, sous le nom de rue du Dix-Décembre[1]. Les jugements d'expropriation étaient rendus[2], deux bandes de démolisseurs attaquaient déjà la trouée,
5 aux deux bouts, l'une abattant les vieux hôtels de la rue Louis-le-Grand, l'autre renversant les murs légers de l'ancien Vaude-ville[3]; et l'on entendait les pioches qui se rapprochaient, la rue de Choiseul et la rue de la Michodière se passionnaient pour leurs maisons condamnées. Avant quinze jours, la trouée devait les
10 éventrer d'une large entaille, pleine de vacarme et de soleil.

Mais ce qui remuait le quartier plus encore, c'étaient les travaux entrepris au *Bonheur des Dames*. On parlait d'agrandisse-ments considérables, de magasins gigantesques tenant les trois façades des rues de la Michodière, Neuve-Saint-Augustin et
15 Monsigny. Mouret, disait-on, avait traité avec le baron Hart-mann, président du Crédit Immobilier, et il occuperait tout le pâté de maisons, sauf la façade future sur la rue du Dix-Décembre, où le baron voulait construire une concurrence au Grand-Hôtel. Partout, le *Bonheur* rachetait les baux, les boutiques fermaient, les
20 locataires déménageaient; et, dans les immeubles vides, une

1. *Rue du Dix-Décembre*: aujourd'hui rue du Quatre-Septembre (voir Dossier, « L'œuvre dans l'histoire », p. 521). \ **2.** En réalité, les expropriations eurent lieu en 1867-1868. Le cha-pitre est situé, d'après la chronologie interne du roman, en 1866-1867. Il s'agit donc d'un léger anachronisme. \ **3.** *Vaudeville*: nom d'un théâtre.

armée d'ouvriers commençait les aménagements nouveaux, sous des nuages de plâtre. Seule, au milieu de ce bouleversement, l'étroite masure du vieux Bourras restait immobile et intacte, obstinément accrochée entre les autres murailles, couvertes de
25 maçons.

Lorsque, le lendemain, Denise se rendit avec Pépé chez l'oncle Baudu, la rue était justement barrée par une file de tombereaux[1], qui déchargeaient des briques devant l'ancien hôtel Duvillard. Debout sur le seuil de sa boutique, l'oncle
30 regardait, d'un œil morne. À mesure que le *Bonheur des Dames* s'élargissait, il semblait que le *Vieil Elbeuf* diminuât. La jeune fille trouvait les vitrines plus noires, plus écrasées sous l'entresol bas, aux baies rondes de prison ; l'humidité avait encore déteint la vieille enseigne verte, une détresse tombait de la façade
35 entière, plombée et comme amaigrie.

— Vous voilà, dit Baudu. Prenez garde ! ils vous passeraient sur le corps.

Dans la boutique, Denise éprouva le même serrement de cœur. Elle la revoyait assombrie, gagnée davantage par la
40 somnolence de la ruine ; des angles vides creusaient des trous de ténèbres, la poussière envahissait les comptoirs et les casiers ; tandis qu'une odeur de cave salpêtrée montait des ballots de drap, qu'on ne remuait plus. À la caisse, M^me Baudu et Geneviève se tenaient muettes et immobiles, comme dans un coin
45 de solitude, où personne ne venait les déranger. La mère ourlait des torchons. La fille, les mains tombées sur les genoux, regardait le vide devant elle.

— Bonsoir, ma tante, dit Denise. Je suis bien heureuse de vous revoir, et si je vous ai fait de la peine, veuillez me le
50 pardonner.

1. *Tombereaux* : voitures servant à transporter de grosses charges. Ces dernières sont placées dans une caisse qui peut être basculée en arrière au moment du déchargement.

M^{me} Baudu l'embrassa, très émue.

— Ma pauvre fille, répondit-elle, si je n'avais pas d'autres peines, tu me verrais plus gaie.

— Bonsoir, ma cousine, reprit Denise, en baisant la première
55 Geneviève sur les joues.

Celle-ci s'éveillait comme en sursaut. Elle lui rendit ses baisers, sans trouver une parole. Les deux femmes prirent ensuite Pépé, qui tendait ses petits bras. Et la réconciliation fut complète.

— Eh bien! il est six heures, mettons-nous à table, dit
60 Baudu. Pourquoi n'as-tu pas amené Jean?

— Mais il devait venir, murmura Denise embarrassée. Justement, je l'ai vu ce matin, il m'a formellement promis... Oh! il ne faut pas l'attendre, son patron l'aura retenu.

Elle se doutait de quelque histoire extraordinaire, elle
65 voulait l'excuser d'avance.

— Alors, mettons-nous à table, répéta l'oncle.

Puis, se tournant vers le fond obscur de la boutique:

— Colomban, vous pouvez dîner en même temps que nous. Personne ne viendra.

70 Denise n'avait pas aperçu le commis.

La tante lui expliqua qu'ils avaient dû congédier l'autre vendeur et la demoiselle. Les affaires devenaient si mauvaises, que Colomban suffisait; et encore passait-il des heures inoccupé, alourdi, glissant au sommeil, les yeux ouverts.

75 Dans la salle à manger, le gaz brûlait, bien qu'on fût aux longs jours de l'été. Denise eut un léger frisson en entrant, les épaules saisies par la fraîcheur qui tombait des murs. Elle retrouva la table ronde, le couvert mis sur une toile cirée, la fenêtre prenant l'air et la lumière au fond du boyau empesté de
80 la petite cour. Et ces choses lui paraissaient, comme la boutique, s'être assombries encore et avoir des larmes.

— Père, dit Geneviève, gênée pour Denise, voulez-vous que je ferme la fenêtre? Ça ne sent pas bon.

Lui, ne sentait rien. Il resta surpris.

85 — Ferme la fenêtre, si cela t'amuse, répondit-il enfin. Seulement, nous manquerons d'air.

En effet, on étouffa. C'était un dîner de famille, fort simple. Après le potage, dès que la bonne eut servi le bouilli [1], l'oncle en vint fatalement aux gens d'en face. Il se montra

90 d'abord très tolérant, il permettait à sa nièce d'avoir une opinion différente.

— Mon Dieu! tu es bien libre de soutenir ces grandes chabraques [2] de maisons... Chacun son idée, ma fille... Du moment que ça ne t'a pas dégoûtée d'être salement flanquée

95 à la porte, c'est que tu dois avoir des raisons solides pour les aimer ; et tu y rentrerais, vois-tu, que je ne t'en voudrais pas du tout... N'est-ce pas ? personne ici ne lui en voudrait.

— Oh! non, murmura M^{me} Baudu.

Denise, posément, dit ses raisons, comme elle les disait chez

100 Robineau : l'évolution logique du commerce, les nécessités des temps modernes, la grandeur de ces nouvelles créations, enfin le bien-être croissant du public. Baudu, les yeux arrondis, la bouche épaisse, l'écoutait, avec une visible tension d'intelligence. Puis, quand elle eut terminé, il secoua la tête.

105 — Tout ça, ce sont des fantasmagories. Le commerce est le commerce, il n'y a pas à sortir de là... Oh! je leur accorde qu'ils réussissent, mais c'est tout. Longtemps, j'ai cru qu'ils se casseraient les reins ; oui, j'attendais ça, je patientais, tu te rappelles ? Eh bien! non, il paraît qu'aujourd'hui ce sont les voleurs qui

110 font fortune, tandis que les honnêtes gens meurent sur la paille... Voilà où nous en sommes, je suis forcé de m'incliner devant les faits. Et je m'incline, mon Dieu! Je m'incline...

Une sourde colère le soulevait peu à peu. Il brandit tout d'un coup sa fourchette.

1. *Bouilli* : viande bouillie, pot-au-feu. \ 2. *Chabraques* : femmes de mauvaise vie.

115 — Mais jamais le *Vieil Elbeuf* ne fera une concession !...
Entends-tu, je l'ai dit à Bourras : « Voisin, vous pactisez avec
les charlatans, vos peinturlurages sont une honte. »

— Mange donc, interrompit M^{me} Baudu, inquiète de le voir
s'allumer ainsi.

120 — Attends, je veux que ma nièce sache bien ma devise...
Écoute ça, ma fille : je suis comme cette carafe, je ne bouge pas.
Ils réussissent, tant pis pour eux ! Moi, je proteste, voilà tout !

La bonne apportait un morceau de veau rôti. De ses mains
tremblantes, il découpa ; et il n'avait plus son coup d'œil juste,
125 son autorité à peser les parts. La conscience de sa défaite lui
ôtait son ancienne assurance de patron respecté. Pépé s'était
imaginé que l'oncle se fâchait : il avait fallu le calmer, en lui
donnant tout de suite du dessert, des biscuits qui se trouvaient
devant son assiette. Alors, l'oncle, baissant la voix, essaya de
130 parler d'autre chose. Un instant, il causa des démolitions, il
approuva la rue du Dix-Décembre, dont la trouée allait certai-
nement accroître le commerce du quartier. Mais là, de nouveau,
il revint au *Bonheur des Dames* ; tout l'y ramenait, c'était une
obsession maladive. On était pourri de plâtre, on ne vendait
135 plus rien, depuis que les voitures de matériaux barraient la rue.
D'ailleurs, ce serait ridicule, à force d'être grand ; les clientes
se perdraient, pourquoi pas les Halles [1] ? Et, malgré les regards
suppliants de sa femme, malgré son effort, il passa des travaux
au chiffre d'affaires du magasin. N'était-ce pas inconcevable ?
140 en moins de quatre ans, ils avaient quintuplé ce chiffre : leur
recette annuelle, autrefois de huit millions, atteignait le chiffre
de quarante, d'après le dernier inventaire. Enfin, une folie, une
chose qui ne s'était jamais vue, et contre laquelle il n'y avait
plus à lutter. Toujours ils s'engraissaient, ils étaient maintenant

1. *Les Halles* : immense marché au cœur de Paris, décrit par Zola dans *Le Ventre de Paris*
(1873), troisième roman des *Rougon-Macquart*.

145 mille employés, ils annonçaient vingt-huit rayons. Ce nombre de vingt-huit rayons surtout le jetait hors de lui. Sans doute on devait en avoir dédoublé quelques-uns, mais d'autres étaient complètement nouveaux : par exemple un rayon de meubles et un rayon d'articles de Paris. Comprenait-on cela ? des articles
150 de Paris[1] ! Vrai, ces gens n'étaient pas fiers, ils finiraient par vendre du poisson. L'oncle, tout en affectant de respecter les idées de Denise, en arrivait à l'endoctriner.

— Franchement, tu ne peux les défendre. Me vois-tu joindre un rayon de casseroles à mon commerce de draps ? Hein ? tu
155 dirais que je suis fou… Avoue au moins que tu ne les estimes pas.

La jeune fille se contenta de sourire, gênée, comprenant l'inutilité des bonnes raisons. Il reprit :

— Enfin, tu es pour eux. Nous n'en parlerons plus, car il est
160 inutile qu'ils nous fâchent encore. Ce serait le comble, de les voir se mettre entre ma famille et moi !… Rentre chez eux, si ça te plaît, mais je te défends de me casser davantage les oreilles avec leurs histoires !

Un silence régna. Son ancienne violence tombait à cette rési-
165 gnation fiévreuse. Comme on suffoquait dans l'étroite salle, chauffée par le bec de gaz, la bonne dut rouvrir la fenêtre ; et la pestilence[2] humide de la cour souffla sur la table. Des pommes de terre sautées avaient paru. On se servit lentement, sans une parole.

170 — Tiens ! regarde ces deux-là, recommença Baudu, en désignant de son couteau Geneviève et Colomban. Demande-leur s'ils l'aiment, ton *Bonheur des Dames* !

Côte à côte, à la place accoutumée où ils se retrouvaient deux fois par jour depuis douze ans, Colomban et Geneviève

1. *Articles de Paris* : petits articles destinés aux femmes (bijoux, articles de toilette…).
\ 2. *Pestilence* : mauvaise odeur, souvent malsaine.

175 mangeaient avec mesure. Ils n'avaient pas dit un mot. Lui, exagé-
rant l'épaisse bonhomie de sa face, semblait cacher, derrière ses
paupières tombantes, la flamme intérieure qui le brûlait ; tandis
que, la tête courbée davantage sous sa chevelure trop lourde, elle,
s'abandonnait, comme ravagée par une souffrance secrète.

180 — L'année dernière a été désastreuse, expliquait l'oncle. Il a
bien fallu reculer leur mariage… Non, par plaisir, demande-
leur un peu ce qu'ils pensent de tes amis.

Denise, pour le contenter, interrogea les jeunes gens.

— Je ne peux guère les aimer, ma cousine, répondit Gene-
185 viève. Mais, soyez tranquille, tout le monde ne les déteste pas.

Et elle regardait Colomban, qui roulait une mie de pain,
d'un air absorbé. Quand il sentit sur lui les yeux de la jeune
fille, il lâcha des mots violents.

— Une sale boutique !… Tous plus coquins les uns que les
190 autres !… Enfin, un vrai choléra pour le quartier !

— Vous l'entendez ! vous l'entendez ! criait Baudu, ravi. En
voilà un qu'ils n'auront jamais !… Va ! tu es le dernier, on n'en
fera plus !

Mais Geneviève, le visage sévère et douloureux, ne quittait
195 pas Colomban du regard. Elle pénétrait jusqu'à son cœur, et il
se troublait, il redoublait d'invectives. M^{me} Baudu, devant eux,
allait de l'un à l'autre, inquiète et silencieuse, comme si elle eût
deviné là un nouveau malheur. Depuis quelque temps la tris-
tesse de sa fille l'effrayait, elle la sentait mourir.

200 — La boutique est seule, dit-elle enfin, en quittant la table,
désireuse de faire cesser la scène. Voyez donc, Colomban, j'ai
cru entendre quelqu'un.

On avait fini, on se leva. Baudu et Colomban allèrent causer
avec un courtier, qui venait prendre des ordres. M^{me} Baudu
205 emmena Pépé, pour lui montrer des images. La bonne, vive-
ment, avait desservi, et Denise s'oubliait près de la fenêtre,
intéressée par la petite cour, lorsque, en se retournant, elle

aperçut Geneviève, toujours à sa place, les yeux sur la toile cirée, humide encore d'un coup d'éponge.

210 — Vous souffrez, ma cousine ? lui demanda-t-elle.

La jeune fille ne répondit pas, étudiant du regard, obstinément, une cassure de la toile, comme envahie tout entière par les réflexions qui continuaient en elle. Puis, elle releva la tête avec peine, elle regarda le visage compatissant, penché vers le
215 sien. Les autres étaient donc partis ? que faisait-elle sur cette chaise ? Et, tout d'un coup, des sanglots l'étouffèrent, sa tête retomba au bord de la table. Elle pleurait, elle trempait sa manche de larmes.

— Mon Dieu ! qu'avez-vous ? s'écria Denise, bouleversée.
220 Voulez-vous que j'appelle ?

Geneviève l'avait saisie nerveusement au bras. Elle la retenait, elle bégayait :

— Non, non, restez… Oh ! que maman ne sache pas !… Avec vous, ça m'est égal ; mais pas les autres, pas les autres !… C'est
225 malgré moi, je vous jure. C'est en me voyant toute seule… Attendez, je vais mieux, je ne pleure plus.

Et des crises la reprenaient, secouaient son corps frêle de grands frissons. Il semblait que le tas de ses cheveux noirs lui écrasât la nuque. Comme elle roulait sa tête malade sur ses bras
230 repliés, une épingle se défit, les cheveux coulèrent dans son cou, l'ensevelirent de leurs ténèbres. Cependant, Denise, sans bruit, de peur d'éveiller l'attention, tâchait de la soulager. Elle la dégrafa et resta navrée de cette maigreur souffrante : la pauvre fille avait la poitrine creuse d'une enfant, le néant d'une vierge
235 mangée d'anémie. À pleines mains, Denise lui prit les cheveux, ces cheveux superbes qui semblaient boire sa vie ; puis, elle les noua fortement, pour la dégager et lui donner un peu d'air.

— Merci, vous êtes bonne, disait Geneviève. Ah ! je ne suis pas grosse, n'est-ce pas ? J'étais plus forte, et tout s'en est allé…
240 Rattachez ma robe, maman verrait mes épaules. Je les cache

tant que je peux… Mon Dieu! je ne vais pas bien, je ne vais pas bien.

Pourtant, la crise se calmait. Elle restait brisée sur sa chaise, elle regardait fixement sa cousine. Et, au bout d'un silence, elle demanda :

— Dites-moi la vérité, il l'aime ?

Denise sentit une rougeur qui lui montait aux joues. Elle avait parfaitement compris qu'il s'agissait de Colomban et de Clara. Mais elle affecta la surprise.

— Qui donc, ma chère ?

Geneviève hochait la tête d'un air incrédule.

— Ne mentez pas, je vous en prie. Rendez-moi le service de me donner enfin une certitude… Vous devez savoir, je le sens. Oui, vous avez été la camarade de cette femme, et j'ai vu Colomban vous poursuivre, vous parler à voix basse. Il vous chargeait de commissions pour elle, n'est-ce pas ?… Oh ! de grâce, dites-moi la vérité, je vous jure que ça me fera du bien.

Jamais Denise n'avait éprouvé un embarras pareil. Elle baissait les yeux, devant cette enfant toujours muette, et qui devinait tout. Cependant, elle eut la force de la tromper encore.

— Mais c'est vous qu'il aime !

Alors, Geneviève fit un geste désespéré.

— C'est bon, vous ne voulez rien dire… D'ailleurs, ça m'est égal, je les ai vus. Lui, sort continuellement sur le trottoir pour la regarder. Elle, en haut, rit comme une malheureuse… Bien sûr qu'ils se retrouvent dehors.

— Ça, non, je vous le jure ! cria Denise, s'oubliant, emportée par le désir de lui donner au moins cette consolation.

La jeune fille respira fortement. Elle eut un faible sourire. Puis, d'une voix affaiblie de convalescente :

— Je voudrais bien un verre d'eau… Excusez-moi, je vous dérange. Tenez, là, dans le buffet.

Et, lorsqu'elle tint la carafe, elle vida d'un trait un grand

verre. De la main, elle écartait Denise, qui craignait qu'elle ne
275 se fît du mal.

— Non, non, laissez, j'ai toujours soif… La nuit, je me lève
pour boire.

Il y eut un nouveau silence. Elle reprit doucement :

— Si vous saviez, depuis dix ans je suis accoutumée à l'idée
280 de ce mariage. Je portais encore des robes courtes, que déjà
Colomban était pour moi… Alors, je ne me souviens plus
comment les choses ont tourné. De vivre toujours ensemble,
de rester ici enfermés l'un contre l'autre, sans qu'il y eût jamais
de distraction entre nous, j'ai dû finir par le croire mon mari,
285 avant le temps. J'ignorais si je l'aimais, j'étais sa femme, voilà
tout… Et aujourd'hui, il veut s'en aller avec une autre ! Oh !
mon Dieu ! mon cœur se fend. Voyez-vous, c'est une souffrance
que je ne connaissais pas. Ça me prend dans la poitrine et dans
la tête, puis ça va partout, ça me tue.

290 Des larmes remontaient à ses yeux. Denise, dont les paupières
se mouillaient aussi de pitié, lui demanda :

— Est-ce que ma tante se doute de quelque chose ?

— Oui, maman se doute, je crois… Quant à papa, il est trop
tourmenté, il ne sait pas la peine qu'il me cause, en reculant
295 ce mariage… Plusieurs fois, maman m'a interrogée. Elle s'in-
quiète de me voir languir. Jamais elle n'a été forte elle-même,
souvent elle m'a dit : « Ma pauvre fille, je ne t'ai pas faite bien
solide. » Et puis, dans ces boutiques, on ne pousse guère. Mais
elle doit trouver que je maigris trop à la fin… Regardez mes
300 bras, est-ce raisonnable ?

D'une main tremblante, elle avait repris la carafe. Sa cousine
voulut l'empêcher de boire.

— Non, j'ai trop soif, laissez-moi.

On entendit s'élever la voix de Baudu. Alors, cédant à une
305 poussée de son cœur, Denise s'agenouilla, entoura Geneviève
de ses bras fraternels. Elle la baisait, elle lui jurait que tout irait

bien, qu'elle épouserait Colomban, qu'elle guérirait et serait heureuse. Vivement, elle se releva. L'oncle l'appelait.

— Jean est là, viens donc.

310 C'était Jean, en effet, Jean effaré qui arrivait pour dîner. Quand on lui dit que huit heures sonnaient, il demeura béant. Pas possible, il sortait de chez son patron. On le plaisanta, sans doute il avait pris par le bois de Vincennes. Mais, dès qu'il put s'approcher de sa sœur, il lui souffla très bas :

315 — C'est une petite blanchisseuse qui reportait son linge… J'ai là une voiture à l'heure. Donne-moi cent sous.

Il sortit une minute, et revint dîner, car M^{me} Baudu ne voulait absolument pas qu'il repartît sans manger au moins une soupe. Geneviève avait reparu, dans son silence et son effa-320 cement habituels. Colomban sommeillait à demi, derrière un comptoir. La soirée coula triste et lente, animée uniquement par les pas de l'oncle, qui se promenait d'un bout à l'autre de la boutique vide. Un seul bec de gaz brûlait, l'ombre du plafond bas tombait à larges pelletées, comme la terre noire 325 d'une fosse.

Des mois se passèrent. Denise entrait presque tous les jours égayer un instant Geneviève. Mais la tristesse augmentait chez les Baudu. Les travaux d'en face étaient un continuel tourment qui avivait leur malchance. Même lorsqu'ils avaient une heure 330 d'espoir, une joie inattendue, il suffisait du fracas d'un tombereau de briques, de la scie d'un tailleur de pierres ou du simple appel d'un maçon, pour la leur gâter aussitôt. Tout le quartier, d'ailleurs, en était secoué. De l'enclos de planches longeant et embarrassant les trois rues, sortait un branle d'activité 335 fiévreuse. Bien que l'architecte se servît des constructions existantes, il les ouvrait de toutes parts, pour les aménager ; et, au milieu, dans la trouée des cours, il bâtissait une galerie centrale, vaste comme une église, qui devait déboucher par une porte d'honneur, sur la rue Neuve-Saint-Augustin, au centre de la

340 façade. On avait eu d'abord de grandes difficultés à établir les sous-sols, car on était tombé sur des infiltrations d'égout et sur des terres rapportées, pleines d'ossements humains[1]. Ensuite, le forage du puits avait violemment préoccupé les maisons voisines, un puits de cent mètres, dont le débit devait être de

345 cinq cents litres à la minute. Maintenant, les murs s'élevaient au premier étage ; des échafauds, des tours de charpentes, enfermaient l'île entière ; sans arrêt, on entendait le grincement des treuils[2] montant les pierres de taille, le déchargement brusque des planchers de fer, la clameur de ce peuple d'ouvriers, accom-

350 pagnée du bruit des pioches et des marteaux. Mais, par-dessus tout, ce qui assourdissait les gens, c'était la trépidation des machines ; tout marchait à la vapeur, des sifflements aigus déchiraient l'air ; tandis que, au moindre coup de vent, un nuage de plâtre s'envolait et s'abattait sur les toitures envi-

355 ronnantes, ainsi qu'une tombée de neige. Les Baudu désespérés regardaient cette poussière implacable pénétrer partout, traverser les boiseries les mieux closes, salir les étoffes de la boutique, se glisser jusque dans leur lit ; et l'idée qu'ils la respiraient quand même, qu'ils finiraient par en mourir, leur empoisonnait l'exis-

360 tence.

Du reste, la situation allait empirer encore. En septembre, l'architecte, craignant de ne pas être prêt, se décida à faire travailler la nuit. De puissantes lampes électriques furent établies, et le branle ne cessa plus[3] : des équipes se succédaient, les marteaux

365 n'arrêtaient pas, les machines sifflaient continuellement, la clameur toujours aussi haute semblait soulever et semer le plâtre. Alors les Baudu, exaspérés, durent même renoncer à fermer les yeux ; ils étaient secoués dans leur alcôve[4], les bruits se

1. Sans doute les restes de l'ancien cimetière de l'église Saint-Roch. \ 2. *Treuils* : appareils servant à lever de lourdes charges. \ 3. Zola s'inspire ici des travaux de reconstruction du *Printemps* (voir Dossier, « L'œuvre dans l'histoire », p. 523). \ 4. *Alcôve* : enfoncement destiné au lit dans une chambre et, par extension, lieu des rapports amoureux.

changeaient en cauchemars, dès que la fatigue les engourdissait.
370 Puis, s'ils se levaient pieds nus, pour calmer leur fièvre, et s'ils
venaient soulever un rideau, ils restaient effrayés devant la vision
du *Bonheur des Dames* flambant au fond des ténèbres, comme une
forge colossale, où se forgeait leur ruine. Au milieu des murs, à
moitié construits, troués de baies vides, les lampes électriques
375 jetaient de larges rayons bleus, d'une intensité aveuglante. Deux
heures du matin sonnaient, puis trois heures, puis quatre heures.
Et, dans le sommeil pénible du quartier, le chantier agrandi par
cette clarté lunaire, devenu colossal et fantastique, grouillait
d'ombres noires, d'ouvriers retentissants, dont les profils gesti-
380 culaient sur la blancheur crue des murailles neuves.

L'oncle Baudu l'avait dit, le petit commerce des rues voisines
recevait encore un coup terrible. Chaque fois que le *Bonheur des
Dames* créait des rayons nouveaux, c'étaient de nouveaux écroule-
ments, chez les boutiquiers des alentours. Le désastre s'élar-
385 gissait, on entendait craquer les plus vieilles maisons. M[lle] Tatin,
la lingère du passage Choiseul, venait d'être déclarée en faillite ;
Quinette, le gantier, en avait à peine pour six mois ; les fourreurs
Vanpouille étaient obligés de sous-louer une partie de leurs
magasins ; si Bédoré et sœur, les bonnetiers, tenaient toujours,
390 rue Gaillon, ils mangeaient évidemment les rentes amassées
jadis. Et voilà que, maintenant, d'autres ruines allaient s'ajouter
à ces ruines prévues depuis longtemps : le rayon d'articles de
Paris menaçait un bimbelotier[1] de la rue Saint-Roch, Desli-
gnières, un gros homme sanguin ; tandis que le rayon de meubles
395 atteignait les Piot et Rivoire, dont les magasins dormaient dans
l'ombre du passage Sainte-Anne. On craignait même l'apoplexie
pour le bimbelotier, car il ne dérageait pas, en voyant le *Bonheur*
afficher les porte-monnaie à trente pour cent de rabais. Les
marchands de meubles, plus calmes, affectaient de plaisanter ces

1. *Bimbelotier* : vendeur de bibelots.

400 calicots qui se mêlaient de vendre des tables et des armoires ; mais des clientes les quittaient déjà, le succès du rayon s'annonçait formidable. C'était fini, il fallait plier l'échine[1] : après ceux-là, d'autres encore seraient balayés, et il n'y avait plus de raison pour que tous les commerces ne fussent tour à tour chassés de 405 leurs comptoirs. Le *Bonheur* seul, un jour, couvrirait le quartier de sa toiture.

À présent, le matin et le soir, lorsque les mille employés entraient et sortaient, ils s'allongeaient en une queue si longue sur la place Gaillon, que le monde s'arrêtait pour les regarder, 410 comme on regarde défiler un régiment. Pendant dix minutes, les trottoirs en étaient encombrés ; et les boutiquiers, devant leurs portes, songeaient à l'unique commis, qu'ils ne savaient déjà comment nourrir. Le dernier inventaire du grand magasin, ce chiffre de quarante millions d'affaires, avait aussi révolu- 415 tionné le voisinage. Il courait de maison en maison, au milieu de cris de surprise et de colère. Quarante millions ! songeait-on à cela ? Sans doute, le bénéfice net se trouvait au plus de quatre pour cent, avec leurs frais généraux considérables et leur système de bon marché. Mais seize cent mille francs de gain 420 était encore une jolie somme, on pouvait se contenter du quatre pour cent, lorsqu'on opérait sur des capitaux pareils. On racontait que l'ancien capital de Mouret, les premiers cinq cent mille francs augmentés chaque année de la totalité des bénéfices, un capital qui devait être à cette heure de quatre millions, avait 425 ainsi passé dix fois en marchandises, dans les comptoirs. Robineau, quand il se livrait à ce calcul devant Denise, après le repas, restait un instant accablé, les yeux sur son assiette vide : elle avait raison, c'était ce renouvellement incessant du capital qui faisait la force invincible du nouveau commerce. Bourras 430 seul niait les faits, refusait de comprendre, superbe et stupide

1. *Plier l'échine* : se soumettre.

comme une borne. Un tas de voleurs, voilà tout ! Des gens qui mentaient ! Des charlatans qu'on ramasserait dans le ruisseau, un beau matin !

Les Baudu, cependant, malgré leur volonté de ne rien
435 changer aux habitudes du *Vieil Elbeuf*, tâchaient de soutenir la concurrence. La clientèle ne venant plus à eux, ils s'efforçaient d'aller à elle, par l'intermédiaire des courtiers[1]. Il y avait alors, sur la place de Paris, un courtier, en rapport avec tous les grands tailleurs, qui sauvait les petites maisons de draps et de flanelles,
440 lorsqu'il voulait bien les représenter. Naturellement, on se le disputait, il prenait une importance de personnage ; et, Baudu, l'ayant marchandé, eut le malheur de le voir s'entendre avec les Matignon, de la rue Croix-des-Petits-Champs. Coup sur coup, deux autres courtiers le volèrent ; un troisième, honnête homme,
445 ne faisait rien. C'était la mort lente, sans secousse, un ralentissement continu des affaires, des clientes perdues une à une. Le jour vint où les échéances furent lourdes. Jusque-là, on avait vécu sur les économies d'autrefois ; maintenant, la dette commençait. En décembre, Baudu, terrifié par le chiffre des
450 billets[2] souscrits, se résigna au plus cruel des sacrifices : il vendit sa maison de campagne de Rambouillet, une maison qui lui coûtait tant d'argent en réparations continuelles, et dont les locataires ne l'avaient pas même payé, lorsqu'il s'était décidé à en tirer parti. Cette vente tuait le seul rêve de sa vie, son cœur
455 en saignait comme de la perte d'une personne chère. Et il dut céder, pour soixante-dix mille francs, ce qui lui en coûtait plus de deux cent mille. Encore fut-il heureux de trouver les Lhomme, ses voisins, que le désir d'augmenter leurs terres détermina. Les soixante-dix mille francs allaient soutenir la
460 maison pendant quelque temps encore. Malgré tous les échecs,

1. *Courtiers* : intermédiaires entre le vendeur et ses clients. \ 2. *Billets* : reconnaissances de dettes.

l'idée de la lutte renaissait : avec de l'ordre, à présent, on pouvait vaincre peut-être.

Le dimanche où les Lhomme donnèrent l'argent, ils voulurent bien dîner au *Vieil Elbeuf*. M^me Aurélie arriva la première ; il fallut
465 attendre le caissier, qui vint en retard, effaré par toute une après-midi de musique ; quant au jeune Albert, il avait accepté l'invitation, mais il ne parut pas. Ce fut, d'ailleurs, une soirée pénible. Les Baudu, vivant sans air au fond de leur étroite salle à manger, souffrirent du coup de vent que les Lhomme y apportaient, avec
470 leur famille débandée et leur goût de libre existence. Geneviève, blessée des allures impériales de M^me Aurélie, n'avait pas ouvert la bouche ; tandis que Colomban l'admirait, pris de frissons, en songeant qu'elle régnait sur Clara.

Avant de se coucher, le soir, comme M^me Baudu était déjà au
475 lit, Baudu se promena longtemps dans la chambre. Il faisait doux, un temps humide de dégel. Au-dehors, malgré les fenêtres closes et les rideaux tirés, on entendait ronfler les machines des travaux d'en face.

— Sais-tu à quoi je pense, Élisabeth ? dit-il enfin. Eh bien ! ces
480 Lhomme ont beau gagner beaucoup d'argent, j'aime mieux être dans ma peau que dans la leur… Ils réussissent, c'est vrai. La femme a raconté n'est-ce pas ? qu'elle s'était fait près de vingt mille francs cette année, et cela lui a permis de me prendre ma pauvre maison. N'importe ! je n'ai plus la maison, mais au moins
485 je ne vais pas jouer de la musique d'un côté, tandis que tu cours la prétentaine[1] de l'autre… Non, vois-tu, ils ne peuvent pas être heureux.

Il était encore dans la grosse douleur de son sacrifice, il gardait une rancune contre ces gens qui lui avaient acheté son
490 rêve. Quand il arrivait près du lit, il gesticulait, penché vers sa femme ; puis, de retour devant la fenêtre, il se taisait un instant,

1. *Tu cours la prétentaine* : tu prends de nombreux amants.

il écoutait la clameur du chantier. Et il reprenait ses vieilles accusations, ses doléances désespérées sur les temps nouveaux : on n'avait jamais vu ça, des commis gagnaient à cette heure
495 plus que des commerçants, c'étaient les caissiers qui rachetaient les propriétés des patrons. Aussi tout craquait, la famille n'existait plus, on vivait à l'hôtel, au lieu de manger honnêtement la soupe chez soi. Enfin, il termina en prophétisant que le jeune Albert dévorerait plus tard la terre de Rambouillet
500 avec des actrices.

M^me Baudu l'écoutait, la tête droite sur l'oreiller, si pâle, que son visage avait la couleur de la toile.

— Ils t'ont payé, finit-elle par dire doucement.

Du coup, Baudu resta muet. Il marcha quelques secondes,
505 les yeux à terre. Puis il reprit :

— Ils m'ont payé, c'est vrai ; et, après tout, leur argent est aussi bon qu'un autre... Ce serait drôle, de relever la maison avec cet argent-là. Ah ! si je n'étais pas si vieux, si fatigué !

Un long silence régna. Le drapier était envahi par des projets
510 vagues. Brusquement, sa femme parla, les yeux au plafond, sans remuer la tête.

— As-tu remarqué ta fille, depuis quelque temps ?

— Non, répondit-il.

— Eh bien ! elle m'inquiète un peu... Elle pâlit, elle semble
515 se désespérer.

Debout devant le lit, il était plein de surprise.

— Tiens ! pourquoi donc ?... Si elle est malade, elle devrait le dire. Demain il faudra faire venir le médecin.

M^me Baudu restait toujours immobile. Après une grande
520 minute, elle déclara seulement de son air réfléchi :

— Ce mariage avec Colomban, je crois qu'il vaudrait mieux en finir.

Il la regarda, puis il se remit à marcher. Des faits lui revenaient. Était-ce possible que sa fille tombât malade, à cause du

525 commis? Elle l'aimait donc au point de ne pouvoir attendre?
Encore un malheur de ce côté! Cela le bouleversait, d'autant plus
qu'il avait lui-même des idées arrêtées sur ce mariage. Jamais il
n'aurait voulu le conclure dans les conditions présentes. Pour-
tant, l'inquiétude l'attendrissait.

530 — C'est bon, dit-il enfin, je parlerai à Colomban.

Et, sans ajouter une parole, il continua sa promenade. Bientôt
les yeux de sa femme se fermèrent, elle dormait toute blanche,
comme morte. Lui, marchait encore. Avant de se coucher, il
écarta les rideaux, il jeta un coup d'œil: de l'autre côté de la rue,
535 les fenêtres béantes de l'ancien hôtel Duvillard ouvraient des
trous sur le chantier, où les ouvriers s'agitaient, dans l'éblouis-
sement des lampes électriques.

Dès le lendemain matin, Baudu emmena Colomban au fond
d'un étroit magasin de l'entresol. La veille, il avait arrêté ce
540 qu'il aurait à dire.

— Mon garçon, commença-t-il, tu sais que j'ai vendu ma
propriété de Rambouillet. Cela va nous permettre de donner
un coup de collier… Mais, avant tout, je voudrais causer un
peu avec toi.

545 Le jeune homme, qui semblait redouter l'entretien, atten-
dait d'un air gauche. Ses petits yeux clignotaient dans sa large
face, et il restait la bouche ouverte, signe chez lui d'une pertur-
bation profonde.

— Écoute-moi bien, reprit le drapier. Quand le père Hauche-
550 corne m'a cédé le *Vieil Elbeuf*, la maison était prospère; lui-
même l'avait reçue autrefois du vieux Finet, en bon état… Tu
connais mes idées: je croirais commettre une vilaine action, si
je passais diminué à mes enfants ce dépôt de famille; et c'est
pourquoi j'ai toujours reculé ton mariage avec Geneviève…
555 Oui, je m'entêtais, j'espérais ramener la prospérité ancienne, je
voulais te mettre les livres sous le nez, en disant: « Tiens! l'année
où je suis entré, on a vendu tant de drap, et cette année-ci,

l'année où je sors, on en a vendu dix mille ou vingt mille francs de plus… » Enfin, tu comprends, un serment que je me suis
560 fait, le désir bien naturel de me prouver que la maison n'a pas perdu entre mes mains. Autrement, il me semblerait que je vous vole.

Une émotion étranglait sa voix. Il se moucha pour se remettre, il demanda :

565 — Tu ne dis rien ?

Mais Colomban n'avait rien à dire. Il hochait la tête, il attendait, de plus en plus troublé, croyant deviner où allait en venir le patron. C'était le mariage à bref délai. Comment refuser ? Jamais il n'aurait la force. Et l'autre, celle dont il rêvait la nuit,
570 la chair brûlée d'une telle flamme, qu'il se jetait tout nu sur le carreau, de peur d'en mourir !

— Aujourd'hui, continua Baudu, voilà un argent qui peut nous sauver. La situation devient plus mauvaise chaque jour, mais peut-être qu'en faisant un suprême effort… Enfin, je
575 tenais à t'avertir. Nous allons risquer le tout pour le tout. Si nous sommes battus, eh bien ! ça nous enterrera… Seulement, mon pauvre garçon, votre mariage, du coup, va être encore reculé, car je ne veux pas vous jeter tout seuls dans la bagarre. Ce serait trop lâche, n'est-ce pas ?

580 Colomban, soulagé, s'était assis sur des pièces de molleton. Ses jambes gardaient un tremblement. Il craignait de laisser voir sa joie, il baissait la tête, en roulant les doigts sur les genoux.

— Tu ne dis rien ? répéta Baudu.

585 Non, il ne disait rien, il ne trouvait rien à dire. Alors, le drapier reprit avec lenteur :

— J'étais sûr que ça te chagrinerait… Il te faut du courage. Secoue-toi un peu, ne reste pas écrasé ainsi… Surtout, comprends bien ma position. Puis-je vous attacher au cou un pareil pavé ? Au
590 lieu de vous laisser une bonne affaire, je vous laisserais une faillite

peut-être. Non, les coquins seuls se permettent de ces tours-là…
Sans doute, je ne désire que votre bonheur, mais jamais on ne me
fera aller contre ma conscience.

595 Et il parla longtemps de la sorte, se débattant au milieu de
phrases contradictoires, en homme qui aurait voulu être deviné
à demi-mot et avoir la main forcée. Puisqu'il avait promis sa
fille et la boutique, la stricte probité le forçait à donner les deux
en bon état, sans tares ni dettes. Seulement, il était las, le
fardeau lui semblait trop lourd, des supplications perçaient
600 dans sa voix balbutiante. Les mots s'embrouillaient davantage
sur ses lèvres, il attendait, chez Colomban, un élan, un cri du
cœur, qui ne venait point.

— Je sais bien, murmurait-il, que les vieux manquent de
flamme… Avec des jeunes, les choses se rallument. Ils ont le feu
605 au corps, c'est naturel… Mais, non, non, je ne puis pas, parole
d'honneur ! Si je vous cédais, vous me le reprocheriez plus tard.

Il se tut, frémissant ; et, comme le jeune homme demeurait
toujours la tête basse, il lui demanda pour la troisième fois, au
bout d'un silence pénible :

610 — Tu ne dis rien ?

Enfin, sans le regarder, Colomban répondit :

— Il n'y a rien à dire… Vous êtes le maître, vous avez plus
de sagesse que nous tous. Puisque vous l'exigez, nous atten-
drons, nous tâcherons d'être raisonnables.

615 C'était fini, Baudu espérait encore qu'il allait se jeter dans
ses bras, en criant : « Père, reposez-vous, nous nous battrons à
notre tour, donnez-nous la boutique telle qu'elle est, pour que
nous fassions le miracle de la sauver ! » Puis, il le regarda, et il
fut pris de honte, il s'accusa sourdement d'avoir voulu duper
620 ses enfants. La vieille honnêteté maniaque du boutiquier se
réveillait en lui ; c'était ce garçon prudent qui avait raison, car
il n'y a pas de sentiment dans le commerce, il n'y a que des
chiffres.

— Embrasse-moi, mon garçon, dit-il pour conclure. C'est
625 décidé, nous ne reparlerons du mariage que dans un an. Avant
tout, il faut songer au sérieux.

Le soir, dans leur chambre, quand M^me Baudu questionna
son mari sur le résultat de l'entretien, celui-ci avait retrouvé
son obstination à combattre en personne, jusqu'au bout. Il fit
630 un grand éloge de Colomban : un garçon solide, ferme dans ses
idées, élevé d'ailleurs selon les bons principes, incapable par
exemple de rire avec les clientes, ainsi que les godelureaux[1] du
Bonheur. Non, c'était honnête, c'était de la famille, ça ne jouait
pas sur la vente comme sur une valeur de Bourse.

635 — Alors, à quand le mariage ? demanda M^me Baudu.

— Plus tard, répondit-il, lorsque je serai en mesure de tenir
mes promesses.

Elle n'eut pas un geste, elle dit seulement :

— Notre fille en mourra.

640 Baudu se retint, soulevé de colère. C'était lui, qui en mour-
rait, si on le bouleversait ainsi continuellement ! Était-ce sa
faute ? Il aimait sa fille, il parlait de donner son sang pour elle ;
mais il ne pouvait cependant pas faire que la maison marchât
quand elle ne voulait plus marcher. Geneviève devait avoir un
645 peu de raison et patienter jusqu'à un meilleur inventaire. Que
diable ! Colomban restait là, personne ne le lui volerait !

— C'est incroyable ! répétait-il, une fille si bien élevée !

M^me Baudu n'ajouta rien. Sans doute elle avait deviné les
tortures jalouses de Geneviève ; mais elle n'osa les confier à son
650 mari. Une singulière pudeur de femme l'avait toujours empê-
chée d'aborder avec lui certains sujets de tendresse délicate.
Quand il la vit muette, il tourna sa colère contre les gens d'en
face, il tendait les poings dans le vide, du côté du chantier, où

1. *Godelureaux* : jeunes gens qui ne se préoccupent que de leur apparence (terme familier
et péjoratif).

l'on posait, cette nuit-là, des charpentes de fer, à grands coups
655 de marteau.

Denise allait rentrer au *Bonheur des Dames*. Elle avait compris
que les Robineau, forcés de restreindre leur personnel, ne
savaient comment la congédier. Pour tenir encore, il leur fallait
tout faire par eux-mêmes ; Gaujean, obstiné dans sa rancune,
660 allongeait les crédits, promettait même de leur trouver des
fonds ; mais la peur les prenait, ils voulaient tenter de l'éco-
nomie et de l'ordre. Pendant quinze jours, Denise les sentit
gênés avec elle ; et elle dut parler la première, dire qu'elle avait
une place autre part. Ce fut un soulagement, M^{me} Robineau
665 l'embrassa, très émue, en jurant qu'elle la regretterait toujours.
Puis, lorsque, sur une question, la jeune fille répondit qu'elle
retournait chez Mouret, Robineau devint pâle.

— Vous avez raison ! cria-t-il violemment.

Il était moins facile d'annoncer la nouvelle au vieux Bourras.
670 Pourtant, Denise devait lui donner congé, et elle tremblait, car
elle lui gardait une vive reconnaissance. Bourras, justement, ne
décolérait plus, en plein dans le vacarme du chantier voisin. Les
voitures de matériaux barraient sa boutique ; les pioches tapaient
dans ses murs ; tout, chez lui, les parapluies et les cannes, dansait
675 au bruit des marteaux. Il semblait que la masure, s'entêtant au
milieu de ces démolitions, allait se fendre. Mais le pis était que
l'architecte, pour relier les rayons existants du magasin, avec les
rayons qu'on installait dans l'ancien hôtel Duvillard, avait
imaginé de creuser un passage, sous la petite maison qui les sépa-
680 rait. Cette maison appartenant à la société Mouret et Cie, et le
bail portant que le locataire devrait supporter les travaux de répa-
ration, des ouvriers se présentèrent un matin. Du coup, Bourras
faillit avoir une attaque. N'était-ce pas assez de l'étrangler
de tous les côtés, à gauche, à droite, derrière ? il fallait encore
685 qu'on le prît par les pieds, qu'on mangeât la terre sous lui ! Et il
avait chassé les maçons, il plaidait. Des travaux de réparation,

soit! mais c'étaient là des travaux d'embellissement. Le quartier pensait qu'il gagnerait, sans pourtant jurer de rien. En tout cas, le procès menaçait d'être long, on se passionnait pour ce duel
690 interminable.

Le jour où Denise résolut enfin de lui donner congé, Bourras revenait précisément de chez son avocat.

— Croyez-vous! cria-t-il, ils disent maintenant que la maison n'est pas solide, ils prétendent établir qu'il faut en reprendre les
695 fondations… Parbleu! ils sont las de la secouer, avec leurs sacrées machines. Ce n'est pas étonnant, si elle se casse!

Puis, quand la jeune fille lui eut annoncé qu'elle partait, qu'elle rentrait au *Bonheur* avec mille francs d'appointements, il fut si saisi, qu'il leva seulement vers le ciel ses vieilles mains
700 tremblantes. L'émotion l'avait fait tomber sur une chaise.

— Vous! vous! balbutia-t-il. Enfin, il n'y a que moi, il ne reste plus que moi!

Au bout d'un silence, il demanda:

— Et le petit?

705 — Il retournera chez M^me Gras, répondit Denise. Elle l'aimait beaucoup.

De nouveau, ils se turent. Elle l'aurait préféré furieux, jurant, tapant du poing; ce vieillard suffoqué, écrasé, la navrait. Mais il se remettait peu à peu, il recommençait à crier.

710 — Mille francs, ça ne se refuse pas… Vous irez tous. Partez donc, laissez-moi seul. Oui, seul, entendez-vous! Il y en aura un qui ne pliera jamais la tête… Et dites-leur que je gagnerai mon procès, quand je devrais y manger ma dernière chemise!

Denise ne devait quitter Robineau qu'à la fin du mois. Elle
715 avait revu Mouret, tout se trouvait réglé. Un soir, elle allait remonter chez elle, lorsque Deloche, qui la guettait sous une porte cochère, l'arrêta au passage. Il était bien heureux, il venait d'apprendre la grande nouvelle, tout le magasin en causait, disait-il. Et il lui conta gaiement les commérages des comptoirs.

720 — Vous savez, ces dames des confections font une figure !
Puis, s'interrompant :

— À propos, vous vous souvenez de Clara Prunaire. Eh bien !
il paraît que le patron l'aurait… Vous comprenez ?

Il était devenu rouge. Elle, toute pâle, s'écria :

725 — M. Mouret !

— Un drôle de goût, n'est-ce pas ? reprit-il. Une femme
qui ressemble à un cheval… La petite lingère qu'il avait eue
deux fois, l'an passé, était gentille au moins. Enfin, ça le
regarde.

730 Denise, rentrée chez elle, se sentit défaillir. C'était sûre-
ment d'avoir monté trop vite. Accoudée à la fenêtre, elle eut
la brusque vision de Valognes, de la rue déserte, au pavé
moussu, qu'elle voyait de sa chambre d'enfant ; et un besoin
la prenait de revivre là-bas, de se réfugier dans l'oubli et la
735 paix de la province. Paris l'irritait, elle haïssait le *Bonheur des
Dames*, elle ne savait plus pourquoi elle avait consenti à y
retourner. Certainement, elle y souffrirait encore, elle souf-
frait déjà d'un malaise inconnu, depuis les histoires de
Deloche. Alors, sans motif, une crise de larmes la força de
740 quitter la fenêtre. Elle pleura longtemps, elle retrouva
quelque courage à vivre.

Le lendemain, au déjeuner, comme Robineau l'avait envoyée
en course et qu'elle passait devant le *Vieil Elbeuf*, elle poussa la
porte, en voyant Colomban seul dans la boutique. Les Baudu
745 déjeunaient, on entendait le bruit des fourchettes, au fond de
la petite salle.

— Vous pouvez entrer, dit le commis. Ils sont à table.

Mais elle le fit taire, elle l'attira dans un coin. Et, baissant
la voix :

750 — C'est à vous que je veux parler… Vous manquez donc de
cœur ? vous ne voyez donc pas que Geneviève vous aime et
qu'elle en mourra ?

Elle était toute frémissante, sa fièvre de la veille la secouait de nouveau. Lui, effaré, étonné de cette brusque attaque, ne
755 trouvait pas une parole.

— Entendez-vous! continua-t-elle, Geneviève sait que vous en aimez une autre. Elle me l'a dit, elle a sangloté comme une malheureuse... Ah! la pauvre enfant! elle ne pèse plus lourd, allez! Si vous aviez vu ses petits bras! C'est à pleurer... Dites,
760 vous ne pouvez pas la laisser mourir ainsi!

Il parla enfin, tout à fait bouleversé.

— Mais elle n'est pas malade, vous exagérez... Moi, je ne vois pas... Et puis, c'est son père qui recule le mariage.

Denise, rudement, releva ce mensonge. Elle avait senti que
765 la moindre insistance du jeune homme déciderait l'oncle. Quant à la surprise de Colomban, elle n'était pas feinte : il ne s'était réellement jamais aperçu de la lente agonie de Geneviève. Ce fut, pour lui, une révélation très désagréable. Tant qu'il ignorait, il n'avait pas de reproches trop gros à se faire.
770 — Et pour qui? reprenait Denise, pour une rien du tout!... Mais vous ignorez donc qui vous aimez? Je n'ai pas voulu vous chagriner jusqu'à présent, j'ai évité souvent de répondre à vos continuelles questions... Eh bien! oui, elle va avec tout le monde, elle se moque de vous, jamais vous ne l'aurez, ou bien
775 vous l'aurez comme les autres, une fois, en passant.

Très pâle, il l'écoutait; et, à chacune des phrases qu'elle lui jetait à la face, entre ses dents serrées, il avait un petit tremblement des lèvres. Elle, prise de cruauté, cédait à un emportement dont elle n'avait pas conscience.
780 — Enfin, dit-elle dans un dernier cri, elle est avec M. Mouret, si vous voulez le savoir!

Sa voix s'était étranglée, elle devint plus pâle que lui. Tous deux se regardèrent.

Puis, il bégaya :
785 — Je l'aime.

Alors, Denise fut honteuse. Pourquoi parlait-elle ainsi à ce garçon et qu'avait-elle à se passionner? Elle resta muette, le simple mot qu'il venait de répondre lui retentissait dans le cœur, avec un lointain bruit de cloche dont elle était assourdie. «Je
790 l'aime, je l'aime», et cela s'élargissait: il avait raison, il ne pouvait en épouser une autre.

Comme elle se tournait, elle aperçut Geneviève, sur le seuil de la salle à manger.

— Taisez-vous! dit-elle rapidement.

795 Mais il était trop tard, Geneviève devait avoir entendu. Elle n'avait plus de sang au visage. Justement, une cliente poussait la porte, M^{me} Bourdelais, une des dernières fidèles du *Vieil Elbeuf*, où elle trouvait des articles solides; depuis longtemps, M^{me} de Boves avait suivi la mode, en passant au *Bonheur*,
800 M^{me} Marty elle-même ne venait plus, conquise tout entière par les séductions des étalages d'en face. Et Geneviève fut forcée de s'avancer pour dire de sa voix blanche:

— Que désire madame?

M^{me} Bourdelais voulait voir de la flanelle. Colomban
805 descendit une pièce d'un casier, Geneviève montra l'étoffe; et, tous deux, les mains froides, se trouvaient rapprochés derrière le comptoir. Cependant, Baudu sortait le dernier de la petite salle, à la suite de sa femme, qui était allée s'asseoir sur la banquette de la caisse. Mais il ne se mêla pas d'abord de la vente, il avait
810 souri à Denise et se tenait debout, en regardant M^{me} Bourdelais.

— Elle n'est pas assez belle, disait celle-ci. Montrez-moi ce que vous avez de plus fort.

Colomban descendit une autre pièce. Il y eut un silence. M^{me} Bourdelais examinait l'étoffe.

815 — Et combien?

— Six francs, madame, répondit Geneviève.

La cliente fit un brusque mouvement.

— Six francs! mais ils ont la même, en face, à cinq francs.

Une contraction légère passa sur le visage de Baudu. Il ne
820 put s'empêcher d'intervenir, très poliment. Madame se trom-
pait sans doute, cet article-là aurait dû être vendu six francs
cinquante, il était impossible qu'on le donnât à cinq francs.
Certainement, il s'agissait d'un autre article.

— Non, non, répétait-elle, avec l'entêtement d'une bour-
825 geoise qui se piquait[1] de s'y connaître. L'étoffe est la même.
Peut-être encore est-elle plus épaisse.

Et la discussion finit par s'aigrir. Baudu, la bile au visage,
faisait effort pour rester souriant. Son amertume contre le
Bonheur crevait dans sa gorge.

830 — Vraiment, dit enfin M^me Bourdelais, il faut me mieux
traiter, autrement, j'irai en face, comme les autres.

Alors, il perdit la tête, il cria, secoué de colère.

— Eh bien! allez en face!

Du coup, elle se leva, très blessée, et elle s'en alla, sans se
835 retourner, en répondant :

— C'est ce que je vais faire, monsieur.

Ce fut une stupeur. La violence du patron les avait tous
saisis. Il restait lui-même effaré et tremblant de ce qu'il
venait de dire. La phrase était partie sans qu'il le voulût, dans
840 l'explosion d'une longue rancune amassée. Et maintenant,
les Baudu, immobiles, les bras tombés, suivaient du regard
M^me Bourdelais, qui traversait la rue. Elle leur semblait
emporter leur fortune. Lorsque, de son pas tranquille, elle
entra sous la haute porte du *Bonheur*, lorsqu'ils virent son dos
845 se noyer dans la foule, il y eut en eux comme un arrache-
ment.

— Encore une qu'ils nous prennent! murmura le drapier.

Puis, se tournant vers Denise, dont il connaissait l'engage-
ment nouveau :

1. *Se piquait* : avait la prétention.

850 — Toi aussi, ils t'ont reprise… Va, je ne t'en veux pas. Puis-
qu'ils ont l'argent, ils sont les plus forts.

Justement, Denise, espérant encore que Geneviève n'avait
pu entendre Colomban, lui disait à l'oreille :

— Il vous aime, soyez plus gaie.

855 Mais la jeune fille lui répondait très bas, d'une voix déchirée :

— Pourquoi mentez-vous ?… Tenez ! il ne peut s'en empê-
cher, il regarde là-haut… Je sais bien qu'ils me l'ont volé,
comme ils nous volent tout.

Et elle s'était assise sur la banquette de la caisse, près de sa
860 mère. Celle-ci avait sans doute deviné le nouveau coup reçu par
la jeune fille, car ses yeux navrés allèrent d'elle à Colomban,
puis se reportèrent sur le *Bonheur*. C'était vrai, il leur volait
tout : au père, la fortune ; à la mère, son enfant mourante ; à la
fille, un mari attendu depuis dix ans. Devant cette famille
865 condamnée, Denise, dont le cœur se noyait de compassion, eut
un instant peur d'être mauvaise. N'allait-elle pas remettre la
main à la machine qui écrasait le pauvre monde ? Mais elle se
trouvait comme emportée par une force, elle sentait qu'elle ne
faisait pas le mal.

870 — Bah ! reprit Baudu pour se donner du courage, nous n'en
mourrons pas. Une cliente perdue, deux de retrouvées… Tu
entends, Denise ; j'ai là soixante-dix mille francs qui vont faire
passer des nuits blanches à ton Mouret… Voyons, vous autres !
n'ayez donc pas des figures d'enterrement !

875 Il ne put les égayer, lui-même retombait dans une conster-
nation blême ; et tous restaient les yeux sur le monstre, attirés,
possédés, se rassasiant de leur malheur. Les travaux s'achevaient,
on avait débarrassé la façade des échafaudages, tout un plan du
colossal édifice apparaissait, avec ses murs blancs, troués de
880 larges vitrines claires. Justement, le long du trottoir, rendu enfin
à la circulation, s'alignaient huit voitures, que des garçons char-
geaient l'une après l'autre, devant le bureau du départ. Sous le

soleil, dont un rayon enfilait la rue, les panneaux verts, aux rechampis[1] jaunes et rouges, miroitaient comme des glaces, 885 envoyaient des reflets aveuglants jusqu'au fond du *Vieil Elbeuf*. Les cochers vêtus de noir, d'une allure correcte, tenaient court les chevaux, des attelages superbes, qui secouaient leurs mors argentés. Et chaque fois qu'une voiture était pleine, il y avait, sur le pavé, un roulement sonore, dont tremblaient les petites 890 boutiques voisines.

Alors, devant ce défilé triomphal qu'ils devaient subir deux fois chaque jour, le cœur des Baudu se fendit. Le père défaillait, en se demandant où pouvait aller ce continuel flot de marchandises ; tandis que la mère, malade du tourment de sa fille, conti- 895 nuait à regarder sans voir, les yeux noyés de grosses larmes.

IX

Un lundi, quatorze mars, le *Bonheur des Dames* inaugurait ses magasins neufs par la grande exposition des nouveautés d'été, qui devait durer trois jours. Au-dehors, une aigre bise soufflait, les passants, surpris de ce retour d'hiver, filaient vite, en 5 boutonnant leurs paletots. Cependant, toute une émotion fermentait dans les boutiques du voisinage ; et l'on voyait, contre les vitres, les faces pâles des petits commerçants, occupés à compter les premières voitures, qui s'arrêtaient devant la nouvelle porte d'honneur, rue Neuve-Saint-Augustin. Cette 10 porte, haute et profonde comme un porche d'église, surmontée d'un groupe, l'Industrie et le Commerce se donnant la main au

1. *Rechampis* : dont les ornements, ici jaunes et rouges, se détachent sur le fond.

milieu d'une complication d'attributs[1], était abritée sous une vaste marquise[2], dont les dorures fraîches semblaient éclairer les trottoirs d'un coup de soleil. À droite, à gauche, les façades,

15 d'une blancheur crue encore, s'allongeaient, faisaient retour sur les rues Monsigny et de la Michodière, occupaient toute l'île, sauf le côté de la rue du Dix-Décembre, où le Crédit Immobilier allait bâtir. Le long de ce développement de caserne, lorsque les petits commerçants levaient la tête, ils apercevaient

20 l'amoncellement des marchandises, par les glaces sans tain, qui, du rez-de-chaussée au second étage, ouvraient la maison au plein jour. Et ce cube énorme, ce colossal bazar leur bouchait le ciel, leur paraissait être pour quelque chose dans le froid dont ils grelottaient, au fond de leurs comptoirs glacés.

25 Dès six heures, cependant, Mouret était là, donnant ses derniers ordres. Au centre, dans l'axe de la porte d'honneur, une large galerie allait de bout en bout, flanquée à droite et à gauche de deux galeries plus étroites, la galerie Monsigny et la galerie Michodière. On avait vitré les cours, transformées en

30 halls ; et des escaliers de fer s'élevaient du rez-de-chaussée, des ponts de fer étaient jetés d'un bout à l'autre, aux deux étages. L'architecte, par hasard intelligent, un jeune homme amoureux des temps nouveaux, ne s'était servi de la pierre que pour les sous-sols et les piles[3] d'angle, puis avait monté toute l'ossature

35 en fer, des colonnes supportant l'assemblage des poutres et des solives[4]. Les voûtins[5] des planchers, les cloisons des distributions intérieures, étaient en briques. Partout on avait gagné de l'espace, l'air et la lumière entraient librement, le public circulait à l'aise, sous le jet hardi des fermes[6] à longue portée. C'était

40 la cathédrale du commerce moderne, solide et légère, faite pour

1. *Attributs* : emblèmes, symboles. \ **2.** *Marquise* : auvent vitré qui protège la porte d'entrée. \ **3.** *Piles* : piliers de maçonnerie supportant des arches. \ **4.** *Solives* : pièces de charpente, sur lesquelles sont fixés les planchers. \ **5.** *Voûtins* : arcs de cercle destinés à supporter un élément architectural. \ **6.** *Fermes* : charpentes.

un peuple de clientes. En bas, dans la galerie centrale, après les soldes de la porte, il y avait les cravates, la ganterie, la soie ; la galerie Monsigny était occupée par le blanc et la rouennerie [1], la galerie Michodière par la mercerie, la bonneterie, la draperie
45 et les lainages. Puis, au premier, se trouvaient les confections, la lingerie, les châles, les dentelles, d'autres rayons nouveaux, tandis qu'on avait relégué au second étage la literie, les tapis, les étoffes d'ameublement, tous les articles encombrants et d'un maniement difficile. À cette heure, le nombre des rayons
50 était de trente-neuf, et l'on comptait dix-huit cents employés, dont deux cents femmes. Un monde poussait là, dans la vie sonore des hautes nefs métalliques.

Mouret avait l'unique passion de vaincre la femme. Il la voulait reine dans sa maison, il lui avait bâti ce temple, pour
55 l'y tenir à sa merci. C'était toute sa tactique, la griser d'attentions galantes et trafiquer de ses désirs, exploiter sa fièvre. Aussi, nuit et jour, se creusait-il la tête, à la recherche de trouvailles nouvelles. Déjà, voulant éviter la fatigue des étages aux dames délicates, il avait fait installer deux ascenseurs, capi-
60 tonnés de velours. Puis, il venait d'ouvrir un buffet, où l'on donnait gratuitement des sirops et des biscuits, et un salon de lecture, une galerie monumentale, décorée avec un luxe trop riche, dans laquelle il risquait même des expositions de tableaux. Mais son idée la plus profonde était, chez la femme
65 sans coquetterie, de conquérir la mère par l'enfant ; il ne perdait aucune force, spéculait sur tous les sentiments, créait des rayons pour petits garçons et fillettes, arrêtait les mamans au passage, en offrant aux bébés des images et des ballons. Un trait de génie que cette prime des ballons, distribuée à chaque ache-
70 teuse, des ballons rouges, à la fine peau de caoutchouc, portant en grosses lettres le nom du magasin, et qui, tenus au bout d'un

1. *Rouennerie* : rayon des toiles de coton fabriquées à Rouen.

fil, voyageant en l'air, promenaient par les rues une réclame vivante !

La grande puissance était surtout la publicité. Mouret en arri-
75 vait à dépenser par an trois cent mille francs de catalogues, d'an-
nonces et d'affiches. Pour sa mise en vente des nouveautés d'été,
il avait lancé deux cent mille catalogues, dont cinquante mille à
l'étranger, traduits dans toutes les langues. Maintenant, il les
faisait illustrer de gravures, il les accompagnait même d'échan-
80 tillons, collés sur les feuilles. C'était un débordement d'étalages,
le *Bonheur des Dames* sautait aux yeux du monde entier, envahis-
sait les murailles, les journaux, jusqu'aux rideaux des théâtres. Il
professait que la femme est sans force contre la réclame, qu'elle
finit fatalement par aller au bruit. Du reste, il lui tendait des
85 pièges plus savants, il l'analysait en grand moraliste. Ainsi, il avait
découvert qu'elle ne résistait pas au bon marché, qu'elle achetait
sans besoin, quand elle croyait conclure une affaire avantageuse ;
et, sur cette observation, il basait son système des diminutions de
prix, il baissait progressivement les articles non vendus, préférant
90 les vendre à perte, fidèle au principe du renouvellement rapide des
marchandises. Puis, il avait pénétré plus avant encore dans le
cœur de la femme, il venait d'imaginer « les rendus », un chef-
d'œuvre de séduction jésuitique[1]. « Prenez toujours, madame :
vous nous rendrez l'article, s'il cesse de vous plaire. » Et la femme,
95 qui résistait, trouvait là une dernière excuse, la possibilité de
revenir sur une folie : elle prenait, la conscience en règle. Main-
tenant, les rendus et la baisse des prix entraient dans le fonction-
nement classique du nouveau commerce.

Mais où Mouret se révélait comme un maître sans rival, c'était
100 dans l'aménagement intérieur des magasins. Il posait en loi que
pas un coin du *Bonheur des Dames* ne devait rester désert ; partout,
il exigeait du bruit, de la foule, de la vie ; car la vie, disait-il, attire

1. *Jésuitique* : hypocrite.

la vie, enfante et pullule. De cette loi, il tirait toutes sortes d'applications. D'abord, on devait s'écraser pour entrer, il fallait que,
105 de la rue, on crût à une émeute ; et il obtenait cet écrasement, en mettant sous la porte les soldes, des casiers et des corbeilles débordant d'articles à vil[1] prix ; si bien que le menu peuple s'amassait, barrait le seuil, faisait penser que les magasins craquaient de monde, lorsque souvent ils n'étaient qu'à demi pleins. Ensuite,
110 le long des galeries, il avait l'art de dissimuler les rayons qui chômaient, par exemple les châles en été et les indiennes[2] en hiver ; il les entourait de rayons vivants, les noyait dans du vacarme. Lui seul avait encore imaginé de placer au deuxième étage les comptoirs des tapis et des meubles, des comptoirs où les
115 clientes étaient plus rares, et dont la présence au rez-de-chaussée aurait creusé des trous vides et froids. S'il en avait découvert le moyen, il aurait fait passer la rue au travers de sa maison.

Justement, Mouret se trouvait en proie à une crise d'inspiration. Le samedi soir, comme il donnait un dernier coup d'œil aux
120 préparatifs de la grande vente du lundi, dont on s'occupait depuis un mois, il avait eu la conscience soudaine que le classement des rayons adopté par lui, était inepte[3]. C'était pourtant un classement d'une logique absolue, les tissus d'un côté, les objets confectionnés de l'autre, un ordre intelligent qui devait permettre aux
125 clientes de se diriger elles-mêmes. Il avait rêvé cet ordre autrefois, dans le fouillis de l'étroite boutique de M^me Hédouin ; et voilà qu'il se sentait ébranlé, le jour où il le réalisait. Brusquement, il s'était écrié qu'il fallait « lui casser tout ça ». On avait quarante-huit heures, il s'agissait de déménager une partie des magasins.
130 Le personnel, effaré, bousculé, avait dû passer les deux nuits et la journée entière du dimanche, au milieu d'un gâchis épouvantable. Même le lundi matin, une heure avant l'ouverture, des marchandises ne se trouvaient pas encore en place. Certainement, le patron

1. *Vil* : très bas. \ **2.** *Indiennes* : toiles de coton peintes ou imprimées. \ **3.** *Inepte* : absurde, sot.

devenait fou, personne ne comprenait, c'était une consternation
135 générale.

— Allons, dépêchons ! criait Mouret, avec la tranquille assu-
rance de son génie. Voici encore des costumes qu'il faut me porter
là-haut… Et le Japon[1] est-il installé sur le palier central ?… Un
dernier effort, mes enfants, vous verrez la vente tout à l'heure !

140 Bourdoncle, lui aussi, était là depuis le petit jour. Pas plus
que les autres, il ne comprenait, et ses regards suivaient le direc-
teur d'un air d'inquiétude. Il n'osait lui poser des questions,
sachant de quelle manière on était reçu, dans ces moments de
crise. Pourtant, il se décida, il demanda doucement :

145 — Est-ce qu'il était bien nécessaire de tout bouleverser ainsi,
à la veille de notre exposition ?

D'abord, Mouret haussa les épaules, sans répondre. Puis,
comme l'autre se permit d'insister, il éclata.

— Pour que les clientes se tassent toutes dans le même coin,
150 n'est-ce pas ? Une jolie idée de géomètre que j'avais eue là ! Je
ne m'en serais jamais consolé… Comprenez donc que je loca-
lisais la foule. Une femme entrait, allait droit où elle voulait
aller, passait du jupon à la robe, de la robe au manteau, puis se
retirait, sans même s'être un peu perdue !… Pas une n'aurait
155 seulement vu nos magasins !

— Mais, fit remarquer Bourdoncle, maintenant que vous
avez tout brouillé et tout jeté aux quatre coins, les employés
useront leurs jambes, à conduire les acheteuses de rayon en
rayon.

160 Mouret eut un geste superbe.

— Ce que je m'en fiche ! Ils sont jeunes, ça les fera grandir…
Et tant mieux, s'ils se promènent ! Ils auront l'air plus nombreux,
ils augmenteront la foule. Qu'on s'écrase, tout ira bien !

1. *Japon* : l'Orient est alors à la mode, il fascine les peintres. Le *Bon Marché* vend des articles
chinois et japonais à partir de 1860.

Il riait, il daigna expliquer son idée, en baissant la voix :

165 — Tenez ! Bourdoncle, écoutez les résultats... Première-
ment, ce va-et-vient continuel de clientes les disperse un peu
partout, les multiplie et leur fait perdre la tête ; secondement,
comme il faut qu'on les conduise d'un bout des magasins à
l'autre, si elles désirent par exemple la doublure après avoir
170 acheté la robe, ces voyages en tous sens triplent pour elles la
grandeur de la maison ; troisièmement, elles sont forcées de
traverser des rayons où elles n'auraient pas mis les pieds, des
tentations les y accrochent au passage, et elles succombent ;
quatrièmement...

175 Bourdoncle riait avec lui. Alors, Mouret, enchanté, s'arrêta,
pour crier aux garçons :

— Très bien, mes enfants ! Maintenant, un coup de balai, et
voilà qui est beau !

Mais, en se tournant, il aperçut Denise. Lui et Bourdoncle
180 se trouvaient devant le rayon des confections, qu'il venait juste-
ment de dédoubler, en faisant monter les robes et costumes au
second étage, à l'autre bout des magasins. Denise, descendue
la première, ouvrait de grands yeux, dépaysée par les aménage-
ments nouveaux.

185 — Quoi donc ? murmura-t-elle, on déménage ?

Cette surprise parut amuser Mouret, qui adorait ces coups de
théâtre. Dès les premiers jours de février, Denise était rentrée
au *Bonheur*, où elle avait eu l'heureux étonnement de retrouver
le personnel poli, presque respectueux. M^me Aurélie surtout se
190 montrait bienveillante ; Marguerite et Clara semblaient rési-
gnées ; jusqu'au père Jouve qui pliait l'échine [1], l'air embarrassé,
comme désireux d'effacer le vilain souvenir d'autrefois. Il suffi-
sait que Mouret eût dit un mot, tout le monde chuchotait, en
la suivant des yeux. Et, dans cette amabilité générale, elle n'était

1. *Pliait l'échine* : se soumettait.

195 un peu blessée que par la tristesse singulière de Deloche et les sourires inexplicables de Pauline.

Cependant, Mouret la regardait toujours de son air ravi.

— Que cherchez-vous donc, mademoiselle ? demanda-t-il enfin.

200 Denise ne l'avait pas aperçu. Elle rougit légèrement. Depuis sa rentrée, elle recevait de lui des marques d'intérêt, qui la touchaient beaucoup. Pauline, sans qu'elle sût pourquoi, lui avait conté en détail les amours du patron et de Clara, où il la voyait, ce qu'il la payait ; et elle en reparlait souvent, elle ajou-
205 tait même qu'il avait une autre maîtresse, cette Mme Desforges, bien connue de tout le magasin. De telles histoires remuaient Denise, elle était reprise devant lui de ses peurs d'autrefois, d'un malaise où sa reconnaissance luttait contre de la colère.

— C'est tout ce remue-ménage, murmura-t-elle.

210 Alors, Mouret s'approcha pour lui dire à voix plus basse :

— Ce soir, après la vente, veuillez passer à mon cabinet. Je désire vous parler.

Troublée, elle inclina la tête, sans prononcer un mot. D'ailleurs, elle entra au rayon, où les autres vendeuses arrivaient. Mais Bour-
215 doncle avait entendu Mouret, et il le regardait en souriant. Même il osa lui dire, quand ils furent seuls :

— Encore celle-là ! Méfiez-vous, ça finira par être sérieux !

Vivement, Mouret se défendit, cachant son émotion sous un air d'insouciance supérieure.

220 — Laissez donc, une plaisanterie ! La femme qui me prendra n'est pas née, mon cher !

Et, comme les magasins ouvraient enfin, il se précipita pour donner un dernier coup d'œil aux divers comptoirs. Bour-doncle hochait la tête. Cette Denise, simple et douce, commen-
225 çait à l'inquiéter. Une première fois, il avait vaincu, par un renvoi brutal. Mais elle reparaissait, et il la traitait en ennemie sérieuse, muet devant elle, attendant de nouveau.

Mouret, qu'il rattrapa, criait en bas, dans le hall Saint-Augustin, en face de la porte d'entrée :

230 — Est-ce qu'on se fiche de moi ! J'avais dit de mettre les ombrelles bleues en bordure… Cassez-moi tout ça et vite !

Il ne voulut rien entendre, une équipe de garçons dut remanier l'exposition des ombrelles. En voyant les clientes arriver, il fit même fermer un instant les portes ; et il répétait qu'il

235 n'ouvrirait pas, plutôt que de laisser les ombrelles bleues au centre. Ça tuait sa composition. Les étalagistes renommés, Hutin, Mignot, d'autres encore, venaient voir, levaient les yeux ; mais ils affectaient de ne pas comprendre, étant d'une école différente.

240 Enfin, on rouvrit les portes, et le flot entra. Dès la première heure, avant que les magasins fussent pleins, il se produisit sous le vestibule un écrasement tel, qu'il fallut avoir recours aux sergents de ville, pour rétablir la circulation, sur le trottoir. Mouret avait calculé juste : toutes les ménagères, une troupe

245 serrée de petites bourgeoises et de femmes en bonnet[1], donnaient assaut aux occasions, aux soldes et aux coupons, étalés jusque dans la rue. Des mains en l'air, continuellement, tâtaient « les pendus[2] » de l'entrée, un calicot[3] à sept sous, une grisaille[4] laine et coton à neuf sous, surtout un orléans[5] à

250 trente-huit centimes, qui ravageait les bourses pauvres. Il y avait des poussées d'épaules, une bousculade fiévreuse autour des casiers et des corbeilles, où des articles au rabais, dentelles à dix centimes, rubans à cinq sous, jarretières à trois sous, gants, jupons, cravates, chaussettes et bas de coton s'ébou-

255 laient, disparaissaient, comme mangés par la foule vorace. Malgré le temps froid, les commis qui vendaient au plein air

1. *Bonnet* : coiffe souple en tissu, portée par les femmes des milieux populaires. \ 2. *Pendus* : coupons de tissus attachés par un coin de manière à ce que l'autre bout pende ou flotte. \ 3. *Calicot* : toile de coton grossière. \ 4. *Grisaille* : tissu à petits carreaux noirs et blancs. \ 5. *Orléans* : tissu léger en laine et coton.

du pavé, ne pouvaient suffire. Une femme grosse[1] jeta des cris. Deux petites filles manquèrent d'être étouffées.

Toute la matinée, cet écrasement augmenta. Vers une heure, des queues s'établissaient, la rue était barrée, ainsi qu'en temps d'émeute. Justement, comme M^{me} de Boves et sa fille Blanche se tenaient sur le trottoir d'en face, hésitantes, elles furent abordées par M^{me} Marty, également accompagnée de sa fille Valentine.

— Hein? quel monde! dit la première. On se tue là-dedans... Je ne devais pas venir, j'étais au lit, puis je me suis levée pour prendre l'air.

— C'est comme moi, déclara l'autre. J'ai promis à mon mari d'aller voir sa sœur, à Montmartre... Alors, en passant, j'ai songé que j'avais besoin d'une pièce de lacet. Autant l'acheter ici qu'ailleurs, n'est-ce pas? Oh! je ne dépenserai pas un sou! Il ne me faut rien, du reste.

Cependant, leurs yeux ne quittaient pas la porte, elles étaient prises et emportées dans le vent de la foule.

— Non, non, je n'entre pas, j'ai peur, murmura M^{me} de Boves. Blanche, allons-nous en, nous serions broyées.

Mais sa voix faiblissait, elle cédait peu à peu au désir d'entrer où entre le monde; et sa crainte se fondait dans l'attrait irrésistible de l'écrasement. M^{me} Marty s'était aussi abandonnée. Elle répétait:

— Tiens ma robe, Valentine... Ah bien! je n'ai jamais vu ça. On vous porte. Qu'est-ce que ça va être, à l'intérieur!

Ces dames, saisies par le courant, ne pouvaient plus reculer. Comme les fleuves tirent à eux les eaux errantes d'une vallée, il semblait que le flot des clientes, coulant à plein vestibule, buvait les passants de la rue, aspirait la population des quatre coins de Paris. Elles n'avançaient que très lentement, serrées à perdre haleine, tenues debout par des épaules et des ventres, dont elles

1. *Grosse*: enceinte.

sentaient la molle chaleur ; et leur désir satisfait jouissait de cette approche pénible, qui fouettait davantage leur curiosité. C'était un pêle-mêle de dames vêtues de soie, de petites bourgeoises à robes pauvres, de filles en cheveux, toutes soulevées, enfiévrées de la même passion. Quelques hommes, noyés sous les corsages débordants, jetaient des regards inquiets autour d'eux. Une nourrice, au plus épais, levait très haut son poupon, qui riait d'aise. Et, seule, une femme maigre se fâchait, éclatant en paroles mauvaises, accusant une voisine de lui entrer dans le corps.

— Je crois bien que mon jupon va y rester, répétait M^{me} de Boves.

Muette, le visage encore frais du grand air, M^{me} Marty se haussait pour voir avant les autres, par-dessus les têtes, s'élargir les profondeurs des magasins. Les pupilles de ses yeux gris étaient minces comme celles d'une chatte arrivant du plein jour ; et elle avait la chair reposée, le regard clair d'une personne qui s'éveille.

— Ah ! enfin ! dit-elle en poussant un soupir.

Ces dames venaient de se dégager. Elles étaient dans le hall Saint-Augustin. Leur surprise fut grande de le trouver presque vide. Mais un bien-être les envahissait, il leur semblait entrer dans le printemps, au sortir de l'hiver de la rue. Tandis que, dehors, soufflait le vent glacé des giboulées, déjà la belle saison, dans les galeries du *Bonheur*, s'attiédissait avec les étoffes légères, l'éclat fleuri des nuances tendres, la gaieté champêtre des modes d'été et des ombrelles.

— Regardez donc ! cria M^{me} de Boves, immobilisée, les yeux en l'air.

C'était l'exposition des ombrelles. Toutes ouvertes, arrondies comme des boucliers, elles couvraient le hall, de la baie vitrée du plafond à la cimaise[1] de chêne verni. Autour des arcades des

1. *Cimaise* : moulure qui forme la partie supérieure d'une corniche.

étages supérieurs, elles dessinaient des festons ; le long des
320 colonnes, elles descendaient en guirlandes ; sur les balustrades
des galeries, jusque sur les rampes des escaliers, elles filaient
en lignes serrées ; et, partout, rangées symétriquement, bario-
lant les murs de rouge, de vert et de jaune, elles semblaient de
grandes lanternes vénitiennes, allumées pour quelque fête
325 colossale. Dans les angles, il y avait des motifs compliqués, des
étoiles faites d'ombrelles à trente-neuf sous, dont les teintes
claires, bleu pâle, blanc crème, rose tendre, brûlaient avec une
douceur de veilleuse ; tandis que, au-dessus, d'immenses para-
sols japonais, où des grues couleur d'or volaient dans un ciel de
330 pourpre, flambaient avec des reflets d'incendie.

Mme Marty cherchait une phrase pour dire son ravissement,
et elle ne trouva que cette exclamation :

— C'est féerique !

Puis, tâchant de s'orienter :

335 — Voyons, le lacet est à la mercerie... J'achète mon lacet et
je me sauve.

— Je vous accompagne, dit Mme de Boves. N'est-ce pas,
Blanche, nous traversons les magasins, pas davantage ?

Mais, dès la porte, ces dames étaient perdues. Elles tournè-
340 rent à gauche ; et, comme on avait déménagé la mercerie, elles
tombèrent au milieu des ruches[1], puis au milieu des parures.
Sous les galeries couvertes, il faisait très chaud, une chaleur de
serre, moite et enfermée, chargée de l'odeur fade des tissus, et
dans laquelle s'étouffait le piétinement de la foule. Alors, elles
345 revinrent devant la porte, où s'établissait un courant de sortie,
tout un défilé interminable de femmes et d'enfants, sur qui
flottait un nuage de ballons rouges. Quarante mille ballons
étaient prêts, il y avait des garçons chargés spécialement de la

1. *Ruches* : étroites bandes froncées de tulle ou de dentelle qui servent d'ornement pour une
robe, par exemple.

distribution. À voir les acheteuses qui se retiraient, on aurait
350 dit en l'air, au bout des fils invisibles, un vol d'énormes bulles
de savon, reflétant l'incendie des ombrelles. Le magasin en était
tout illuminé.

— C'est un monde, déclarait M^me de Boves. On ne sait plus
où l'on est.

355 Pourtant, ces dames ne pouvaient rester dans le remous de
la porte, en pleine bousculade de l'entrée et de la sortie. L'ins-
pecteur Jouve, heureusement, vint à leur secours. Il se tenait
sous le vestibule, grave, attentif, dévisageant chaque femme au
passage. Chargé spécialement de la police intérieure, il flairait
360 les voleuses et suivait surtout les femmes grosses, lorsque la
fièvre de leurs yeux l'inquiétait.

— La mercerie, mesdames? dit-il obligeamment, allez à
gauche, tenez! là-bas, derrière la bonneterie.

M^me de Boves remercia. Mais M^me Marty, en se retournant,
365 n'avait plus trouvé près d'elle sa fille Valentine. Elle s'effrayait,
lorsqu'elle l'aperçut, déjà loin, au bout du hall Saint-Augustin,
profondément absorbée devant une table de proposition, sur
laquelle s'entassaient des cravates de femme à dix-neuf sous.
Mouret pratiquait la proposition, les articles offerts à voix haute,
370 la cliente raccrochée et dévalisée; car il usait de toutes les réclames,
il se moquait de la discrétion de certains confrères, dont l'opinion
était que les marchandises devaient parler toutes seules. Des
vendeurs spéciaux, des Parisiens fainéants et blagueurs, écoulaient
ainsi des quantités considérables de petits objets de camelote[1].

375 — Oh! maman, murmura Valentine, vois donc ces cravates...
Elles ont, au coin, un oiseau brodé.

Le commis faisait l'article, jurait que c'était tout soie, que
le fabricant était en faillite, et qu'on ne retrouverait jamais une
occasion pareille.

1. *Camelote*: de mauvaise qualité (terme familier).

380 — Dix-neuf sous, est-ce possible! disait M^me Marty, séduite comme sa fille. Bah! je puis bien en prendre deux, ce n'est pas ça qui nous ruinera.

M^me de Boves restait dédaigneuse. Elle détestait la proposition, un commis qui l'appelait la mettait en fuite. Surprise,
385 M^me Marty ne comprenait pas cette horreur nerveuse du boniment[1], car elle avait l'autre nature, elle était des femmes heureuses de se laisser violenter, de baigner dans la caresse de l'offre publique, avec la jouissance de mettre ses mains partout et de perdre son temps en paroles inutiles.

390 — Maintenant, reprit-elle, vite à mon lacet... Je ne veux même plus rien voir.

Cependant, comme elle traversait les foulards et la ganterie, son cœur défaillit de nouveau. Il y avait là, sous la lumière diffuse, un étalage aux colorations vives et gaies, d'un effet
395 ravissant. Les comptoirs, rangés symétriquement, semblaient être des plates-bandes, changeaient le hall en un parterre français, où souriait la gamme tendre des fleurs. À nu sur le bois, dans des cartons éventrés, hors des casiers trop pleins, une moisson de foulards mettait le rouge vif des géraniums, le
400 blanc laiteux des pétunias, le jaune d'or des chrysanthèmes, le bleu céleste des verveines; et, plus haut, sur des tiges de cuivre, s'enguirlandait une autre floraison, des fichus jetés, des rubans déroulés, tout un cordon éclatant qui se prolongeait, montait autour des colonnes, se multipliait dans les glaces.
405 Mais ce qui ameutait la foule, c'était, à la ganterie, un chalet suisse fait uniquement avec des gants: un chef-d'œuvre de Mignot, qui avait exigé deux jours de travail. D'abord, des gants noirs établissaient le rez-de-chaussée; puis, venaient des gants paille, réséda[2], sang de bœuf, distribués dans la

1. *Boniment*: discours destiné à attirer un client. \ 2. *Réséda*: de la couleur du réséda, c'est-à-dire jaune tirant vers le vert.

410 décoration, bordant les fenêtres, indiquant les balcons, rempla-
çant les tuiles.

– Que désire madame? demanda Mignot en voyant
M^me Marty plantée devant le chalet. Voici des gants de Suède
à un franc soixante-quinze, première qualité…

415 Il avait la proposition acharnée, appelant les passantes du
fond de son comptoir, les importunant de sa politesse. Comme
elle refusait de la tête, il continua:

– Des gants du Tyrol à un franc vingt-cinq… Des gants de
Turin pour enfants, des gants brodés toutes couleurs…

420 – Non, merci, je n'ai besoin de rien, déclara M^me Marty.
Mais il sentit que sa voix mollissait, il l'attaqua plus rude-
ment, en lui mettant sous les yeux les gants brodés; et elle fut
sans force, elle en acheta une paire. Puis, comme M^me de Boves
la regardait avec un sourire, elle rougit.

425 – Hein? suis-je enfant?… Si je ne me dépêche pas de
prendre mon lacet et de me sauver, je suis perdue.

Par malheur, il y avait, à la mercerie, un encombrement tel,
qu'elle ne put se faire servir. Toutes deux attendaient depuis
dix minutes, et elles s'irritaient, lorsque la rencontre de
430 M^me Bourdelais et de ses trois enfants les occupa. Cette
dernière expliquait de son air tranquille de jolie femme
pratique, qu'elle avait voulu montrer ça aux petits. Madeleine
avait dix ans, Edmond huit, Lucien quatre; et ils riaient d'aise,
c'était une partie à bon compte[1], promise depuis longtemps.

435 – Elles sont drôles, je vais acheter une ombrelle rouge, dit
tout d'un coup M^me Marty, qui piétinait, impatientée de rester
là, à ne rien faire.

Elle en choisit une de quatorze francs cinquante. M^me Bour-
delais, après avoir suivi l'achat d'un regard de blâme, lui dit amica-
440 lement:

1. *Une partie à bon compte*: une fête, une excursion, qui ne coûte rien.

— Vous avez bien tort de vous presser. Dans un mois, vous l'auriez eue pour dix francs… Ce n'est pas moi qu'ils attraperont !

Et elle fit toute une théorie de bonne ménagère. Puisque les magasins baissaient les prix, il n'y avait qu'à attendre. Elle ne voulait pas être exploitée par eux, c'était elle qui profitait de leurs véritables occasions. Même elle y apportait une lutte de malice, elle se vantait de ne leur avoir jamais laissé un sou de gain.

— Voyons, finit-elle par dire, j'ai promis à mon petit monde de lui montrer des images, là-haut, dans le salon… Venez donc avec moi, vous avez le temps.

Alors, le lacet fut oublié, M^{me} Marty céda tout de suite, tandis que M^{me} de Boves refusait, préférant faire d'abord le tour du rez-de-chaussée. Du reste, ces dames espéraient bien se retrouver en haut. M^{me} Bourdelais cherchait un escalier, lorsqu'elle aperçut l'un des ascenseurs ; et elle y poussa les enfants, pour compléter la partie [1]. M^{me} Marty et Valentine entrèrent aussi dans l'étroite cage, où l'on fut très serré ; mais les glaces, les banquettes de velours, la porte de cuivre ouvragé, les occupaient à ce point qu'elles arrivèrent au premier étage, sans avoir senti le glissement doux de la machine. Un autre régal les attendait d'ailleurs, dès la galerie des dentelles. Comme on passait devant le buffet, M^{me} Bourdelais ne manqua pas de gorger la petite famille de sirop. C'était une salle carrée, avec un large comptoir de marbre ; aux deux bouts, des fontaines argentées laissaient couler un mince filet d'eau ; derrière, sur des tablettes, s'alignaient des bouteilles. Trois garçons, continuellement, essuyaient et emplissaient les verres. Pour contenir la clientèle altérée, on avait dû établir une queue, ainsi qu'aux portes des théâtres, à

1. *Partie* : fête.

l'aide d'une barrière recouverte de velours. La foule s'y écrasait. Des personnes, perdant tout scrupule devant ces gourmandises gratuites, se rendaient malades.

475 — Eh bien ! où sont-elles donc ? s'écria M^me Bourdelais, lorsqu'elle se dégagea de la cohue, après avoir essuyé les enfants avec son mouchoir.

Mais elle aperçut M^me Marty et Valentine au fond d'une autre galerie, très loin. Toutes deux, noyées sous un déballage de
480 jupons, achetaient encore. C'était fini, la mère et la fille disparurent dans la fièvre de dépense qui les emportait.

Quand elle arriva enfin au salon de lecture et de correspondance, M^me Bourdelais installa Madeleine, Edmond et Lucien devant la grande table ; puis, elle prit elle-même, dans une
485 bibliothèque, des albums de photographies qu'elle leur apporta. La voûte de la longue salle était chargée d'or ; aux deux extrémités, des cheminées monumentales se faisaient face ; de médiocres tableaux, très richement encadrés, couvraient les murs ; et, entre les colonnes, devant chacune des baies cintrées
490 qui ouvraient sur les magasins, il y avait de hautes plantes vertes, dans des vases de majolique[1]. Tout un public silencieux entourait la table, encombrée de revues et de journaux, garnie de papeteries et d'encriers. Des dames ôtaient leurs gants, écrivaient des lettres sur du papier au chiffre[2] de la maison, dont elles biffaient[3]
495 l'en-tête d'un trait de plume. Quelques hommes, renversés au fond de leurs fauteuils, lisaient des journaux. Mais beaucoup de personnes restaient là sans rien faire : maris attendant leurs femmes lâchées au travers des rayons, jeunes dames discrètes guettant l'arrivée d'un amant, vieux parents déposés comme au
500 vestiaire, pour être repris à la sortie. Et ce monde, assis mollement, se reposait, jetait des coups d'œil, par les baies ouvertes, sur les profondeurs des galeries et des halls, dont la voix lointaine

1. *Majolique* : faïence italienne. \ 2. *Chiffre* : initiales entremêlées. \ 3. *Biffaient* : rayaient.

montait, dans le petit bruit des plumes et le froissement des journaux.

505 — Comment! vous voilà! dit M^me Bourdelais. Je ne vous reconnaissais pas.

Près des enfants, une dame disparaissait entre les pages d'une revue. C'était M^me Guibal. Elle semblait contrariée de la rencontre. Mais elle se remit tout de suite, raconta qu'elle 510 était montée s'asseoir un peu, pour échapper à l'écrasement de la foule. Et, comme M^me Bourdelais lui demandait si elle était venue faire des emplettes, elle répondit de son air de langueur, en éteignant de ses paupières l'âpreté égoïste de son regard :

— Oh! non… Au contraire, je suis venue rendre. Oui, des 515 portières[1], dont je ne suis pas satisfaite. Seulement, il y a un tel monde, que j'attends de pouvoir approcher du rayon.

Elle causa, dit que c'était bien commode, ce mécanisme des rendus ; auparavant, elle n'achetait jamais, tandis que, maintenant, elle se laissait tenter parfois. À la vérité, elle rendait quatre 520 objets sur cinq, elle commençait à être connue de tous les comptoirs, pour les négoces étranges, flairés sous l'éternel mécontentement qui lui faisait rapporter les articles un à un, après les avoir gardés plusieurs jours. Mais, en parlant, elle ne quittait pas des yeux les portes du salon ; et elle parut soulagée, quand 525 M^me Bourdelais retourna vers ses enfants, afin de leur expliquer les photographies. Presque au même moment, M. de Boves et Paul de Vallagnosc entrèrent. Le comte, qui affectait de faire visiter au jeune homme les nouveaux magasins, échangea avec elle un vif regard ; puis, elle se replongea dans sa lecture, comme 530 si elle ne l'avait pas aperçu.

— Tiens! Paul! dit une voix derrière ces messieurs.

C'était Mouret, en train de donner son coup d'œil aux divers services. Les mains se tendirent, et il demanda tout de suite :

1. *Portières* : tentures qui masquent une porte.

— M^{me} de Boves nous a-t-elle fait l'honneur de venir ?

535 — Mon Dieu ! non, répondit le comte, et à son grand regret. Elle est souffrante, oh ! rien de dangereux.

Mais brusquement, il feignit de voir M^{me} Guibal. Il s'échappa, s'approcha, tête nue ; tandis que les deux autres se contentaient de la saluer de loin. Elle, également, jouait la
540 surprise. Paul avait eu un sourire ; il comprenait enfin, il raconta tout bas à Mouret comment le comte, rencontré par lui rue Richelieu, s'était efforcé de lui échapper, et avait pris le parti de l'entraîner au *Bonheur*, sous le prétexte qu'il fallait absolument voir ça. Depuis un an, la dame tirait de ce dernier l'argent et le
545 plaisir qu'elle pouvait, n'écrivant jamais, lui donnant rendez-vous dans des lieux publics, les églises, les musées, les magasins, pour s'entendre.

— Je crois qu'à chaque rendez-vous ils changent de chambre d'hôtel, murmurait le jeune homme. L'autre mois, il était en
550 tournée d'inspection, il écrivait à sa femme tous les deux jours, de Blois, de Libourne, de Tarbes ; et je suis pourtant convaincu de l'avoir vu entrer dans une pension bourgeoise des Batignolles... Mais, regarde-le donc ! est-il beau, devant elle, avec sa correction de fonctionnaire ! La vieille France ! mon ami, la
555 vieille France !

— Et ton mariage ? demanda Mouret.

Paul, sans quitter le comte des yeux, répondit qu'on attendait toujours la mort de la tante. Puis, l'air triomphant :

— Hein ? tu as vu ? il s'est baissé, il lui a glissé une adresse.
560 La voilà qui accepte, de sa mine la plus vertueuse : une terrible femme, cette rousse délicate, aux allures insouciantes... Eh bien ! il se passe de jolies choses chez toi !

— Oh ! dit Mouret en souriant, ces dames ne sont point ici chez moi, elles sont chez elles.

565 Ensuite, il plaisanta. L'amour, comme les hirondelles, portait bonheur aux maisons. Sans doute, il les connaissait, les filles qui

battaient [1] les comptoirs, les dames qui, par hasard, y rencontraient un ami ; mais si elles n'achetaient pas, elles faisaient nombre, elles chauffaient les magasins. Tout en causant, il
570 emmena son ancien condisciple, il le planta au seuil du salon, en face de la grande galerie centrale, dont les halls successifs se déroulaient à leurs pieds. Derrière eux, le salon gardait son recueillement, ses petits bruits de plumes nerveuses et de journaux froissés. Un vieux monsieur s'était endormi sur le *Moniteur* [2].
575 M. de Boves examinait les tableaux, avec l'intention évidente de perdre dans la foule son futur gendre. Et, seule, au milieu de ce calme, M^{me} Bordelais égayait ses enfants, très haut, comme en pays conquis.

— Tu le vois, elles sont chez elles, répéta Mouret, qui montrait
580 d'un geste large l'entassement de femmes dont craquaient les rayons.

Justement, M^{me} Desforges, après avoir failli laisser son manteau dans la foule, entrait enfin et traversait le premier hall. Puis, arrivée à la grande galerie, elle leva les yeux. C'était
585 comme une nef de gare, entourée par les rampes des deux étages, coupée d'escaliers suspendus, traversée de ponts volants. Les escaliers de fer, à double révolution [3], développaient des courbes hardies, multipliaient les paliers ; les ponts de fer jetés sur le vide, filaient droit, très haut ; et tout ce fer mettait là, sous la
590 lumière blanche des vitrages, une architecture légère, une dentelle compliquée où passait le jour, la réalisation moderne d'un palais du rêve, d'une Babel [4] entassant des étages, élargissant des salles, ouvrant des échappées sur d'autres étages et d'autres salles, à l'infini. Du reste, le fer régnait partout, le jeune
595 architecte avait eu l'honnêteté et le courage de ne pas le déguiser

1. *Battaient* : parcouraient, exploraient. \ **2.** *Moniteur* : journal officiel de l'Empire. \ **3.** *À double révolution* : s'élevant en deux branches symétriques d'un palier à l'autre. \ **4.** *Babel* : la tour de Babel symbolise l'orgueil des hommes qui, d'après la Genèse, avaient voulu élever une tour suffisamment haute pour les conduire à Dieu.

sous une couche de badigeon, imitant la pierre ou le bois. En bas, pour ne point nuire aux marchandises, la décoration était sobre, de grandes parties unies, de teinte neutre ; puis, à mesure que la charpente métallique montait, les chapiteaux des colonnes devenaient plus riches, les rivets [1] formaient fleurons, les consoles [2] et les corbeaux [3] se chargeaient de sculptures ; dans le haut enfin, les peintures éclataient, le vert et le rouge, au milieu d'une prodigalité d'or, des flots d'or, des moissons d'or, jusqu'aux vitrages dont les verres étaient émaillés et niellés [4] d'or. Sous les galeries couvertes, les briques apparentes des voûtins étaient également émaillées de couleurs vives. Des mosaïques et des faïences entraient dans l'ornementation, égayaient les frises, éclairaient de leurs notes fraîches la sévérité de l'ensemble ; tandis que les escaliers, aux rampes de velours rouge, étaient garnis d'une bande de fer découpé et poli, luisant comme l'acier d'une armure.

Bien qu'elle connût déjà la nouvelle installation, M[me] Desforges s'était arrêtée, saisie par la vie ardente qui animait ce jour-là l'immense nef. En bas, autour d'elle, continuait le remous de la foule, dont le double courant d'entrée et de sortie se faisait sentir jusqu'au rayon de la soie : foule encore très mêlée, où pourtant l'après-midi amenait davantage de dames, parmi les petites bourgeoises et les ménagères ; beaucoup de femmes en deuil, avec leurs grands voiles ; toujours des nourrices fourvoyées [5], protégeant leurs poupons de leurs coudes élargis. Et cette mer, ces chapeaux bariolés, ces cheveux nus, blonds ou noirs, roulaient d'un bout de la galerie à l'autre, confus et décolorés au milieu de l'éclat vibrant des étoffes. M[me] Desforges ne voyait de toutes parts que les grandes pancartes,

1. *Rivets* : sortes de clous. \ **2.** *Consoles* : moulures en formes de volute. \ **3.** *Corbeaux* : éléments architecturaux en saillie destinés à supporter une corniche. \ **4.** *Niellés* : incrustés d'émaux. \ **5.** *Fourvoyées* : perdues.

625 aux chiffres énormes, dont les taches crues se détachaient sur les indiennes vives, les soies luisantes, les lainages sombres. Des piles de rubans écornaient les têtes, un mur de flanelle avançait un promontoire, partout les glaces reculaient les magasins, reflétaient des étalages avec des coins de public, des visages
630 renversés, des moitiés d'épaules et de bras; pendant que, à gauche, à droite, les galeries latérales ouvraient des échappées, les enfoncements neigeux du blanc, les profondeurs mouchetées de la bonneterie, lointains perdus, éclairés par le coup de lumière de quelque baie vitrée, et où la foule n'était plus qu'une
635 poussière humaine. Puis, lorsque M^{me} Desforges levait les yeux, c'était le long des escaliers, sur les ponts volants, autour des rampes de chaque étage, une montée continue et bourdonnante, tout un peuple en l'air, voyageant dans les découpures de l'énorme charpente métallique, se dessinant en noir sur la clarté
640 diffuse des vitres émaillées. De grands lustres dorés descendaient du plafond; un pavoisement[1] de tapis, de soies brodées, d'étoffes lamées d'or, retombait, tendait les balustrades de bannières éclatantes; il y avait, d'un bout à l'autre, des vols de dentelles, des palpitations de mousseline, des trophées de soie-
645 ries, des apothéoses de mannequins à demi vêtus; et, au-dessus de cette confusion, tout en haut, le rayon de la literie, comme suspendu, mettait des petits lits de fer garnis de leurs matelas, drapés de leurs rideaux blancs, un dortoir de pensionnaires qui dormait dans le piétinement de la clientèle, plus rare à mesure
650 que les rayons s'élevaient davantage.

— Madame désire-t-elle des jarretières bon marché? dit un vendeur à M^{me} Desforges, en la voyant immobile. Tout soie, vingt-neuf sous.

Elle ne daigna pas répondre. Autour d'elle, les propositions
655 glapissaient, s'enfiévraient encore. Pourtant, elle voulut s'orienter.

1. *Pavoisement*: étalage spectaculaire et festif.

La caisse d'Albert Lhomme se trouvait à sa gauche ; il la connaissait de vue, il se permit un sourire aimable, sans hâte aucune au milieu du flot de factures qui l'assiégeait ; pendant que, derrière lui, Joseph, se battant avec la boîte à ficelle, ne pouvait suffire à
660 empaqueter les articles. Alors, elle se reconnut, la soie devait être devant elle. Mais il lui fallut dix minutes pour s'y rendre, tellement la foule augmentait. En l'air, au bout de leurs fils invisibles, les ballons rouges s'étaient multipliés ; ils s'amassaient en nuages de pourpre, filaient doucement vers les portes, continuaient à se
665 déverser dans Paris ; et elle devait baisser la tête sous le vol des ballons, lorsque de tout jeunes enfants les tenaient, le fil enroulé à leurs petites mains.

— Comment ! madame, vous vous êtes risquée ! s'écria gaiement Bouthemont, dès qu'il aperçut M^{me} Desforges.
670 Maintenant, le chef de comptoir, introduit chez elle par Mouret lui-même, y allait parfois prendre le thé. Elle le trouvait commun, mais fort aimable, d'une belle humeur sanguine, qui la surprenait et l'amusait. D'ailleurs, l'avant-veille, il lui avait conté carrément les amours de Mouret et de Clara, sans
675 calcul, par bêtise de gros garçon aimant à rire ; et, mordue de jalousie, cachant sa blessure sous des airs de dédain, elle venait pour tâcher de découvrir cette fille, une demoiselle des confections, avait-il dit simplement, en refusant de la nommer.

— Est-ce que vous désirez quelque chose chez nous ? reprit-
680 il.

— Mais certainement, sans quoi je ne serais pas venue… Avez-vous du foulard [1] pour des matinées [2] ?

Elle espérait obtenir de lui le nom de la demoiselle, prise du besoin de la voir. Tout de suite, il avait appelé Favier ; et il se remit
685 à causer avec elle, en attendant le vendeur qui achevait de servir

1. *Foulard* : tissu très léger en soie ou en coton et soie. \ **2.** *Matinées* : déshabillés que portent les femmes le matin lorsqu'elles restent chez elles.

une cliente, justement « la jolie dame », cette belle personne blonde dont tout le rayon causait parfois, sans connaître sa vie, ni même son nom. Cette fois, la jolie dame était en grand deuil. Tiens ! qui avait-elle donc perdu, son mari ou son père ? Pas son
690 père sans doute, car elle aurait paru plus triste. Alors, que disait-on ? ce n'était pas une cocotte, elle avait eu un mari véritable. À moins, cependant, qu'elle ne fût en deuil de sa mère. Pendant quelques minutes, malgré le gros du travail, le rayon échangea des hypothèses.

695 — Dépêchez-vous, c'est insupportable ! cria Hutin à Favier, qui revenait de conduire sa cliente à une caisse. Quand cette dame est là, vous n'en finissez plus… Elle se moque bien de vous !

— Pas tant que je me moque d'elle, répondit le vendeur vexé.

700 Mais Hutin menaça de le signaler à la direction, s'il ne respectait pas davantage la clientèle. Il devenait terrible, d'une sévérité hargneuse, depuis que le rayon s'était ligué pour lui faire avoir la place de Robineau. Même il se montrait tellement insupportable, après les promesses de bonne camaraderie dont
705 il chauffait autrefois ses collègues, que ceux-ci, désormais, soutenaient sourdement Favier contre lui.

— Allons, ne répliquez pas, reprit sévèrement Hutin. M. Bouthemont vous demande du foulard, les dessins les plus clairs.

710 Au milieu du rayon, une exposition des soieries d'été éclairait le hall d'un éclat d'aurore, comme un lever d'astre dans les teintes les plus délicates de la lumière, le rose pâle, le jaune tendre, le bleu limpide, toute l'écharpe flottante d'Iris[1]. C'étaient des foulards d'une finesse de nuée, des surahs[2] plus légers que les

1. *Iris* : dans la mythologie, messagère de Zeus et d'Héra. Elle est représentée sous les traits d'une jeune fille pourvue d'ailes et vêtue de robes multicolores qui laissent dans le ciel un sillage en forme d'arc-en-ciel. \ **2.** *Surahs* : tissus de soie d'une légèreté et d'une finesse remarquables.

715 duvets envolés des arbres, des pékins[1] satinés à la peau souple de vierge chinoise. Et il y avait encore les pongés[2] du Japon, les tussores et les corahs[3] des Indes, sans compter nos soies légères, les mille raies, les petits damiers, les semis de fleurs, tous les dessins de la fantaisie, qui faisaient songer à des dames en 720 falbalas, se promenant par les matinées de mai, sous les grands arbres d'un parc.

— Je prendrai celui-ci, le Louis XIV, à bouquets de roses, dit enfin M^me Desforges.

Et, pendant que Favier métrait, elle fit une dernière tenta-725 tive sur Bouthemont, resté près d'elle.

— Je vais monter aux confections voir les manteaux de voyage… Est-ce qu'elle est blonde, la demoiselle de votre histoire ?

Le chef de rayon, que son insistance commençait à inquiéter, 730 se contenta de sourire. Mais, justement, Denise passait. Elle venait de remettre entre les mains de Liénard, aux mérinos[4], M^me Boutarel, cette dame de province, qui débarquait à Paris deux fois par an, pour jeter aux quatre coins du *Bonheur* l'argent qu'elle rognait[5] sur son ménage. Et, comme Favier 735 prenait déjà le foulard de M^me Desforges, Hutin, croyant le contrarier, l'arrêta.

— C'est inutile, mademoiselle aura l'obligeance de conduire madame.

Denise, troublée, voulut bien se charger du paquet et de la 740 note de débit. Elle ne pouvait rencontrer le jeune homme face à face, sans éprouver une honte, comme s'il lui rappelait une faute ancienne. Cependant, son rêve seul avait péché.

— Dites-moi, demanda tout bas M^me Desforges à Bouthemont,

1. *Pékins* : tissus de soie ornés de fleurs ou présentant un motif de rayures alternativement mates et brillantes. \ 2. *Pongés* : légers taffetas de soie. \ 3. *Tussores* et *corahs* : tissus de soie qui s'apparentent au foulard. \ 4. *Mérinos* : lainages fins. \ 5. *Rognait* : économisait sou à sou.

n'est-ce pas cette fille si maladroite? Il l'a donc reprise?... Mais
745 c'est elle, l'héroïne de l'aventure!

— Peut-être, répondit le chef de rayon, toujours souriant et
bien décidé à ne pas dire la vérité.

Alors, précédée de Denise, M^me Desforges monta lentement
l'escalier. Il lui fallait s'arrêter toutes les trois secondes, pour ne
750 pas être emportée par le flot qui descendait. Dans la vibration
vivante de la maison entière, les limons[1] de fer avaient sous
les pieds un branle sensible, comme tremblant aux haleines
de la foule. À chaque marche, un mannequin, solidement fixé,
plantait un vêtement immobile, costumes, paletots, robes de
755 chambre; et l'on eût dit une double haie de soldats pour
quelque défilé triomphal, avec le petit manche de bois pareil au
manche d'un poignard, enfoncé dans le molleton rouge, qui
saignait à la section fraîche du cou.

M^me Desforges arrivait enfin au premier étage, lorsqu'une
760 poussée plus rude que les autres l'immobilisa un instant. Elle
avait maintenant, au-dessous d'elle, les rayons du rez-de-chaussée,
ce peuple de clientes épandu qu'elle venait de traverser. C'était un
nouveau spectacle, un océan de têtes vues en raccourci, cachant
les corsages, grouillant dans une agitation de fourmilière. Les
765 pancartes blanches n'étaient plus que des lignes minces, les piles
de rubans s'écrasaient, le promontoire de flanelle coupait la galerie
d'un mur étroit; tandis que les tapis et les soies brodées, qui
pavoisaient[2] les balustrades, pendaient à ses pieds ainsi que des
bannières de procession, accrochées sous le jubé[3] d'une église. Au
770 loin, elle apercevait des angles de galeries latérales, comme du
haut des charpentes d'un clocher on distingue des coins de rues
voisines, où remuent les taches noires des passants. Mais ce qui

1. *Limons*: noyaux des escaliers dans lesquels sont assemblées les marches et la rampe du côté du vide. \ 2. *Pavoisaient*: décoraient les balustrades comme des drapeaux sur les édifices publics les jours de fête. \ 3. *Jubé*: galerie transversale qui, dans certaines églises, sépare la nef du chœur.

la surprenait surtout, dans la fatigue de ses yeux aveuglés par le pêle-mêle éclatant des couleurs, c'était, lorsqu'elle fermait les
775 paupières, de sentir davantage la foule, à son bruit sourd de marée montante et à la chaleur humaine qu'elle exhalait. Une fine poussière s'élevait des planchers, chargée de l'odeur de la femme, l'odeur de son linge et de sa nuque, de ses jupes et de sa chevelure, une odeur pénétrante, envahissante, qui semblait être l'en-
780 cens de ce temple élevé au culte de son corps.

Cependant, Mouret, toujours debout devant le salon de lecture, en compagnie de Vallagnosc, respirait cette odeur, s'en grisait, en répétant :

— Elles sont chez elles, j'en connais qui passent la journée ici,
785 à manger des gâteaux et à écrire leur correspondance… Il ne me reste qu'à les coucher.

Cette plaisanterie fit sourire Paul, qui, dans l'ennui de son pessimisme, continuait à trouver inepte [1] la turbulence de cette humanité, pour des chiffons. Quand il venait serrer la main de
790 son ancien condisciple, il s'en allait presque vexé de le voir si vibrant de vie, au milieu de son peuple de coquettes. Est-ce qu'une d'elles, le cerveau et le cœur vides, ne lui apprendrait pas la bêtise et l'inutilité de l'existence ? Justement, ce jour-là, Octave semblait perdre de son bel équilibre ; lui qui, d'habi-
795 tude, soufflait la fièvre à ses clientes, avec la grâce tranquille d'un opérateur, il était comme pris dans la crise de passion dont peu à peu les magasins brûlaient. Depuis qu'il avait vu Denise et M^me Desforges monter le grand escalier, il parlait plus haut, gesticulait sans le vouloir ; et, tout en affectant de ne pas tourner
800 la tête vers elles, il s'animait ainsi davantage, à mesure qu'il les sentait approcher. Son visage se colorait, ses yeux avaient un peu du ravissement éperdu dont vacillaient à la longue les yeux des acheteuses.

1. *Inepte* : absurde, sot.

— On doit rudement vous voler, murmura Vallagnosc, qui
805 trouvait à la foule des airs criminels.

Mouret avait ouvert les bras tout grands.

— Mon cher, ça dépasse l'imagination.

Et, nerveusement, enchanté d'avoir un sujet, il donnait des
détails intarissables[1], racontait des faits, en tirait un classement.
810 D'abord, il citait les voleuses de profession, celles qui faisaient
le moins de mal, car la police les connaissait presque toutes.
Puis, venaient les voleuses par manie, une perversion du désir,
une névrose nouvelle qu'un aliéniste avait classée, en y constatant le résultat aigu de la tentation exercée par les grands maga-
815 sins. Enfin, il y avait les femmes enceintes, dont les vols se
spécialisaient : ainsi, chez une d'elles, le commissaire de police
avait découvert deux cent quarante-huit paires de gants roses,
volées dans tous les comptoirs de Paris.

— C'est donc ça que les femmes ont ici des yeux si drôles !
820 murmurait Vallagnosc. Je les regardais, avec leurs mines gourmandes et honteuses de créatures en folie... Une jolie école
d'honnêteté !

— Dame ! répondit Mouret, on a beau les mettre chez elles,
on ne peut pourtant pas leur laisser emporter les marchan-
825 dises sous leurs manteaux... Et des personnes très distin-
guées. Nous avons eu, la semaine dernière, la sœur d'un pharmacien et la femme d'un conseiller à la Cour. On tâche d'arranger cela.

Il s'interrompit pour montrer l'inspecteur Jouve, qui préci-
830 sément filait une femme enceinte, en bas, au comptoir des
rubans. Cette femme, dont le ventre énorme souffrait beaucoup
des poussées du public, était accompagnée d'une amie, chargée
de la défendre sans doute contre les chocs trop rudes ; et, chaque
fois qu'elle s'arrêtait devant un rayon, Jouve ne la quittait plus

1. *Intarissables* : en nombre infini.

835 des yeux, tandis que l'amie, près d'elle, fouillait à son aise au fond des casiers.

— Oh! il la pincera, reprit Mouret, il connaît toutes leurs inventions.

Mais sa voix trembla, il eut un rire contraint. Denise et
840 Henriette, qu'il n'avait cessé de guetter, passaient enfin derrière lui, après avoir eu beaucoup de mal à se dégager de la foule. Et il se tourna, il salua sa cliente du salut discret d'un ami, qui ne veut pas compromettre une femme en l'arrêtant au milieu du monde. Seulement, celle-ci, mise en éveil, s'était très bien
845 aperçue du regard dont il avait d'abord enveloppé Denise. Cette fille, décidément, devait être la rivale qu'elle avait eu la curiosité de venir voir.

Aux confections, les vendeuses perdaient la tête. Deux demoiselles étaient malades, et Mme Frédéric, la seconde, avait
850 tranquillement donné son congé, la veille, passant à la caisse pour faire régler son compte, lâchant le *Bonheur* d'une minute à l'autre, comme le *Bonheur* lui-même lâchait ses employés. Depuis le matin, dans le coup de fièvre de la vente, on ne causait que de cette aventure. Clara, maintenue au rayon par le caprice
855 de Mouret, trouvait ça « très chic » ; Marguerite racontait l'exaspération de Bourdoncle ; tandis que Mme Aurélie, vexée, déclarait que Mme Frédéric aurait au moins dû la prévenir, car on n'avait pas idée d'une dissimulation pareille. Bien que celle-ci n'eût jamais fait une confidence à personne, on la soupçonnait
860 cependant d'avoir quitté les nouveautés, pour épouser le propriétaire d'un établissement de bains, du côté des Halles.

— C'est un manteau de voyage que madame désire ? demanda Denise à Mme Desforges, après lui avoir offert une chaise.

— Oui, répondit sèchement cette dernière, décidée à être
865 impolie.

La nouvelle installation du rayon était d'une sévérité riche, de hautes armoires de chêne sculpté, des glaces tenant la largeur

des panneaux, une moquette rouge qui étouffait le piétinement continu des clientes. Pendant que Denise était allée chercher des manteaux de voyage, M^{me} Desforges, qui regardait autour d'elle, s'aperçut dans une glace ; et elle restait à se contempler. Elle vieillissait donc, qu'on la trompait pour la première fille venue ? La glace reflétait le rayon entier, avec sa turbulence ; mais elle ne voyait que sa face pâle, elle n'entendait pas, derrière elle, Clara qui racontait à Marguerite une des cachotteries de M^{me} Frédéric, la façon dont celle-ci faisait le tour, matin et soir, en enfilant le passage Choiseul, afin de donner l'idée qu'elle logeait peut-être sur la rive gauche.

— Voici nos derniers modèles, dit Denise. Nous les avons en plusieurs couleurs.

Elle étalait quatre ou cinq manteaux. M^{me} Desforges les considérait d'un air dédaigneux ; et, à chacun, elle devenait plus dure. Pourquoi ces fronces, qui étriquaient le vêtement ? et celui-ci, carré des épaules, ne l'aurait-on pas dit taillé à coups de hache ? On avait beau aller en voyage, on ne s'habillait pas comme une guérite[1].

— Montrez-moi autre chose, mademoiselle.

Denise dépliait les vêtements, les repliait, sans se permettre un geste d'humeur. Et c'était cette sérénité dans la patience qui exaspérait davantage M^{me} Desforges. Ses regards, continuellement, retournaient à la glace, en face d'elle. Maintenant, elle s'y regardait près de Denise, elle établissait des comparaisons. Était-ce possible qu'on lui eût préféré cette créature insignifiante ? Elle se souvenait, cette créature était bien celle qu'elle avait vue, autrefois, faire à ses débuts une figure si sotte, maladroite comme une gardeuse d'oies qui débarque de son village. Sans doute, aujourd'hui, elle se tenait mieux, l'air pincé et correct dans sa robe de soie. Seulement, quelle pauvreté, quelle banalité !

1. *Guérite* : petit abri où peut se mettre à couvert une sentinelle.

— Je vais soumettre à madame d'autres modèles, disait tranquillement Denise.

Quand elle revint, la scène recommença. Puis, ce furent les draps qui étaient trop lourds et qui ne valaient rien. M^{me} Desforges se tournait, élevait la voix, tâchait d'attirer l'attention de M^{me} Aurélie, dans l'espoir de faire gronder la jeune fille. Mais celle-ci, depuis sa rentrée, avait conquis peu à peu le rayon ; elle y était chez elle à présent, et la première lui reconnaissait même des qualités rares de vendeuse, la douceur obstinée, la conviction souriante. Aussi M^{me} Aurélie, haussa-t-elle légèrement les épaules, en se gardant d'intervenir.

— Si madame voulait bien m'indiquer le genre ? demandait de nouveau Denise, avec son insistance polie que rien ne décourageait.

— Mais puisque vous n'avez rien ! cria M^{me} Desforges.

Elle s'interrompit, étonnée de sentir une main se poser sur son épaule. C'était M^{me} Marty, que sa crise de dépense emportait au travers des magasins. Ses achats avaient tellement grossi, depuis les cravates, les gants brodés et l'ombrelle rouge, que le dernier vendeur venait de se décider à mettre sur une chaise le paquet, qui lui aurait cassé les bras ; et il la précédait, en tirant cette chaise, où s'entassaient des jupons, des serviettes, des rideaux, une lampe, trois paillassons.

— Tiens ! dit-elle, vous achetez un manteau de voyage ?

— Oh ! mon Dieu ! non, répondit M^{me} Desforges. Ils sont affreux.

Mais M^{me} Marty était tombée sur un manteau à rayures, qu'elle ne trouvait pourtant pas mal. Sa fille Valentine l'examinait déjà. Alors, Denise appela Marguerite, pour débarrasser le rayon de l'article, un modèle de l'année précédente, que cette dernière, sur un coup d'œil de sa camarade, présenta comme une occasion exceptionnelle. Quand elle eut juré qu'on l'avait baissé de prix deux fois, que de cent cinquante on l'avait mis

à cent trente, et qu'il était maintenant à cent dix, M^me Marty fut sans force contre la tentation du bon marché. Elle l'acheta, le vendeur qui l'accompagnait laissa la chaise et tout le paquet
935 des notes de débit, jointes aux marchandises.

Cependant, derrière ces dames, au milieu des bousculades de la vente, les commérages du rayon continuaient sur M^me Frédéric.

— Vrai! elle avait quelqu'un? disait une petite vendeuse, nouvelle au comptoir.

940 — L'homme des bains, pardi! répondait Clara. Faut se défier de ces veuves si tranquilles.

Alors, tandis que Marguerite débitait le manteau, M^me Marty tourna la tête; et, désignant Clara d'un léger mouvement des paupières, elle dit très bas à M^me Desforges:

945 — Vous savez, le caprice de M. Mouret.

L'autre, surprise, regarda Clara, puis reporta les yeux sur Denise, en répondant:

— Mais non, pas la grande, la petite!

Et, comme M^me Marty n'osait plus rien affirmer,
950 M^me Desforges ajouta à voix plus haute, avec un mépris de dame pour des femmes de chambre:

— Peut-être la petite et la grande, toutes celles qui veulent!

Denise avait entendu. Elle leva ses grands yeux purs sur cette dame qui la blessait ainsi et qu'elle ne connaissait pas.
955 Sans doute, c'était la personne dont on lui avait parlé, cette amie que le patron voyait au-dehors. Dans le regard qu'elles échangèrent, Denise eut alors une dignité si triste, une telle franchise d'innocence, qu'Henriette resta gênée.

— Puisque vous n'avez rien de possible à me montrer, dit-
960 elle brusquement, conduisez-moi aux robes et costumes.

— Tiens! cria M^me Marty, j'y vais avec vous… Je voulais voir un costume pour Valentine.

Marguerite prit la chaise par le dossier, et la traîna, renversée, sur les pieds de derrière, qu'un tel charriage usait à la longue.

965 Denise ne portait que les quelques mètres de foulard, achetés par M^{me} Desforges. C'était tout un voyage, maintenant que les robes et costumes se trouvaient au second, à l'autre bout des magasins.

Et le grand voyage commença, le long des galeries encom-
970 brées. En tête marchait Marguerite, tirant la chaise comme une petite voiture, s'ouvrant un chemin avec lenteur. Dès la lingerie, M^{me} Desforges se plaignit : était-ce ridicule, ces bazars où il fallait faire deux lieues pour mettre la main sur le moindre article ! M^{me} Marty se disait aussi morte de fatigue ; et elle n'en jouissait
975 pas moins profondément de cette fatigue, de cette mort lente de ses forces, au milieu de l'inépuisable déballage des marchandises. Le coup de génie de Mouret la tenait tout entière. Au passage, chaque rayon l'arrêtait. Elle fit une première halte devant les trousseaux[1], tentée par des chemises que Pauline lui vendit, et
980 Marguerite se trouva débarrassée de la chaise, ce fut Pauline qui dut la prendre. M^{me} Desforges aurait pu continuer sa marche, pour libérer Denise plus vite ; mais elle semblait heureuse de la sentir derrière elle, immobile et patiente, tandis qu'elle s'attar-
dait également, à conseiller son amie. Aux layettes, ces dames
985 s'extasièrent, sans rien acheter. Puis, les faiblesses de M^{me} Marty recommencèrent : elle succomba successivement devant un corset de satin noir, des manchettes de fourrure vendues au rabais, à cause de la saison, des dentelles russes dont on garnis-
sait alors le linge de table. Tout cela s'empilait sur la chaise, les
990 paquets montaient, faisaient craquer le bois ; et les vendeurs qui se succédaient, s'attelaient avec plus de peine, à mesure que la charge devenait plus lourde.

— Par ici, madame, disait Denise sans une plainte, après chaque halte.

995 — Mais c'est stupide ! criait M^{me} Desforges. Nous n'arrive-

1. *Trousseaux* : assortiments de linge.

rons jamais. Pourquoi n'avoir pas mis les robes et costumes près des confections ? En voilà un gâchis !

M^me Marty, dont les yeux se dilataient, grisée par ce défilé de choses riches qui dansaient devant elle, répétait à demi-voix :

1000 — Mon Dieu ! que va dire mon mari ?... Vous avez raison, il n'y a pas d'ordre, dans ce magasin. On se perd, on fait des bêtises.

Sur le grand palier central, la chaise eut peine à passer. Mouret, justement, venait d'encombrer le palier d'un déballage d'articles de Paris[1], des coupes montées sur du zinc doré, des nécessaires et des caves à liqueur de camelote[2], trouvant qu'on y circulait trop librement, que la foule ne s'y étouffait pas. Et, là, il avait autorisé un de ses vendeurs à exposer, sur une petite table, des curiosités de la Chine et du Japon, quelques bibelots à bas prix, que les clientes s'arrachaient. C'était un succès inattendu, déjà il rêvait d'élargir cette vente. M^me Marty, pendant que deux garçons montaient la chaise au second étage, acheta six boutons d'ivoire, des souris en soie, un porte-allumettes en émail cloisonné.

1015 Au second, la course recommença. Denise, qui depuis le matin promenait ainsi des clientes, tombait de lassitude ; mais elle restait correcte, avec sa douceur polie. Elle dut encore attendre ces dames aux étoffes d'ameublement, où une cretonne ravissante avait accroché M^me Marty. Puis, aux meubles, ce fut une table à ouvrage dont cette dernière eut le désir. Ses mains tremblaient, elle suppliait en riant M^me Desforges de l'empêcher de dépenser davantage, lorsque la rencontre de M^me Guibal lui apporta une excuse. C'était au rayon des tapis, celle-ci venait enfin de monter rendre tout un achat de portières d'Orient, fait par elle depuis cinq

1005

1010

1020

1025

1. *Articles de Paris* : petits articles destinés aux femmes (bijoux, articles de toilette...).
\ **2.** *Camelote* : produits de mauvaise qualité (terme familier).

jours! et elle causait, debout devant le vendeur, un grand gaillard, dont les bras de lutteur remuaient, du matin au soir, des charges à tuer un bœuf. Naturellement, il était consterné par ce « rendu », qui lui enlevait son tant pour cent. Aussi tâchait-il d'embarrasser
1030 la cliente, flairant quelque aventure louche, sans doute un bal donné avec les portières, prises au *Bonheur*, puis renvoyées, afin d'éviter une location chez un tapissier : il savait que cela se faisait parfois, dans la bourgeoisie économe. Madame devait avoir une raison pour les rendre ; si c'étaient les dessins ou les couleurs qui
1035 n'allaient pas à madame, il lui montrerait autre chose, il avait un assortiment très complet. À toutes ces insinuations, M^me Guibal répondait tranquillement, de son air assuré de femme reine, que les portières ne lui plaisaient plus, sans daigner ajouter une explication. Elle refusa d'en voir d'autres, et il dut s'incliner, car les
1040 vendeurs avaient ordre de reprendre les marchandises, même s'ils s'apercevaient qu'on s'en fût servi.

Comme les trois dames s'éloignaient ensemble, et que M^me Marty revenait avec remords sur la table à ouvrage dont elle n'avait aucun besoin, M^me Guibal lui dit de sa voix tran-
1045 quille :

— Eh bien ! vous la rendrez… Vous avez vu ? ce n'est pas plus difficile que ça… Laissez-la toujours porter chez vous. On la met dans son salon, on la regarde ; puis, quand elle vous ennuie, on la rend.

1050 — C'est une idée ! cria M^me Marty. Si mon mari se fâche trop fort, je leur rends tout.

Et ce fut pour elle l'excuse suprême, elle ne compta plus, elle acheta encore, avec le sourd besoin de tout garder, car elle n'était pas des femmes qui rendent.

1055 Enfin, on arriva aux robes et costumes. Mais, comme Denise allait remettre à des vendeuses le foulard acheté par M^me Desforges, celle-ci parut se raviser et déclara que, décidément, elle prendrait un des manteaux de voyage, le gris clair ; et

Denise dut attendre complaisamment, pour la ramener aux
1060 confections. La jeune fille sentait bien la volonté de la traiter
en servante, dans ces caprices de cliente impérieuse ; seulement,
elle s'était juré de rester à son devoir, elle gardait son attitude
calme, malgré les bonds de son cœur et les révoltes de sa fierté.
M^{me} Desforges n'acheta rien aux robes et costumes.

1065 — Oh ! maman, disait Valentine, ce petit costume-là, s'il est
à ma taille !

Tout bas, M^{me} Guibal expliquait à M^{me} Marty sa tactique.
Quand une robe lui plaisait dans un magasin, elle se la faisait
envoyer, en prenait le patron, puis la rendait. Et M^{me} Marty
1070 acheta le costume pour sa fille, en murmurant :

— Bonne idée ! Vous êtes pratique, vous, chère madame.

On avait dû abandonner la chaise. Elle était restée en détresse,
au rayon des meubles, à côté de la table à ouvrage. Le poids deve-
nait trop lourd, les pieds de derrière menaçaient de casser ; et il
1075 était convenu que tous les achats seraient centralisés à une caisse,
pour être descendus ensuite au service du départ.

Alors, ces dames, toujours conduites par Denise, vagabon-
dèrent. On les revit de nouveau dans tous les rayons. Il n'y avait
plus qu'elles sur les marches des escaliers et le long des gale-
1080 ries. Des rencontres, à chaque instant, les arrêtaient. Ce fut
ainsi que, près du salon de lecture, elles retrouvèrent M^{me}
Bourdelais et ses trois enfants. Les petits étaient chargés de
paquets : Madeleine avait sous le bras une robe pour elle,
Edmond portait une collection de petits souliers, tandis que le
1085 plus jeune, Lucien, était coiffé d'un képi neuf.

— Toi aussi ! dit en riant M^{me} Desforges à son amie de pension.

— Ne m'en parle pas ! s'écria M^{me} Bourdelais. Je suis
furieuse… Ils vous prennent par ces petits êtres maintenant ! Tu
sais si je fais des folies pour moi ! Mais comment veux-tu résister
1090 à des bébés qui ont envie de tout ? J'étais venue les promener, et
voilà que je dévalise les magasins !

Justement, Mouret qui se trouvait encore là, en compagnie de Vallagnosc et de M. de Boves, l'écoutait d'un air souriant. Elle l'aperçut, elle se plaignit gaiement, avec un fond d'irritation
1095 réelle, de ces pièges tendus à la tendresse des mères ; l'idée qu'elle venait de céder aux fièvres de la réclame la soulevait ; et lui, toujours souriant, s'inclinait, jouissait de ce triomphe. M. de Boves avait manœuvré de façon à se rapprocher de M^me Guibal, qu'il finit par suivre, en tâchant une seconde fois de perdre Valla-
1100 gnosc ; mais celui-ci, fatigué de la cohue, se hâta de rejoindre le comte. Denise, de nouveau, s'était arrêtée, pour attendre ces dames. Elle tournait le dos, Mouret lui-même affectait de ne pas la voir. Dès lors, M^me Desforges, avec son flair délicat de femme jalouse, ne douta plus. Tandis qu'il la complimentait et qu'il
1105 faisait quelques pas près d'elle, en maître de maison galant, elle réfléchissait, elle se demandait comment le convaincre de sa trahison.

Cependant, M. de Boves et Vallagnosc, qui marchaient en avant avec M^me Guibal, arrivaient au rayon des dentelles.
1110 C'était, près des confections, un salon luxueux, garni de casiers, dont les tiroirs de chêne sculpté se rabattaient. Autour des colonnes, recouvertes de velours rouge, montaient des spirales de dentelle blanche ; et, d'un bout à l'autre de la pièce, filaient des vols de guipure [1] ; tandis que, sur les comptoirs, il y avait des
1115 éboulements de grandes cartes, toutes pelotonnées de valen-ciennes, de malines [2], de points à l'aiguille. Au fond, deux dames étaient assises devant un transparent de soie mauve, sur lequel Deloche jetait des pointes de chantilly ; et elles regardaient sans se décider, silencieuses.

1120 — Tiens ! dit Vallagnosc très surpris, vous disiez M^me de Boves souffrante… Mais la voilà debout, là-bas, avec M^lle Blanche.

1. *Guipure* : dentelle très ajourée. \ **2.** *Valenciennes*, *malines* : dentelles fabriquées à Valen-ciennes pour la première, et à Malines (ville de Belgique) pour la seconde.

Le comte ne put retenir un sursaut, en jetant un regard oblique sur M^me Guibal.

— C'est ma foi vrai, dit-il.

1125 Dans le salon, il faisait très chaud. Les clientes, qui s'y étouffaient, avaient des visages pâles aux yeux luisants. On eût dit que toutes les séductions des magasins aboutissaient à cette tentation suprême, que c'était là l'alcôve reculée de la chute, le coin de perdition où les plus fortes succombaient. Les mains

1130 s'enfonçaient parmi les pièces débordantes, et elles en gardaient un tremblement d'ivresse.

— Je crois que ces dames vous ruinent, reprit Vallagnosc, amusé par la rencontre.

M. de Boves eut le geste d'un mari d'autant plus sûr de la

1135 raison de sa femme, qu'il ne lui donne pas un sou. Celle-ci, après avoir battu tous les rayons avec sa fille, sans rien acheter, venait d'échouer aux dentelles, dans une rage de désir inassouvi. Brisée de fatigue, elle se tenait pourtant debout devant un comptoir. Elle fouillait dans le tas, ses mains devenaient

1140 molles, des chaleurs lui montaient aux épaules. Puis, brusquement, comme sa fille tournait la tête et que le vendeur s'éloignait, elle voulut glisser sous son manteau une pièce de point d'Alençon. Mais elle tressaillit, elle lâcha la pièce, en entendant la voix de Vallagnosc, qui disait gaiement :

1145 — Nous vous surprenons, madame.

Pendant quelques secondes, elle demeura muette, toute blanche. Ensuite, elle expliqua que, se sentant beaucoup mieux, elle avait désiré prendre l'air. Et, en remarquant enfin que son mari se trouvait avec M^me Guibal, elle se remit complètement,

1150 elle les regarda d'un air si digne, que celle-ci crut devoir dire :

— J'étais avec M^me Desforges, ces messieurs nous ont rencontrées.

Précisément, les autres dames arrivaient. Mouret les avait accompagnées, et il les retint un instant encore, pour leur

1155 montrer l'inspecteur Jouve, qui filait toujours la femme enceinte
et son amie. C'était très curieux, on ne s'imaginait pas le nombre
de voleuses qu'on arrêtait aux dentelles. M^{me} de Boves, qui
l'écoutait, se voyait entre deux gendarmes, avec ses quarante-
cinq ans, son luxe, la haute situation de son mari ; et elle était
1160 sans remords, elle songeait qu'elle aurait dû glisser le coupon
dans sa manche. Jouve, cependant, venait de se décider à mettre
la main sur la femme enceinte, désespérant de la prendre en
flagrant délit, la soupçonnant d'ailleurs de s'être empli les
poches, d'un tour de doigts si habile, qu'il lui échappait. Mais,
1165 quand il l'eut emmenée à l'écart et fouillée, il éprouva la confu-
sion de ne rien trouver sur elle, pas une cravate, pas un bouton.
L'amie avait disparu. Tout d'un coup, il comprit : la femme
enceinte n'était là que pour l'occuper, c'était l'amie qui volait.

L'histoire amusa ces dames. Mouret, un peu vexé, se contenta
1170 de dire :

— Le père Jouve est refait cette fois... Il prendra sa revanche.

— Oh ! conclut Vallagnosc, je crois qu'il n'est pas de taille...
Du reste, pourquoi étalez-vous tant de marchandises ? C'est
bien fait, si l'on vous vole. On ne doit pas tenter à ce point de
1175 pauvres femmes sans défense.

Ce fut le dernier mot, qui sonna comme la note aiguë de la
journée, dans la fièvre croissante des magasins. Ces dames se
séparaient, traversaient une dernière fois les comptoirs encom-
brés. Il était quatre heures, les rayons du soleil à son coucher
1180 entraient obliquement par les larges baies de la façade, éclai-
raient de biais les vitrages des halls ; et, dans cette clarté d'un
rouge d'incendie, montaient, pareilles à une vapeur d'or, les
poussières épaissies, soulevées depuis le matin par le piétine-
ment de la foule. Une nappe enfilait la grande galerie centrale,
1185 découpait sur un fond de flammes les escaliers, les ponts
volants, toute cette guipure de fer suspendue. Les mosaïques et
les faïences des frises miroitaient, les verts et les rouges des pein-

tures s'allumaient aux feux des ors prodigués. C'était comme une braise vive, où brûlaient maintenant les étalages, les palais de gants et de cravates, les girandoles[1] de rubans et de dentelles, les hautes piles de lainage et de calicot, les parterres diaprés que fleurissaient les soies légères et les foulards. Des glaces resplendissaient. L'exposition des ombrelles, aux rondeurs de bouclier, jetait des reflets de métal. Dans les lointains, au-delà de coulées d'ombre, il y avait des comptoirs perdus, éclatants, grouillant d'une cohue blonde de soleil.

Et, à cette heure dernière, au milieu de cet air surchauffé, les femmes régnaient. Elles avaient pris d'assaut les magasins, elles y campaient comme en pays conquis, ainsi qu'une horde envahissante, installée dans la débâcle des marchandises. Les vendeurs, assourdis, brisés, n'étaient plus que leurs choses, dont elles disposaient avec une tyrannie de souveraines. De grosses dames bousculaient le monde. Les plus minces tenaient de la place, devenaient arrogantes. Toutes, la tête haute, les gestes brusques, étaient chez elles, sans politesse les unes pour les autres, usant de la maison tant qu'elles pouvaient, jusqu'à en emporter la poussière des murs. M^{me} Bourdelais, désireuse de rattraper ses dépenses, avait de nouveau conduit ses trois enfants au buffet ; maintenant, la clientèle s'y ruait dans une rage d'appétit, les mères elles-mêmes s'y gorgeaient de malaga[2] ; on avait bu, depuis l'ouverture, quatre-vingts litres de sirop et soixante-dix bouteilles de vin. Après avoir acheté son manteau de voyage, M^{me} Desforges s'était fait offrir des images à la caisse ; et elle partait en songeant au moyen de tenir Denise chez elle, où elle l'humilierait en présence de Mouret lui-même, pour voir leur figure et tirer d'eux une certitude. Enfin, pendant que M. de Boves réussissait à se perdre dans la foule et à disparaître avec M^{me} Guibal, M^{me} de Boves, suivie

1. *Girandoles* : guirlandes lumineuses. \ 2. *Malaga* : vin d'Espagne.

de Blanche et de Vallagnosc, avait eu le caprice de demander
1220 un ballon rouge, bien qu'elle n'eût rien acheté. C'était toujours
cela, elle ne s'en irait pas les mains vides, elle se ferait une amie
de la petite fille de son concierge. Au comptoir de distribution,
on entamait le quarantième mille : quarante mille ballons rouges
qui avaient pris leur vol dans l'air chaud des magasins, toute
1225 une nuée de ballons rouges qui flottaient à cette heure d'un
bout à l'autre de Paris, portant au ciel le nom du *Bonheur des
Dames !*

Cinq heures sonnèrent. De toutes ces dames, M^me^ Marty
demeurait seule avec sa fille, dans la crise finale de la vente. Elle
1230 ne pouvait s'en détacher, lasse à mourir, retenue par des liens
si forts, qu'elle revenait toujours sur ses pas, sans besoin,
battant les rayons de sa curiosité inassouvie. C'était l'heure où
la cohue, fouettée de réclames, achevait de se détraquer ; les
soixante mille francs d'annonces payés aux journaux, les dix
1235 mille affiches collées sur les murs, les deux cent mille cata-
logues lancés dans la circulation, après avoir vidé les bourses,
laissaient à ces nerfs de femmes l'ébranlement de leur ivresse ;
et elles restaient secouées encore de toutes les inventions de
Mouret, la baisse des prix, les rendus, les galanteries sans cesse
1240 renaissantes. M^me^ Marty s'attardait devant les tables de propo-
sition, parmi les appels enroués des vendeurs, dans le bruit d'or
des caisses et le roulement des paquets tombant aux sous-sols ;
elle traversait une fois de plus le rez-de-chaussée, le blanc, la
soie, la ganterie, les lainages ; puis, elle remontait, s'abandon-
1245 nait à la vibration métallique des escaliers suspendus et des
ponts volants, retournait aux confections, à la lingerie, aux
dentelles, poussait jusqu'au second étage, dans les hauteurs
de la literie et des meubles ; et, partout, les commis, Hutin et
Favier, Mignot et Liénard, Deloche, Pauline, Denise, les jambes
1250 mortes, donnaient un coup de force, arrachaient des victoires à
la fièvre dernière des clientes. Cette fièvre, depuis le matin, avait

grandi peu à peu, comme la griserie même qui se dégageait des étoffes remuées. La foule flambait sous l'incendie du soleil de cinq heures. Maintenant, M^me Marty avait la face animée et nerveuse d'une enfant qui a bu du vin pur. Entrée les yeux clairs, la peau fraîche du froid de la rue, elle s'était lentement brûlé la vue et le teint, au spectacle de ce luxe, de ces couleurs violentes, dont le galop continu irritait sa passion. Lorsqu'elle partit enfin, après avoir dit qu'elle paierait chez elle, terrifiée par le chiffre de sa facture, elle avait les traits tirés, les yeux élargis d'une malade. Il lui fallut se battre pour se dégager de l'écrasement obstiné de la porte ; on s'y tuait, au milieu du massacre des soldes. Puis, sur le trottoir, quand elle eut retrouvé sa fille qu'elle avait perdue, elle frissonna à l'air vif, elle demeura effarée, dans le détraquement de cette névrose des grands bazars.

Le soir, comme Denise revenait de dîner, un garçon l'appela.

— Mademoiselle, on vous demande à la direction.

Elle oubliait l'ordre que Mouret lui avait donné, le matin, de passer à son cabinet, après la vente. Il l'attendait debout. En entrant, elle ne repoussa pas la porte, qui resta ouverte.

— Nous sommes contents de vous, mademoiselle, dit-il, et nous avons songé à vous témoigner notre satisfaction… Vous savez de quelle indigne manière M^me Frédéric nous a quittés. Dès demain, vous la remplacerez comme seconde.

Denise l'écoutait, immobile de saisissement. Elle murmura, la voix tremblante :

— Mais, monsieur, il y a des vendeuses beaucoup plus anciennes que moi au rayon.

— Eh bien ? qu'est-ce que cela fait ? reprit-il. Vous êtes la plus capable, la plus sérieuse. Je vous choisis, c'est bien naturel… N'êtes-vous pas satisfaite ?

Alors, elle rougit. C'était, en elle, un bonheur et un embarras délicieux, où son premier effroi se fondait. Pourquoi donc avait-

1285 elle songé d'abord aux suppositions dont on allait accueillir
cette faveur inespérée ? Et elle demeurait confuse, malgré l'élan
de sa reconnaissance. Lui, la regardait en souriant, dans sa robe
de soie toute simple, sans un bijou, n'ayant que le luxe de sa
royale chevelure blonde. Elle s'était affinée, la peau blanche, l'air
1290 délicat et grave. Son insignifiance chétive d'autrefois devenait
un charme d'une discrétion pénétrante.

— Vous êtes bien bon, monsieur, balbutia-t-elle. Je ne sais
comment vous dire…

Mais elle eut la voix coupée. Dans le cadre de la porte,
1295 Lhomme était debout. Il tenait de sa bonne main une grande
sacoche de cuir, et son bras mutilé serrait contre sa poitrine un
portefeuille énorme ; tandis que, derrière son dos, son fils Albert
portait une charge de sacs, qui lui cassait les membres.

— Cinq cent quatre-vingt-sept mille, deux cent dix francs,
1300 trente centimes ! cria le caissier dont la face molle et usée semblait
s'éclairer d'un coup de soleil, au reflet d'une pareille somme.

C'était la recette de la journée, la plus forte que le *Bonheur*
eût encore faite. Au loin, dans les profondeurs des magasins,
que Lhomme venait de traverser lentement, de la marche
1305 pesante d'un bœuf trop chargé, on entendait le brouhaha, le
remous de surprise et de joie, laissé par cette recette géante qui
passait.

— Mais c'est superbe ! dit Mouret enchanté. Mon brave
Lhomme, mettez ça là, reposez-vous, car vous n'en pouvez plus.
1310 Je vais faire porter cet argent à la caisse centrale… Oui, oui,
tout sur mon bureau. Je veux voir le tas.

Il avait une gaieté d'enfant. Le caissier et son fils se déchar-
gèrent. La sacoche eut une claire sonnerie d'or, deux des sacs
en crevant lâchèrent des coulées d'argent et de cuivre, tandis
1315 que, du portefeuille, sortaient des coins de billets de banque.
Tout un bout du grand bureau fut couvert, c'était comme
l'écroulement d'une fortune, ramassée en dix heures.

Lorsque Lhomme et Albert se furent retirés, en s'épongeant le visage, Mouret demeura un moment immobile, perdu, les 1320 yeux sur l'argent. Puis, ayant levé la tête, il aperçut Denise qui s'était écartée. Alors, il se remit à sourire, il la força de s'avancer, finit par dire qu'il lui donnerait ce qu'elle pourrait prendre dans une poignée ; et il y avait un marché d'amour, au fond de sa plaisanterie.

1325 — Tenez ! dans la sacoche. Je parie pour moins de mille francs, votre main est si petite !

Mais elle se recula encore. Il l'aimait donc ? Brusquement, elle comprenait, elle sentait la flamme croissante du coup de désir dont il l'enveloppait, depuis qu'elle était de retour aux 1330 confections. Ce qui la bouleversait davantage, c'était de sentir son cœur battre à se rompre. Pourquoi la blessait-il avec tout cet argent, lorsqu'elle débordait de gratitude et qu'il l'eût fait défaillir d'une seule parole amie ? Il se rapprochait, en continuant de plaisanter, lorsque, à son grand mécontentement, 1335 Bourdoncle parut, sous le prétexte de lui apprendre le chiffre des entrées, l'énorme chiffre de soixante-dix mille clientes, venues au *Bonheur* ce jour-là. Et elle se hâta de sortir, après avoir remercié de nouveau.

X

Le premier dimanche d'août, on faisait l'inventaire, qui devait être terminé le soir même. Dès le matin, comme un jour de semaine, tous les employés étaient à leur poste, et la besogne avait commencé, les portes closes, dans les magasins vides de 5 clientes.

Denise n'était pas descendue à huit heures, avec les autres vendeuses. Retenue depuis le jeudi dans sa chambre, par une entorse prise en montant aux ateliers, elle allait enfin beaucoup mieux ; mais, comme M^me Aurélie la gâtait, elle ne se hâtait pas,
10 achevait de se chausser avec peine, résolue cependant à se montrer au rayon. Maintenant, les chambres des demoiselles occupaient le cinquième étage des bâtiments neufs, le long de la rue Monsigny ; elles étaient au nombre de soixante, aux deux côtés d'un corridor, et plus confortables, toujours meublées pourtant du
15 lit de fer, de la grande armoire et de la petite toilette de noyer. La vie intime des vendeuses y prenait des propretés et des élégances, une pose[1] pour les savons chers et les linges fins, toute une montée naturelle vers la bourgeoisie, à mesure que leur sort s'améliorait ; bien qu'on entendît encore voler des gros mots et les portes battre,
20 dans le coup de vent d'hôtel garni[2] qui les emportait matin et soir. D'ailleurs, à titre de seconde, Denise avait une des plus grandes chambres, dont les deux fenêtres mansardées ouvraient sur la rue. Riche à présent, elle se donnait du luxe, un édredon rouge recouvert d'un voile de guipure[3], un petit tapis devant l'armoire, deux
25 vases de verre bleu sur la toilette, où se fanaient des roses.

Quand elle fut chaussée, elle essaya de marcher dans la pièce. Il lui fallut s'appuyer aux meubles, car elle boitait encore. Mais cela s'échaufferait. Tout de même elle avait eu raison de refuser, pour le soir, une invitation à dîner de l'oncle Baudu, et de prier
30 sa tante de faire sortir Pépé, qu'elle avait remis en pension chez M^me Gras. Jean, qui était venu la voir la veille, dînait aussi chez l'oncle. Doucement, elle continuait de s'essayer à marcher, en se promettant de se coucher de bonne heure, afin de reposer sa jambe, lorsque la surveillante, M^me Cabin, frappa et lui donna
35 une lettre, d'un air de mystère.

1. *Pose* : goût affecté. \ **2.** *Hôtel garni* : établissement qui loue des chambres meublées au mois ou à l'année. \ **3.** *Guipure* : dentelle très ajourée.

La porte refermée, Denise, étonnée du sourire discret de cette femme, ouvrit la lettre. Elle se laissa tomber sur une chaise : c'était une lettre de Mouret, où il se disait heureux de son rétablissement et la priait de descendre le soir dîner avec
40 lui, puisqu'elle ne pouvait sortir. Le ton de ce billet, à la fois familier et paternel, n'avait rien de blessant ; mais il lui était impossible de se méprendre, le *Bonheur* connaissait bien la signification vraie de ces invitations, une légende courait là-dessus : Clara avait dîné, d'autres aussi, toutes celles que le
45 patron remarquait. Après le dîner, comme disaient les commis farceurs, il y avait le dessert. Et les joues blanches de la jeune fille étaient peu à peu envahies par un flot de sang.

Alors, la lettre glissée entre les genoux, le cœur battant à coups profonds, Denise resta les yeux axés sur la lumière aveu-
50 glante d'une des fenêtres. C'était un aveu qu'elle avait dû se faire, dans cette chambre même, aux heures d'insomnie : si elle tremblait encore quand il passait, elle savait mainte-nant que ce n'était pas de crainte ; et son malaise d'autrefois, son ancienne peur ne pouvait être que l'ignorance effarée de
55 l'amour, le trouble de ses tendresses naissantes, dans sa sauva-gerie d'enfant. Elle ne raisonnait pas, elle sentait seulement qu'elle l'avait toujours aimé, depuis l'heure où elle avait frémi et balbutié devant lui. Elle l'aimait lorsqu'elle le redoutait comme un maître sans pitié, elle l'aimait lorsque son cœur
60 éperdu rêvait de Hutin, inconscient, cédant à un besoin d'af-fection. Peut-être se serait-elle donnée à un autre, mais jamais elle n'avait aimé que cet homme dont un regard la terrifiait. Et tout le passé revivait, se déroulait dans la clarté de la fenêtre : les sévérités des premiers temps, cette promenade si douce sous
65 les ombrages noirs des Tuileries, enfin les désirs dont il l'ef-fleurait depuis l'heure où elle était rentrée. La lettre glissa jusqu'à terre, Denise regardait toujours la fenêtre, dont le plein soleil l'éblouissait.

Brusquement, on frappa, et elle se hâta de ramasser la lettre,
70 de la faire disparaître dans sa poche. C'était Pauline, qui, s'échappant de son rayon sous un prétexte, venait causer un peu.

— Êtes-vous remise, ma chère ? On ne se rencontre plus.

Mais, comme il était défendu de remonter dans les chambres, et surtout de s'y enfermer à deux, Denise l'emmena au bout du
75 couloir, où se trouvait le salon de réunion, une galanterie du directeur pour ces demoiselles, qui pouvaient y causer ou y travailler, en attendant onze heures. La pièce, blanc et or, d'une nudité banale de salle d'hôtel, était meublée d'un piano, d'un guéridon central, de fauteuils et de canapés recouverts de housses
80 blanches. Du reste, après quelques soirées passées entre elles, dans le premier feu de la nouveauté, les vendeuses ne s'y rencontraient plus, sans en arriver tout de suite aux mots désagréables. C'était une éducation à faire, la petite cité phalanstérienne[1] manquait de concorde. Et, en attendant, il n'y avait guère là, le
85 soir, que la seconde des corsets, miss Powell, qui tapait sèchement du Chopin sur le piano, et dont le talent jalousé achevait de mettre en fuite les autres.

— Vous voyez, mon pied va mieux, dit Denise. Je descendais.

— Ah bien ! cria la lingère, en voilà du zèle !... C'est moi qui
90 resterais à me dorloter, si j'avais un prétexte !

Toutes deux s'étaient assises sur un canapé. L'attitude de Pauline avait changé, depuis que son amie était seconde aux confections. Il entrait, dans sa cordialité de bonne fille, une nuance de respect, une surprise de sentir la petite vendeuse
95 chétive d'autrefois en marche pour la fortune. Cependant, Denise l'aimait beaucoup et se confiait à elle seule, au milieu du continuel galop des deux cents femmes que la maison occupait maintenant.

1. *Phalanstérienne* : de *phalanstère*, association de travailleurs vivant en communauté. Ce système a été conçu par le socialiste utopique Fourier (1772-1837).

— Qu'avez-vous ? demanda vivement Pauline, quand elle
100 remarqua le trouble de la jeune fille.

— Mais rien, assura celle-ci, avec un sourire embarrassé.

— Si, si, vous avez quelque chose… Vous vous méfiez donc
de moi, que vous ne me dites plus vos chagrins ?

Alors, Denise, dans l'émotion qui gonflait sa poitrine et qui
105 ne pouvait se calmer, s'abandonna. Elle tendit la lettre à son
amie, en balbutiant :

— Tenez ! il vient de m'écrire.

Entre elles, jamais encore elles n'avaient parlé ouvertement
de Mouret. Mais ce silence même était comme un aveu de leurs
110 secrètes préoccupations. Pauline n'ignorait rien. Après avoir lu
la lettre, elle se serra contre Denise, la prit à la taille, pour lui
murmurer doucement :

— Ma chère, si vous voulez que je sois franche, je croyais que
c'était fait… Ne vous révoltez donc pas, je vous assure que
115 tout le magasin doit le croire comme moi. Dame ! il vous a
nommée seconde si vite, puis il est toujours après vous, ça
crève les yeux !

Elle lui mit un gros baiser sur la joue. Puis elle l'interrogea.

— Vous irez ce soir, naturellement ?

120 Denise la regardait sans répondre. Et, tout d'un coup, elle
éclata en sanglots, la tête appuyée sur l'épaule de son amie.
Celle-ci demeura très surprise.

— Voyons, calmez-vous. Il n'y a rien là-dedans qui puisse
vous bouleverser ainsi.

125 — Non, non, laissez-moi, bégayait Denise. Si vous saviez
comme j'ai du chagrin ! Depuis que j'ai reçu cette lettre, je ne
vis plus… Laissez-moi pleurer, cela me soulage.

Très apitoyée, sans comprendre pourtant, la lingère chercha
des consolations. D'abord, il ne voyait plus Clara. On disait
130 bien qu'il allait chez une dame au-dehors, mais ce n'était pas
prouvé. Puis, elle expliqua qu'on ne pouvait être jalouse d'un

homme dans une pareille position. Il avait trop d'argent, il était le maître après tout.

Denise l'écoutait ; et, si elle avait encore ignoré son amour, 135 elle n'en aurait plus douté à la souffrance dont le nom de Clara et l'allusion à M^me Desforges lui tordirent le cœur. Elle entendait la voix mauvaise de Clara, elle revoyait M^me Desforges la promener dans le magasin, avec son mépris de dame riche.

— Alors, vous iriez, vous ? demanda-t-elle.

140 Pauline, sans se consulter, cria :

— Sans doute, est-ce qu'on peut faire autrement !

Puis, elle réfléchit, elle ajouta :

— Pas maintenant, autrefois, parce que maintenant je vais me marier avec Baugé, et ce serait mal tout de même.

145 En effet, Baugé, qui avait quitté depuis peu le *Bon Marché* pour le *Bonheur des Dames*, allait l'épouser, vers le milieu du mois. Bourdoncle n'aimait guère les ménages ; cependant, ils avaient l'autorisation, ils espéraient même obtenir un congé de quinze jours.

150 — Vous voyez bien, déclara Denise. Quand un homme vous aime, il vous épouse... Baugé vous épouse.

Pauline eut un bon rire.

— Mais, ma chérie, ce n'est pas la même chose. Baugé m'épouse, parce que c'est Baugé. Il est mon égal, ça va tout seul...

155 Tandis que M. Mouret ! Est-ce que M. Mouret peut épouser ses vendeuses ?

— Oh ! non, oh ! non, cria la jeune fille révoltée par l'absurdité de la question, et c'est pourquoi il n'aurait pas dû m'écrire.

Ce raisonnement acheva d'étonner la lingère. Son visage 160 épais, aux petits yeux tendres, prenait une commisération maternelle. Puis, elle se leva, ouvrit le piano, joua doucement avec un seul doigt « le Roi Dagobert », pour égayer la situation sans doute. Dans la nudité du salon, dont les housses blanches semblaient augmenter le vide, montaient les bruits de la rue,

165 la mélopée[1] lointaine d'une marchande criant des pois verts[2]. Denise s'était renversée au fond du canapé, la tête contre le bois, secouée par une nouvelle crise de sanglots, qu'elle étouffait dans son mouchoir.

— Encore! reprit Pauline, en se retournant. Vous n'êtes vrai-
170 ment pas raisonnable... Pourquoi m'avez-vous amenée ici? Nous aurions mieux fait de rester dans votre chambre.

Elle s'agenouilla devant elle, recommença à la sermonner. Que d'autres auraient voulu être à sa place! D'ailleurs, si la chose ne lui plaisait pas, c'était bien simple: elle n'avait qu'à
175 dire non, sans se chagriner si fort. Mais elle réfléchirait, avant de risquer sa position par un refus que rien n'expliquait, puisqu'elle n'avait pas d'engagement ailleurs. Était-ce donc si terrible? et la semonce finissait par des plaisanteries chuchotées gaiement, lorsqu'un bruit de pas vint du corridor.
180 Pauline courut à la porte jeter un coup d'œil.

— Chut! M^{me} Aurélie! murmura-t-elle. Je me sauve... Et vous, essuyez vos yeux. On n'a pas besoin de savoir.

Quand Denise fut seule, elle se mit debout, renfonça ses larmes; et, les mains tremblantes encore, de peur d'être surprise
185 ainsi, elle ferma le piano, que son amie avait laissé ouvert. Mais elle entendit M^{me} Aurélie frapper à sa porte. Alors, elle quitta le salon.

— Comment! vous êtes levée! cria la première. C'est une imprudence, ma chère enfant. Je montais justement prendre de
190 vos nouvelles et vous dire que nous n'avons pas besoin de vous, en bas.

Denise lui assura qu'elle allait mieux, que cela lui ferait du bien de s'occuper, de se distraire.

— Je ne me fatiguerai pas, madame. Vous m'installerez sur
195 une chaise, je travaillerai aux écritures.

1. *Mélopée*: mélodie monotone. \ 2. *Criant des pois verts*: vendant des petits pois à la criée.

Toutes deux descendirent. Très prévenante, M^{me} Aurélie l'obligeait à s'appuyer sur son épaule. Elle avait dû remarquer les yeux rouges de la jeune fille, car elle l'examinait à la dérobée. Sans doute, elle savait bien des choses.

200 C'était une victoire inespérée : Denise avait enfin conquis le rayon. Après s'être jadis débattue pendant près de dix mois, au milieu de ses tourments de souffre-douleur, sans lasser le mauvais vouloir de ses camarades, elle venait en quelques semaines de les dominer, de les voir autour d'elle souples et respectueuses. La
205 brusque tendresse de M^{me} Aurélie l'avait beaucoup aidée, dans cette ingrate besogne de se concilier les cœurs ; on racontait tout bas que la première était la complaisante de Mouret, qu'elle lui rendait des services délicats ; et elle prenait si chaudement la jeune fille sous sa protection, qu'on devait en effet la lui recommander,
210 d'une façon spéciale. Mais celle-ci avait également travaillé de tout son charme pour désarmer ses ennemies. La tâche était d'autant plus rude, qu'il lui fallait se faire pardonner sa nomination au poste de seconde. Ces demoiselles criaient à l'injustice, l'accusaient d'avoir gagné ça au dessert, avec le patron ; même elles
215 ajoutaient des détails abominables. Malgré leurs révoltes pourtant, le titre de seconde agissait sur elles, Denise prenait une autorité, qui étonnait et pliait les plus hostiles. Bientôt, elle trouva des flatteuses, parmi les dernières venues. Sa douceur et sa modestie achevèrent la conquête. Marguerite se rallia. Et Clara seule
220 continua de se montrer mauvaise, risquant encore l'ancienne injure de « mal peignée », qui maintenant n'égayait personne. Pendant la courte fantaisie de Mouret, elle en avait abusé pour lâcher la besogne, d'une paresse bavarde et vaniteuse ; puis, comme il s'était lassé tout de suite, elle ne récriminait même pas,
225 incapable de jalousie dans la débandade galante de son existence, simplement satisfaite d'en tirer le bénéfice d'être tolérée à ne rien faire. Seulement, elle considérait que Denise lui avait volé la succession de M^{me} Frédéric. Jamais elle ne l'aurait acceptée, à

cause du tracas ; mais elle était vexée du manque de politesse, car
230 elle avait les mêmes titres que l'autre, et des titres antérieurs.

— Tiens ! voilà qu'on sort l'accouchée, murmura-t-elle,
quand elle aperçut M^{me} Aurélie amenant Denise à son bras.

Marguerite haussa les épaules, en disant :

— Si vous croyez que c'est drôle !

235 Neuf heures sonnaient. Au-dehors, un ciel d'un bleu ardent
chauffait les rues, des fiacres roulaient vers les gares, toute la
population endimanchée gagnait en longues files les bois de la
banlieue. Dans le magasin, inondé de soleil par les grandes
baies ouvertes, le personnel enfermé venait de commencer l'in-
240 ventaire. On avait retiré les boutons des portes, des gens s'ar-
rêtaient sur le trottoir, regardant par les glaces, étonnés de cette
fermeture, lorsqu'on distinguait à l'intérieur une activité extra-
ordinaire. C'était, d'un bout à l'autre des galeries, du haut en
bas des étages, un piétinement d'employés, des bras en l'air, des
245 paquets volant par-dessus les têtes ; et cela au milieu d'une
tempête de cris, de chiffres lancés, dont la confusion montait
et se brisait en un tapage assourdissant. Chacun des trente-neuf
rayons faisait sa besogne à part, sans s'inquiéter des rayons
voisins. D'ailleurs, on attaquait à peine les casiers, il n'y avait
250 encore par terre que quelques pièces d'étoffe. La machine devait
s'échauffer, si l'on voulait finir le soir même.

— Pourquoi descendez-vous ? reprit Marguerite obligeam-
ment, en s'adressant à Denise. Vous allez vous faire du mal, et
nous avions le monde nécessaire.

255 — C'est ce que je lui ai dit, déclara M^{me} Aurélie. Mais elle a
voulu quand même nous aider.

Toutes ces demoiselles s'empressaient auprès de Denise. Le
travail s'en trouva interrompu. On la complimentait, on écoutait
avec des exclamations l'histoire de son entorse. Enfin, M^{me} Aurélie
260 la fit asseoir devant une table ; et il fut entendu qu'elle se conten-
terait d'inscrire les articles appelés. D'ailleurs, le dimanche de

l'inventaire, on mettait à réquisition tous les employés capables de tenir une plume : les inspecteurs, les caissiers, les commis aux écritures, jusqu'aux garçons de magasin ; puis, les divers rayons se partageaient ces aides d'un jour, pour bâcler vivement la besogne. C'était ainsi que Denise se trouvait installée près du caissier Lhomme et du garçon Joseph, l'un et l'autre penchés sur de grandes feuilles de papier.

— Cinq manteaux, drap, garnis fourrure, troisième grandeur, à deux cent quarante ! criait Marguerite. Quatre *idem*, première grandeur, à deux cent vingt !

Le travail recommença. Derrière Marguerite, trois vendeuses vidaient les armoires, classaient les articles, les lui donnaient par paquets ; et, quand elle les avait appelés, elle les jetait sur les tables, où ils s'entassaient peu à peu, en piles énormes. Lhomme inscrivait, Joseph dressait une autre liste, pour le contrôle. Pendant ce temps, M^{me} Aurélie elle-même, aidée de trois autres vendeuses, dénombrait de son côté les vêtements de soie, que Denise portait sur des feuilles. Clara était chargée de veiller aux tas, de les ranger et de les échafauder, de manière à ce qu'ils tinssent le moins de place possible, le long des tables. Mais elle n'était guère à sa tâche, des piles croulaient déjà.

— Dites donc, demanda-t-elle à une petite vendeuse entrée de l'hiver, est-ce qu'on vous augmente ?... Vous savez qu'on va mettre la seconde à deux mille francs, ce qui lui fera près de sept mille, avec son intérêt.

La petite vendeuse, sans cesser de passer des rotondes[1], répondit que, si on ne lui donnait pas huit cents francs, elle lâcherait la boîte. Les augmentations avaient lieu au lendemain de l'inventaire ; c'était également l'époque où, le chiffre d'affaires réalisées pendant l'année étant connu, les chefs de rayon touchaient leurs intérêts sur l'augmentation de ce chiffre, comparé au chiffre

1. *Rotondes* : manteaux dont les plis forment un large cercle.

de l'année précédente. Aussi, malgré le vacarme et le tohu-bohu de la besogne, les commérages passionnés allaient-ils leur train. 295 Entre deux articles appelés, on ne causait que d'argent. Le bruit courait que M^me Aurélie dépasserait vingt-cinq mille francs ; et une pareille somme excitait beaucoup ces demoiselles. Marguerite, la meilleure vendeuse après Denise, s'était fait quatre mille cinq cents francs, quinze cents francs d'appointements fixes et 300 trois mille francs environ de tant pour cent ; tandis que Clara n'arrivait pas à deux mille cinq cents, en tout.

— Moi, je m'en fiche, de leurs augmentations ! reprenait celle-ci, en s'adressant à la petite vendeuse. Si papa était mort, ce que je les planterais là... ! Mais une chose qui m'exaspère, 305 ce sont les sept mille francs de ce bout de femme. Hein ! et vous ?

M^me Aurélie interrompit violemment la conversation. Elle se tourna, de son air superbe.

— Taisez-vous donc, mesdemoiselles ! On ne s'entend pas, 310 ma parole d'honneur !

Puis, elle se remit à crier :

— Sept mantes [1] à la vieille, sicilienne [2], première grandeur, à cent trente !... Trois pelisses [3], surah [4], deuxième grandeur, à cent cinquante !... Y êtes-vous, mademoiselle Baudu ?

315 — Oui, madame.

Alors, Clara dut s'occuper des brassées de vêtements empilés sur les tables. Elle les bouscula, gagna de la place. Mais bientôt elle les lâcha encore, pour répondre à un vendeur qui la cherchait. C'était le gantier Mignot, échappé de son rayon. Il chuchota une 320 demande de vingt francs ; déjà, il lui en devait trente, un emprunt pratiqué un lendemain de courses, après avoir perdu sa

1. *Mantes* : amples manteaux de femme, sans manches. \ 2. *Sicilienne* : soie de Sicile. \ 3. *Pelisses* : vêtements ornés ou doublés de fourrure. \ 4. *Surah* : tissu de soie d'une légèreté et d'une finesse remarquables.

semaine sur un cheval ; cette fois, il avait mangé à l'avance sa guelte [1] touchée la veille, il ne lui restait pas dix sous pour son dimanche. Clara n'avait sur elle que dix francs, qu'elle prêta
325 d'assez bonne grâce. Et ils causèrent, ils parlèrent d'une partie à six, faite par eux dans un restaurant de Bougival, où les femmes avaient payé leur écot [2] : ça valait mieux, tout le monde était à son aise. Puis, Mignot, qui voulait ses vingt francs, alla se pencher à l'oreille de Lhomme. Celui-ci, arrêté dans ses écritures,
330 parut saisi d'un grand trouble. Il n'osait refuser pourtant, il cherchait une pièce de dix francs, dans son porte-monnaie, lorsque M[me] Aurélie, étonnée de ne plus entendre la voix de Marguerite, qui avait dû s'interrompre, aperçut Mignot et comprit. Elle le renvoya rudement à son rayon, elle n'avait pas besoin qu'on vînt
335 distraire ces demoiselles. La vérité était qu'elle redoutait le jeune homme, le grand ami de son fils Albert, le complice de farces louches qu'elle tremblait de voir mal finir un jour. Aussi, lorsque Mignot tint les dix francs et qu'il se fut sauvé, ne put-elle s'empêcher de dire à son mari :
340 — S'il est permis ! vous laisser dindonner de la sorte !
— Mais, ma bonne, je ne pouvais vraiment refuser à ce garçon...
Elle lui ferma la bouche d'un haussement de ses fortes épaules. Puis, comme les vendeuses s'égayaient sournoisement
345 de cette explication de famille, elle reprit avec sévérité :
— Allons, mademoiselle Vadon, ne nous endormons pas.
— Vingt paletots [3], cachemire double, quatrième grandeur, à dix-huit francs cinquante ! lança Marguerite, de sa voix chantante.
350 Lhomme, la tête basse, écrivait de nouveau. Peu à peu, on avait élevé ses appointements à neuf mille francs ; et il gardait

1. *Guelte* : gratification accordée à un vendeur, proportionnellement à ses ventes. \ 2. *Leur écot* : leur part du repas. \ 3. *Paletots* : manteaux courts.

son humilité devant M^me Aurélie, qui apportait toujours près du triple dans le ménage.

Pendant un instant, la besogne marcha. Les chiffres volaient, les paquets de vêtements pleuvaient dru sur les tables. Mais Clara avait inventé une autre distraction: elle taquinait le garçon Joseph, au sujet d'une passion qu'on lui prêtait pour une demoiselle employée à l'échantillonnage. Cette demoiselle, âgée de vingt-huit ans déjà, maigre et pâle, était une protégée de M^me Desforges qui avait voulu la faire engager par Mouret comme vendeuse, en contant à celui-ci une histoire touchant une orpheline, la dernière des Fontenailles, vieille noblesse du Poitou, débarquée sur le pavé de Paris avec un père ivrogne, restée honnête dans cette déchéance, d'une éducation trop rudimentaire malheureusement pour être institutrice ou donner des leçons de piano. Mouret, d'habitude, s'emportait, lorsqu'on lui recommandait des filles du monde pauvres; il n'y avait pas, disait-il, de créatures plus incapables, plus insupportables, d'un esprit plus faux; et, d'ailleurs, on ne pouvait s'improviser vendeuse, il fallait un apprentissage, c'était un métier complexe et délicat. Cependant, il prit la protégée de M^me Desforges, il la mit seulement au service des échantillons, comme il avait déjà casé, pour être agréable à des amis, deux comtesses et une baronne au service de la publicité, où elles faisaient des bandes[1] et des enveloppes. M^lle de Fontenailles gagnait trois francs par jour, qui lui permettaient tout juste de vivre, dans une petite chambre de la rue d'Argenteuil. C'était à la rencontrer l'air triste, vêtue pauvrement, que le cœur de Joseph, de tempérament tendre sous sa raideur muette d'ancien soldat, avait fini par être touché. Il n'avouait pas, mais il rougissait, quand ces demoiselles des confections le plaisantaient; car l'échantillonnage se trouvait dans une salle voisine du rayon, et elles l'avaient remarqué rôdant sans cesse devant la porte.

1. *Elles faisaient des bandes*: elles découpaient des échantillons envoyés ensuite aux clientes.

— Joseph a des distractions, murmurait Clara. Son nez se tourne vers la lingerie.

385 On avait réquisitionné M^lle de Fontenailles, qui aidait à l'inventaire du comptoir des trousseaux[1]. Et, comme en effet le garçon jetait de continuels coups d'œil vers ce comptoir, les vendeuses se mirent à rire. Il se troubla, s'enfonça dans ses feuilles ; tandis que Marguerite, pour étouffer le flot de gaieté 390 qui lui chatouillait la gorge, criait plus fort :

— Quatorze jaquettes[2], drap anglais, deuxième grandeur, à quinze francs !

Du coup, M^me Aurélie, en train d'appeler des rotondes, eut la voix couverte. Elle dit, l'air blessé, avec une lenteur majes- 395 tueuse :

— Un peu plus bas, mademoiselle. Nous ne sommes pas à la halle… Et vous êtes toutes bien peu raisonnables, de vous amuser à des gamineries, quand notre temps est si précieux.

Justement, comme Clara ne veillait plus aux paquets, une 400 catastrophe se produisit. Des manteaux s'éboulèrent, tous les tas de la table, entraînés, tombèrent les uns sur les autres. Le tapis en était jonché.

— Là, qu'est-ce que je disais ! cria la première hors d'elle. Faites donc un peu attention, mademoiselle Prunaire, c'est 405 insupportable à la fin !

Mais un frémissement courut : Mouret et Bourdoncle, faisant leur tournée d'inspection, venaient de paraître. Les voix repartirent, les plumes grincèrent, tandis que Clara se hâtait de ramasser les vêtements. Le patron n'interrompit pas le travail. 410 Il resta là quelques minutes, muet, souriant ; et ses lèvres seules avaient un frisson de fièvre, dans son visage gai et victorieux des jours d'inventaire. Lorsqu'il aperçut Denise, il faillit laisser échapper un geste d'étonnement. Elle était donc descendue ? Ses

1. *Trousseaux* : assortiments de linge. \ **2.** *Jaquettes* : vestes cintrées à la taille.

yeux rencontrèrent ceux de M^me Aurélie. Puis, après une courte
415 hésitation, il s'éloigna, il entra aux trousseaux.

Cependant, Denise, avertie par la rumeur légère, avait levé la
tête. Et, après avoir reconnu Mouret, elle s'était de nouveau
penchée sur ses feuilles, simplement. Depuis qu'elle écrivait
d'une main machinale, au milieu de l'appel régulier des articles,
420 un apaisement se faisait en elle. Toujours elle avait cédé ainsi au
premier excès de sa sensibilité : des larmes la suffoquaient, sa
passion doublait ses tourments ; puis, elle rentrait dans sa raison,
elle retrouvait un beau courage calme, une force de volonté douce
et inexorable. Maintenant, les yeux limpides, le teint pâle, elle
425 était sans un frisson, tout à sa besogne, résolue à s'écraser le cœur
et à ne faire que son vouloir.

Dix heures sonnèrent, le vacarme de l'inventaire montait,
dans le branle-bas des rayons. Et, sous les cris jetés sans relâche,
qui se croisaient de toutes parts, la même nouvelle circulait
430 avec une rapidité surprenante : chaque vendeur savait déjà que
Mouret avait écrit le matin, pour inviter Denise à dîner. L'in-
discrétion venait de Pauline. En redescendant, secouée encore,
elle avait rencontré Deloche aux dentelles ; et, sans remarquer
que Liénard parlait au jeune homme, elle s'était soulagée.

435 — C'est fait, mon cher... Elle vient de recevoir la lettre. Il
l'invite pour ce soir.

Deloche était devenu blême. Il avait compris, car il ques-
tionnait souvent Pauline, tous deux causaient chaque jour de
leur amie commune, du coup de tendresse de Mouret, de l'in-
440 vitation fameuse qui finirait par dénouer l'aventure. Du reste,
elle le grondait d'aimer secrètement Denise, dont il n'aurait
jamais rien, et elle haussait les épaules, quand il approuvait la
jeune fille de résister au patron.

— Son pied va mieux, elle descend, continuait-elle. Ne
445 prenez donc pas cette figure d'enterrement... C'est une chance
pour elle, ce qui arrive.

Et elle se hâta de retourner à son rayon.

– Ah ! bon ! murmura Liénard qui avait entendu, il s'agit de la demoiselle à l'entorse… Eh bien ! vous aviez raison de vous
450 presser, vous qui la défendiez au café, hier soir !

À son tour, il se sauva ; mais, quand il rentra aux lainages, il avait déjà raconté l'histoire de la lettre à quatre ou cinq vendeurs. Et de là, en moins de dix minutes, elle venait de faire le tour des magasins.

455 La dernière phrase de Liénard rappelait une scène qui s'était passée la veille, au café Saint-Roch. Maintenant, Deloche et lui ne se quittaient plus. Le premier avait pris, à l'hôtel de Smyrne, la chambre de Hutin, lorsque celui-ci, nommé second, s'était loué un petit logement de trois pièces ; et les deux commis
460 venaient ensemble le matin au *Bonheur*, s'attendaient le soir pour repartir ensemble. Leurs chambres, qui se touchaient, donnaient sur la même cour noire, un puits étroit dont les odeurs empoisonnaient l'hôtel. Ils faisaient bon ménage, malgré leur dissemblance, l'un mangeant avec insouciance l'argent qu'il tirait à son
465 père, l'autre sans un sou, torturé par des idées d'économies, ayant pourtant tous deux un point de commun, leur maladresse comme vendeurs, qui les laissait végéter dans leurs comptoirs, sans augmentations. Après leur sortie du magasin, ils vivaient surtout au café Saint-Roch. Vide de clients pendant le jour, ce
470 café s'emplissait vers huit heures et demie d'un flot débordant d'employés de commerce, le flot lâché à la rue par la haute porte de la place Gaillon. Dès lors, éclataient un bruit assourdissant de dominos, des rires, des voix glapissantes, au milieu de la fumée épaisse des pipes. La bière et le café coulaient. Dans le coin de
475 gauche, Liénard demandait des choses chères, tandis que Deloche se contentait d'un bock[1], qu'il mettait quatre heures à boire. C'était là que celui-ci avait entendu Favier, à une table

1. *Bock* : verre de bière.

voisine, raconter des abominations sur Denise, la façon dont elle avait « fait » le patron, en se retroussant, quand elle montait un
480 escalier devant lui. Il s'était retenu de le gifler. Puis, comme l'autre continuait, disait que la petite descendait chaque nuit retrouver son amant, il l'avait traité de menteur, fou de colère.

— Quel sale individu !… Il ment, il ment, entendez-vous !

Et, dans l'émotion qui le secouait, il lâchait des aveux, la
485 voix bégayante, vidant son cœur.

— Je la connais, je le sais bien… Elle n'a jamais eu de l'amitié que pour un homme : oui, pour M. Hutin, et encore il ne s'en est pas aperçu, il ne peut même pas se vanter de l'avoir touchée du bout des doigts.

490 Le récit de cette querelle, grossi, dénaturé, égayait déjà le magasin, lorsque l'histoire de la lettre de Mouret circula. Justement, ce fut à un vendeur de la soie que Liénard confia d'abord la nouvelle. Chez les soyeux, l'inventaire fonctionnait rondement. Favier et deux commis, sur des escabeaux, vidaient les
495 casiers, passaient au fur et à mesure les pièces d'étoffe à Hutin, qui, debout au milieu d'une table, criait les chiffres, après avoir consulté les étiquettes ; et il jetait ensuite les pièces par terre, elles encombraient peu à peu le parquet, elles montaient comme une marée d'automne. D'autres employés écrivaient, Albert
500 Lhomme aidait ces messieurs, le teint brouillé par une nuit blanche, passée dans un bastringue[1] de la Chapelle[2]. Une nappe de soleil tombait des vitres du hall, qui laissaient voir le bleu ardent du ciel.

— Tirez donc les stores ! criait Bouthemont, très occupé à
505 surveiller la besogne. Il est insupportable, ce soleil !

Favier, en train de se hausser pour atteindre une pièce, grogna sourdement :

1. *Bastringue* : bal populaire. \ 2. *La Chapelle* : quartier populaire situé dans le 18e arrondissement de Paris.

— S'il est permis d'enfermer le monde par ce temps superbe !
Pas de danger qu'il pleuve, un jour d'inventaire !... Et l'on
510 vous tient sous les verrous comme des galériens, lorsque tout
Paris se promène !

Il passa la pièce à Hutin. Sur l'étiquette, le métrage était
porté, diminué à chaque vente de la quantité vendue ; ce qui
simplifiait beaucoup le travail. Le second cria :

515 — Soie de fantaisie, petits carreaux, vingt et un mètres à six
francs cinquante !

Et la soie alla grossir le tas, par terre. Puis, il continua une
conversation commencée, en disant à Favier :

— Alors, il a voulu vous battre ?

520 — Mais oui. Je buvais tranquillement mon bock... Ça
valait bien la peine de me démentir, la petite vient de rece-
voir une lettre du patron, qui l'invite à dîner... Toute la boîte
en cause.

— Comment ! ce n'était pas fait !

525 Favier lui tendait une nouvelle pièce.

— N'est-ce pas ? on en aurait mis la main au feu. Ça semblait
déjà un vieux collage.

— *Idem*, vingt-cinq mètres ! lança Hutin.

On entendit le coup sourd de la pièce, tandis qu'il ajoutait
530 plus bas :

— Vous savez qu'elle a fait la vie[1] chez ce vieux toqué de
Bourras.

Maintenant, tout le rayon s'égayait, sans que la besogne en fût
interrompue pourtant. On se murmurait le nom de la jeune fille,
535 les dos s'enflaient, les nez tournaient à la friandise. Bouthemont
lui-même, que les histoires gaillardes[2] épanouissaient, ne put se
tenir de lâcher une plaisanterie, dont le mauvais goût le fit éclater
d'aise. Albert, réveillé, jura avoir vu la seconde des confections

1. *Elle a fait la vie* : elle a mené une vie de débauche. \ 2. *Gaillardes* : crues, légères.

entre deux militaires, au Gros-Caillou[1]. Justement, Mignot
540 descendait, avec les vingt francs qu'il venait d'emprunter ; et il
s'était arrêté, il coulait dix francs dans la main d'Albert, en lui
donnant rendez-vous pour le soir, une noce[2] projetée, entravée
par le manque d'argent, possible enfin, malgré la médiocrité de
la somme. Mais le beau Mignot, lorsqu'il apprit l'envoi de la
545 lettre, eut une réflexion si grossière, que Bouthemont se vit forcé
d'intervenir.

— En voilà assez, messieurs. Ça ne nous regarde pas... Allez,
allez donc, monsieur Hutin.

— Soie de fantaisie, petits carreaux, trente-deux mètres, à six
550 francs cinquante ! cria ce dernier.

Les plumes marchaient de nouveau, les paquets tombaient
régulièrement, la mare d'étoffes montait toujours, comme si les
eaux d'un fleuve s'y fussent déversées. Et l'appel des soies de
fantaisie ne cessait pas. Favier, à demi-voix, fit alors remarquer
555 que le stock serait joli : la direction allait être contente, cette
grosse bête de Bouthemont était peut-être le premier acheteur
de Paris, mais comme vendeur on n'avait jamais vu un pareil
idiot. Hutin souriait, enchanté, approuvant d'un regard amical ;
car, après avoir lui-même introduit jadis Bouthemont au *Bonheur*
560 *des Dames*, pour en chasser Robineau, il le minait à son tour, dans
le but obstiné de lui prendre sa place. C'était la même guerre
qu'autrefois, des insinuations perfides glissées à l'oreille des chefs,
des excès de zèle afin de se faire valoir, toute une campagne
menée avec une sournoiserie affable. Cependant, Favier, auquel
565 Hutin témoignait une nouvelle condescendance, le regardait
en dessous, maigre et froid, la bile au visage, comme s'il eût
compté les bouchées dans ce petit homme trapu, ayant l'air d'at-
tendre que le camarade eût mangé Bouthemont, pour le manger

1. *Gros-Caillou* : nom d'un restaurant. \ 2. *Noce* : partie de plaisir dans laquelle l'alcool et
les femmes occupent une large place.

ensuite. Lui, espérait avoir la place de second, si l'autre obtenait
570 celle de chef de comptoir. Puis, on verrait. Et tous deux, pris de
la fièvre qui battait d'un bout à l'autre des magasins, causaient
des augmentations probables, sans cesser d'appeler le stock des
soies de fantaisie: on prévoyait que Bouthemont irait à ses
trente mille francs, cette année-là; Hutin dépasserait dix mille;
575 Favier estimait son fixe et son tant pour cent à cinq mille cinq
cents. Chaque saison, les affaires du comptoir augmentaient, les
vendeurs y montaient en grade et y doublaient leurs soldes[1],
comme des officiers en temps de campagne.

— Ah çà, est-ce que ce n'est pas fini, ces petites soies? dit
580 brusquement Bouthemont, l'air agacé. Aussi quel fichu prin-
temps, toujours de l'eau! On n'a acheté que des soies noires.

Sa grosse figure rieuse se rembrunissait, il regardait le tas
s'élargir par terre, tandis que Hutin répétait plus haut, d'une
voix sonore, où perçait le triomphe:

585 — Soie de fantaisie, petits carreaux, vingt-huit mètres, à six
francs cinquante!

Il y en avait encore tout un casier. Favier, les bras rompus, y
mettait de la lenteur. Comme il donnait pourtant les dernières
pièces à Hutin, il reprit à voix basse:

590 — Dites donc, j'oubliais… Vous a-t-on raconté que la seconde
des confections a eu une toquade pour vous?

Le jeune homme parut très surpris.

— Tiens! comment ça?

— Oui, c'est ce grand serin de Deloche qui nous a fait la
595 confidence… Je me souviens, autrefois, quand elle vous relu-
quait.

Depuis qu'il était second, Hutin avait lâché les chanteuses
de café-concert et affichait des institutrices. Très flatté au fond,
il répondit d'un air de mépris:

1. *Soldes*: rémunérations.

600 — Je les aime plus étoffées, mon cher, et puis on ne va pas avec tout le monde, comme le patron.

Il s'interrompit, il cria :

— Poult[1] de soie blanc, trente-cinq mètres, à huit francs soixante-quinze !

605 — Ah ! enfin ! murmura Bouthemont soulagé.

Mais une cloche sonnait, c'était la deuxième table, dont Favier faisait partie. Il descendit de l'escabeau, un autre vendeur prit sa place ; et il lui fallut enjamber la houle des pièces d'étoffe, qui avait encore monté sur les parquets. Main-
610 tenant, dans tous les rayons, des écroulements pareils encom-braient le sol ; les casiers, les cartons, les armoires se vidaient peu à peu, tandis que les marchandises débordaient de toutes parts, sous les pieds, entre les tables, dans une crue continuelle. Au blanc, on entendait les chutes lourdes des piles de calicot ;
615 à la mercerie, c'était un léger cliquetis de boîtes ; et des roule-ments lointains venaient du comptoir des meubles. Toutes les voix donnaient ensemble, des voix aiguës, des voix grasses, les chiffres sifflaient dans l'air, une clameur grésillante battait l'immense nef, la clameur des forêts, en janvier, lorsque le vent
620 souffle dans les branches.

Favier se dégagea enfin et prit l'escalier des réfectoires. Depuis les agrandissements du *Bonheur des Dames,* ces derniers se trouvaient au quatrième étage, dans les bâtiments neufs. Comme il se hâtait, il rattrapa Deloche et Liénard, montés
625 avant lui ; alors, il se rabattit sur Mignot, qui le suivait.

— Diable ! dit-il dans le corridor de la cuisine, devant le tableau noir où le menu était inscrit, on voit bien que c'est l'inventaire. Fête complète ! Poulet ou émincé de gigot, et artichauts à l'huile !... Leur gigot va remporter une jolie
630 veste !

1. *Poult* : étoffe de soie unie et mate.

Mignot ricanait, en murmurant :

— Il y a donc une maladie sur la volaille ?

Cependant, Deloche et Liénard avaient pris leurs portions, puis s'en étaient allés. Alors, Favier, penché au guichet, dit à
635 voix haute :

— Poulet.

Mais il dut attendre, un des garçons qui découpaient venait de s'entailler le doigt, et cela jetait un trouble. Il restait la face à l'ouverture, regardant la cuisine, d'une installation géante, avec
640 son fourneau central, sur lequel deux rails fixés au plafond amenaient, par un système de poulies et de chaînes, les colossales marmites que quatre hommes n'auraient pu soulever. Des cuisiniers, tout blancs dans le rouge sombre de la fonte, surveillaient le pot-au-feu du soir, montés sur des échelles de fer, armés d'écu-
645 moires, au bout de grands bâtons. Puis, c'étaient, contre le mur, des grils à faire griller des martyrs, des casseroles à fricasser un mouton, un chauffe-assiettes monumental, une vasque de marbre emplie par un continuel filet d'eau. Et l'on apercevait encore, à gauche, une laverie, des éviers de pierre larges comme des
650 piscines ; tandis que, de l'autre côté, à droite, se trouvait un garde-manger, où l'on entrevoyait des viandes rouges, à des crocs d'acier. Une machine à pelurer les pommes de terre fonctionnait avec un tic-tac de moulin. Deux petites voitures, pleines de salades épluchées, passaient, traînées par des aides, qui allaient les remiser au
655 frais, sous une fontaine.

— Poulet, répéta Favier, pris d'impatience.

Puis, se retournant, il ajouta plus bas :

— Il y en a un qui s'est coupé… C'est dégoûtant, ça coule dans la nourriture.

660 Mignot voulut voir. Toute une queue de commis grossissait, il y avait des rires, des poussées. Et, maintenant, les deux jeunes gens, la tête au guichet, se communiquaient leurs réflexions, devant cette cuisine de phalanstère, où les moindres ustensiles,

jusqu'aux broches et aux lardoires[1], devenaient gigantesques.
665 Il y fallait servir deux mille déjeuners et deux mille dîners, sans
compter que le nombre des employés augmentait de semaine
en semaine. C'était un gouffre, on y engloutissait en un jour
seize hectolitres de pommes de terre, cent vingt livres de
beurre, six cents kilogrammes de viande ; et, à chaque repas, on
670 devait mettre trois tonneaux en perce[2], près de sept cents litres
coulaient sur le comptoir de la buvette.

— Ah ! enfin ! murmura Favier, lorsque le cuisinier de service
reparut avec une bassine, où il piqua une cuisse pour la lui
donner.

675 — Poulet, dit Mignot derrière lui.

Et tous deux, tenant leurs assiettes, entrèrent dans le réfec-
toire, après avoir pris leur part de vin à la buvette ; pendant
que, derrière leur dos, le mot « poulet » tombait sans relâche,
régulièrement, et qu'on entendait la fourchette du cuisinier
680 piquer les morceaux, avec un petit bruit rapide et cadencé.

Maintenant, le réfectoire des commis était une immense salle
où les cinq cents couverts de chacune des trois séries tenaient à
l'aise. Ces couverts se trouvaient alignés sur de longues tables
d'acajou, placées parallèlement, dans le sens de la largeur ; aux
685 deux bouts de la salle, des tables pareilles étaient réservées aux
inspecteurs et aux chefs de rayon ; et il y avait, dans le milieu, un
comptoir pour les suppléments. De grandes fenêtres, à droite et
à gauche, éclairaient d'une clarté blanche cette galerie, dont le
plafond, malgré ses quatre mètres de hauteur, semblait bas, écrasé
690 par le développement démesuré des autres dimensions. Sur les
murs, peints à l'huile d'une teinte jaune clair, les casiers aux
serviettes étaient les seuls ornements. À la suite de ce premier
réfectoire, venait celui des garçons de magasin et des cochers, où

1. *Lardoires* : brochettes creuses servant à garnir de lardons une pièce de viande. \ 2. *Mettre trois tonneaux en perce* : percer trois tonneaux de manière à en tirer le vin.

les repas étaient servis sans régularité, au fur et à mesure des
695 besoins du service.

— Comment ! vous aussi, Mignot, vous avez une cuisse, dit
Favier, lorsqu'il se fut assis à une des tables, en face de son
compagnon.

D'autres commis s'installaient autour d'eux. Il n'y avait pas
700 de nappe, les assiettes rendaient un bruit fêlé sur l'acajou ; et
tous s'exclamaient, dans ce coin, car le nombre des cuisses était
vraiment prodigieux.

— Encore des volailles qui n'ont que des pattes ! fit remar-
quer Mignot.

705 Ceux qui avaient des morceaux de carcasse se fâchaient.
Pourtant, la nourriture s'était beaucoup améliorée, depuis les
aménagements nouveaux. Mouret ne traitait plus avec un
entrepreneur pour une somme fixe ; il dirigeait aussi la cuisine,
il en avait fait un service organisé comme un de ses rayons,
710 ayant un chef, des sous-chefs, un inspecteur ; et, s'il déboursait
davantage, il obtenait plus de travail d'un personnel mieux
nourri, calcul d'une humanitairerie pratique qui avait long-
temps consterné Bourdoncle.

— Allons, la mienne est tendre tout de même, reprit Mignot.
715 Passez donc le pain !

Le gros pain faisait le tour, et lorsqu'il se fut coupé une
tranche le dernier, il replanta le couteau dans la croûte. Des
retardataires accouraient à la file, un appétit féroce, doublé par
la besogne du matin, soufflait sur les longues tables, d'un bout
720 à l'autre du réfectoire. C'étaient un cliquetis grandissant de
fourchettes, des glouglous de bouteilles qu'on vidait, des chocs
de verres reposés trop vivement, le bruit de meule de cinq cents
mâchoires solides broyant avec énergie. Et les paroles, rares
encore, s'étouffaient dans les bouches pleines.

725 Deloche, cependant, assis entre Baugé et Liénard, se trouvait
presque en face de Favier, à quelques places de distance. Tous

deux s'étaient lancé un regard de rancune. Des voisins chuchotaient, au courant de leur querelle de la veille. Puis, on avait ri de la malchance de Deloche, toujours affamé, et tombant
730 toujours, par une sorte de destinée maudite, sur le plus mauvais morceau de la table. Cette fois, il venait d'apporter un cou de poulet et un débris de carcasse. Silencieux, il laissait plaisanter, il avalait de grosses bouchées de pain, en épluchant le cou avec l'art infini d'un garçon qui avait le respect de la viande.

735 — Pourquoi ne réclamez-vous pas ? lui dit Baugé.

Mais il haussa les épaules. À quoi bon ? ça ne tournait jamais bien. Quand il ne se résignait pas, les choses allaient plus mal.

— Vous savez que les bobinards ont leur club, maintenant, raconta tout d'un coup Mignot. Parfaitement, le Bobin'-
740 Club… Ça se passe chez un marchand de vin de la rue Saint-Honoré, qui leur loue une salle, le samedi.

Il parlait des vendeurs de la mercerie. Alors, toute la table s'égaya. Entre deux morceaux, la voix empâtée, chacun lâchait une phrase, ajoutait un détail ; et il n'y avait que les liseurs
745 obstinés, qui restaient muets, perdus, le nez enfoncé dans un journal. On en tombait d'accord : chaque année, les employés de commerce prenaient un meilleur genre. Près de la moitié, à présent, parlaient l'allemand ou l'anglais. Le chic n'était plus d'aller faire du boucan à Bullier[1], de rouler les cafés-concerts
750 pour y siffler les chanteuses laides. Non, on se réunissait une vingtaine, on fondait un cercle[2].

— Est-ce qu'ils ont un piano comme les toiliers ? demanda Liénard.

— Si le Bobin'-Club a un piano, je crois bien ! cria Mignot.
755 Et ils jouent, et ils chantent !… Même il y en a un, le petit Bavoux, qui lit des vers.

1. *Bullier* : bal populaire, situé en face de la Closerie des Lilas, à Montparnasse. \ 2. *Cercle* : club.

La gaieté redoubla, on blaguait le petit Bavoux ; pourtant, il y avait sous les rires une grande considération. Puis, on causa d'une pièce du Vaudeville[1], où un calicot[2] jouait un vilain rôle ;
760 plusieurs se fâchaient pendant que d'autres s'inquiétaient de l'heure à laquelle on les lâcherait le soir, car ils devaient aller en soirée, dans des familles bourgeoises. Et de tous les points de la salle immense partaient des conversations semblables, au milieu du vacarme croissant de la vaisselle. Pour chasser l'odeur
765 de la nourriture, la buée chaude qui montait des cinq cents couverts débandés[3], on avait ouvert les fenêtres, dont les stores baissés étaient brûlants du lourd soleil d'août. Des souffles ardents venaient de la rue, des reflets d'or jaunissaient le plafond, baignaient d'une lumière rousse les convives en nage.
770 — S'il est permis de vous enfermer un dimanche, par un temps pareil ! répéta Favier.

Cette réflexion ramena ces messieurs à l'inventaire. L'année était superbe. Et l'on en vint aux appointements, aux augmentations, l'éternel sujet, la question passionnante qui les secouait
775 tous. Il en était chaque fois de même les jours de volaille, une surexcitation se déclarait, le bruit finissait par être insupportable. Quand les garçons apportèrent les artichauts à l'huile, on ne s'entendait plus. L'inspecteur de service avait l'ordre d'être tolérant.
780 — À propos, cria Favier, vous connaissez l'aventure ?

Mais il eut la voix couverte. Mignot demandait :

— Qui est-ce qui n'aime pas l'artichaut ? Je vends mon dessert contre un artichaut.

Personne ne répondit. Tout le monde aimait l'artichaut. Ce
785 déjeuner-là compterait parmi les bons, car on avait vu des pêches pour le dessert.

1. *Vaudeville* : nom d'un théâtre. \ 2. *Calicot* : commis dans un magasin de nouveautés. \ 3. *Débandés* : en ordre dispersé.

— Il l'a invitée à dîner, mon cher, disait Favier à son voisin de droite, en achevant son récit. Comment ! vous ne le saviez pas ?

790 La table entière le savait, on était fatigué d'en causer depuis le matin. Et des plaisanteries, toujours les mêmes, passèrent de bouche en bouche. Deloche frémissait, ses yeux finirent par se fixer sur Favier, qui répétait avec insistance :

— S'il ne l'a pas eue, il va l'avoir... Et il n'en aura pas l'étrenne[1], 795 ah ! non, il n'en aura pas l'étrenne.

Lui aussi regardait Deloche. Il ajouta d'un air provocant :

— Ceux qui aiment les os peuvent se la payer pour cent sous.

Brusquement, il baissa la tête. Deloche, cédant à un mouvement irrésistible, venait de lui jeter son dernier verre de vin par 800 la figure, en bégayant :

— Tiens ! sale menteur, j'aurais dû t'arroser hier !

Ce fut un esclandre[2]. Quelques gouttes avaient éclaboussé les voisins de Favier, dont les cheveux seuls se trouvaient mouillés légèrement : le vin, lancé d'une main trop rude, était 805 allé tomber de l'autre côté de la table. Mais on se fâchait. Il couchait donc avec, qu'il la défendait ainsi ? Quelle brute ! il aurait mérité une paire de gifles, pour apprendre à se conduire. Pourtant, les voix baissèrent, on signalait l'approche de l'inspecteur, et c'était inutile de mettre la direction dans la querelle. 810 Favier se contenta de dire :

— S'il m'avait attrapé, vous auriez vu quelle danse !

Puis, cela finit par des moqueries. Lorsque Deloche, encore tremblant, voulut boire pour cacher son trouble, et qu'il saisit d'une main tremblante son verre vide, des rires coururent. Il 815 reposa son verre gauchement, il se mit à sucer les feuilles d'artichaut qu'il avait mangées déjà.

1. *Il n'en aura pas l'étrenne* : il ne sera pas le premier. \ 2. *Esclandre* : scandale, dispute violente.

— Passez donc la carafe à Deloche, dit tranquillement Mignot. Il a soif.

Les rires redoublèrent. Ces messieurs prenaient des assiettes
820 propres aux piles qui se dressaient sur la table, de distance en distance ; tandis que les garçons promenaient le dessert, des pêches dans des corbeilles. Et tous se tinrent les côtes, lorsque Mignot ajouta :

— Chacun son goût, Deloche mange la pêche au vin.

825 Celui-ci restait immobile. La tête basse, comme sourd, il ne semblait pas entendre les plaisanteries, il éprouvait un regret désespéré de ce qu'il venait de faire. Ces gens avaient raison, à quel titre la défendait-il ? on allait croire toutes sortes de vilaines choses, il se serait battu lui-même, de l'avoir ainsi compromise,
830 en voulant l'innocenter. C'était sa chance habituelle, il aurait mieux fait de crever tout de suite, car il ne pouvait même céder à son cœur, sans commettre des bêtises. Des larmes lui montaient aux yeux. N'était-ce pas également sa faute, si le magasin causait de la lettre écrite par le patron ? Il les entendait bien ricaner, avec
835 des mots crus sur cette invitation, dont Liénard seul avait reçu la confidence ; et il s'accusait, il n'aurait pas dû laisser parler Pauline devant ce dernier, il se rendait responsable de l'indiscrétion commise.

— Pourquoi avez-vous raconté ça ? murmura-t-il enfin d'une
840 voix douloureuse. C'est très mal.

— Moi ! répondit Liénard, mais je ne l'ai dit qu'à une ou deux personnes, en exigeant le secret… Est-ce qu'on sait comment les choses se répandent !

Lorsque Deloche se décida à boire un verre d'eau, toute la
845 table éclata encore. On finissait, les employés, renversés sur leurs chaises, attendaient le coup de cloche, s'interpellant de loin dans l'abandon du repas. Au grand comptoir central, on avait demandé peu de suppléments, d'autant plus que, ce jour-là, c'était la maison qui payait le café. Les tasses fumaient, des

850 visages en sueur luisaient sous les vapeurs légères, flottantes
comme des nuées bleues de cigarettes. Aux fenêtres, les stores
tombaient, immobiles, sans un battement. Un d'eux remonta,
une nappe de soleil traversa la salle, incendia le plafond. Le
brouhaha des voix battait les murs d'un tel bruit, que le coup
855 de cloche ne fut d'abord entendu que des tables voisines de la
porte. On se leva, la débandade de la sortie emplit longuement
les corridors.

Cependant, Deloche était resté en arrière, pour échapper aux
mots d'esprit qui continuaient. Baugé sortit même avant lui ;
860 et Baugé d'habitude quittait la salle le dernier, faisait un détour
et rencontrait Pauline, au moment où celle-ci se rendait au
réfectoire des dames : c'était une manœuvre arrêtée entre eux,
la seule manière de se voir une minute, durant les heures de
travail. Mais, ce jour-là, comme ils se baisaient à pleine bouche,
865 dans un angle du corridor, Denise qui montait également
déjeuner, les surprit. Elle marchait d'un pas difficile, à cause
de son pied.

— Oh ! ma chère, balbutia Pauline très rouge, ne dites rien,
n'est-ce pas ?

870 Baugé, avec ses gros membres, sa carrure de géant, tremblait
ainsi qu'un petit garçon. Il murmura :

— C'est qu'ils nous flanqueraient très bien dehors... Notre
mariage a beau être annoncé, ils ne comprennent pas qu'on
s'embrasse, ces animaux-là !

875 Denise, toute remuée, affecta de ne pas les avoir vus. Et
Baugé se sauvait, lorsque Deloche, qui prenait le plus long,
parut à son tour. Il voulut s'excuser, il balbutia des phrases que
Denise ne saisit pas d'abord. Puis, comme il reprochait à
Pauline d'avoir parlé devant Liénard, et que celle-ci demeu-
880 rait embarrassée, la jeune fille eut enfin l'explication des mots
qu'on chuchotait derrière elle, depuis le matin. C'était l'his-
toire de la lettre qui circulait. Elle fut reprise du frisson dont

cette lettre l'avait secouée, elle se voyait déshabillée par tous ces hommes.

885 — Moi, je ne savais pas, répétait Pauline. D'ailleurs, il n'y a rien là-dedans de vilain… On laisse causer, ils ragent tous, pardi !

— Ma chère, dit enfin Denise de son air raisonnable, je ne vous en veux point… Vous n'avez raconté que la vérité. J'ai reçu une lettre, c'est à moi d'y répondre.

890 Deloche s'en alla navré, ayant compris que la jeune fille acceptait la situation et qu'elle irait, le soir, au rendez-vous. Quand les deux vendeuses eurent déjeuné, dans une petite salle voisine de la grande, et où les femmes étaient servies plus confortablement, Pauline dut aider Denise à descendre, car le
895 pied de celle-ci se fatiguait.

En bas, dans l'échauffement de l'après-midi, l'inventaire ronflait davantage. L'heure était venue du coup de collier, lorsque, devant la besogne peu avancée du matin, toutes les forces se tendaient, pour avoir fini le soir. Les voix se haussaient encore, on
900 ne voyait que la gesticulation des bras, vidant toujours les cases, jetant les marchandises, et on ne pouvait plus marcher, la crue des piles et des ballots, sur les parquets, montait à la hauteur des comptoirs. Une houle de têtes, de poings brandis, de membres volants, semblait se perdre au fond des rayons, dans un lointain
905 confus d'émeute. C'était la fièvre dernière du branle-bas, la machine près de sauter ; tandis que, le long des glaces sans tain, autour du magasin fermé, continuaient à passer de rares promeneurs, blêmes de l'ennui étouffant du dimanche. Sur le trottoir de la rue Neuve-Saint-Augustin, trois grandes filles en cheveux[1],
910 l'air souillon, s'étaient plantées, collant effrontément leurs visages aux glaces, tâchant de voir la drôle de cuisine qu'on bâclait là-dedans.

1. *Filles en cheveux* : femmes du peuple, par opposition aux bourgeoises ou aux aristocrates qui portent des chapeaux.

Lorsque Denise rentra aux confections, M^me Aurélie laissa Marguerite achever l'appel des vêtements. Il restait à faire un
915 travail de contrôle, pour lequel, désireuse de silence, elle se retira dans la salle de l'échantillonnage, en emmenant la jeune fille.

— Venez avec moi, nous collationnerons[1]... Puis, vous additionnerez.

920 Mais, comme elle voulut laisser la porte ouverte, afin de surveiller ces demoiselles, le vacarme entrait, on ne s'entendait guère plus, au fond de cette salle. C'était une vaste pièce carrée, garnie seulement de chaises et de trois longues tables. Dans un coin étaient les grands couteaux mécaniques, pour couper les
925 échantillons. Des pièces entières y passaient, on expédiait par an plus de soixante mille francs d'étoffes, ainsi déchiquetées en lanières. Du matin au soir, les couteaux hachaient la soie, la laine, la toile, avec un bruit de faux. Ensuite, il fallait assembler les cahiers, les coller ou les coudre. Et il y avait encore, entre
930 les deux fenêtres, une petite imprimerie, pour les étiquettes.

— Plus bas donc! criait de temps à autre M^me Aurelie, qui n'entendait pas Denise lire les articles.

Quand la collation des premières listes fut terminée, elle laissa la jeune fille devant une des tables, plongée dans les addi-
935 tions. Puis, elle reparut presque tout de suite, elle installa M^lle de Fontenailles, dont les trousseaux n'avaient plus besoin, et qu'ils lui passaient. Cette dernière additionnerait aussi, on gagnerait du temps. Mais l'apparition de la marquise, comme la nommait Clara méchamment, avait remué le rayon. On riait,
940 on plaisantait Joseph, des mots féroces arrivaient par la porte.

— Ne vous reculez pas, vous ne me gênez aucunement, dit Denise saisie d'une grande pitié. Tenez! mon encrier suffira, vous prendrez de l'encre avec moi.

1. *Collationnerons* : vérifierons la justesse des documents en les confrontant les uns aux autres.

M^{lle} de Fontenailles, dans l'hébétement de sa déchéance[1], ne
945 trouva pas même un mot de gratitude. Elle devait boire, sa
maigreur avait des teintes plombées, et ses mains seules,
blanches et fines, disaient encore la distinction de sa race.

Cependant, les rires tombèrent tout d'un coup, on entendit
la besogne reprendre son ronflement régulier. C'était Mouret
950 qui faisait de nouveau le tour des rayons. Mais il s'arrêta, il
chercha Denise, surpris de ne pas la voir. D'un signe, il avait
appelé M^{me} Aurélie ; et tous deux s'écartèrent, parlèrent bas un
instant. Il devait l'interroger. Elle désigna des yeux la salle de
l'échantillonnage, puis sembla rendre des comptes. Sans doute
955 elle rapportait que la jeune fille avait pleuré le matin.

— Parfait ! dit tout haut Mouret, en se rapprochant. Montrez-
moi les listes.

— Par ici, monsieur, répondit la première. Nous nous sommes
sauvées du tapage.

960 Il la suivit dans la pièce voisine. Clara ne fut pas dupe de la
manœuvre : elle murmura qu'on ferait mieux d'aller chercher un
lit tout de suite. Mais Marguerite lui jetait les vêtements d'une
main plus vive, pour l'occuper et lui fermer la bouche. Est-ce que
la seconde n'était pas une bonne camarade ? ses affaires ne regar-
965 daient personne. Le rayon devenait complice, les vendeuses s'agi-
taient davantage, les dos de Lhomme et de Joseph se renflaient,
comme sourds. Et l'inspecteur Jouve, ayant remarqué de loin la
tactique de M^{me} Aurélie, vint marcher devant la porte de l'échan-
tillonnage, du pas régulier d'un factionnaire[2] qui garde le bon
970 plaisir d'un supérieur.

— Donnez les listes à monsieur, dit la première en entrant.

Denise les donna, puis resta les yeux levés. Elle avait eu un
léger sursaut, mais elle s'était domptée, et elle gardait un beau
calme, les joues pâles. Un instant, Mouret parut s'absorber

1. *L'hébétement de sa déchéance* : l'abrutissement de sa chute. \ 2. *Factionnaire* : sentinelle.

975 dans l'énumération des articles, sans un regard pour la jeune fille. Le silence régnait. Alors, M^me Aurélie, s'étant approchée de M^lle de Fontenailles, qui n'avait pas même tourné la tête, parut mécontente de ses additions, et lui dit à demi-voix :

— Allez donc aider aux paquets… Vous n'avez pas l'habi-
980 tude des chiffres.

Celle-ci se leva, retourna au rayon, où des chuchotements l'accueillirent. Joseph, sous les yeux rieurs de ces demoiselles, écrivait de travers, Clara, enchantée de cette aide qui lui arrivait, la bousculait pourtant, dans la haine qu'elle avait de toutes
985 les femmes, au magasin. Était-ce idiot, de tomber à l'amour d'un homme de peine, quand on était marquise ! Et elle lui jalousait cet amour.

— Très bien ! très bien ! répétait Mouret, en affectant toujours de lire.

990 Cependant, M^me Aurélie ne savait comment sortir à son tour d'une façon décente. Elle piétinait, allait regarder les couteaux mécaniques, furieuse que son mari n'inventât pas une histoire pour l'appeler ; mais il n'était jamais aux affaires sérieuses, il serait mort de soif à côté d'une mare. Ce fut Marguerite qui eut
995 l'intelligence de demander un renseignement.

— J'y vais, répondit la première.

Et, sa dignité désormais à couvert, ayant un prétexte aux yeux de ces demoiselles qui la guettaient, elle laissa enfin seuls Mouret et Denise qu'elle venait de rapprocher, elle sortit d'un
1000 pas majestueux, le profil si noble, que les vendeuses n'osèrent même se permettre un sourire.

Lentement, Mouret avait reposé les listes sur la table. Il regardait la jeune fille, qui était restée assise, la plume à la main. Elle ne détournait pas les regards, elle avait seulement pâli davantage.
1005 — Vous viendrez, ce soir ? demanda-t-il à demi-voix.

— Non, monsieur, répondit-elle, je ne pourrai pas. Mes frères doivent se trouver chez mon oncle, et j'ai promis de dîner avec eux.

— Mais votre pied ! vous marchez trop difficilement.

— Oh ! j'irai bien jusque-là, je me sens beaucoup mieux depuis
ce matin.

À son tour, il était devenu pâle, devant ce refus tranquille.
Une révolte nerveuse agitait ses lèvres. Pourtant, il se conte-
nait, il reprit de son air de patron obligeant qui s'intéresse
simplement à une de ses demoiselles :

— Voyons, si je vous priais... Vous savez dans quelle estime
je vous tiens.

Denise garda son attitude respectueuse.

— Je suis très touchée, monsieur, de votre bonté pour moi,
et je vous remercie de cette invitation. Mais, je le répète, c'est
impossible, mes frères m'attendent ce soir.

Elle s'entêtait à ne pas comprendre. La porte demeurait
ouverte, et elle sentait bien cependant le magasin entier qui la
poussait. Pauline l'avait traitée amicalement de grande sotte,
les autres se moqueraient d'elle, si elle refusait l'invitation.
M^me Aurélie qui s'en était allée, Marguerite dont elle enten-
dait monter la voix, le dos de Lhomme qu'elle apercevait
immobile et discret, tous voulaient sa chute, tous la jetaient au
maître. Et le ronflement lointain de l'inventaire, ces millions
de marchandises, criés à la volée, remués à bout de bras, étaient
comme un vent chaud qui soufflait la passion jusqu'à elle.

Il y eut un silence. Par moments, le bruit couvrait les paroles
de Mouret, qu'il accompagnait du vacarme formidable d'une
fortune de roi, gagnée dans les batailles.

— Alors, quand viendrez-vous ? demanda-t-il de nouveau.
Demain ?

Cette simple question troubla Denise. Elle perdit un instant
son calme, elle balbutia :

— Je ne sais pas... Je ne puis pas...

Il sourit, il essaya de lui prendre une main, qu'elle retira.

— De quoi donc avez-vous peur ?

Mais elle relevait déjà la tête, elle le regardait en face, et elle dit, en souriant de son air doux et brave :

— Je n'ai peur de rien, monsieur… On fait seulement ce qu'on veut faire, n'est-ce pas ? Moi je ne veux pas, voilà tout !

1045 Comme elle se taisait, un craquement la surprit. Elle se retourna et vit la porte se fermer avec lenteur. C'était l'inspecteur Jouve qui prenait sur lui de la tirer. Les portes rentraient dans son service, aucune ne devait rester ouverte. Et il se remit à monter gravement sa faction. Personne ne parut s'apercevoir 1050 de cette porte fermée d'un air si simple. Clara seule lâcha un mot cru à l'oreille de M^{lle} de Fontenailles, qui demeura blême, le visage mort.

Denise, cependant, s'était levée. Mouret lui disait d'une voix basse et tremblante :

1055 — Écoutez, je vous aime… Vous le savez depuis longtemps, ne jouez pas le jeu cruel de faire l'ignorante avec moi… Et ne craignez rien. Vingt fois, j'ai eu l'envie de vous appeler dans mon cabinet. Nous aurions été seuls, je n'aurais eu qu'à pousser un verrou. Mais je n'ai pas voulu, vous voyez 1060 bien que je vous parle ici, où chacun peut entrer… Je vous aime, Denise…

Elle était debout, la face blanche, l'écoutant, le regardant toujours en face.

— Dites, pourquoi refusez-vous ?… N'avez-vous donc pas de 1065 besoins ? Vos frères sont une lourde charge. Tout ce que vous me demanderiez, tout ce que vous exigeriez de moi…

D'un mot, elle l'arrêta :

— Merci, je gagne maintenant plus qu'il ne me faut.

— Mais c'est la liberté que je vous offre, c'est une existence 1070 de plaisirs et de luxe… Je vous mettrai chez vous, je vous assurerai une petite fortune.

— Non, merci, je m'ennuierais à ne rien faire… Je n'avais pas dix ans que je gagnais ma vie.

Il eut un geste fou. C'était la première qui ne cédait pas. Il
n'avait eu qu'à se baisser pour prendre les autres, toutes atten-
daient son caprice en servantes soumises ; et celle-ci disait non,
sans même donner un prétexte raisonnable. Son désir, contenu
depuis longtemps, fouetté par la résistance, s'exaspérait. Peut-être
n'offrait-il pas assez ; et il doubla ses offres, il la pressa davantage.

— Non, non, merci, répondait-elle chaque fois, sans une
défaillance.

Alors, il laissa échapper ce cri de son cœur :

— Vous ne voyez donc pas que je souffre !... Oui, c'est imbé-
cile, je souffre comme un enfant !

Des larmes mouillèrent ses yeux. Un nouveau silence régna.
On entendit encore, derrière la porte close, le ronflement adouci
de l'inventaire. C'était comme un bruit mourant de triomphe,
l'accompagnement se faisait discret, dans cette défaite du maître.

— Si je voulais pourtant ! dit-il d'une voix ardente, en lui
saisissant les mains.

Elle les lui laissa, ses yeux pâlirent, toute sa force s'en allait.
Une chaleur lui venait des mains tièdes de cet homme, l'em-
plissait d'une lâcheté délicieuse. Mon Dieu ! comme elle l'ai-
mait, et quelle douceur elle aurait goûtée à se pendre à son cou,
pour rester sur sa poitrine !

— Je veux, je veux, répétait-il affolé. Je vous attends ce soir,
ou je prendrai des mesures...

Il devenait brutal. Elle poussa un léger cri, la douleur qu'elle
ressentait aux poignets lui rendit son courage. D'une secousse,
elle se dégagea. Puis, toute droite, l'air grandi dans sa faiblesse :

— Non, laissez-moi... Je ne suis pas une Clara, qu'on lâche
le lendemain. Et puis, monsieur, vous aimez une personne, oui,
cette dame qui vient ici... Restez avec elle. Moi, je ne partage
pas.

La surprise le tenait immobile. Que disait-elle donc et que
voulait-elle ? Jamais les filles ramassées par lui dans les rayons

ne s'étaient inquiétées d'être aimées. Il aurait dû en rire, et cette attitude de fierté tendre achevait de lui bouleverser le cœur.

1110 — Monsieur, reprit-elle, rouvrez cette porte. Ce n'est pas convenable, d'être ainsi ensemble.

Mouret obéit, et les tempes bourdonnantes, ne sachant comment cacher son angoisse, il rappela Mᵐᵉ Aurélie, s'emporta contre le stock des rotondes[1], dit qu'il faudrait baisser les prix, et
1115 les baisser tant qu'il en resterait une. C'était la règle de la maison, on balayait tout chaque année, on vendait à soixante pour cent de perte, plutôt que de garder un modèle ancien ou une étoffe défraîchie. Justement, Bourdoncle, à la recherche du directeur, l'attendait depuis un instant, arrêté devant la porte close par Jouve,
1120 qui lui avait glissé un mot à l'oreille, d'un air grave. Il s'impatientait, sans trouver cependant la hardiesse de déranger le tête-à-tête. Était-ce possible ? un jour pareil, avec cette chétive créature ! Et, lorsque la porte se rouvrit enfin, Bourdoncle parla des soies de fantaisie, dont le stock allait être énorme. Ce fut un soula-
1125 gement pour Mouret, qui put crier à l'aise. À quoi songeait Bouthemont ? Il s'éloigna, en déclarant qu'il n'admettait pas qu'un acheteur manquât de flair, jusqu'à commettre la bêtise de s'approvisionner au-delà des besoins de la vente.

— Qu'a-t-il ? murmura Mᵐᵉ Aurélie, toute remuée par les
1130 reproches.

Et ces demoiselles se regardèrent avec surprise. À six heures, l'inventaire était terminé. Le soleil luisait encore, un blond soleil d'été, dont le reflet d'or tombait par les vitrages des halls. Dans l'air alourdi des rues, déjà des familles lasses revenaient de la
1135 banlieue, chargées de bouquets, et traînant des enfants. Un à un, les rayons avaient fait silence. On n'entendait plus, au fond des galeries, que les appels attardés de quelques commis vidant une

1. *Rotondes* : manteaux dont les plis forment un large cercle.

dernière case. Puis, ces voix elles-mêmes se turent, il ne resta du vacarme de la journée qu'un grand frisson, au-dessus de la
1140 débâcle formidable des marchandises. Maintenant, les casiers, les armoires, les cartons, les boîtes, se trouvaient vides : pas un mètre d'étoffe, pas un objet quelconque n'était demeuré à sa place. Les vastes magasins n'offraient que la carcasse de leur aménagement, les menuiseries absolument nettes, comme au
1145 jour de l'installation. Cette nudité était la preuve visible du relevé complet et exact de l'inventaire. Et, à terre, s'entassaient seize millions de marchandises, une mer montante qui avait fini par submerger les tables et les comptoirs. Les commis, noyés jusqu'aux épaules, commençaient à replacer chaque article. On
1150 espérait avoir terminé vers dix heures.

Comme M^{me} Aurélie, qui était de la première table, descendait du réfectoire, elle rapporta le chiffre d'affaires réalisées dans l'année, un chiffre que les additions des divers rayons donnaient à l'instant. Le total était de quatre-vingts millions, dix millions
1155 de plus que l'année précédente. Il n'y avait eu une baisse réelle que sur les soies de fantaisie.

— Si M. Mouret n'est pas content, je ne sais ce qu'il lui faut, ajouta la première. Tenez ! il est là-bas, en haut du grand escalier, l'air furieux.
1160 Ces demoiselles allèrent le voir. Il était seul, debout, le visage sombre, au-dessus des millions écroulés à ses pieds.

— Madame, vint demander à ce moment Denise, seriez-vous assez bonne pour me permettre de me retirer ? Je ne sers plus à rien, à cause de ma jambe, et comme je dois dîner chez mon
1165 oncle, avec mes frères…

Ce fut un étonnement. Elle n'avait donc pas cédé ? M^{me} Aurélie hésita, parut sur le point de lui défendre de sortir, la voix brève et mécontente ; pendant que Clara haussait les épaules, pleine d'incrédulité : laissez donc ! c'était bien simple, il ne voulait plus
1170 d'elle ! Quand Pauline apprit ce dénouement, elle se trouvait

devant les layettes, avec Deloche. La joie brusque du jeune homme la mit en colère : ça l'avançait à grand'chose, n'est-ce pas ? il était peut-être heureux que son amie fût assez sotte pour manquer sa fortune ? Et Bourdoncle, qui n'osait aller déranger Mouret, dans son isolement farouche, se promenait au milieu des bruits, désolé lui-même, saisi d'inquiétude.

Cependant, Denise descendit. Comme elle arrivait au bas du petit escalier de gauche, doucement, en s'appuyant à la rampe, elle tomba sur un groupe de vendeurs qui ricanaient. Son nom fut prononcé, elle sentit qu'on parlait encore de son aventure. On ne l'avait pas aperçue.

— Allons donc ! des manières ! disait Favier. C'est pétri de vice... Oui, je connais quelqu'un qu'elle a voulu prendre de force.

Et il regardait Hutin, qui, pour conserver sa dignité de second, se tenait à quatre pas, sans se mêler aux plaisanteries. Mais il fut si flatté de l'air d'envie dont les autres le considéraient, qu'il daigna murmurer :

— Ce qu'elle m'a embêté, celle-là !

Denise, frappée au cœur, se retint à la rampe. On dut la voir, tous se dispersèrent avec des rires. Il avait raison, elle s'accusait de ses ignorances d'autrefois, quand elle songeait à lui. Mais comme il était lâche et comme elle le méprisait, maintenant ! Un grand trouble l'avait saisie : n'était-ce pas étrange qu'elle eût trouvé tout à l'heure la force de repousser un homme adoré, lorsqu'elle se sentait si faible, jadis, devant ce misérable garçon, dont elle rêvait seulement l'amour ? Sa raison et sa vaillance sombraient dans ces contradictions de son être, où elle cessait de lire clairement. Elle se hâta de traverser le hall.

Puis, un instinct lui fit lever la tête, pendant qu'un inspecteur ouvrait la porte, fermée depuis le matin. Et elle aperçut Mouret. Il était toujours en haut de l'escalier, sur le grand palier central, dominant la galerie. Mais il avait oublié

l'inventaire, il ne voyait pas son empire, ces magasins crevant
1205 de richesses. Tout avait disparu, les victoires bruyantes d'hier,
la fortune colossale de demain. D'un regard désespéré, il suivait
Denise, et quand elle eut passé la porte, il n'y eut plus rien, la
maison devint noire.

XI

Bouthemont, ce jour-là, arriva le premier chez M^me Desforges,
au thé de quatre heures. Seule encore dans son grand salon Louis
XVI, dont les cuivres et la brocatelle[1] avaient une gaieté claire,
celle-ci se leva d'un air d'impatience, en disant :
5 — Eh bien ?
 — Eh bien ! répondit le jeune homme, quand je lui ai dit que
je monterais sans doute vous saluer, il m'a formellement promis
de venir.
 — Vous lui avez fait entendre que je comptais sur le baron,
10 aujourd'hui ?
 — Sans doute… C'est cela qui a paru le décider.
 Ils parlaient de Mouret. L'année précédente, ce dernier s'était
pris d'une brusque tendresse pour Bouthemont, au point de
l'admettre dans ses plaisirs ; et même il l'avait introduit chez
15 Henriette, heureux d'avoir un complaisant[2] à demeure, qui
égayait un peu une liaison dont il se fatiguait. C'était ainsi que
le premier à la soie avait fini par devenir le confident de son
patron et de la jolie veuve : il faisait leurs petites commissions,

1. *Brocatelle* : tissu imitant le brocart, riche étoffe de soie rehaussée d'or et d'argent \ 2. *Un complaisant* : quelqu'un d'arrangeant et d'aimable.

causait de l'un avec l'autre, les raccommodait parfois. Henriette,
dans les crises de sa jalousie, s'abandonnait à une intimité dont
il restait surpris et embarrassé, car elle perdait ses prudences de
femme du monde, mettant son art à sauver les apparences.

Elle s'écria violemment :

— Il fallait l'amener. J'aurais été sûre.

— Dame ! dit-il avec un rire bon garçon, ce n'est pas ma
faute, s'il s'échappe toujours, à présent… Oh ! il m'aime bien
quand même. Sans lui, j'aurais du mal là-bas.

En effet, sa situation au *Bonheur des Dames* était menacée,
depuis le dernier inventaire. Il avait eu beau prétexter la saison
pluvieuse, on ne lui pardonnait pas le stock considérable des
soies de fantaisie ; et, comme Hutin exploitait l'aventure, le
minait auprès des chefs avec un redoublement de rage sour-
noise, il sentait très bien le sol craquer sous lui. Mouret l'avait
condamné, ennuyé sans doute maintenant de ce témoin qui le
gênait pour rompre, las d'une familiarité sans bénéfices. Mais,
selon son habituelle tactique, il poussait Bourdoncle en avant :
c'était Bourdoncle et les autres intéressés qui exigeaient le
renvoi, à chaque conseil ; tandis que lui résistait, disait-il,
défendait son ami énergiquement, au risque des plus gros
embarras.

— Enfin, je vais attendre, reprit M^{me} Desforges. Vous savez
que cette fille doit être ici à cinq heures… Je veux les mettre
en présence. Il faut que j'aie leur secret.

Et elle revint sur ce plan médité, elle répéta, dans sa fièvre,
qu'elle avait fait prier M^{me} Aurélie de lui envoyer Denise, pour
voir un manteau qui allait mal. Quand elle tiendrait la jeune
fille au fond de sa chambre, elle trouverait bien le moyen d'ap-
peler Mouret ; et elle agirait ensuite.

Bouthemont, assis en face d'elle, la regardait de ses beaux
yeux rieurs, qu'il tâchait de rendre graves. Ce joyeux compère
à la barbe d'un noir d'encre, ce noceur braillard dont le sang

chaud de Gascon empourprait la face, songeait que les femmes
du monde n'étaient guère bonnes, et qu'elles lâchaient un joli
déballage, quand elles osaient vider leur sac. Certainement, les
55 maîtresses de ses amis, des filles de boutique, ne se permet-
taient pas de confidences plus complètes.

— Voyons, se hasarda-t-il à dire enfin, qu'est-ce que ça peut
vous faire, puisque je vous jure qu'il n'y a absolument rien
entre eux ?

60 — Justement ! cria-t-elle, il l'aime, celle-là… Je me moque
des autres, de simples rencontres, des hasards d'un jour !

Elle parla de Clara avec dédain. On lui avait bien dit que
Mouret, après les refus de Denise, s'était rejeté sur cette grande
rousse à tête de cheval, sans doute par calcul ; car il la main-
65 tenait au rayon, pour l'afficher, en la comblant de cadeaux.
D'ailleurs, depuis près de trois mois, il menait une vie terrible
de plaisirs, semant l'argent avec une prodigalité[1] dont on
causait : il avait acheté un hôtel à une rouleuse[2] de coulisses, il
était mangé par deux ou trois coquines à la fois, qui semblaient
70 lutter de caprices coûteux et bêtes.

— C'est la faute de cette créature, répétait Henriette. Je sens
qu'il se ruine avec d'autres, parce qu'elle le repousse… Du reste,
que m'importe son argent ! Je l'aurais mieux aimé pauvre. Vous
savez comme je l'aime, vous qui êtes devenu notre ami.

75 Elle s'arrêta, étranglée, près d'éclater en larmes ; et, d'un
mouvement d'abandon, elle lui tendit les deux mains. C'était
vrai, elle adorait Mouret pour sa jeunesse et ses triomphes,
jamais un homme ne l'avait ainsi prise tout entière, dans un
frisson de sa chair et de son orgueil ; mais, à la pensée de le
80 perdre, elle entendait aussi sonner le glas de la quarantaine,
elle se demandait avec terreur comment remplacer ce grand
amour.

1. *Prodigalité* : excès dans les dépenses. \ **2.** *Rouleuse* : fille que l'on peut facilement acheter.

— Oh ! je me vengerai, murmura-t-elle, je me vengerai, s'il se conduit mal !

85 Bouthemont lui tenait toujours les mains. Elle était encore belle. Ce serait seulement une maîtresse gênante, et il n'aimait guère ce genre-là. La chose pourtant méritait réflexion, il y aurait peut-être intérêt à risquer des ennuis.

— Pourquoi ne vous établissez-vous pas ? dit-elle tout d'un 90 coup, en se dégageant.

Il demeura étonné. Puis, il répondit :

— Mais il faudrait des fonds considérables… L'année dernière, une idée m'a bien travaillé la tête. Je suis convaincu qu'on trouverait encore, dans Paris, la clientèle d'un ou deux 95 grands magasins ; seulement il faudrait choisir le quartier. Le *Bon Marché* a la rive gauche, le *Louvre* tient le centre ; nous accaparons, au *Bonheur*, les quartiers riches de l'ouest. Reste le nord, où l'on pourrait créer une concurrence à la *Place Clichy*. Et j'avais découvert une situation superbe, près de 100 l'Opéra…

— Eh bien ?

Il se mit à rire bruyamment.

— Imaginez-vous que j'ai eu la bêtise de parler de cela à mon père… Oui, j'ai été assez naïf pour le prier de chercher des 105 actionnaires à Toulouse.

Et il conta gaiement la colère du bonhomme, enragé contre les grands bazars parisiens, du fond de sa petite boutique de province. Le vieux Bouthemont, que les trente mille francs gagnés par son fils suffoquaient, avait répondu qu'il donnerait 110 son argent et celui de ses amis aux hospices, plutôt que de contribuer pour un centime à un de ces grands magasins qui étaient les maisons de tolérance[1] du commerce.

— D'ailleurs, conclut le jeune homme, il faudrait des millions.

1. *Maisons de tolérance* : maisons de prostitution.

— Si on les trouvait ? dit simplement M^{me} Desforges.

115 Il la regarda, subitement sérieux. N'était-ce qu'une parole de femme jalouse ? Mais elle ne lui laissa pas le temps de la questionner, elle ajouta :

— Enfin, vous savez combien je m'intéresse à vous… Nous en recauserons.

120 Le timbre de l'antichambre avait retenti. Elle se leva, et lui-même, d'un mouvement instinctif, recula sa chaise, comme si déjà l'on eût pu les surprendre. Un silence régna, dans le salon aux tentures riantes, garni d'une telle profusion de plantes vertes, qu'il y avait comme un petit bois entre les deux fenêtres.

125 Debout, l'oreille vers la porte, elle attendait.

— C'est lui, murmura-t-elle.

Le domestique annonça :

— Monsieur Mouret, monsieur de Vallagnosc.

Elle ne put retenir un geste de colère. Pourquoi ne venait-

130 il pas seul ? Il devait être allé chercher son ami, dans la crainte d'un tête-à-tête possible. Puis, elle eut un sourire, elle tendit la main aux deux hommes.

— Comme vous devenez rare !… Je dis cela aussi pour vous, monsieur de Vallagnosc.

135 Son désespoir était de grossir, elle se serrait dans des toilettes de soie noire, afin de dissimuler l'embonpoint qui montait. Pourtant, sa jolie tête, aux cheveux sombres, gardait sa finesse aimable. Et Mouret put lui dire familièrement, en l'enveloppant d'un regard :

140 — Il est inutile de vous demander de vos nouvelles… Vous êtes fraîche comme une rose.

— Oh ! je me porte trop bien, répondit-elle. Du reste, j'aurais pu mourir, vous n'en auriez rien su.

Elle l'examinait aussi, le trouvait nerveux et las, les

145 paupières battues, le teint plombé.

— Eh bien ! reprit-elle d'un ton qu'elle tâcha de rendre plai-

sant, je ne vous rendrai pas votre flatterie, vous n'avez guère bonne mine, ce soir.

— Le travail! dit Vallagnosc.

150 Mouret eut un geste vague, sans répondre. Il venait d'apercevoir Bouthemont, il lui adressait un signe amical de la tête. Au temps de leur grande intimité, il l'enlevait lui-même au rayon, et l'amenait chez Henriette, pendant le gros travail de l'après-midi. Mais les temps étaient changés, il lui dit à demi-voix:

155 — Vous avez filé de bien bonne heure… Vous savez qu'ils se sont aperçus de votre sortie et qu'ils sont furieux là-bas.

Il parlait de Bourdoncle et des autres intéressés, comme s'il n'avait pas été le maître.

— Ah! murmura Bouthemont, inquiet.

160 — Oui, j'ai à causer avec vous… Attendez-moi, nous nous en irons ensemble.

Cependant, Henriette s'était assise de nouveau; et, tout en écoutant Vallagnosc, qui lui annonçait la visite probable de M^{me} de Boves, elle ne quittait pas Mouret des yeux. Celui-ci, redevenu 165 muet, regardait les meubles, semblait chercher au plafond. Puis, comme elle se plaignait en riant de n'avoir plus que des hommes à son thé de quatre heures, il s'oublia jusqu'à lâcher cette phrase:

— Je croyais trouver le baron Hartmann.

Henriette avait pâli. Sans doute elle savait qu'il venait chez 170 elle uniquement pour s'y rencontrer avec le baron; mais il aurait pu ne pas lui jeter ainsi son indifférence à la face. Justement, la porte s'était ouverte, et le domestique se tenait debout derrière elle. Quand elle l'eut interrogé d'un mouvement de tête, il se pencha, il lui dit très bas:

175 — C'est pour ce manteau. Madame m'a recommandé de la prévenir… La demoiselle est là.

Alors, elle haussa la voix, de façon à être entendue. Toute sa souffrance jalouse se soulagea dans ces mots, d'une sécheresse méprisante:

180 — Qu'elle attende !

— Faut-il la faire entrer dans le cabinet de madame ?

— Non, non, qu'elle reste dans l'antichambre !

Et, quand le domestique fut sorti, elle reprit tranquillement sa conversation avec Vallagnosc. Mouret, retombé dans sa lassi-
185 tude, avait écouté d'une oreille distraite, sans comprendre. Bouthemont, que préoccupait l'aventure, réfléchissait. Mais presque aussitôt la porte se rouvrit, deux dames furent intro-duites.

— Imaginez-vous, dit M^{me} Marty, je descendais de voiture,
190 lorsque j'ai vu arriver M^{me} de Boves sous les arcades.

— Oui, expliqua celle-ci, il fait beau, et comme mon médecin veut toujours que je marche…

Puis, après un échange général de poignées de mains, elle demanda à Henriette :
195 — Vous prenez donc une nouvelle femme de chambre ?

— Non, répondit celle-ci étonnée. Pourquoi ?

— C'est que je viens de voir dans l'antichambre une jeune fille…

Henriette l'interrompit en riant.
200 — N'est-ce pas ? toutes ces filles de boutique ont l'air de femmes de chambre… Oui, c'est une demoiselle qui vient pour corriger un manteau.

Mouret la regarda fixement, effleuré d'un soupçon. Elle continuait avec une gaieté forcée, elle racontait qu'elle avait
205 acheté cette confection au *Bonheur des Dames*, la semaine précé-dente.

— Tiens ! dit M^{me} Marty, ce n'est donc plus Sauveur qui vous habille ?

— Si, ma chère, seulement j'ai voulu faire une expérience. Et
210 puis, j'étais assez satisfaite d'un premier achat, d'un manteau de voyage… Mais, cette fois, ça n'a pas réussi du tout. Vous avez beau dire, on est fagotée, dans vos magasins. Oh ! je ne me

gêne pas, je parle devant M. Mouret… Jamais vous n'habillerez une femme un peu distinguée.

215 Mouret ne défendait pas sa maison, les yeux toujours sur elle, se rassurant, se disant qu'elle n'aurait point osé. Et ce fut Bouthemont qui dut plaider la cause du *Bonheur*.

— Si toutes les femmes du beau monde qui s'habillent chez nous s'en vantaient, répliqua-t-il gaiement, vous seriez bien
220 étonnée de notre clientèle… Commandez-nous un vêtement sur mesure, il vaudra ceux de Sauveur, et vous le payerez la moitié moins cher. Mais voilà, c'est justement parce qu'il est moins cher, qu'il est moins bien.

— Alors, elle ne va pas, cette confection? reprit M^{me} de Boves.
225 Maintenant, je reconnais la demoiselle. Il fait un peu sombre, dans votre antichambre.

— Oui, ajouta M^{me} Marty, je cherchais où j'avais déjà vu cette tournure… Eh bien! allez, ma chère, ne vous gênez pas avec nous.

Henriette eut un geste de dédaigneuse insouciance.

230 — Oh! tout à l'heure, rien ne presse.

Ces dames continuèrent la discussion sur les vêtements des grands magasins. Puis, M^{me} de Boves parla de son mari, qui, disait-elle, venait de partir en inspection pour visiter le dépôt d'étalons de Saint-Lô; et, justement, Henriette racontait que la
235 maladie d'une tante avait appelé la veille M^{me} Guibal en Franche-Comté. Du reste, elle ne comptait pas non plus, ce jour-là, sur M^{me} Bourdelais, qui, toutes les fins de mois, s'enfermait avec une ouvrière, afin de passer en revue le linge de son petit monde. Cependant, M^{me} Marty semblait agitée d'une sourde
240 inquiétude. La situation de M. Marty était menacée au lycée Bonaparte, à la suite de leçons données par le pauvre homme, dans des institutions louches, où se faisait tout un négoce sur les diplômes de bachelier; il battait monnaie[1] comme il pouvait,

1. *Il battait monnaie*: il gagnait de l'argent.

fiévreusement, pour suffire aux rages de dépense qui saccageaient
245 son ménage et elle, en le voyant pleurer un soir, devant la crainte
d'un renvoi, avait eu l'idée d'employer son amie Henriette auprès
d'un directeur du ministère de l'Instruction publique, que celle-
ci connaissait. Henriette finit par la tranquilliser d'un mot. Du
reste, M. Marty allait venir lui même connaître son sort et
250 apporter ses remerciements.

— Vous avez l'air indisposé, monsieur Mouret, fit remarquer
M^{me} de Boves.

— Le travail ! répéta Vallagnosc avec son flegme ironique.

Mouret s'était levé vivement, en homme désolé de s'oublier
255 ainsi. Il prit sa place habituelle au milieu de ces dames, il retrouva
toute sa grâce. Les nouveautés d'hiver l'occupaient, il parla d'un
arrivage considérable de dentelles ; et M^{me} de Boves le questionna
sur le prix du point d'Alençon : elle en achèterait peut-être. Main-
tenant, elle se trouvait réduite à économiser les trente sous d'une
260 voiture, elle rentrait malade de s'être arrêtée devant les étalages.
Drapée dans un manteau qui datait déjà de deux ans, elle essayait
en rêve sur ses épaules de reine toutes les étoffes chères qu'elle
voyait ; puis, c'était comme si on les lui arrachait de la peau, quand
elle s'éveillait vêtue de ses robes retapées, sans espoir de jamais
265 satisfaire sa passion.

— Monsieur le baron Hartmann, annonça le domestique.

Henriette remarqua de quelle heureuse poignée de main
Mouret accueillit le nouveau venu. Celui-ci salua ces dames,
regarda le jeune homme de l'air fin qui éclairait par moments
270 sa grosse figure alsacienne.

— Toujours dans les chiffons ! murmura-t-il avec un sourire.

Puis, en familier de la maison, il se permit d'ajouter :

— Il y a une bien charmante jeune fille, dans l'antichambre…
Qui est-ce ?

275 — Oh ! personne, répondit M^{me} Desforges de sa voix mauvaise.
Une demoiselle de magasin qui attend.

Mais la porte restait entr'ouverte, le domestique servait le thé. Il sortait, rentrait de nouveau, posait sur le guéridon[1] le service de Chine, puis des assiettes de sandwichs et de biscuits.
280 Dans le vaste salon, une lumière vive, adoucie par les plantes vertes, allumait les cuivres, baignait d'une joie tendre la soie des meubles ; et, chaque fois que la porte s'ouvrait, on apercevait un coin obscur de l'antichambre, éclairée seulement par des vitres dépolies. Là, dans le noir, une forme sombre appa-
285 raissait, immobile et patiente. Denise se tenait debout ; il y avait bien une banquette recouverte de cuir, mais une fierté l'en éloignait. Elle sentait l'injure. Depuis une demi-heure, elle était là, sans un geste, sans un mot ; ces dames et le baron l'avaient dévisagée au passage ; maintenant, les voix du salon
290 lui arrivaient par des bouffées légères, tout ce luxe aimable la souffletait de son indifférence ; et elle ne bougeait toujours pas. Brusquement, dans l'entrebâillement de la porte, elle reconnut Mouret. Lui, venait enfin de la deviner.

— Est-ce une de vos vendeuses ? demandait le baron Hart-
295 mann.

Mouret avait réussi à cacher son grand trouble. L'émotion fit seulement trembler sa voix.

— Sans doute, mais je ne sais laquelle.

— C'est la petite blonde des confections, se hâta de répondre
300 M^me Marty, celle qui est seconde, je crois.

Henriette le regardait à son tour.

— Ah ! dit-il simplement.

Et il tâcha de parler des fêtes données au roi de Prusse[2], depuis la veille à Paris. Mais le baron revint avec malice sur les
305 demoiselles des grands magasins. Il affectait de vouloir s'instruire, il posait des questions : d'où venaient-elles en général ?

1. *Guéridon* : petite table ronde. \ 2. Guillaume I^er vint à Paris à l'occasion de l'Exposition universelle de 1867.

avaient-elles d'aussi mauvaises mœurs qu'on le disait? Toute une discussion s'engagea.

— Vraiment, répétait-il, vous les croyez sages?

310 Mouret défendait leur vertu avec une conviction qui faisait rire Vallagnosc. Alors, Bouthemont intervint, pour sauver son chef. Mon Dieu! il y avait un peu de tout parmi elles, des coquines et de braves filles. Le niveau de leur moralité montait, d'ailleurs. Autrefois, on n'avait guère que les déclassées du commerce, les

315 filles vagues et pauvres tombaient dans les nouveautés; tandis que, maintenant, des familles de la rue de Sèvres[1], par exemple, élevaient positivement leurs gamines pour le *Bon Marché*. En somme, quand elles voulaient se bien conduire, elles le pouvaient; car elles n'étaient pas, comme les ouvrières du pavé parisien, obli-

320 gées de se nourrir et de se loger: elles avaient la table et le lit, leur existence se trouvait assurée, une existence très dure sans doute. Le pis était leur situation neutre, mal déterminée, entre la bouti-quière et la dame. Ainsi jetées dans le luxe, souvent sans instruc-tion première, elles formaient une classe à part, innomée. Leurs

325 misères et leurs vices venaient de là.

— Moi, dit M\ :^me de Boves, je ne connais pas de créatures plus désagréables... C'est à les gifler, des fois.

Et ces dames exhalèrent leur rancune. On se dévorait devant les comptoirs, la femme y mangeait la femme, dans une riva-

330 lité aiguë d'argent et de beauté. C'était une jalousie maussade des vendeuses contre les clientes bien mises, les dames dont elles s'efforçaient de copier les allures, et une jalousie encore plus aigre des clientes mises pauvrement, des petites bourgeoises contre les vendeuses, ces filles vêtues de soie, dont elles voulaient

335 obtenir une humilité de servante, pour un achat de dix sous.

— Laissez donc! conclut Henriette, toutes des malheureuses à vendre, comme leurs marchandises!

1. *Rue de Sèvres*: à proximité du *Bon Marché*.

Mouret eut la force de sourire. Le baron l'examinait, touché de sa grâce à se vaincre. Aussi détourna-t-il la conversation, en
340 reparlant des fêtes données au roi de Prusse : elles seraient superbes, tout le commerce parisien allait en profiter. Henriette se taisait, semblait rêveuse, partagée entre le désir d'oublier davantage Denise dans l'antichambre, et la peur que Mouret, prévenu maintenant, ne s'en allât. Aussi finit-elle par quitter
345 son fauteuil.

— Vous permettez ?

— Comment donc, ma chère ! dit M^me Marty. Tenez ! je vais faire les honneurs de chez vous.

Elle se leva, prit la théière, emplit les tasses. Henriette s'était
350 tournée vers le baron Hartmann.

— Vous restez bien quelques minutes ?

— Oui, j'ai à causer avec M. Mouret. Nous allons envahir votre petit salon.

Alors, elle sortit, et sa robe de soie noire, contre la porte, eut
355 un frôlement de couleuvre, filant dans les broussailles.

Tout de suite, le baron manœuvra pour emmener Mouret, en abandonnant ces dames à Bouthemont et à Vallagnosc. Puis, ils causèrent devant la fenêtre du salon voisin, debout, baissant la voix. C'était toute une affaire nouvelle. Depuis longtemps,
360 Mouret caressait le rêve de réaliser son ancien projet, l'envahissement de l'îlot entier par le *Bonheur des Dames*, de la rue Monsigny à la rue de la Michodière, et de la rue Neuve-Saint-Augustin à la rue du Dix-Décembre. Dans le pâté énorme, il y avait encore, sur cette dernière voie, un vaste terrain en bordure, qu'il ne possédait
365 point ; et cela suffisait à gâter son triomphe, il était torturé par le besoin de compléter sa conquête, de dresser, là, comme apothéose[1], une façade monumentale. Tant que l'entrée d'honneur se trouverait rue Neuve-Saint-Augustin, dans une rue noire

1. *Apothéose* : triomphe.

du vieux Paris, son œuvre demeurait infirme, manquait de
370 logique ; il la voulait afficher devant le nouveau Paris, sur une
de ces jeunes avenues où passait au grand soleil la cohue de la fin
du siècle ; il la voyait dominer, s'imposer comme le palais géant
du commerce, jeter plus d'ombre sur la ville que le vieux Louvre.
Mais, jusque-là, il s'était heurté contre l'entêtement du Crédit
375 Immobilier, qui tenait à sa première idée d'élever, le long du
terrain en bordure, une concurrence au Grand-Hôtel. Les plans
étaient prêts, on attendait seulement le déblaiement de la rue
du Dix-Décembre, pour creuser les fondations. Enfin, dans un
dernier effort, Mouret avait presque convaincu le baron Hart-
380 mann.

— Eh bien ! commença celui-ci, nous avons eu hier un
conseil, et je suis venu, pensant vous rencontrer et désireux de
vous tenir au courant… Ils résistent toujours.

Le jeune homme laissa échapper un geste nerveux.

385 — Ce n'est pas raisonnable… Que disent-ils ?

— Mon Dieu ! ils disent ce que je vous ai dit moi-même, ce
que je pense encore un peu… Votre façade n'est qu'un orne-
ment, les nouvelles constructions n'agrandiraient que d'un
dixième la superficie de vos magasins, et c'est jeter de bien
390 grosses sommes dans une simple réclame.

Du coup, Mouret éclata.

— Une réclame ! une réclame ! En tout cas, celle-ci sera en
pierre, et elle nous enterrera tous. Comprenez donc que ce sont
nos affaires décuplées ! En deux ans, nous rattrapons l'argent.
395 Qu'importe ce que vous appelez du terrain perdu, si ce terrain
vous rend un intérêt énorme !… Vous verrez la foule, quand
notre clientèle n'étranglera plus la rue Neuve-Saint-Augustin,
et qu'elle pourra librement se ruer par la voie large où six
voitures rouleront à l'aise.

400 — Sans doute, reprit le baron en riant. Mais vous êtes un
poète dans votre genre, je vous le répète. Ces messieurs esti-

ment qu'il y aurait danger à élargir encore vos affaires. Ils veulent avoir de la prudence pour vous.

— Comment! de la prudence? Je ne comprends plus... Est-
405 ce que les chiffres ne sont pas là et ne démontrent pas la progression constante de notre vente? D'abord, avec un capital de cinq cent mille francs, je faisais deux millions d'affaires. Ce capital passait quatre fois. Puis, il est devenu de quatre millions, a passé dix fois et a produit quarante millions d'affaires. Enfin, après des
410 augmentations successives, je viens de constater, lors du dernier inventaire, que le chiffre d'affaires atteint aujourd'hui le total de quatre-vingts millions; et le capital, qui n'a guère augmenté, car il est seulement de six millions, a donc passé en marchandises sur nos comptoirs plus de douze fois.

415 Il élevait la voix, tapant les doigts de sa main droite sur la paume de sa main gauche, abattant les millions comme il aurait cassé des noisettes. Le baron l'interrompit.

— Je sais, je sais... Mais vous n'espérez peut-être pas monter toujours ainsi.

420 — Pourquoi pas? dit Mouret naïvement. Il n'y a aucune raison pour que ça s'arrête. Le capital peut passer quinze fois, voici longtemps que je le prédis. Même, dans certains rayons, il passera vingt-cinq et trente fois... Ensuite, eh bien! ensuite, nous trouverons un truc pour le faire passer davantage.

425 — Alors, vous finirez par boire l'argent de Paris, comme on boit un verre d'eau?

— Sans doute. Est-ce que Paris n'est pas aux femmes, et les femmes ne sont-elles pas à nous?

Le baron lui posa les deux mains sur les épaules, le regarda
430 d'un air paternel.

— Tenez! vous êtes un gentil garçon, je vous aime... On ne peut pas vous résister. Nous allons piocher l'idée sérieusement, et j'espère leur faire entendre raison. Jusqu'à présent, nous n'avons qu'à nous louer de vous. Les dividendes stupéfient la

435 Bourse… Vous devez être dans le vrai, il vaut mieux mettre encore de l'argent dans votre machine, que de risquer cette concurrence au Grand-Hôtel, qui est hasardeuse.

L'excitation de Mouret tomba, il remercia le baron, mais sans y mettre son élan d'enthousiasme habituel ; et celui-ci le 440 vit tourner les yeux vers la porte de la chambre voisine, repris de la sourde inquiétude qu'il cachait. Cependant, Vallagnosc s'était approché, en comprenant qu'ils ne causaient plus d'affaires. Il se tint debout près d'eux, il écouta le baron qui murmurait de son air galant d'ancien viveur[1] :

445 — Dites, je crois qu'elles se vengent ?

— Qui donc ? demanda Mouret, embarrassé.

— Mais les femmes… Elles se lassent d'être à vous, et vous êtes à elles, mon cher : juste retour !

Il plaisanta, il était au courant des amours bruyantes du 450 jeune homme. L'hôtel acheté à la rouleuse[2] de coulisses, les sommes énormes mangées avec des filles ramassées dans les cabinets particuliers, l'égayaient comme une excuse aux folies qu'il avait faites lui-même autrefois. Sa vieille expérience se réjouissait.

455 — Vraiment, je ne comprends pas, répétait Mouret.

— Eh ! vous comprenez très bien. Elles ont toujours le dernier mot… Aussi je pensais : Ce n'est pas possible, il se vante, il n'est pas si fort ! Et vous y voilà ! Tirez donc tout de la femme, exploitez-la comme une mine de houille[3], pour qu'elle vous 460 exploite ensuite et vous fasse rendre gorge !… Méfiez-vous, car elle vous tirera plus de sang et d'argent que vous ne lui en aurez sucé.

Il riait davantage, et Vallagnosc, près de lui, ricanait, sans dire une parole.

1. *Viveur* : homme qui mène une vie de plaisirs. \ 2. *Rouleuse* : fille que l'on peut facilement acheter. \ 3. *Houille* : charbon.

465 — Mon Dieu ! il faut bien goûter à tout, finit par confesser Mouret, en affectant de s'égayer également. L'argent est bête, si on ne le dépense pas.

— Çà, je vous approuve, reprit le baron. Amusez-vous, mon cher. Ce n'est pas moi qui vous ferai de la morale, ni qui trem-
470 blerai pour les gros intérêts que nous vous avons confiés. On doit jeter sa gourme[1], on a la tête plus libre ensuite... Et puis, il n'est pas désagréable de se ruiner, quand on est homme à rebâtir sa fortune... Mais si l'argent n'est rien, il y a des souf-frances...

475 Il s'arrêta, son rire devint triste, d'anciennes peines passaient dans l'ironie de son scepticisme. Il avait suivi le duel d'Hen-riette et de Mouret, en curieux que les batailles du cœur passionnaient encore chez les autres ; et il sentait bien que la crise était venue, il devinait le drame, au courant de l'histoire
480 de cette Denise, qu'il avait vue dans l'antichambre.

— Oh ! quant à souffrir, cela n'est pas dans ma spécialité, dit Mouret, d'un ton de bravade. C'est déjà bien joli de payer.

Le baron le regarda quelques secondes en silence. Sans vouloir insister, il ajouta lentement :

485 — Ne vous faites pas plus mauvais que vous n'êtes... Vous y laisserez autre chose que votre argent. Oui, vous y laisserez de votre chair, mon ami.

Il s'interrompit pour demander, en plaisantant de nouveau :

— N'est-ce pas ? monsieur de Vallagnosc, ça arrive ?

490 — On le dit, monsieur le baron, déclara simplement ce dernier.

Et, juste à ce moment, la porte de la chambre s'ouvrit. Mouret, qui allait répondre, eut un léger sursaut. Les trois hommes se tournèrent. C'était M^me Desforges, l'air très gai, allongeant seule-
495 ment la tête, appelant d'une voix pressée :

1. *Jeter sa gourme* : passer sa jeunesse dans les plaisirs.

— Monsieur Mouret! monsieur Mouret!

Puis, quand elle les aperçut:

— Oh! messieurs, vous permettez, j'enlève M. Mouret pour une minute. C'est bien le moins, puisqu'il m'a vendu un manteau affreux, qu'il me prête ses lumières. Cette fille est une sotte qui n'a pas une idée... Voyons, je vous attends.

Il hésitait, combattu, reculant devant la scène qu'il prévoyait. Mais il dut obéir. Le baron lui disait de son air paternel et railleur à la fois:

— Allez, allez donc, mon cher. Madame a besoin de vous.

Alors, Mouret la suivit. La porte retomba, et il crut entendre le ricanement de Vallagnosc, étouffé par les tentures. D'ailleurs, il était à bout de courage. Depuis qu'Henriette avait quitté le salon, et qu'il savait Denise au fond de l'appartement, entre des mains jalouses, il éprouvait une anxiété croissante, un tourment nerveux qui lui faisait prêter l'oreille, comme tressaillant à un bruit lointain de larmes. Que pouvait inventer cette femme pour la torturer? Et tout son amour, cet amour qui le surprenait encore, allait à la jeune fille, ainsi qu'un soutien et une consolation. Jamais il n'avait aimé ainsi, avec ce charme puissant dans la souffrance. Ses tendresses d'homme affairé, Henriette elle-même, si fine, si jolie, et dont la possession flattait son orgueil, n'étaient qu'un agréable passe-temps, parfois un calcul, où il cherchait uniquement du plaisir profitable. Il sortait tranquille de chez ses maîtresses, rentrait se coucher, heureux de sa liberté de garçon, sans un regret ni un souci au cœur. Tandis que, maintenant, son cœur battait d'angoisse, sa vie était prise, il n'avait plus l'oubli du sommeil, dans son grand lit solitaire. Toujours Denise le possédait. Même à cette minute, il n'y avait qu'elle, et il songeait qu'il préférait être là pour la protéger, tout en suivant l'autre avec la peur de quelque scène fâcheuse.

D'abord, ils traversèrent la chambre à coucher, silencieuse

et vide. Puis, M^me Desforges, poussant une porte, passa dans
530 le cabinet, où Mouret entra derrière elle. C'était une pièce assez
vaste, tendue de soie rouge, meublée d'une toilette de marbre
et d'une armoire à trois corps, aux larges glaces. Comme la
fenêtre donnait sur la cour, il y faisait déjà sombre ; et l'on avait
allumé deux becs de gaz, dont les bras nickelés s'allongeaient,
535 à droite et à gauche de l'armoire.

— Voyons, dit Henriette, ça va mieux marcher peut-être.

En entrant, Mouret avait trouvé Denise toute droite, au
milieu de la vive lumière. Elle était très pâle, modestement
serrée dans une jaquette[1] de cachemire, coiffée d'un chapeau
540 noir ; et elle tenait, sur un bras, le manteau acheté au *Bonheur*.
Lorsqu'elle vit le jeune homme, ses mains eurent un léger trem-
blement.

— Je veux que monsieur juge, reprit Henriette. Aidez-moi,
mademoiselle.

545 Et Denise, s'approchant, dut lui remettre le manteau. Dans
un premier essayage, elle avait posé des épingles aux épaules,
qui n'allaient pas. Henriette se tournait, s'étudiait devant l'ar-
moire.

— Est-ce possible ? Parlez franchement.

550 — En effet, madame, il est manqué, dit Mouret, pour couper
court. C'est bien simple, mademoiselle va vous prendre mesure,
et nous vous en ferons un autre.

— Non, je veux celui-ci, j'en ai besoin tout de suite, reprit-
elle avec vivacité. Seulement, il m'étrangle la poitrine, tandis
555 qu'il fait une poche là, entre les épaules.

Puis, de sa voix sèche :

— Quand vous me regarderez, mademoiselle, ça ne corrigera
pas le défaut !… Cherchez, trouvez quelque chose. C'est votre
affaire.

1. *Jaquette* : veste cintrée à la taille.

560 Denise, sans ouvrir la bouche, recommença à poser des épingles. Cela dura longtemps : il lui fallait passer d'une épaule à l'autre ; même elle dut un instant se baisser, s'agenouiller presque, pour tirer le devant du manteau. Au-dessus d'elle, s'abandonnant à ses soins, M^{me} Desforges avait le visage dur
565 d'une maîtresse difficile à contenter. Heureuse de rabaisser la jeune fille à cette besogne de servante, elle lui donnait des ordres brefs, en guettant sur la face de Mouret les moindres plis nerveux.

— Mettez une épingle ici. Eh ! non, pas là, ici, près de la
570 manche. Vous ne comprenez donc pas ?... Ce n'est pas ça, voici la poche qui reparaît... Et prenez garde, vous me piquez maintenant !

À deux reprises encore, Mouret tâcha vainement d'intervenir, pour faire cesser cette scène. Son cœur bondissait, sous
575 l'humiliation de son amour ; et il aimait Denise davantage, d'une tendresse émue, devant le beau silence qu'elle gardait. Si les mains de la jeune fille tremblaient toujours un peu, d'être ainsi traitée en face de lui, elle acceptait les nécessités du métier, avec la résignation fière d'une fille de courage. Quand
580 M^{me} Desforges comprit qu'ils ne se trahiraient pas, elle chercha autre chose, elle inventa de sourire à Mouret, de l'afficher comme son amant. Alors, les épingles étant venues à manquer :

— Tenez, mon ami, regardez dans la boîte d'ivoire, sur la toilette... Vraiment ! elle est vide ?... Soyez aimable, voyez donc
585 sur la cheminée de la chambre : vous savez, au coin de la glace.

Et elle le mettait chez lui, l'installait en homme qui avait couché là, qui connaissait la place des peignes et des brosses. Quand il lui rapporta une pincée d'épingles, elle les prit une par une, le força de rester debout près d'elle, le regardant, lui
590 parlant à voix basse.

— Je ne suis pas bossue peut-être... Donnez votre main, tâtez les épaules, par plaisir. Est-ce que je suis faite ainsi ?

Denise, lentement, avait levé les yeux, plus pâle encore, et s'était remise à piquer en silence les épingles. Mouret n'aper-
595 cevait que ses lourds cheveux blonds, tordus sur la nuque déli-
cate ; mais, au frisson qui les soulevait, il croyait voir le malaise et la honte du visage. Maintenant, elle le repousserait, elle le renverrait à cette femme, qui ne cachait même pas sa liaison devant les étrangers. Et des brutalités lui venaient aux poignets,
600 il aurait battu Henriette. Comment la faire taire ? comment dire à Denise qu'il l'adorait, qu'elle seule existait à cette heure, qu'il lui sacrifiait toutes ses anciennes tendresses d'un jour ? Une fille n'aurait pas eu les familiarités équivoques de cette bourgeoise. Il retira sa main, il répéta :
605 — Vous avez tort de vous entêter, madame, puisque je trouve moi-même que ce vêtement est manqué.

Un des becs de gaz sifflait ; et, dans l'air étouffé et moite de la pièce, on n'entendit plus que ce souffle ardent. Les glaces de l'armoire reflétaient de larges pans de clarté vive sur les tentures
610 de soie rouge, où dansaient les ombres des deux femmes. Un flacon de verveine [1], qu'on avait oublié de reboucher, exhalait une odeur vague et perdue de bouquet qui se fane.

— Voilà, madame, tout ce que je puis faire, dit enfin Denise en se relevant.
615 Elle se sentait à bout de forces. Deux fois, elle s'était enfoncé les épingles dans les mains, comme aveuglée, les yeux troubles. Était-il du complot ? l'avait-il fait venir, pour se venger de ses refus, en lui montrant que d'autres femmes l'aimaient ? Et cette pensée la glaçait, elle ne se souvenait pas d'avoir jamais eu
620 besoin d'autant de courage, même aux heures terribles de son existence où le pain lui avait manqué. Ce n'était rien encore d'être humiliée ainsi, mais de le voir presque aux bras d'une autre, comme si elle n'eût pas été là !

1. *Verveine* : parfum floral extrait de la verveine odorante.

Henriette s'examinait devant la glace. De nouveau, elle éclata
625 en paroles dures.

— C'est une plaisanterie, mademoiselle. Il va plus mal qu'au-
paravant... Regardez comme il me bride la poitrine. J'ai l'air
d'une nourrice.

Alors, Denise, poussée à bout, eut une parole fâcheuse.

630 — Madame est un peu forte... Nous ne pouvons pourtant
pas faire que madame soit moins forte.

— Forte, forte, répéta Henriette qui blêmissait à son tour.
Voilà que vous devenez insolente, mademoiselle... En vérité,
je vous conseille de juger les autres !

635 Toutes deux, face à face, frémissantes, se contemplaient. Il
n'y avait désormais ni dame, ni demoiselle de magasin. Elles
n'étaient plus que femmes, comme égalées dans leur rivalité.
L'une avait violemment retiré le manteau pour le jeter sur une
chaise ; tandis que l'autre lançait au hasard sur la toilette les
640 quelques épingles qui lui restaient entre les doigts.

— Ce qui m'étonne, reprit Henriette, c'est que M. Mouret
tolère une pareille insolence... Je croyais, monsieur, que vous
étiez plus difficile pour votre personnel.

Denise avait retrouvé son calme brave. Elle répondit douce-
645 ment :

— Si M. Mouret me garde, c'est qu'il n'a rien à me repro-
cher... Je suis prête à vous faire des excuses, s'il l'exige.

Mouret écoutait, saisi par cette querelle, ne trouvant pas la
phrase pour en finir. Il avait l'horreur de ces explications entre
650 femmes, dont l'âpreté blessait son continuel besoin de grâce.
Henriette voulait lui arracher un mot qui condamnât la jeune
fille ; et, comme il restait muet, partagé encore, elle le fouetta
d'une dernière injure.

— C'est bien, monsieur, s'il faut que je souffre chez moi les
655 insolences de vos maîtresses !... Une fille ramassée dans quelque
ruisseau.

Deux grosses larmes jaillirent des yeux de Denise. Elle les retenait depuis longtemps ; mais tout son être défaillait sous l'insulte. Quand il la vit pleurer ainsi, sans répondre par une violence, d'une dignité muette et désespérée, Mouret n'hésita plus, son cœur allait vers elle, dans une tendresse immense. Il lui prit les mains, il balbutia :

— Partez vite, mon enfant, oubliez cette maison.

Henriette, pleine de stupeur, étranglée de colère, les regardait.

— Attendez, continua-t-il en pliant lui-même le manteau, remportez ce vêtement. Madame en achètera un autre ailleurs. Et ne pleurez plus, je vous en prie. Vous savez quelle estime j'ai pour vous.

Il l'accompagna jusqu'à la porte, qu'il referma ensuite. Elle n'avait pas prononcé une parole ; seulement, une flamme rose était montée à ses joues, tandis que ses yeux se mouillaient de nouvelles larmes, d'une douceur délicieuse.

Henriette, qui suffoquait, avait tiré son mouchoir et s'en écrasait les lèvres. C'était le renversement de ses calculs, elle-même prise au piège qu'elle avait tendu. Elle se désolait d'avoir poussé les choses trop loin, torturée de jalousie. tre quittée pour une pareille créature ! se voir dédaignée devant elle ! Son orgueil souffrait plus que son amour.

— Alors, c'est cette fille que vous aimez ? dit-elle péniblement, quand ils furent seuls.

Mouret ne répondit pas tout de suite, il marchait de la fenêtre à la porte, en cherchant à vaincre sa violente émotion. Enfin, il s'arrêta, et très poliment, d'une voix qu'il tâchait de rendre froide, il dit avec simplicité :

— Oui, madame.

Le bec de gaz sifflait toujours, dans l'air étouffé du cabinet. Maintenant, les reflets des glaces n'étaient plus traversés d'ombres dansantes, la pièce semblait nue, tombée à une tristesse lourde.

690 Et Henriette s'abandonna brusquement sur une chaise, tordant son mouchoir entre ses doigts fébriles, répétant au milieu de ses sanglots :

— Mon Dieu ! que je suis malheureuse !

Il la regarda quelques secondes, immobile. Puis, tranquille-
695 ment, il s'en alla. Elle, toute seule, pleurait dans le silence, devant les épingles semées sur la toilette et sur le parquet.

Lorsque Mouret entra dans le petit salon, il n'y trouvait plus que Vallagnosc, le baron étant retourné près des dames. Comme il se sentait tout secoué encore, il s'assit au fond de la pièce, sur
700 un canapé ; et son ami, en le voyant défaillir, vint charitable-ment se planter devant lui, pour le cacher aux regards curieux. D'abord, ils se contemplèrent, sans échanger un mot. Puis, Valla-gnosc, que le trouble de Mouret semblait égayer en dedans, finit par demander de sa voix goguenarde :

705 — Tu t'amuses ?

Mouret ne parut pas comprendre tout de suite. Mais, lors-qu'il se fut rappelé leurs conversations anciennes sur la bêtise vide et l'inutile torture de la vie, il répondit :

— Sans doute, jamais je n'ai tant vécu... Ah ! mon vieux, ne
710 te moque pas, ce sont les heures les plus courtes, celles où l'on meurt de souffrance !

Il baissa la voix, il continua gaiement, sous ses larmes mal essuyées :

— Oui, tu sais tout, n'est-ce pas ? elles viennent, à elles deux,
715 de me hacher le cœur. Mais c'est encore bon, vois-tu, presque aussi bon que des caresses, les blessures qu'elles font... Je suis brisé, je n'en peux plus ; n'importe, tu ne saurais croire combien j'aime la vie !... Oh ! je finirai par l'avoir, cette enfant qui ne veut pas !

720 Vallagnosc dit simplement :

— Et après ?

— Après ?... Tiens ! je l'aurai ! N'est-ce point assez ?... Si tu

te crois fort, parce que tu refuses d'être bête et de souffrir ! Tu n'es qu'une dupe, pas davantage !… Tâche donc d'en désirer
725 une et de la tenir enfin : cela paye en une minute toutes les misères.

Mais Vallagnosc exagérait son pessimisme. À quoi bon tant travailler, puisque l'argent ne donnait pas tout ? C'était lui qui aurait fermé boutique et qui se serait allongé sur le dos, pour
730 ne plus remuer un doigt, le jour où il aurait reconnu qu'avec des millions on ne pouvait même pas acheter la femme désirée ! Mouret, en l'écoutant, devenait grave. Puis, il repartit violemment, il croyait à la toute-puissance de sa volonté.

— Je la veux, je l'aurai !… Et si elle m'échappe, tu verras
735 quelle machine je bâtirai pour me guérir. Ce sera superbe quand même… Tu n'entends pas cette langue, mon vieux : autrement, tu saurais que l'action contient en elle sa récompense. Agir, créer, se battre contre les faits, les vaincre ou être vaincu par eux, toute la joie et toute la santé humaine sont là !
740 — Simple façon de s'étourdir, murmura l'autre.

— Eh bien ! j'aime mieux m'étourdir… Crever pour crever, je préfère crever de passion que de crever d'ennui !

Ils rirent tous les deux, cela leur rappelait leurs vieilles discussions du collège. Vallagnosc, d'une voix molle, se plut alors à
745 étaler la platitude des choses. Il mettait une sorte de fanfaronnade[1] dans l'immobilité et le néant de son existence. Oui, il s'ennuierait le lendemain au ministère, comme il s'y était ennuyé la veille ; en trois ans, on l'avait augmenté de six cents francs, il était maintenant à trois mille six, pas même de quoi fumer des cigares
750 propres ; ça devenait de plus en plus inepte[2], et si l'on ne se tuait pas, c'était par simple paresse, pour éviter de se déranger. Mouret lui ayant parlé de son mariage avec M^{lle} de Boves, il répondit que,

1. *Fanfaronnade* : propos plein de vantardise et d'exaltation. \ 2. *Inepte* : absurde, sot.

malgré l'obstination de la tante à ne pas mourir, l'affaire allait être conclue ; du moins, il le pensait, les parents étaient d'accord,
755 lui affectait de n'avoir pas de volonté. Pourquoi vouloir ou ne pas vouloir, puisque jamais ça ne tournait comme on le désirait ? Il donna en exemple son futur beau-père, qui comptait trouver en M^{me} Guibal une blonde indolente, le caprice d'une heure, et que la dame menait à coups de fouet, ainsi qu'un vieux cheval dont
760 on use les dernières forces. Tandis qu'on le croyait occupé à inspecter les étalons de Saint-Lô, elle achevait de le manger, dans une petite maison louée par lui à Versailles.

— Il est plus heureux que toi, dit Mouret en se levant.

— Oh ! lui, pour sûr ! déclara Vallagnosc. Il n'y a peut-être
765 que le mal qui soit un peu drôle.

Mouret s'était remis. Il songeait à s'échapper ; mais il ne voulait pas que son départ eût l'air d'une fuite. Aussi, résolu à prendre une tasse de thé, rentra-t-il dans le grand salon avec son ami, plaisantant l'un et l'autre. Le baron Hartmann lui
770 demanda si le manteau allait enfin ; et, sans se troubler, Mouret répondit qu'il y renonçait pour son compte. Il y eut une exclamation. Pendant que M^{me} Marty se hâtait de le servir, M^{me} de Boves accusait les magasins de tenir toujours les vêtements trop étroits. Enfin, il put s'asseoir près de Bouthemont, qui n'avait
775 pas bougé. On les oublia, et sur les questions inquiètes de celui-ci, désireux de connaître son sort, il n'attendit pas d'être dans la rue, il lui apprit que ces messieurs du conseil s'étaient décidés à se priver de ses services. Entre chaque phrase, il buvait une cuillerée de thé, tout en protestant de son désespoir. Oh ! une
780 querelle dont il se remettait à peine, car il avait quitté la salle hors de lui. Seulement, que faire ? il ne pouvait briser avec ces messieurs, pour une simple question de personnel. Bouthemont, très pâle, dut encore le remercier.

— Voilà un manteau terrible, fit remarquer M^{me} Marty.
785 Henriette n'en sort pas.

En effet, cette absence prolongée commençait à gêner tout le monde. Mais, à l'instant même, M^me Desforges reparut.

— Vous y renoncez aussi ? cria gaiement M^me de Boves.

— Comment ça ?

790 — Oui, M. Mouret nous a dit que vous ne pouviez vous en tirer.

Henriette montra la plus grande surprise.

— M. Mouret a plaisanté. Ce manteau ira parfaitement.

Elle semblait très calme, souriante. Sans doute elle avait 795 baigné ses paupières, car elles étaient fraîches, sans une rougeur. Tandis que tout son être tressaillait et saignait encore, elle trouvait la force de cacher sa torture, sous le masque de sa bonne grâce mondaine. Ce fut avec son rire accoutumé qu'elle présenta des sandwichs à Vallagnosc. Le baron seul, qui la connaissait bien, 800 remarqua la légère contraction de ses lèvres et le feu sombre qu'elle n'avait pu éteindre au fond de ses yeux. Il devina toute la scène.

— Mon Dieu ! chacun son goût, disait M^me de Boves, en acceptant elle aussi un sandwich. Je connais des femmes qui 805 n'achèteraient pas un ruban ailleurs qu'au *Louvre*. D'autres ne jurent que par le *Bon Marché*... C'est une question de tempérament sans doute.

— Le *Bon Marché* est bien province, murmura M^me Marty, et l'on est si bousculé au *Louvre* !

810 Ces dames étaient retombées sur les grands magasins. Mouret dut donner son avis, il revint au milieu d'elles, et affecta d'être juste. Une excellente maison que le *Bon Marché*, solide, respectable ; mais le *Louvre* avait certainement une clientèle plus brillante.

815 — Enfin, vous préférez le *Bonheur des Dames*, dit le baron souriant.

— Oui, répondit tranquillement Mouret. Chez nous, on aime les clientes.

Toutes les femmes présentes furent de son avis. C'était bien
820 cela, elles se trouvaient comme en partie fine au *Bonheur*, elles
y sentaient une continuelle caresse de flatterie, une adoration
épandue qui retenait les plus honnêtes. L'énorme succès du
magasin venait de cette séduction galante.

— À propos, demanda Henriette, qui voulait montrer une
825 grande liberté d'esprit, et ma protégée, qu'en faites-vous,
monsieur Mouret ?... Vous savez, M^lle de Fontenailles.

Et, se tournant vers M^me Marty :

— Une marquise, ma chère, une pauvre fille tombée dans la
gêne.

830 — Mais, dit Mouret, elle gagne ses trois francs par jour à
coudre des cahiers d'échantillons, et je crois que je vais lui faire
épouser un de mes garçons de magasin.

— Fi ! l'horreur ! cria M^me de Boves.

Il la regarda, il reprit de sa voix calme :

835 — Pourquoi donc, madame ? Est-ce qu'il ne vaut pas mieux
pour elle épouser un brave garçon, un gros travailleur, que de
courir le risque d'être ramassée par des fainéants sur le trottoir ?

Vallagnosc voulut intervenir, en plaisantant.

— Ne le poussez pas, madame. Il va vous dire que toutes les
840 vieilles familles de France devraient se mettre à vendre du
calicot [1].

— Mais, déclara Mouret, pour beaucoup d'entre elles ce
serait au moins une fin honorable.

On finit par rire, le paradoxe semblait un peu fort. Lui, conti-
845 nuait à célébrer ce qu'il appelait l'aristocratie du travail. Une
faible rougeur avait coloré les joues de M^me de Boves, que sa
gêne réduite aux expédients enrageait ; tandis que M^me Marty,
au contraire, approuvait, prise de remords, en songeant à son
pauvre mari. Justement, le domestique introduisit le professeur,

1. *Calicot* : toile de coton grossière.

850 qui venait la chercher. Il était plus sec, plus desséché par ses dures besognes, dans sa mince redingote luisante. Quand il eut remercié M^me Desforges d'avoir parlé pour lui au ministère, il jeta vers Mouret le regard craintif d'un homme qui rencontre le mal dont il mourra. Et il resta saisi d'entendre ce dernier lui
855 adresser la parole.

— N'est-ce pas, monsieur, que le travail mène à tout ?

— Le travail et l'épargne, répondit-il avec un léger grelottement de tout son corps. Ajoutez l'épargne, monsieur.

Cependant, Bouthemont était demeuré immobile dans son
860 fauteuil. Les paroles de Mouret sonnaient encore à ses oreilles. Il se leva enfin, il vint dire tout bas à Henriette :

— Vous savez qu'il m'a signifié mon congé, oh ! très gentiment… Mais du diable s'il ne s'en repent pas ! Je viens de trouver mon enseigne : *Aux Quatre Saisons*, et je me plante près
865 de l'Opéra !

Elle le regarda, ses yeux s'assombrirent.

— Comptez sur moi, j'en suis… Attendez.

Et elle attira le baron Hartmann dans l'embrasure d'une fenêtre. Sans attendre, elle lui recommanda Bouthemont, le
870 donna comme un gaillard qui allait à son tour révolutionner Paris, en s'établissant à son compte. Quand elle parla d'une commandite[1] pour son nouveau protégé, le baron, bien qu'il ne s'étonnât plus de rien, ne put réprimer un geste d'effarement. C'était le quatrième garçon de génie qu'elle lui confiait,
875 il finissait par se sentir ridicule. Mais il ne refusa pas nettement, l'idée de faire naître une concurrence au *Bonheur des Dames* lui plaisait même assez ; car il avait déjà inventé, en matière de banque, de se créer ainsi des concurrences, pour en

1. *Commandite (société en)* : « société formée de deux sortes d'associés, les uns solidairement et indéfiniment tenus des dettes sociales, les autres tenus dans les limites de leur apport » (*Le Petit Robert*).

dégoûter les autres. Puis, l'aventure l'amusait. Il promit d'exa-
880 miner l'affaire.

— Il faut que nous causions ce soir, revint dire Henriette à
l'oreille de Bouthemont. Vers neuf heures, ne manquez pas…
Le baron est à nous.

À ce moment, la vaste pièce s'emplissait de voix. Mouret,
885 toujours debout au milieu de ces dames, avait retrouvé sa bonne
grâce : il se défendait gaiement de les ruiner en chiffons, il offrait
de démontrer, chiffres en main, qu'il leur faisait économiser
trente pour cent sur leurs achats. Le baron Hartmann le regar-
dait, repris d'une admiration fraternelle d'ancien coureur de
890 guilledou [1]. Allons ! le duel était fini, Henriette restait par terre,
elle ne serait certainement pas la femme qui devait venir. Et il
crut revoir le profil modeste de la jeune fille, qu'il avait aperçue
en traversant l'antichambre. Elle était là, patiente, seule, redou-
table dans sa douceur.

XII

Ce fut le vingt-cinq septembre que commencèrent les
travaux de la nouvelle façade du *Bonheur des Dames*. Le baron
Hartmann, selon sa promesse, avait enlevé l'affaire, dans la
dernière réunion générale du Crédit Immobilier. Et Mouret
5 touchait enfin à la réalisation de son rêve : cette façade qui allait
grandir sur la rue du Dix-Décembre, était comme l'épanouis-
sement même de sa fortune. Aussi voulut-il fêter la pose de la
première pierre. Il en fit une cérémonie, distribua des gratifi-

1. *Coureur de guilledou* : séducteur, homme à femmes.

cations à ses vendeurs, leur donna le soir du gibier et du cham-
10 pagne. On remarqua son humeur joyeuse sur le chantier, le
geste victorieux dont il scella la pierre, d'un coup de truelle.
Depuis des semaines, il était inquiet, agité d'un tourment
nerveux, qu'il ne parvenait pas toujours à cacher ; et son triomphe
apportait un répit, une distraction dans sa souffrance. Toute
15 l'après-midi, il sembla revenu à sa gaieté d'homme bien portant.
Mais, dès le dîner, lorsqu'il traversa le réfectoire pour boire un
verre de champagne avec son personnel, il reparut fiévreux,
souriant d'un air pénible, les traits tirés par le mal inavoué qui
le rongeait. Il était repris.

20 Le lendemain, aux confections, Clara Prunaire essaya d'être
désagréable à Denise. Elle avait remarqué l'amour transi de
Colomban, elle eut l'idée de plaisanter les Baudu. Comme
Marguerite taillait son crayon en attendant les clientes, elle lui
dit à voix haute :

25 — Vous savez, mon amoureux d'en face... Il finit par me
chagriner dans cette boutique noire, où il n'entre jamais personne.

— Il n'est pas si malheureux, répondit Marguerite, il doit
épouser la fille du patron.

— Tiens ! reprit Clara, ce serait drôle de l'enlever alors !... Je
30 vais en faire la blague, parole d'honneur.

Et elle continua, heureuse de sentir Denise révoltée. Celle-
ci lui pardonnait tout ; mais l'idée de sa cousine Geneviève
mourante, achevée par cette cruauté, la jetait hors d'elle. Juste-
ment, une cliente se présentait, et comme M^{me} Aurélie venait
35 de descendre au sous-sol, elle prit la direction du comptoir, elle
appela Clara.

— Mademoiselle Prunaire, vous feriez mieux de vous occuper
de cette dame que de causer.

— Je ne causais pas.

40 — Veuillez vous taire, je vous prie. Et occupez-vous de madame
tout de suite.

Clara se résigna, domptée. Lorsque Denise faisait acte de force, sans élever le ton, pas une ne résistait. Elle avait conquis une autorité absolue, par sa douceur même. Un instant, elle se
45 promena en silence, au milieu de ces demoiselles devenues sérieuses. Marguerite s'était remise à tailler son crayon, dont la mine cassait toujours. Elle seule continuait à approuver la seconde de résister à Mouret, hochant la tête, n'avouant pas l'enfant qu'elle avait fait par hasard, mais déclarant que, si l'on
50 se doutait des embarras d'une bêtise, on aimerait mieux se bien conduire.

— Vous vous fâchez ? dit une voix derrière Denise.

C'était Pauline qui traversait le rayon. Elle avait vu la scène, elle parlait bas, en souriant.

55 — Mais il le faut bien, répondit de même Denise. Je ne puis venir à bout de mon petit monde.

La lingère haussa les épaules.

— Laissez donc, vous serez notre reine à toutes, quand vous voudrez.

60 Elle, ne comprenait toujours pas les refus de son amie. Depuis la fin d'août, elle avait épousé Baugé, une vraie sottise, disait-elle gaiement. Le terrible Bourdoncle la traitait maintenant en sabot [1], en femme perdue pour le commerce. Sa frayeur était qu'on ne les envoyât un beau matin s'aimer dehors, car ces messieurs de la
65 direction décrétaient l'amour exécrable et mortel à la vente. C'était au point que, lorsqu'elle rencontrait Baugé dans les galeries, elle affectait de ne pas le connaître. Justement, elle venait d'avoir une alerte, le père Jouve avait failli la surprendre causant avec son mari, derrière une pile de torchons.

70 — Tenez ! il m'a suivie, ajouta-t-elle, après avoir conté vivement l'aventure à Denise. Le voyez-vous qui me flaire de son grand nez !

1. *Sabot* : incapable (terme familier).

Jouve, en effet, sortait des dentelles, correctement cravaté de blanc, le nez à l'affût de quelque faute. Mais, lorsqu'il aperçut
75 Denise, il fit le gros dos et passa d'un air aimable.

— Sauvée ! murmura Pauline. Ma chère, vous lui avez rentré ça dans la gorge… Dites donc, s'il m'arrivait malheur, vous parleriez pour moi ? Oui, oui, ne prenez pas votre air étonné, on sait qu'un mot de vous révolutionnerait la maison.

80 Et elle se hâta de rentrer à son comptoir. Denise avait rougi, troublée de ces allusions amicales. C'était vrai, du reste. Elle avait la sensation vague de sa puissance, aux flatteries qui l'entouraient. Lorsque M^{me} Aurélie remonta, et qu'elle trouva le rayon tranquille et actif, sous la surveillance de la seconde, elle lui
85 sourit amicalement. Elle lâchait Mouret lui-même, son amabilité grandissait chaque jour pour une personne qui pouvait, un beau matin, ambitionner sa situation de première. Le règne de Denise commençait.

Seul, Bourdoncle ne désarmait pas. Dans la guerre sourde
90 qu'il continuait contre la jeune fille, il y avait d'abord une antipathie de nature. Il la détestait pour sa douceur et son charme. Puis, il la combattait comme une influence néfaste qui mettrait la maison en péril, le jour où Mouret aurait succombé. Les facultés commerciales du patron lui semblaient devoir sombrer,
95 au milieu de cette tendresse inepte[1] : ce qu'on avait gagné par les femmes, s'en irait par cette femme. Toutes le laissaient froid, il les traitait avec le dédain d'un homme sans passion, dont le métier était de vivre d'elles, et qui avait perdu ses illusions dernières, en les voyant à nu, dans les misères de son trafic. Au
100 lieu de le griser, l'odeur des soixante-dix mille clientes lui donnait d'intolérables migraines : il battait ses maîtresses, dès qu'il rentrait chez lui. Et ce qui l'inquiétait surtout, devant cette petite vendeuse devenue peu à peu si redoutable, c'était qu'il ne

1. *Inepte* : absurde, sotte.

croyait point à son désintéressement, à la franchise de ses refus.
105 Pour lui, elle jouait un rôle, le plus habile des rôles ; car, si elle
s'était livrée le premier jour, Mouret sans doute l'aurait oubliée
le lendemain ; tandis que, en se refusant, elle avait fouetté son
désir, elle le rendait fou, capable de toutes les sottises. Une
rouée, une fille de vice savant, n'aurait pas agi d'une autre façon
110 que cette innocente. Aussi Bourdoncle ne pouvait-il la voir, avec
ses yeux clairs, son visage doux, toute son attitude simple, sans
être pris maintenant d'une peur véritable, comme s'il avait eu,
en face de lui, une mangeuse de chair déguisée, l'énigme sombre
de la femme, la mort sous les traits d'une vierge. De quelle
115 manière déjouer la tactique de cette fausse ingénue[1] ? Il ne cher-
chait plus qu'à pénétrer ses artifices, dans l'espoir de les dévoiler
au grand jour ; certainement, elle commettrait quelque faute,
il la surprendrait avec un de ses amants, et elle serait chassée de
nouveau, la maison retrouverait enfin son beau fonctionnement
120 de machine bien montée.

 — Veillez, monsieur Jouve, répétait Bourdoncle à l'inspec-
teur. C'est moi qui vous récompenserai.

 Mais Jouve y apportait de la mollesse, car il avait pratiqué les
femmes, et il songeait à se mettre du côté de cette enfant, qui
125 pouvait être la maîtresse souveraine du lendemain. S'il n'osait
plus y toucher, il la trouvait diablement jolie. Son colonel,
autrefois, s'était tué pour une gamine pareille, une figure insi-
gnifiante, délicate et modeste, dont un seul regard retournait les
cœurs.

130 — Je veille, je veille, répondait-il. Mais, parole d'honneur ! je
ne découvre rien.

 Pourtant, des histoires circulaient, il y avait un courant de
commérages abominables, sous les flatteries et le respect que
Denise sentait monter autour d'elle. La maison entière, à cette

1. *Ingénue* : jeune fille innocente et naïve.

135 heure, racontait qu'elle avait eu jadis Hutin pour amant ; on
n'osait jurer que la liaison continuât, seulement on les soup-
çonnait de se revoir, de loin en loin. Et Deloche aussi couchait
avec elle : ils se retrouvaient sans cesse dans les coins noirs, ils
causaient pendant des heures. Un véritable scandale !

140 — Alors, rien du premier à la soie, rien du jeune homme des
dentelles ? répétait Bourdoncle.

— Non, monsieur, rien encore, affirmait l'inspecteur.

C'était surtout avec Deloche que Bourdoncle comptait
surprendre Denise. Un matin, lui-même les avait aperçus en
145 train de rire dans le sous-sol. En attendant, il traitait la jeune
fille de puissance à puissance, car il ne la dédaignait plus, il la
sentait assez forte pour le culbuter lui-même, malgré ses dix
ans de service, s'il perdait la partie.

— Je vous recommande le jeune homme des dentelles,
150 concluait-il chaque fois. Ils sont toujours ensemble. Si vous les
pincez, appelez-moi, et je me charge du reste.

Mouret, cependant, vivait dans l'angoisse. Était-ce possible ?
cette enfant le torturait à ce point ! Toujours il la revoyait arri-
vant au *Bonheur*, avec ses gros souliers, sa mince robe noire, son
155 air sauvage. Elle bégayait, tous se moquaient d'elle, lui-même
l'avait trouvée laide d'abord. Laide ! et, maintenant, elle l'aurait
fait mettre à genoux d'un regard, il ne l'apercevait plus que dans
un rayonnement ! Puis, elle était restée la dernière de la maison,
rebutée, plaisantée, traitée par lui en bête curieuse. Pendant des
160 mois, il avait voulu voir comment une fille poussait, il s'était
amusé à cette expérience, sans comprendre qu'il y jouait son
cœur. Elle, peu à peu, grandissait, devenait redoutable. Peut-
être l'aimait-il depuis la première minute, même à l'époque où
il ne croyait avoir que de la pitié. Et, pourtant, il ne s'était senti
165 à elle que le soir de leur promenade, sous les marronniers des
Tuileries. Sa vie partait de là, il entendait les rires d'un groupe
de fillettes, le ruissellement lointain d'un jet d'eau, tandis que,

dans l'ombre chaude, elle marchait près de lui, silencieuse.
Ensuite, il ne savait plus, sa fièvre avait augmenté d'heure en
170 heure, tout son sang, tout son être s'était donné. Une enfant
pareille, était-ce possible? Quand elle passait à présent, le vent
léger de sa robe lui paraissait si fort, qu'il chancelait.

Longtemps, il s'était révolté, et parfois encore, il s'indignait,
il voulait se dégager de cette possession imbécile. Qu'avait-elle
175 donc pour le lier ainsi? ne l'avait-il pas vue sans chaussures?
n'était-elle pas entrée presque par charité? Au moins, s'il se fût
agi d'une de ces créatures superbes qui ameutent la foule! mais
cette petite fille, cette rien du tout! Elle avait, en somme, une
de ces figures moutonnières dont on ne dit rien. Elle ne devait
180 même pas être d'une intelligence vive, car il se rappelait ses
mauvais débuts de vendeuse. Puis, après chacune de ses colères,
il y avait en lui une rechute de passion, comme une terreur
sacrée d'avoir insulté son idole[1]. Elle apportait tout ce qu'on
trouve de bon chez la femme, le courage, la gaieté, la simpli-
185 cité; et, de sa douceur, montait un charme, d'une subtilité
pénétrante de parfum. On pouvait ne pas la voir, la coudoyer
ainsi que la première venue; bientôt, le charme agissait avec
une force lente, invincible; on lui appartenait à jamais, si elle
daignait sourire. Tout souriait alors dans son visage blanc, ses
190 yeux de pervenche, ses joues et son menton troués de fossettes;
tandis que ses lourds cheveux blonds semblaient s'éclairer
aussi, d'une beauté royale et conquérante. Il s'avouait vaincu,
elle était intelligente comme elle était belle, son intelligence
venait du meilleur de son être. Lorsque les autres vendeuses,
195 chez lui, n'avaient qu'une éducation de frottement, le vernis
qui s'écaille des filles déclassées, elle, sans élégances fausses,
gardait sa grâce, la saveur de son origine. Les idées commer-
ciales les plus larges naissaient de la pratique, sous ce front

1. *Idole*: personne que l'on adore.

étroit, dont les lignes pures annonçaient la volonté et l'amour
200 de l'ordre. Et il aurait joint les deux mains, pour lui demander
pardon de blasphémer, dans ses heures de révolte.

Aussi pourquoi se refusait-elle avec une pareille obstina-
tion ? Vingt fois, il l'avait suppliée, augmentant ses offres,
offrant de l'argent, beaucoup d'argent. Puis, il s'était dit qu'elle
205 devait être ambitieuse, il lui avait promis de la nommer
première, dès qu'un rayon serait vacant. Et elle refusait, elle
refusait encore ! C'était pour lui une stupeur, une lutte où son
désir s'enrageait. Le cas lui semblait impossible, cette enfant
finirait par céder, car il avait toujours regardé la sagesse d'une
210 femme comme une chose relative. Il ne voyait plus d'autre but,
tout disparaissait dans ce besoin : la tenir enfin chez lui, l'as-
seoir sur ses genoux, en la baisant aux lèvres ; et, à cette vision,
le sang de ses veines battait, il demeurait tremblant, bouleversé
de son impuissance.

215 Désormais, ses journées s'écoulaient dans la même obsession
douloureuse. L'image de Denise se levait avec lui. Il avait rêvé
d'elle la nuit, elle le suivait devant le grand bureau de son
cabinet, où il signait les traites et les mandats, de neuf à dix
heures : besogne qu'il accomplissait machinalement, sans cesser
220 de la sentir présente, disant toujours non de son air tranquille.
Puis, à dix heures, c'était le conseil, un véritable conseil des
ministres, une réunion des douze intéressés de la maison, qu'il
lui fallait présider : on discutait les questions d'ordre intérieur,
on examinait les achats, on arrêtait les étalages ; et elle était
225 encore là, il entendait sa voix douce au milieu des chiffres, il
voyait son clair sourire dans les situations financières les plus
compliquées. Après le conseil, elle l'accompagnait, faisait avec
lui l'inspection quotidienne des comptoirs, revenait l'après-midi
dans le cabinet de la direction, restait près de son fauteuil de deux
230 à quatre, pendant qu'il recevait toute une foule, les fabricants de
la France entière, de hauts industriels, des banquiers, des inven-

teurs : va-et-vient continu de la richesse et de l'intelligence, danse
affolée des millions, entretiens rapides où l'on brassait les plus
grosses affaires du marché de Paris. S'il l'oubliait une minute en
235 décidant de la ruine ou de la prospérité d'une industrie, il la
retrouvait debout, à un élancement de son cœur ; sa voix expi-
rait, il se demandait à quoi bon cette fortune remuée, puisqu'elle
ne voulait pas. Enfin, lorsque sonnaient cinq heures, il devait
signer le courrier, le travail machinal de sa main recommençait,
240 pendant qu'elle se dressait plus dominatrice, le reprenant tout
entier, pour le posséder à elle seule, durant les heures solitaires
et ardentes de la nuit. Et, le lendemain, la même journée recom-
mençait, ces journées si actives, si pleines d'un colossal labeur,
que l'ombre fluette d'une enfant suffisait à ravager d'angoisse.
245 Mais c'était surtout pendant son inspection quotidienne des
magasins, qu'il sentait sa misère. Avoir bâti cette machine géante,
régner sur un pareil monde, et agoniser de douleur, parce qu'une
petite fille ne veut pas de vous ! Il se méprisait, il traînait la fièvre
et la honte de son mal. Certains jours, le dégoût le prenait de sa
250 puissance, il ne lui venait que des nausées, d'un bout à l'autre des
galeries. D'autres fois, il aurait voulu étendre son empire, le faire
si grand, qu'elle se serait livrée peut-être, d'admiration et de peur.
D'abord, en bas, dans les sous-sols, il s'arrêtait devant la glis-
soire. Elle se trouvait toujours rue Neuve-Saint-Augustin ; mais
255 on avait dû l'élargir, elle avait maintenant un lit de fleuve, où
le continuel flot des marchandises roulait avec la voix haute des
grandes eaux ; c'étaient des arrivages du monde entier, des files
de camions venus de toutes les gares, un déchargement sans
arrêt, un ruissellement de caisses et de ballots coulant sous terre,
260 bu par la maison insatiable. Il regardait ce torrent tomber chez
lui, il songeait qu'il était un des maîtres de la fortune publique,
qu'il tenait dans ses mains le sort de la fabrication française, et
qu'il ne pouvait acheter le baiser d'une de ses vendeuses.
Puis, il passait au service de la réception, qui occupait à cette

265 heure la partie des sous-sols en bordure sur la rue Monsigny.
Vingt tables s'y allongeaient, dans la clarté pâle des soupiraux ;
tout un peuple de commis s'y bousculait, vidant les caisses,
vérifiant les marchandises, les marquant en chiffres connus ; et
l'on entendait sans relâche le ronflement voisin de la glissoire,
270 qui dominait les voix. Des chefs de rayon l'arrêtaient, il devait
résoudre des difficultés, confirmer des ordres. Ce fond de cave
s'emplissait de l'éclat tendre des satins, de la blancheur des
toiles, d'un déballage prodigieux où les fourrures se mêlaient
aux dentelles, et les articles de Paris, aux portières d'Orient.
275 Lentement, il marchait parmi ces richesses jetées sans ordre,
entassées à l'état brut. En haut, elles allaient s'allumer aux
étalages, lâcher le galop de l'argent à travers les comptoirs,
aussi vite emportées que montées, dans le furieux courant de
vente qui traversait la maison. Lui, songeait qu'il avait offert
280 à la jeune fille des soies, des velours, tout ce qu'elle voudrait
prendre à pleines mains, dans ces tas énormes, et qu'elle avait
refusé, d'un petit signe de sa tête blonde.

Ensuite, il se rendait à l'autre bout des sous-sols, pour
donner son coup d'œil habituel au service du départ. D'inter-
285 minables corridors s'étendaient, éclairés au gaz ; à droite et à
gauche, les réserves, fermées par des claies[1], mettaient comme
des boutiques souterraines, tout un quartier commerçant, des
merceries, des lingeries, des ganteries, des bimbeloteries[2],
dormant dans l'ombre. Plus loin, se trouvait un des trois calo-
290 rifères[3] ; plus loin encore, un poste de pompiers gardait le
compteur central, enfermé dans sa cage métallique. Il trouvait,
au départ, les tables de triage encombrées déjà des charges de
paquets, de cartons et de boîtes, que des paniers descendaient

1. *Claies* : assemblage de lattes de bois. \ 2. *Bimbeloteries* : magasins où l'on vend des bibe-
lots, petits objets décoratifs. \ 3. *Calorifères* : appareils de chauffage qui distribuent dans
l'ensemble d'un bâtiment la chaleur produite par une chaudière.

continuellement ; et Campion, le chef du service, le renseignait
295 sur la besogne courante, tandis que les vingt hommes placés
sous ses ordres distribuaient les paquets dans les comparti-
ments, qui portaient chacun le nom d'un quartier de Paris, et
d'où les garçons les montaient ensuite aux voitures, rangées
le long du trottoir. C'étaient des appels, des noms de rue jetés,
300 des recommandations criées, tout un vacarme, toute une agita-
tion de paquebot, sur le point de lever l'ancre. Et il restait un
moment immobile, il regardait ce dégorgement de marchan-
dises, dont il venait de voir la maison s'engorger, à l'extrémité
opposée des sous-sols : l'énorme courant aboutissait là, sortait
305 par là dans la rue, après avoir déposé de l'or au fond des caisses.
Ses yeux se troublaient, ce départ colossal n'avait plus d'im-
portance, il ne lui restait qu'une idée de voyage, l'idée de s'en
aller dans des pays lointains, de tout abandonner, si elle s'obs-
tinait à dire non.
310 Alors, il remontait, il continuait sa tournée, parlant et s'agi-
tant davantage, sans pouvoir se distraire. Au second étage, il visi-
tait le service des expéditions, cherchait des querelles, s'exaspé-
rait sourdement contre la régularité parfaite de la machine qu'il
avait réglée lui-même. Ce service était celui qui prenait de jour
315 en jour l'importance la plus considérable : il nécessitait à présent
deux cents employés, dont les uns ouvraient, lisaient, classaient
les lettres venues de la province et de l'étranger, tandis que les
autres réunissaient dans des cases les marchandises demandées
par les signataires. Et le nombre des lettres croissait tellement,
320 qu'on ne les comptait plus ; on les pesait, il en arrivait jusqu'à
cent livres par jour. Lui, fiévreux, traversait les trois salles du
service, questionnait Levasseur, le chef, sur le poids du courrier :
quatre-vingts livres, quatre-vingt-dix parfois, le lundi cent. Le
chiffre montait toujours, il aurait dû être ravi. Mais il demeu-
325 rait frissonnant, dans le tapage que l'équipe voisine des embal-
leurs faisait en clouant des caisses. En vain, il battait la maison :

l'idée fixe restait enfoncée entre ses deux yeux, et à mesure que sa puissance se déroulait, que les rouages des services et l'armée de son personnel défilaient devant lui, il sentait plus profondé-
330 ment l'injure de son impuissance. Les commandes de l'Europe entière affluaient, il fallait une voiture des Postes spéciale pour apporter la correspondance ; et elle disait non, toujours non.

Il redescendait, visitait la caisse centrale, où quatre caissiers gardaient les deux coffres-forts géants, dans lesquels venaient de
335 passer, l'année précédente, quatre-vingt-huit millions. Il donnait un coup d'œil au bureau de la vérification des factures, qui occu-pait vingt-cinq employés, choisis parmi les plus sérieux. Il entrait au bureau de défalcation[1], un service de trente-cinq jeunes gens, les débutants de la comptabilité, chargés de contrôler les notes de
340 débit et de calculer le tant pour cent des vendeurs. Il revenait à la caisse centrale, s'irritait à la vue des coffres-forts, marchait au milieu de ces millions, dont l'inutilité le rendait fou. Elle disait non, toujours non.

Non toujours, dans tous les comptoirs, dans les galeries de
345 vente, dans les salles, dans les magasins entiers ! Il allait de la soie à la draperie, du blanc aux dentelles ; il montait les étages, s'ar-rêtait sur les ponts volants, prolongeait son inspection, avec une minutie maniaque et douloureuse. La maison s'était agrandie démesurément, il avait créé ce rayon, cet autre encore, il gouver-
350 nait ce nouveau domaine, il étendait son empire jusqu'à cette industrie, la dernière conquise ; et c'était non, toujours non, quand même. Aujourd'hui, son personnel aurait peuplé une petite ville : il y avait quinze cents vendeurs, mille autres employés de toute espèce, dont quarante inspecteurs et soixante-dix caissiers ; les
355 cuisines seules occupaient trente-deux hommes ; on comptait dix commis pour la publicité, trois cent cinquante garçons de magasin portant la livrée, vingt-quatre pompiers à demeure. Et,

1. *Bureau de défalcation* : bureau chargé de la comptabilité.

dans les écuries, des écuries royales, installées rue Monsigny, en
face des magasins, se trouvaient cent quarante-cinq chevaux, tout
360 un luxe d'attelage déjà célèbre. Les quatre premières voitures qui
remuaient le commerce du quartier, autrefois, lorsque la maison
n'occupait encore que l'angle de la place Gaillon, étaient montées
peu à peu au chiffre de soixante-deux : petites voitures à bras,
voitures à un cheval, lourds chariots à deux chevaux. Continuel-
365 lement, elles sillonnaient Paris, conduites avec correction par des
cochers vêtus de noir, promenant l'enseigne d'or et de pourpre
du *Bonheur des Dames*. Même elles sortaient des fortifications,
couraient la banlieue ; on les rencontrait dans les chemins creux
de Bicêtre, le long des berges de la Marne, jusque sous les
370 ombrages de la forêt de Saint-Germain ; parfois, du fond d'une
avenue ensoleillée, en plein désert, en plein silence, on en voyait
une surgir, passer au trot de ses bêtes superbes, en jetant à la
paix mystérieuse de la grande nature la réclame violente de ses
panneaux vernis. Il rêvait de les lancer plus loin, dans les dépar-
375 tements voisins, il aurait voulu les entendre rouler sur toutes les
routes de France, d'une frontière à l'autre. Mais, il ne descendait
même plus visiter ses chevaux, qu'il adorait. À quoi bon cette
conquête du monde, puisque c'était non, toujours non ?

Maintenant, le soir, lorsqu'il arrivait devant la caisse de
380 Lhomme, il regardait encore par habitude le chiffre de la recette,
inscrit sur une carte, que le caissier embrochait dans une pique
de fer, à côté de lui ; rarement le chiffre tombait au-dessous de cent
mille francs, il montait parfois à huit ou neuf cent mille, les jours
de grande exposition ; et ce chiffre ne sonnait plus à son oreille
385 comme un coup de trompette, il regrettait de l'avoir regardé, il
en emportait une amertume, la haine et le mépris de l'argent.

Mais les souffrances de Mouret devaient grandir. Il devint
jaloux. Un matin, dans le cabinet, avant le conseil, Bourdoncle
osa lui faire entendre que cette petite fille des confections se
390 moquait de lui.

— Comment ça ? demanda-t-il, très pâle.

— Eh oui ! elle a des amants ici même.

Mouret eut la force de sourire.

— Je ne songe plus à elle, mon cher. Vous pouvez parler…
395 Qui donc, des amants ?

— Hutin, assure-t-on, et encore un vendeur des dentelles,
Deloche, ce grand garçon bête… Je n'affirme rien, je ne les ai
pas vus. Seulement, il paraît que ça crève les yeux.

Il y eut un silence. Mouret affectait de ranger des papiers sur
400 son bureau, pour cacher le tremblement de ses mains. Enfin,
il dit sans lever la tête :

— Il faudrait des preuves, tâchez de m'apporter des preuves…
Oh ! pour moi, je vous le répète, je m'en moque, car elle a fini
par m'agacer. Mais nous ne pourrions tolérer des choses pareilles
405 chez nous.

Bourdoncle répondit simplement :

— Soyez tranquille, vous aurez des preuves, un de ces jours.
Je veille.

Alors, Mouret acheva de perdre toute tranquillité. Il n'eut
410 plus le courage de revenir sur cette conversation, il vécut dans
la continuelle attente d'une catastrophe, où son cœur resterait
broyé. Et son tourment le rendit terrible, la maison entière
trembla. Il dédaignait de se cacher derrière Bourdoncle, il
faisait lui-même les exécutions, dans un besoin nerveux de
415 rancune, se soulageant à abuser de sa puissance, de cette puis-
sance qui ne pouvait rien pour le contentement de son désir
unique. Chacune de ses inspections devenait un massacre, on
ne le voyait plus paraître, sans qu'un frisson de panique souf-
flât de comptoir en comptoir. Justement, on entrait dans la
420 morte-saison d'hiver, et il balaya les rayons, il entassa les
victimes, poussant tout à la rue. Sa première idée était de
chasser Hutin et Deloche ; puis, il avait réfléchi que, s'il ne les
gardait pas, il ne saurait jamais rien ; et les autres payaient

pour eux, le personnel entier craquait. Le soir, quand il se
425 retrouvait seul, des larmes lui gonflaient les paupières.

Un jour surtout, la terreur régna. Un inspecteur croyait
remarquer que le gantier Mignot volait. Toujours des filles aux
allures étranges rôdaient devant son comptoir ; et l'on venait
d'arrêter une d'elles, les hanches garnies et la gorge bourrée de
430 soixante paires de gants. Dès lors, une surveillance fut orga-
nisée, l'inspecteur prit Mignot en flagrant délit, facilitant les
tours de main d'une grande blonde, une ancienne vendeuse du
Louvre tombée au trottoir : la manœuvre était simple, il affec-
tait de lui essayer des gants, attendait qu'elle se fût emplie, et
435 la menait ensuite à une caisse, où elle en payait une paire. Juste-
ment, Mouret se trouvait là. D'habitude, il préférait ne pas se
mêler de ces sortes d'aventures, qui étaient fréquentes ; car,
malgré le fonctionnement de machine bien réglée, un grand
désordre régnait dans certains rayons du *Bonheur des Dames,* et
440 il ne se passait pas de semaine, sans qu'on chassât un employé
pour vol. Même la direction aimait mieux faire le plus de
silence possible autour de ces vols, jugeant inutile de mettre
la police sur pied, ce qui aurait étalé une des plaies fatales des
grands bazars. Seulement, ce jour-là, Mouret avait le besoin de
445 se fâcher, et il traita violemment le joli Mignot, qui tremblait
de peur, la face blême et décomposée.

— Je devrais appeler un sergent de ville, criait-il au milieu
des autres vendeurs. Mais répondez ! quelle est cette femme ?...
Je vous jure que j'envoie chercher le commissaire, si vous ne
450 me dites pas la vérité.

On avait emmené la femme, deux vendeuses la déshabillaient.
Mignot balbutia :

— Monsieur, je ne la connais pas autrement... C'est elle qui
est venue...

455 — Ne mentez donc pas ! interrompit Mouret avec un redou-
blement de violence. Et personne ici qui nous avertisse ! Vous

vous entendez tous, ma parole ! Nous sommes dans une véritable forêt de Bondy [1], volés, pillés, saccagés ! C'est à n'en plus laisser sortir un seul, sans fouiller ses poches !

460 Des murmures se firent entendre. Les trois ou quatre clientes, qui achetaient des gants, restaient effarées.

– Silence ! reprit-il furieusement, ou je balaie la maison !

Mais Bourdoncle était accouru, inquiet à l'idée du scandale. Il murmura quelques mots à l'oreille de Mouret, l'affaire 465 prenait une gravité exceptionnelle ; et il le décida à conduire Mignot dans le bureau des inspecteurs, une pièce située au rez-de-chaussée, près de la porte Gaillon. La femme se trouvait là, en train de remettre tranquillement son corset. Elle venait de nommer Albert Lhomme. Mignot, questionné de 470 nouveau, perdit la tête, sanglota : lui, n'était pas coupable, c'était Albert qui lui envoyait ses maîtresses ; d'abord, il les avantageait simplement, les faisait profiter des occasions ; puis, quand elles finissaient par voler, il était trop compromis déjà pour avertir ces messieurs. Et ceux-ci apprirent alors 475 toute une série de vols extraordinaires : des marchandises enlevées par des filles, qui allaient les attacher sous leurs jupons, dans les cabinets luxueux, installés près du buffet, au milieu des plantes vertes ; des achats qu'un vendeur négligeait d'appeler à une caisse, lorsqu'il y conduisait une cliente, 480 et dont il partageait le prix avec le caissier ; jusqu'à de faux « rendus », des articles qu'on annonçait comme rentrés dans la maison, pour empocher l'argent remboursé fictivement ; sans compter le vol classique, des paquets sortis le soir sous la redingote, roulés autour de la taille, parfois même pendus 485 le long des cuisses. Depuis quatorze mois, grâce à Mignot et à d'autres vendeurs sans doute qu'ils refusèrent de nommer, il se faisait ainsi, à la caisse d'Albert, une cuisine louche, tout

1. *Forêt de Bondy* : forêt située à l'est de Paris, qui était autrefois un véritable repaire de voleurs.

un gâchis impudent, pour des sommes dont on ne connut jamais le chiffre exact.

490 Cependant, la nouvelle s'était répandue dans les rayons. Les consciences inquiètes frissonnaient, les honnêtetés les plus sûres d'elles redoutaient le coup de balai général. On avait vu Albert disparaître dans le bureau des inspecteurs. Ensuite Lhomme était passé, étouffant, le sang au visage, le cou serré
495 déjà par l'apoplexie[1]. Puis, Mᵐᵉ Auréle elle-même venait d'être appelée ; et elle, la tête haute sous l'affront, avait la bouffissure grasse et blême d'un masque de cire. L'explication dura long-temps, personne n'en sut au juste les détails : on raconta que la première des confections avait giflé son fils, à lui retourner
500 la tête, et que le vieux brave homme de père pleurait, pendant que le patron, sorti de toutes ses habitudes de grâce, jurait comme un charretier, en voulant absolument livrer les coupables aux tribunaux. Cependant, on étouffa le scandale. Seul, Mignot fut chassé sur-le-champ. Albert ne disparut que
505 deux jours plus tard ; sans doute, sa mère avait obtenu qu'on ne déshonorât pas la famille par une exécution immédiate. Mais la panique souffla plusieurs jours encore, car, après la scène, Mouret s'était promené d'un bout à l'autre des magasins, l'œil terrible, sabrant devant lui ceux qui osaient simplement
510 lever les yeux.

 — Que faites-vous là, monsieur, à regarder les mouches ?... Passez à la caisse !

 Enfin, l'orage éclata un jour sur la tête de Hutin lui-même. Favier, nommé second, mangeait le premier, afin de le déloger
515 de sa place. C'était la continuelle tactique, des rapports sournois adressés à la direction, des occasions exploitées pour faire prendre le chef de comptoir en défaut. Donc, un matin, comme

1. *Apoplexie* : arrêt brusque des fonctions cérébrales sans interruption de la circulation ni de la respiration.

Mouret traversait la soie, il s'arrêta, surpris de voir Favier en train de modifier les étiquettes de tout un solde de velours noir.

520 — Pourquoi baissez-vous les prix ? demanda-t-il. Qui vous en a donné l'ordre ?

Le second, qui menait grand bruit autour de ce travail, comme s'il eût voulu accrocher le directeur au passage, en prévoyant la scène, répondit d'un air naïvement surpris :

525 — Mais c'est M. Hutin, monsieur.

— M. Hutin !… Où est donc M. Hutin ?

Et, lorsque celui-ci fut remonté de la réception, où un vendeur était descendu le chercher, une explication vive s'engagea. Comment ! il baissait maintenant les prix de lui-même !

530 Mais il parut très étonné à son tour, il avait simplement causé de cette baisse avec Favier, sans donner un ordre positif. Alors, ce dernier prit l'air chagrin d'un employé qui se voit dans l'obligation de contredire son supérieur. Pourtant, il voulait bien accepter la faute, s'il s'agissait de le tirer d'un mauvais pas.

535 Du coup, les choses se gâtèrent.

— Entendez-vous ! monsieur Hutin, criait Mouret, je n'ai jamais toléré ces tentatives d'indépendance… Nous seuls décidons de la marque[1].

Il continua, d'une voix âpre, avec des intentions blessantes, qui surprirent les vendeurs, car d'ordinaire ces sortes

540 de discussions avaient lieu à l'écart, et le cas pouvait du reste venir en effet d'un malentendu. On sentait chez lui comme une rancune inavouée à satisfaire. Enfin, il le prenait donc en défaut, ce Hutin qu'on donnait pour amant à Denise ! il pouvait donc se soulager un peu, en lui faisant sentir dure-

545 ment qu'il était le maître ! Et il exagérait les choses, il finissait par insinuer que la baisse des prix cachait des intentions peu honnêtes.

1. *Marque* : prix fixe affiché.

— Monsieur, répétait Hutin, je comptais vous soumettre
550 cette baisse… Elle est nécessaire, vous le savez, car ces velours
n'ont pas réussi.

Mouret voulut couper court, par une dernière dureté.

— C'est bien, monsieur, nous examinerons l'affaire… Et ne
recommencez pas, si vous tenez à la maison.

555 Il tourna le dos. Hutin, étourdi, furieux, ne trouvant que
Favier pour vider son cœur, lui jura qu'il allait flanquer sa
démission à la tête de cette brute-là. Puis, il ne parla plus de
s'en aller, il remuait seulement toutes les accusations abomi-
nables qui traînaient parmi les vendeurs contre les chefs. Et
560 Favier, l'œil luisant, se défendait, avec de grandes démonstra-
tions de sympathie. Il avait dû répondre, n'est-ce pas ? et puis,
est-ce qu'on pouvait s'attendre à une pareille histoire pour des
bêtises ? Sur quoi donc marchait le patron, depuis quelque
temps, qu'il devenait indécrottable ?

565 — Oh ! sur quoi il marche, on le sait, reprit Hutin. Est-ce ma
faute, à moi, si cette grue des confections le fait tourner en
bourrique !… Voyez-vous, mon cher, le coup vient de là. Il sait
que j'ai couché avec, et ça ne lui est pas agréable ; ou bien c'est
elle qui veut me faire flanquer à la porte, parce que je la gêne…
570 Je vous jure qu'elle aura de mes nouvelles, si jamais elle tombe
sous ma patte.

Deux jours plus tard, comme Hutin était monté, à l'atelier
des confections, en haut, sous les toits, pour recommander lui-
même une ouvrière, il eut un léger sursaut, en apercevant, au
575 bout d'un couloir, Denise et Deloche accoudés devant une
fenêtre ouverte, si enfoncés dans une conversation intime,
qu'ils ne tournèrent pas la tête. L'idée de les faire surprendre
lui vint brusquement, lorsqu'il s'aperçut que Deloche pleurait.
Alors, il se retira sans bruit ; et, dans l'escalier, ayant rencontré
580 Bourdoncle et Jouve, il leur conta une histoire, un des extinc-
teurs dont la porte semblait arrachée ; de cette façon, ils monte-

raient, ils tomberaient sur les deux autres. Bourdoncle les découvrit le premier. Il s'arrêta net, dit à Jouve d'aller chercher le directeur, pendant que lui resterait là. L'inspecteur dut obéir,
585 très contrarié de se compromettre dans une pareille affaire.

C'était un coin perdu du vaste monde où s'agitait le peuple du *Bonheur des Dames*. On y arrivait par une complication d'escaliers et de couloirs. Les ateliers occupaient les combles, une suite de salles basses et mansardées, éclairées de larges baies
590 taillées dans le zinc, uniquement meublées de longues tables et de gros poêles de fonte ; il y avait, à la file, des lingères, des dentellières, des tapissiers, des confectionneuses, vivant l'été et l'hiver dans une chaleur étouffante, au milieu de l'odeur spéciale du métier ; et l'on devait longer toute l'aile, prendre à gauche
595 après les confectionneuses, monter cinq marches, avant d'atteindre ce bout écarté de corridor. Les rares clientes, qu'un vendeur amenait là parfois, pour une commande, reprenaient haleine, brisées, effarées, avec la sensation de tourner sur elles-mêmes depuis des heures, et d'être à cent lieues du trottoir.

600 Plusieurs fois déjà, Denise avait trouvé Deloche qui l'attendait. Comme seconde, elle était chargée des rapports du rayon avec l'atelier, où l'on ne faisait d'ailleurs que les modèles et les retouches ; et, à toute heure, elle montait, pour donner des ordres. Il la guettait, inventait un prétexte, filait derrière elle ; puis, il
605 affectait la surprise, quand il la rencontrait, à la porte des confectionneuses. Elle avait fini par en rire, c'étaient comme des rendez-vous acceptés. Le corridor longeait le réservoir, un énorme cube de tôle qui contenait soixante mille litres d'eau ; et il y en avait, sur le toit, un second d'égale grandeur, auquel on arrivait par une
610 échelle de fer. Un instant, Deloche causait, appuyé d'une épaule contre le réservoir, dans le continuel abandon de son grand corps ployé de fatigue. Des bruits d'eau chantaient, des bruits mystérieux dont la tôle gardait toujours la vibration musicale. Malgré le profond silence, Denise se retournait avec inquiétude, ayant

615 cru voir passer une ombre sur les murailles nues, peintes en jaune
clair. Mais, bientôt, la fenêtre les attirait, ils s'y accoudaient, s'y
oubliaient dans des bavardages rieurs, des souvenirs sans fin sur
le pays de leur enfance. Au-dessous d'eux, s'étendait l'immense
vitrage de la galerie centrale, un lac de verre borné par les toitures
620 lointaines, comme par des côtes rocheuses. Et ils ne voyaient au-
delà que du ciel, une nappe de ciel, qui reflétait, dans l'eau
dormante des vitres, le vol de ses nuages et le bleu tendre de son
azur.

Justement, ce jour-là, Deloche parlait de Valognes.

625 — J'avais six ans, ma mère m'emmenait dans une carriole au
marché de la ville. Vous savez qu'il y a treize bons kilomètres,
il fallait partir de Briquebec à cinq heures... C'est très beau,
par chez nous. Est-ce que vous connaissez?

— Oui, oui, répondait lentement Denise, les regards au loin.
630 J'y suis allée une fois, mais j'étais bien petite... Des routes, avec
des gazons à droite et à gauche, n'est-ce pas? et, de loin en loin,
des moutons lâchés deux à deux, traînant la corde de leurs
entraves...

Elle se taisait, puis reprenait avec un vague sourire:

635 — Nous autres, nous avons des routes droites pendant des
lieues, entre les arbres qui font de l'ombre... Nous avons
des herbages entourés de haies plus grandes que moi, où il y a
des chevaux et des vaches... Nous avons une petite rivière, et
l'eau est très froide, sous les broussailles, dans un endroit que
640 je sais bien.

— C'est comme nous! c'est comme nous! criait Deloche ravi.
Il n'y a que de l'herbe, chacun enferme son morceau avec des
aubépines et des ormes, et l'on est chez soi, et c'est tout vert,
oh! d'un vert qu'ils n'ont pas à Paris... Mon Dieu! que j'ai joué
645 au fond du chemin creux, à gauche, en descendant du moulin!

Et leurs voix défaillaient, ils demeuraient les yeux fixés et
perdus sur le lac ensoleillé des vitres. Un mirage se levait pour

eux de cette eau aveuglante, ils voyaient des pâturages à l'infini, le Cotentin trempé par les haleines de l'océan, baigné d'une vapeur lumineuse, qui fondait l'horizon dans un gris délicat d'aquarelle. En bas, sous la colossale charpente de fer, dans le hall des soieries, ronflait la vente, la trépidation de la machine en travail ; toute la maison vibrait du piétinement de la foule, de la hâte des vendeurs, de la vie des trente mille personnes qui s'écrasaient là ; et eux, emportés par leur rêve, à sentir ainsi cette profonde et sourde clameur dont les toits frémissaient, croyaient entendre le vent du large passer sur les herbes, en secouant les grands arbres.

— Mon Dieu ! mademoiselle Denise, balbutia Deloche, pourquoi n'êtes-vous pas plus gentille ?... Moi qui vous aime tant !

Des larmes lui étaient montées aux yeux et comme elle voulait l'interrompre d'un geste, il continua vivement :

— Non, laissez-moi vous dire ces choses une fois encore... Nous nous entendrions si bien ensemble ! On a toujours à causer, quand on est du même pays.

Il suffoqua, elle put enfin dire doucement :

— Vous n'êtes pas raisonnable, vous m'aviez promis de ne plus parler de cela... C'est impossible. J'ai beaucoup d'amitié pour vous, parce que vous êtes un brave garçon ; mais je veux rester libre.

— Oui, oui, je sais, reprit-il d'une voix brisée, vous ne m'aimez pas. Oh ! vous pouvez le dire, je comprends ça, je n'ai rien pour que vous m'aimiez... Tenez ! il n'y a eu qu'une bonne heure dans ma vie, le soir où je vous ai rencontrée à Joinville, vous vous souvenez ? Un instant, sous les arbres, où il faisait si noir, j'ai cru que votre bras tremblait, j'ai été assez bête pour m'imaginer...

Mais elle lui coupa de nouveau la parole. Son oreille fine venait d'entendre les pas de Bourdoncle et de Jouve, au bout du corridor.

— Écoutez donc, on a marché.

— Non, dit-il, en l'empêchant de quitter la fenêtre. C'est dans ce réservoir : il en sort toujours des bruits extraordinaires, on croirait qu'il y a un monde dedans.

685 Et il continua ses plaintes timides et caressantes. Elle ne l'écoutait plus, reprise d'une songerie à ce bercement d'amour, promenant ses regards sur les toitures du *Bonheur des Dames*. À droite et à gauche de la galerie vitrée, d'autres galeries, d'autres halls luisaient au soleil, entre des combles troués de 690 fenêtres et allongés symétriquement, comme des ailes de caserne. Des charpentes métalliques se dressaient, des échelles, des ponts, qui découpaient leur dentelle dans le bleu de l'air ; tandis que la cheminée des cuisines faisait une grosse fumée de fabrique, et que le grand réservoir carré, tenu en plein ciel sur 695 des piliers de fonte, prenait un étrange profil de construction barbare, haussée à cette place par l'orgueil d'un homme. Au loin, Paris grondait.

Lorsque Denise revint de ces espaces, de ce développement du *Bonheur* où ses pensées flottaient comme dans une solitude, 700 elle vit que Deloche s'était emparé de sa main. Et il avait le visage si bouleversé, qu'elle ne la retira pas.

— Pardonnez-moi, murmurait-il. C'est fini maintenant, je serais trop malheureux, si vous me punissiez en reprenant votre amitié... Je vous jure que je voulais vous dire autre chose. Oui, 705 je m'étais promis de comprendre la situation, d'être bien sage...

Ses larmes coulaient de nouveau, il tâchait d'affermir sa voix.

— Car, enfin, je connais mon lot, dans l'existence. Ce n'est pas maintenant que la chance peut tourner. Battu là-bas, battu à Paris, battu partout. Voici quatre ans que je suis ici, et je reste 710 le dernier du rayon... Alors, je voulais vous dire de ne pas avoir de la peine à cause de moi. Je ne vous ennuierai plus. Tâchez d'être heureuse, aimez-en un autre ; oui, ça me fera plaisir. Si vous êtes heureuse, je serai heureux... Ce sera mon bonheur.

Il ne put continuer. Comme pour sceller sa promesse, il avait
715 posé les lèvres sur la main de la jeune fille, qu'il baisait d'un
humble baiser d'esclave. Elle était très touchée, elle dit simple-
ment, avec une fraternité attendrie, qui atténuait la pitié des
mots :

— Mon pauvre garçon !

720 Mais ils tressaillirent, ils se tournèrent. Mouret était devant
eux.

Depuis dix minutes, Jouve cherchait le directeur dans les
magasins. Celui-ci se trouvait sur les chantiers de la nouvelle
façade, rue du Dix-Décembre. Tous les jours, il y passait de
725 longues heures, il tentait de s'intéresser à ces travaux, dont il
avait si longtemps rêvé. C'était son refuge contre ses tour-
ments, au milieu des maçons établissant les piles d'angle en
pierres de taille, et des serruriers posant les fers des grandes
charpentes. Déjà, la façade, sortie du sol, indiquait le vaste
730 porche, les baies du premier étage, un développement de palais
à l'état d'ébauche. Il montait aux échelles, discutait avec l'ar-
chitecte l'ornementation qui devait être tout à fait neuve,
enjambait les fers et les briques, descendait jusque dans les
caves ; et le ronflement de la machine à vapeur, le tic-tac des
735 treuils, le tapage des marteaux, la clameur de ce peuple d'ou-
vriers, au travers de cette grande cage entourée de planches
sonores, arrivaient à l'étourdir un instant. Il en sortait blanc de
plâtre, noir de limaille, les pieds éclaboussés par les robinets des
prises d'eau, si peu guéri de son mal, que l'angoisse revenait et
740 battait son cœur à coups plus retentissants, à mesure que le
vacarme du chantier s'éteignait derrière lui. Précisément, ce
jour-là, une distraction lui avait rendu sa gaieté, il se passion-
nait en regardant sur un album les dessins des mosaïques et des
terres cuites émaillées, qui devaient décorer les frises, lorsque
745 Jouve était venu le chercher, essoufflé, très ennuyé de salir sa
redingote parmi ces matériaux. D'abord, il avait crié qu'on

pouvait bien l'attendre ; puis, sur un mot de l'inspecteur dit à voix basse, il l'avait suivi, frissonnant, repris tout entier. Plus rien n'existait, la façade croulait avant d'être debout : à quoi
750 bon ce triomphe suprême de son orgueil, si le nom seul d'une femme, murmuré tout bas, le torturait à ce point !

En haut, Bourdoncle et Jouve crurent prudent de disparaître. Deloche s'était enfui. Seule, Denise restait en face de Mouret, plus blanche que d'habitude, mais le regard franche-
755 ment levé sur lui.

— Mademoiselle, veuillez me suivre, dit-il d'une voix dure.

Elle le suivit, ils descendirent deux étages, traversèrent les rayons des meubles et des tapis, sans dire un mot. Quand il fut devant son cabinet, il ouvrit la porte toute grande.
760 — Entrez, mademoiselle.

Et il referma la porte, il marcha jusqu'à son bureau. Le nouveau cabinet du directeur était plus luxueux que l'ancien, une tenture de velours vert avait remplacé le reps[1], un corps de bibliothèque incrusté d'ivoire tenait tout un panneau ; mais, sur
765 les murs, on ne voyait toujours que le portrait de Mme Hédouin, une jeune femme au beau visage calme, qui souriait dans son cadre d'or.

— Mademoiselle, dit-il enfin, en tâchant de garder une sévérité froide, il y a des choses que nous ne pouvons tolérer... La
770 bonne conduite est ici de rigueur...

Il s'arrêtait, cherchait les mots, pour ne pas céder à la colère qui lui montait des entrailles. Eh quoi ! c'était ce garçon qu'elle aimait, ce misérable vendeur, la risée de son comptoir ! c'était le plus humble et le plus gauche de tous qu'elle lui préférait,
775 à lui, le maître ! car il les avait bien vus, elle abandonnant sa main, lui couvrant cette main de baisers.

— J'ai été très bon pour vous, mademoiselle, continua-t-il, en

1. *Reps* : tissu d'ameublement à côtes perpendiculaires aux lisières.

faisant un nouvel effort. Je ne m'attendais guère à être récompensé de cette façon.

780 Denise, dès la porte, avait eu les yeux attirés par le portrait de M^me Hédouin ; et, malgré son grand trouble, elle en demeurait préoccupée. Chaque fois qu'elle entrait à la direction, son regard se croisait avec celui de cette dame peinte. Elle en avait un peu peur, elle la sentait pourtant très bonne. Cette fois, elle

785 trouvait là comme une protection.

 — En effet, monsieur, répondit-elle doucement, j'ai eu tort de m'arrêter à causer, et je vous demande pardon de cette faute... Ce jeune homme est de mon pays...

 — Je le chasse ! cria Mouret, qui mit toute sa souffrance dans

790 ce cri furieux.

 Et, bouleversé, sortant de son rôle de directeur sermonnant une vendeuse coupable d'une infraction au règlement, il se répandit en paroles violentes. N'avait-elle pas de honte ? une jeune fille comme elle s'abandonner à un être pareil ! et il en vint

795 à des accusations atroces, il lui reprocha Hutin, d'autres encore, dans un tel flot de paroles, qu'elle ne pouvait même se défendre. Mais il allait faire maison nette, il les jetterait dehors à coups de pied. L'explication sévère qu'il s'était promis d'avoir, en suivant Jouve, tombait aux brutalités d'une scène de jalousie.

800 — Oui, vos amants !... On me le disait bien, et j'étais assez bête pour en douter... Il n'y avait que moi ! il n'y avait que moi !

 Denise, suffoquée, étourdie, écoutait ces affreux reproches. Elle n'avait pas compris d'abord. Mon Dieu ! il la prenait donc

805 pour une malheureuse ? À un mot plus dur, elle se dirigea vers la porte, silencieusement. Et, sur un geste qu'il fit pour l'arrêter :

 — Laissez, monsieur, je m'en vais... Si vous croyez ce que vous dites, je ne veux pas rester une seconde de plus dans la

810 maison.

Mais il se précipita devant la porte.

— Défendez-vous, au moins !…Dites quelque chose !

Elle restait toute droite, dans un silence glacé. Longtemps, il la pressa de questions, avec une anxiété croissante ; et la
815 dignité muette de cette vierge semblait une fois encore le calcul savant d'une femme rompue à la tactique de la passion. Elle n'aurait pu jouer un jeu qui le jetât à ses pieds, plus déchiré de doute, plus désireux d'être convaincu.

— Voyons, vous dites qu'il est de votre pays… Vous vous
820 êtes peut-être rencontrés là-bas… Jurez-moi qu'il ne s'est rien passé entre vous.

Alors, comme elle s'entêtait dans son silence, et qu'elle voulait toujours ouvrir la porte et s'en aller, il acheva de perdre la tête. Il eut une explosion suprême de douleur.

825 — Mon Dieu ! je vous aime, je vous aime… Pourquoi prenez-vous plaisir à me martyriser ainsi ? Vous voyez bien que plus rien n'existe, que les gens dont je vous parle ne me touchent que par vous, que c'est vous seule maintenant qui importez dans le monde… Je vous ai crue jalouse et j'ai sacrifié mes plaisirs. On
830 vous a dit que j'avais des maîtresses ; eh bien ! je n'en ai plus, c'est à peine si je sors. Ne vous ai-je pas préférée, chez cette dame ? N'ai-je pas rompu pour être à vous seule ? J'attends encore un remerciement, un peu de gratitude… Et, si vous craignez que je retourne chez elle, vous pouvez être tranquille : elle se venge, en
835 aidant un de nos anciens commis à fonder une maison rivale… Dites, faut-il que je me mette à genoux, pour toucher votre cœur ?

Il en était là. Lui qui ne tolérait pas une peccadille[1] à ses vendeuses, qui les jetait sur le pavé au moindre caprice, se trouvait réduit à supplier une d'elles de ne pas partir, de ne
840 pas l'abandonner dans sa misère. Il défendait la porte contre elle, il était prêt à lui pardonner, à s'aveugler, si elle daignait

1. *Peccadille* : faute sans gravité.

mentir. Et il disait vrai, le dégoût lui venait des filles ramassées dans les coulisses des petits théâtres et dans les restaurants de nuit ; il ne voyait plus Clara, il n'avait pas remis les pieds
845 chez M^{me} Desforges, où Bouthemont régnait maintenant, en attendant l'ouverture des nouveaux magasins : *les Quatre Saisons*, qui emplissaient déjà les journaux de réclames.

— Dites, dois-je me mettre à genoux ? répéta-t-il, la gorge étranglée de larmes contenues.

850 Elle l'arrêta de la main, ne pouvant plus elle-même cacher son trouble, profondément remuée par cette passion souffrante.

— Vous avez tort de vous faire de la peine, monsieur, répondit-elle enfin. Je vous jure que ces vilaines histoires sont des mensonges… Ce pauvre garçon de tout à l'heure est aussi peu
855 coupable que moi.

Et elle avait sa belle franchise, ses yeux clairs qui regardaient droit devant elle.

— C'est bien, je vous crois, murmura-t-il, je ne renverrai aucun de vos camarades, puisque vous prenez tout ce monde
860 sous votre protection… Mais alors pourquoi me repoussez-vous, si vous n'aimez personne ?

Une gêne soudaine, une pudeur inquiète s'empara de la jeune fille.

— Vous aimez quelqu'un, n'est-ce pas ? reprit-il d'une voix
865 tremblante. Oh ! vous pouvez le dire, je n'ai aucun droit sur vos tendresses… Vous aimez quelqu'un.

Elle devenait très rouge, son cœur était sur ses lèvres, et elle sentait le mensonge impossible, avec cette émotion qui la trahissait, cette répugnance à mentir qui mettait quand même
870 la vérité sur son visage.

— Oui, finit-elle par avouer faiblement. Je vous en prie, monsieur, laissez-moi, vous me faites du chagrin.

À son tour, elle souffrait. N'était-ce point assez déjà d'avoir à se défendre contre lui ? aurait-elle encore à se défendre contre

875 elle, contre les souffles de tendresse qui lui ôtaient par moments tout courage ? Quand il lui parlait ainsi, quand elle le voyait si ému, si bouleversé, elle ne savait plus pourquoi elle se refusait ; et elle ne retrouvait qu'ensuite, au fond même de sa nature de fille bien portante, la fierté et la raison qui la tenaient debout, 880 dans son obstination de vierge. C'était par un instinct du bonheur qu'elle s'entêtait, pour satisfaire son besoin d'une vie tranquille, et non pour obéir à l'idée de la vertu. Elle serait tombée aux bras de cet homme, la chair prise, le cœur séduit, si elle n'avait éprouvé une révolte, presque une répulsion devant 885 le don définitif de son être, jeté à l'inconnu du lendemain. L'amant lui faisait peur, cette peur folle qui blêmit la femme à l'approche du mâle.

Cependant, Mouret avait eu un geste de morne découragement. Il ne comprenait pas. Il retourna vers son bureau, où il 890 feuilleta des papiers qu'il reposa tout de suite, en disant :

— Je ne vous retiens plus, mademoiselle, je ne puis vous garder malgré vous.

— Mais je ne demande pas à m'en aller, répondit-elle en souriant. Si vous me croyez honnête, je reste… On doit toujours 895 croire les femmes honnêtes, monsieur. Il y en a beaucoup qui le sont, je vous assure.

Les yeux de Denise, involontairement, s'étaient levés sur le portrait de M^me Hédouin, de cette dame si belle et si sage, dont le sang, disait-on, portait bonheur à la maison. Mouret suivit 900 le regard de la jeune fille, en tressaillant, car il avait cru entendre sa femme morte prononcer la phrase, une phrase à elle, qu'il reconnaissait. Et c'était comme une résurrection, il retrouvait chez Denise le bon sens, le juste équilibre de celle qu'il avait perdue, jusqu'à la voix douce, avare de paroles inutiles. Il en 905 resta frappé, plus triste encore.

— Vous savez que je vous appartiens, murmura-t-il pour conclure. Faites de moi ce qu'il vous plaira.

Alors, elle reprit sa gaieté :

— C'est cela, monsieur. L'avis d'une femme, si humble
910 qu'elle soit, est toujours utile à écouter, quand elle a un peu
d'intelligence... Je ne ferai de vous qu'un brave homme, allez !
si vous vous remettez entre mes mains.

Elle plaisantait, de son air simple qui avait tant de charme.
Il eut à son tour un faible sourire, il la reconduisit jusqu'à la
915 porte, comme une dame.

Le lendemain, Denise était nommée première. La direction
avait dédoublé le rayon des robes et costumes, en créant spécia-
lement en sa faveur un rayon de costumes pour enfants, qui fut
installé près du comptoir des confections. Depuis le renvoi de
920 son fils, M^{me} Aurélie tremblait, car elle sentait ces messieurs
devenir froids, et elle voyait de jour en jour grandir la puissance
de la jeune fille. N'allait-on pas la sacrifier à cette dernière, en
profitant d'un prétexte quelconque ? Son masque d'empereur
soufflé de graisse semblait avoir maigri de la honte qui enta-
925 chait maintenant la dynastie des Lhomme ; et elle affectait de
s'en aller chaque soir au bras de son mari, rapprochés tous deux
par l'infortune, comprenant que le mal venait de la débandade
de leur intérieur ; tandis que le pauvre homme, plus affecté
qu'elle, dans la peur maladive qu'on ne le soupçonnât lui-
930 même de vol, comptait deux fois les recettes, bruyamment, en
faisant avec son mauvais bras de véritables miracles. Aussi, lors-
qu'elle vit Denise passer première aux costumes pour enfants,
éprouva-t-elle une joie si vive, qu'elle afficha à l'égard de celle-
ci les sentiments les plus affectueux. C'était bien beau de ne pas
935 lui avoir pris sa place. Et elle la comblait d'amitiés, la traitait
désormais en égale, allait causer souvent avec elle, dans le rayon
voisin, d'un air d'apparat, comme une reine mère rendant visite
à une jeune reine.

Du reste, Denise était maintenant au sommet. Sa nomi-
940 nation de première avait abattu autour d'elle les dernières

résistances. Si l'on clabaudait[1] toujours, par cette démangeaison
de langue qui ravage toute réunion d'hommes et de femmes, on
s'inclinait très bas, jusqu'à terre. Marguerite, passée seconde aux
confections, se répandait en éloges. Clara elle-même, travaillée
945 d'un sourd respect en face de cette fortune dont elle était inca-
pable, avait plié la tête. Mais la victoire de Denise était plus
complète encore sur ces messieurs, sur Jouve qui ne lui parlait
à présent que courbé en deux, sur Hutin pris d'inquiétude en
sentant craquer sa situation, sur Bourdoncle enfin réduit à l'im-
950 puissance. Quand ce dernier l'avait vue sortir du cabinet de la
direction, souriante, de son air tranquille, et que le lendemain
le directeur avait exigé du conseil la création du nouveau comp-
toir, il s'était incliné, vaincu sous la terreur sacrée de la femme.
Toujours il avait cédé ainsi devant la grâce de Mouret, il le
955 reconnaissait pour son maître, malgré les fuites du génie et les
coups de cœur imbéciles. Cette fois, la femme était la plus forte,
et il attendait d'être emporté dans le désastre.

Cependant, Denise avait le triomphe paisible et charmant.
Elle était touchée de ces marques de considération, elle voulait
960 y voir une sympathie pour la misère de ses débuts et le succès
final de son long courage. Aussi accueillait-elle avec une joie
rieuse les moindres témoignages d'amitié, ce qui la fit réelle-
ment aimer de quelques-uns, tellement elle était douce et
accueillante, toujours prête à donner son cœur. Elle ne montra
965 une invincible répulsion que pour Clara, car elle avait appris
que cette fille s'était amusée, comme elle en annonçait en plai-
santant le projet, à mener un soir Colomban chez elle ; et le
commis, emporté par sa passion enfin satisfaite, découchait
maintenant, tandis que la triste Geneviève agonisait. On en
970 causait au *Bonheur,* on trouvait l'aventure drôle.

Mais ce chagrin, le seul qu'elle eût au-dehors, n'altérait pas

1. *Clabaudait* : dénigrait sans motif.

l'humeur égale de Denise. C'était surtout à son rayon qu'il fallait la voir, au milieu de son peuple de bambins de tout âge. Elle adorait les enfants, on ne pouvait la mieux placer. Parfois,
975 on comptait là une cinquantaine de fillettes, autant de garçons, tout un pensionnat turbulent, lâché dans les désirs de la coquetterie naissante. Les mères perdaient la tête. Elle, conciliante, souriait, faisait aligner ce petit monde sur des chaises, et, quand il y avait dans le tas une gamine rose, dont le joli museau la
980 tentait, elle voulait la servir elle-même, apportait la robe, l'essayait sur les épaules potelées, avec des précautions tendres de grande sœur. Des rires clairs sonnaient, de légers cris d'extase partaient, au milieu de voix grondeuses. Parfois, une fillette déjà grande personne, neuf ou dix ans, ayant aux épaules un paletot
985 de drap, l'étudiait devant une glace, se tournait, la mine absorbée, les yeux luisant du besoin de plaire. Et le déballage encombrait les comptoirs, des robes en toile d'Asie rose ou bleue pour enfants d'un an à cinq ans, des costumes de marin en zéphir[1], jupe plissée et blouse ornée d'appliques en percale[2], des
990 costumes Louis XV, des manteaux, des jaquettes, un pêle-mêle de vêtements étroits, raidis dans leur grâce enfantine, quelque chose comme le vestiaire d'une bande de grandes poupées, sorti des armoires et livré au pillage. Denise avait toujours au fond des poches quelques friandises, apaisait les pleurs d'un marmot
995 désespéré de ne pas emporter des culottes rouges, vivait là parmi les petits, comme dans sa famille naturelle, rajeunie elle-même de cette innocence et de cette fraîcheur sans cesse renouvelées autour de ses jupes.

Maintenant, il lui arrivait d'avoir de longues conversations
1000 amicales avec Mouret. Quand elle devait se rendre à la direction pour prendre des ordres ou pour donner un renseignement, il la retenait à causer, il aimait l'entendre. C'était ce qu'elle appelait

1. *Zéphyr* : tissu de laine très fin et très souple. \ 2. *Percale* : fin tissu de coton.

en riant « faire de lui un brave homme ». Dans sa tête raisonneuse et avisée de Normande, poussaient toutes sortes de projets, ces 1005 idées sur le nouveau commerce, qu'elle osait effleurer déjà chez Robineau, et dont elle avait exprimé quelques-unes, le beau soir de leur promenade aux Tuileries. Elle ne pouvait s'occuper d'une chose, voir fonctionner une besogne, sans être travaillée du besoin de mettre de l'ordre, d'améliorer le mécanisme. Ainsi, 1010 depuis son entrée au *Bonheur des Dames,* elle était surtout blessée par le sort précaire des commis ; les renvois brusques la soulevaient, elle les trouvait maladroits et iniques, nuisibles à tous, autant à la maison qu'au personnel. Ses souffrances du début la poignaient[1] encore, une pitié lui remuait le cœur, à chaque 1015 nouvelle venue qu'elle rencontrait dans les rayons, les pieds meurtris, les yeux gros de larmes, traînant sa misère sous sa robe de soie, au milieu de la persécution aigrie des anciennes. Cette vie de chien battu rendait mauvaises les meilleures ; et le triste défilé commençait : toutes mangées par le métier avant quarante 1020 ans, disparaissant, tombant à l'inconnu, beaucoup mortes à la peine, phtisiques[2] ou anémiques, de fatigue et de mauvais air, quelques-unes roulées au trottoir, les plus heureuses mariées, enterrées au fond d'une petite boutique de province. Était-ce humain, était-ce juste, cette consommation effroyable de chair 1025 que les grands magasins faisaient chaque année ? Et elle plaidait la cause des rouages de la machine, non par des raisons sentimentales, mais par des arguments tirés de l'intérêt même des patrons. Quand on veut une machine solide, on emploie du bon fer ; si le fer casse ou si on le casse, il y a un arrêt du travail, des 1030 frais répétés de mise en train, toute une déperdition de force. Parfois, elle s'animait, elle voyait l'immense bazar idéal, le phalanstère du négoce, où chacun aurait sa part exacte des béné-

1. *La poignaient* : la faisaient souffrir (imparfait du verbe *poindre*). \ 2. *Phtisiques* : atteintes de la tuberculose.

fices, selon ses mérites, avec la certitude du lendemain, assurée
à l'aide d'un contrat. Mouret alors s'égayait, malgré sa fièvre. Il
1035 l'accusait de socialisme, l'embarrassait en lui montrant des diffi-
cultés d'exécution ; car elle parlait dans la simplicité de son âme,
et elle s'en remettait bravement à l'avenir, lorsqu'elle s'aperce-
vait d'un trou dangereux, au bout de sa pratique de cœur tendre.
Cependant, il était ébranlé, séduit, par cette voix jeune, encore
1040 frémissante des maux endurés, si convaincue, lorsqu'elle indi-
quait des réformes qui devaient consolider la maison ; et il l'écou-
tait en la plaisantant, le sort des vendeurs était amélioré peu à
peu, on remplaçait les renvois en masse par un système de congés
accordés aux mortes-saisons, enfin on allait créer une caisse de
1045 secours mutuels, qui mettrait les employés à l'abri des chômages
forcés, et leur assurerait une retraite. C'était l'embryon des vastes
sociétés ouvrières du vingtième siècle.

D'ailleurs, Denise ne s'en tenait pas à vouloir panser les
plaies vives dont elle avait saigné : des idées délicates de femme,
1050 soufflées à Mouret, ravirent la clientèle. Elle fit aussi la joie de
Lhomme, en appuyant un projet qu'il nourrissait depuis long-
temps, celui de créer un corps de musique, dont les exécutants
seraient tous choisis dans le personnel. Trois mois plus tard,
Lhomme avait cent vingt musiciens sous sa direction, le rêve
1055 de sa vie était réalisé. Et une grande fête fut donnée dans les
magasins, un concert et un bal, pour présenter la musique du
Bonheur à la clientèle, au monde entier. Les journaux s'en occu-
pèrent, Bourdoncle lui-même, ravagé par ces innovations, dut
s'incliner devant l'énorme réclame. Ensuite, on installa une
1060 salle de jeu pour les commis, deux billards, des tables de tric-
trac[1] et d'échecs. Il y eut des cours le soir dans la maison, cours
d'anglais et d'allemand, cours de grammaire, d'arithmétique,
de géographie ; on alla jusqu'à des leçons d'équitation et

1. *Trictrac* : jeu de dés.

d'escrime. Une bibliothèque fut créée, dix mille volumes mis
à la disposition des employés. Et l'on ajouta encore un médecin
à demeure donnant des consultations gratuites, des bains, des
buffets, un salon de coiffure. Toute la vie était là, on avait tout
sans sortir, l'étude, la table, le lit, le vêtement. Le *Bonheur des
Dames* se suffisait, plaisirs et besoins, au milieu du grand Paris,
occupé de ce tintamarre, de cette cité du travail qui poussait
si largement dans le fumier des vieilles rues, ouvertes enfin au
plein soleil[1].

Alors, un nouveau mouvement d'opinion se fit en faveur
de Denise. Comme Bourdoncle, vaincu, répétait avec désespoir
à ses familiers qu'il aurait donné beaucoup pour la coucher lui-
même dans le lit de Mouret, il fut acquis qu'elle n'avait pas
cédé, que sa toute-puissance résultait de ses refus. Et, dès ce
moment, elle devint populaire. On n'ignorait pas les douceurs
qu'on lui devait, on l'admirait pour la force de sa volonté. En
voilà une, au moins, qui mettait le pied sur la gorge du patron,
et qui les vengeait tous, et qui savait tirer de lui autre chose que
des promesses ! Elle était donc venue, celle qui faisait respecter
un peu les pauvres diables ! Lorsqu'elle traversait les comptoirs,
avec sa tête fine et obstinée, son air tendre et invincible, les
vendeurs lui souriaient, étaient fiers d'elle, l'auraient volontiers
montrée à la foule. Denise, heureuse, se laissait porter par cette
sympathie grandissante. Était-ce possible, mon Dieu ! Elle se
voyait arriver en jupe pauvre, effarée, perdue au milieu des
engrenages de la terrible machine ; longtemps, elle avait eu la
sensation de n'être rien, à peine un grain de mil[2] sous les
meules qui broyaient un monde ; et, aujourd'hui, elle était
l'âme même de ce monde, elle seule importait, elle pouvait
d'un mot précipiter ou ralentir le colosse, abattu à ses petits

1. Toutes ces innovations dues à Denise sont inspirées des mesures suggérées à son mari
par M^me Boucicaut au *Bon Marché.* \ 2. *Mil* : céréale à petits grains.

pieds. Cependant, elle n'avait pas voulu ces choses, elle s'était
1095 simplement présentée, sans calcul, avec l'unique charme de
la douceur. Sa souveraineté lut causait parfois une surprise
inquiète : qu'avaient-ils donc tous à lui obéir ? elle n'était point
jolie, elle ne faisait pas le mal. Puis, elle souriait, le cœur apaisé,
n'ayant en elle que de la bonté et de la raison, un amour de la
1100 vérité et de la logique qui était toute sa force.

Une des grandes joies de Denise, dans sa faveur, fut de
pouvoir être utile à Pauline. Celle-ci était enceinte, et elle trem-
blait, car deux vendeuses, en quinze jours, avaient dû partir au
septième mois de leur grossesse. La direction ne tolérait pas ces
1105 accidents-là, la maternité était supprimée comme encombrante
et indécente ; à la rigueur, on permettait le mariage, mais on
défendait les enfants. Pauline, sans doute, avait un mari dans la
maison ; elle se méfiait pourtant, elle n'en était pas moins
impossible au comptoir ; et, afin de retarder un renvoi probable,
1110 elle se serrait à étouffer, résolue de cacher ça tant qu'elle pour-
rait. Une des deux vendeuses congédiées venait justement d'ac-
coucher d'un enfant mort, pour s'être torturé ainsi la taille ; on
désespérait de la sauver elle-même. Cependant, Bourdoncle
regardait le teint de Pauline se plomber, tandis qu'il lui trou-
1115 vait une raideur pénible dans la démarche. Un matin, il était
près d'elle, aux trousseaux, quand un garçon de magasin, qui
enlevait un paquet, la heurta d'un tel coup, qu'elle porta les
deux mains à son ventre, en poussant un cri. Tout de suite, il
l'emmena, la confessa, soumit au conseil la question de son
1120 renvoi, sous le prétexte qu'elle avait besoin du bon air de la
campagne : l'histoire du coup allait se répandre, l'effet serait
désastreux sur le public, si elle faisait une fausse couche, comme
il y en avait eu déjà une aux layettes, l'année précédente.
Mouret, qui n'assistait pas à ce conseil, ne put donner son avis
1125 que le soir. Mais Denise avait eu le temps d'intervenir, et il
ferma la bouche de Bourdoncle, au nom des intérêts mêmes de

la maison. On voulait donc ameuter les mères, froisser les jeunes accouchées de la clientèle ? Pompeusement, il fut décidé que toute vendeuse mariée, qui deviendrait enceinte, serait mise 1130 chez une sage-femme spéciale, dès que sa présence au comptoir blesserait les bonnes mœurs.

Le lendemain, lorsque Denise monta voir à l'infirmerie Pauline, qui avait dû s'aliter à la suite du coup reçu, celle-ci l'embrassa violemment sur les deux joues.

1135 — Que vous êtes gentille ! Sans vous, ils me jetaient dehors... Et ne vous inquiétez pas, le médecin affirme que ce ne sera rien.

Baugé, échappé de son rayon, était là, de l'autre côté du lit. Il balbutiait aussi des remerciements, troublé devant Denise, qu'il traitait maintenant en personne arrivée et d'une classe 1140 supérieure. Ah ! s'il entendait encore des saletés sur son compte, c'était lui qui fermerait le bec des jaloux ! Mais Pauline le renvoya, en haussant amicalement les épaules.

— Mon pauvre chéri, tu ne dis que des bêtises... Tiens ! laisse-nous causer.

1145 L'infirmerie était une longue pièce claire, où douze lits s'alignaient, avec leurs rideaux blancs. On y soignait les commis logés dans la maison, lorsqu'ils ne témoignaient pas le désir de rejoindre leurs familles. Mais, ce jour-là, Pauline seule s'y trouvait couchée, près d'une des grandes fenêtres, qui ouvraient sur 1150 la rue Neuve-Saint-Augustin. Et les confidences, les paroles tendres et chuchotées vinrent tout de suite, au milieu de ces linges candides, dans cet air assoupi, parfumé d'une vague odeur de lavande.

— Il fait donc quand même ce que vous voulez ?... Comme 1155 vous êtes dure, de lui causer tant de peine ! Voyons, expliquez-moi ça, puisque j'ose aborder ce sujet. Vous le détestez ?

Elle avait gardé la main de Denise, assise près du lit, accoudée au traversin ; et cette dernière, gagnée par une soudaine émotion, les joues envahies de rougeur, eut une faiblesse, à cette

1160 question directe et inattendue. Son secret lui échappa, elle cacha la tête dans l'oreiller, en murmurant :

— Je l'aime !

Pauline restait stupéfaite.

— Comment ! vous l'aimez ? Mais, c'est bien simple : dites 1165 oui.

Denise, le visage toujours caché, répondait non, d'un branle énergique de la tête. Et elle disait non, justement parce qu'elle l'aimait, sans expliquer cela. Certainement, c'était ridicule ; mais elle sentait ainsi, elle ne pouvait se refaire. La surprise de 1170 son amie augmentait, elle demanda enfin :

— Alors, tout ça, c'est pour en arriver à ce qu'il vous épouse ?

Du coup, la jeune fille se redressa. Elle était bouleversée.

— Lui, m'épouser ! oh ! non, oh ! je vous jure que je n'ai 1175 jamais voulu une pareille chose !... Non, jamais un tel calcul n'est entré dans ma tête, et vous savez que j'ai horreur du mensonge !

— Dame ! ma chère, reprit doucement Pauline, vous auriez l'idée de vous faire épouser, que vous ne vous y prendriez pas 1180 autrement... Il faudra bien que ça finisse, et il n'y a encore que le mariage, puisque vous ne voulez point de l'autre affaire... Écoutez, je dois vous prévenir que tout le monde a la même pensée ; oui, on est persuadé que vous lui tenez la dragée haute pour le mener devant M. le maire... Mon Dieu ! quelle drôle 1185 de femme vous êtes !

Et elle dut consoler Denise, qui était retombée la tête sur le traversin, sanglotant, répétant qu'elle finirait par s'en aller, puisqu'on lut prêtait sans cesse toutes sortes d'histoires, qui ne pouvaient seulement lui entrer dans le crâne. 1190 Sans doute, quand un homme aimait une femme, il devait l'épouser. Mais elle ne demandait rien, elle ne calculait rien, elle suppliait seulement qu'on la laissât vivre tranquille, avec

ses chagrins et ses joies, comme tout le monde. Elle s'en irait.

1195 À la même minute, en bas, Mouret traversait les magasins. Il avait voulu s'étourdir, en visitant les travaux une fois encore. Des mois s'étaient écoulés, la façade dressait maintenant ses lignes monumentales, derrière la vaste chemise de planches qui la cachait au public. Toute une armée de décorateurs se mettaient
1200 à l'œuvre : des marbriers, des faïenciers, des mosaïstes ; on dorait le groupe central, au-dessus de la porte, tandis que, sur l'acrotère[1], on scellait déjà les piédestaux qui devaient recevoir les statues des villes manufacturières de la France. Du matin au soir, le long de la rue du Dix-Décembre, ouverte depuis peu, station-
1205 nait une foule de badauds, le nez en l'air, ne voyant rien, mais préoccupés des merveilles qu'on se racontait de cette façade dont l'inauguration allait révolutionner Paris. Et c'était sur ce chantier enfiévré de travail, au milieu des artistes achevant la réalisation de son rêve, commencée par les maçons, que Mouret venait
1210 de sentir plus amèrement que jamais la vanité de sa fortune. La pensée de Denise lui avait brusquement serré la poitrine, cette pensée qui, sans relâche, le traversait d'une flamme, comme l'élancement d'un mal inguérissable. Il s'était enfui, il n'avait pas trouvé un mot de satisfaction, craignant de montrer ses larmes,
1215 laissant derrière lui le dégoût du triomphe. Cette façade, qui se trouvait debout enfin, lui semblait petite, pareille à un de ces murs de sable que les gamins bâtissent, et l'on aurait pu la prolonger d'un faubourg de la cité à l'autre, l'élever jusqu'aux étoiles, elle n'aurait pas rempli le vide de son cœur, que seul le
1220 « oui « d'une enfant pouvait combler.

Lorsque Mouret rentra dans son cabinet, il étouffait de sanglots contenus. Que voulait-elle donc ? il n'osait plus lui

1. *Acrotère* : socle placé aux extrémités ou au sommet d'un fronton et servant de support à des statues ou à d'autres ornements.

offrir de l'argent, l'idée confuse d'un mariage se levait, au milieu de ses révoltes de jeune veuf. Et, dans l'énervement
1225 de son impuissance, ses larmes coulèrent. Il était malheureux.

XIII

Un matin de novembre, Denise donnait les premiers ordres à son rayon, lorsque la bonne des Baudu vint lui dire que Mlle Geneviève avait passé une bien mauvaise nuit, et qu'elle voulait voir sa cousine tout de suite. Depuis quelque temps, la
5 jeune fille s'affaiblissait de jour en jour, et elle avait dû s'aliter l'avant-veille.

— Dites que je descends à l'instant, répondit Denise très inquiète.

Le coup qui achevait Geneviève, était la disparition brusque
10 de Colomban. D'abord, plaisanté par Clara, il avait découché ; puis, cédant à la folie de désir des garçons sournois et chastes, devenu le chien obéissant de cette fille, il n'était pas rentré un lundi, il avait simplement écrit à son patron une lettre d'adieu, faite avec des phrases soignées d'homme qui se
15 suicide. Peut-être, au fond de ce coup de passion, aurait-on trouvé aussi le calcul rusé d'un garçon ravi de renoncer à un mariage désastreux ; la maison de draperie se portait aussi mal que sa future, l'heure était bonne de rompre par une sottise. Et tout le monde le citait comme une victime fatale de
20 l'amour.

Lorsque Denise arriva au *Vieil Elbeuf,* M^me^ Baudu s'y trouvait seule. Elle était immobile derrière la caisse, avec sa petite

figure blanche, mangée d'anémie[1], gardant le silence et le vide de la boutique. Il n'y avait plus de commis ; la bonne donnait
25 un coup de plumeau aux casiers ; et encore était-il question de la remplacer par une femme de ménage. Un froid noir tombait du plafond ; des heures se passaient sans qu'une cliente vînt déranger cette ombre, et les marchandises, qu'on ne remuait pas, étaient de plus en plus gagnées par le salpêtre[2] des murs.
30 — Qu'y a-t-il ? demanda vivement Denise. Est-ce que Geneviève est en danger ?

M^{me} Baudu ne répondit pas tout de suite. Ses yeux s'emplirent de larmes. Puis, elle balbutia :

— Je ne sais rien, on ne me dit rien… Ah ! c'est fini, c'est
35 fini…

Et ses regards noyés faisaient le tour de la boutique sombre, comme si elle eût senti sa fille et la maison partir ensemble. Les soixante-dix mille francs, produits par la vente de la propriété de Rambouillet, s'étaient fondus en moins de deux ans dans le
40 gouffre de la concurrence. Pour lutter contre le *Bonheur,* qui tenait à présent les draps d'homme, les velours de chasse, les livrées[3], le drapier avait fait des sacrifices considérables. Enfin, il venait d'être définitivement écrasé sous les molletons et les flanelles de son rival, un assortiment tel qu'il n'en existait pas
45 encore sur la place. Peu à peu, la dette avait grandi ; il s'était décidé, comme ressource suprême, à hypothéquer l'antique immeuble de la rue de la Michodière, où le vieux Finet, l'ancêtre, avait fondé la maison ; et ce n'était plus, maintenant, qu'une question de jours, l'émiettement s'achevait, les plafonds
50 eux-mêmes devaient s'écrouler et s'envvoler en poussière, ainsi qu'une construction barbare et vermoulue, emportée par le vent.

1. *Anémie* : diminution du nombre de globules rouges dans le sang. \ **2.** *Salpêtre* : dépôt formé d'un mélange de nitrates, fréquent sur les murs humides. \ **3.** *Livrées* : uniformes portés par tous les domestiques d'une même maison.

— Le père est là-haut, reprit M^{me} Baudu de sa voix brisée. Nous y passons deux heures chacun ; il faut bien que quel-
55 qu'un garde ici, oh ! seulement par précaution, car en vérité…

Son geste acheva la phrase. Ils auraient mis les volets, sans leur vieil orgueil commercial qui les tenait encore debout devant le quartier.

60 — Alors, je monte, ma tante, dit Denise dont le cœur se serrait, dans ce désespoir résigné que les pièces de drap exha-laient elles-mêmes.

— Oui, monte, monte vite, ma fille… Elle t'attend, elle t'a demandée toute la nuit. C'est quelque chose qu'elle veut te
65 dire.

Mais, juste à ce moment, Baudu descendit. La bile tournée verdissait son visage jaune, où ses yeux se tachaient de sang. Il gardait le pas étouffé dont il venait de quitter la chambre, il murmura, comme si on avait pu l'entendre d'en haut :
70 — Elle dort.

Et, les jambes cassées, il s'assit sur une chaise. D'un geste machinal, il s'essuyait le front, avec l'essoufflement d'un homme qui sort d'une rude besogne. Un silence régna. Enfin, il dit à Denise :
75 — Tu la verras tout à l'heure… Quand elle dort, il nous semble qu'elle est guérie.

Le silence recommença. Face à face, le père et la mère se contemplaient. Puis, à demi-voix, il remâcha ses douleurs, ne nommant personne, ne s'adressant à personne.
80 — Ma tête sous le couteau, je ne l'aurais pas cru !… Il était le dernier, je l'avais élevé comme mon fils. On serait venu me dire : « Ils te le prendront aussi, tu le verras faire la culbute », j'aurais répondu : « Alors, c'est qu'il n'y aura plus de bon Dieu ! » Et il l'a faite, la culbute !… Ah ! le malheureux, qui
85 était si bien au courant du vrai commerce, qui avait toutes mes

idées ! Pour une guenuche [1], pour un de ces mannequins qui paradent aux vitrines des maisons louches !… Non, voyez-vous, c'est à confondre la raison !

Il branlait la tête, ses yeux vagues s'étaient baissés et regar-
90 daient les dalles humides, usées par des générations de clientes.

— Voulez-vous savoir ? continua-t-il à voix plus basse, eh bien ! il y a des moments où je me sens le plus coupable, dans notre malheur. Oui, c'est ma faute, si notre pauvre fille est là-haut, dévorée de fièvre. Est-ce que je n'aurais pas dû les marier
95 tout de suite, sans céder à mon bête d'orgueil, à mon entête-ment de ne point leur laisser la maison moins prospère ? Main-tenant, elle aurait celui qu'elle aime, et peut-être leur jeunesse à tous deux accomplirait-elle ici le miracle que je n'ai pas su réaliser… Mais je suis un vieux fou, je n'y ai rien compris, je
100 ne croyais pas qu'on tombât malade pour des choses pareilles… Vrai ! ce garçon était extraordinaire : un don de la vente, et une probité, une simplicité de mœurs, un ordre en toutes sortes, enfin mon élève…

Il relevait la tête, défendant encore ses idées, dans ce commis
105 qui le trahissait. Denise ne put l'entendre s'accuser, et elle lui dit tout, emportée par son émotion, à le voir si humble, les yeux pleins de larmes, lui qui autrefois régnait là, en maître grondeur et absolu.

— Mon oncle, ne l'excusez pas, je vous en prie… Il n'a jamais
110 aimé Geneviève, il se serait enfui plus tôt, si vous aviez voulu hâter le mariage. Je lui en ai parlé moi-même ; il savait parfaitement que ma pauvre cousine souffrait à cause de lui, et vous voyez bien que cela ne l'a pas empêché de partir… Demandez à ma tante.

Sans ouvrir les lèvres, M^{me} Baudu confirma ces paroles d'un
115 signe de tête. Alors, le drapier blêmit davantage, tandis que les larmes achevaient de l'aveugler. Il bégaya :

1. *Guenuche* : petite guenon et, de manière imagée, femme très laide (terme familier).

— Ça devait être dans le sang, le père est mort l'été dernier d'avoir trop couru la gueuse[1].

Et, machinalement, son regard fit le tour des coins obscurs, passant des comptoirs nus aux casiers pleins, puis revint se fixer sur sa femme, qui se tenait toujours droite à la caisse, dans l'attente vaine de la clientèle disparue.

— Allons, c'est la fin, reprit-il. Ils nous ont tué notre commerce, et voilà qu'une de leurs coquines nous tue notre fille.

Personne ne parla plus. Le roulement des voitures, qui ébranlait par instants les dalles, passait comme une batterie funèbre de tambours, dans l'air immobile, étouffé sous le plafond bas. Et, au milieu de cette morne tristesse des vieilles boutiques agonisantes, on entendit des coups sourds, frappés quelque part dans la maison. C'était Geneviève qui venait de se réveiller et qui tapait avec un bâton, laissé près d'elle.

— Montons vite, dit Baudu, se levant en sursaut. Tâche de rire, il ne faut pas qu'elle sache.

Lui-même, dans l'escalier, se frottait rudement les yeux, pour effacer la trace de ses larmes. Dès qu'il eut ouvert la porte, au premier étage, on entendit une faible voix, une voix perdue, criant :

— Oh ! je ne veux pas être seule… Oh ! ne me laissez pas seule… Oh ! j'ai peur d'être seule…

Puis, quand elle aperçut Denise, Geneviève se calma, eut un sourire de joie.

— Vous voilà donc !… Comme je vous ai attendue, depuis hier ! Je croyais déjà que vous m'abandonniez, vous aussi !

C'était une pitié. La chambre de la jeune fille donnait sur la cour, une petite chambre où tombait une clarté livide. D'abord, les parents avaient couché la malade dans leur propre chambre, sur la rue ; mais la vue du *Bonheur des Dames,* en face,

1. *Courir la gueuse* : se débaucher.

la bouleversait, et ils avaient dû la ramener chez elle. Là, elle était allongée, si fluette sous les couvertures, qu'on ne sentait 150 même plus la forme et l'existence d'un corps. Ses maigres bras, brûlés de la fièvre ardente des phtisiques[1], avaient un perpétuel mouvement de recherche anxieuse et inconsciente ; tandis que ses cheveux noirs, lourds de passion, semblaient s'être encore épaissis et mangeaient de leur vie vorace son pauvre visage, où 155 agonisait la dégénérescence dernière d'une longue famille poussée à l'ombre, dans cette cave du vieux commerce parisien.

Cependant, Denise, le cœur crevé de commisération[2], la regardait. Elle ne parlait pas, de peur de laisser couler ses larmes. Enfin, elle murmura :

160 — Je suis venue tout de suite… Si je pouvais vous être utile ? Vous me demandiez… Voulez-vous que je reste ?

Geneviève, l'haleine courte, les mains toujours errantes dans les plis de la couverture, ne la quittait pas des yeux.

— Non, merci, je n'ai besoin de rien… Je voulais seulement 165 vous embrasser.

Des pleurs gonflèrent ses paupières. Alors, Denise, vivement, se pencha, la baisa sur les joues, toute frissonnante de se sentir aux lèvres la flamme de ces joues creuses. Mais la malade l'avait prise, et elle l'étreignait, et elle la gardait dans un embrassement 170 désespéré. Puis, ses regards allèrent vers son père.

— Voulez-vous que je reste ? répéta Denise. Si vous aviez quelque chose à faire ?

— Non, non.

Les regards de Geneviève se tournaient obstinément vers son 175 père, qui demeurait debout, l'air hébété, la gorge étranglée. Il finit par comprendre, il se retira, sans prononcer un mot, et l'on entendit son pas descendre pesamment les marches.

— Dites-moi, il est avec cette femme ? demanda la malade

1. *Phtisiques* : tuberculeux. \ 2. *Commisération* : pitié.

tout de suite, en saisissant la main de sa cousine, qu'elle fit
180 asseoir au bord de la couchette. Oui, j'ai voulu vous voir, il n'y
a que vous pour me dire… N'est-ce pas, ils vivent ensemble ?

Denise, dans la surprise de ces questions, balbutia, dut avouer
la vérité, les bruits qui couraient au magasin. Clara, ennuyée de
ce garçon qui lui tombait sur le dos, lui avait déjà fermé sa
185 porte ; et Colomban, désolé, la poursuivait partout, tâchait d'ob-
tenir d'elle une rencontre de temps à autre, par une humilité de
chien battu. On assurait qu'il allait entrer au *Louvre*.

— Si vous l'aimez tant, il peut vous revenir encore, continua
la jeune fille, pour endormir la mourante dans ce dernier espoir.
190 Guérissez vite, il reconnaîtra ses fautes, il vous épousera.

Geneviève l'interrompit. Elle avait écouté de tout son être, avec
une passion muette qui la redressait. Mais elle retomba aussitôt.

— Non, laissez, je sais bien que c'est fini… Je ne dis rien,
parce que j'entends papa pleurer, et que je ne veux pas rendre
195 maman plus malade. Seulement, je m'en vais, voyez-vous, et
si je vous appelais cette nuit, c'était par crainte de m'en aller
avant le jour… Mon Dieu ! quand on pense qu'il n'est pas
même heureux !

Et, Denise s'étant récriée, en lui assurant que son état n'était
200 pas si grave, elle lui coupa une seconde fois la parole, elle rejeta
soudain la couverture d'un geste chaste de vierge qui n'a plus
rien à cacher dans la mort. Découverte jusqu'au ventre, elle
murmura :

— Regardez-moi donc !… N'est-ce pas fini ?

205 Tremblante, Denise quitta le bord de la couchette, comme
si, d'un souffle, elle eût craint de détruire cette nudité misé-
rable. C'était la fin de la chair, un corps de fiancée usé dans l'at-
tente, retourné à l'enfance grêle [1] des premiers ans. Lentement,
Geneviève se recouvrit, et elle répétait :

1. *Grêle* : d'une maigreur excessive.

210 — Vous voyez bien, je ne suis plus une femme… Ce serait mal, de le vouloir encore.

Toutes deux se turent. Elles se regardaient de nouveau, ne trouvant plus une phrase. Ce fut Geneviève qui reprit :

— Allons, ne restez pas là, vous avez vos affaires. Et merci,
215 j'étais tourmentée du besoin de savoir ; maintenant, je suis contente. Si vous le revoyez, dites-lui que je lui pardonne… Adieu, ma bonne Denise. Embrassez-moi bien, c'est la dernière fois.

La jeune fille l'embrassa, en protestant.

220 — Non, non, ne vous frappez donc pas, il vous faut des soins, rien de plus.

Mais la malade eut un hochement de tête obstiné. Elle souriait, elle était sûre. Et, comme sa cousine se dirigeait enfin vers la porte :

225 — Attendez, tapez avec ce bâton, pour que papa monte… J'ai trop peur toute seule.

Puis, quand Baudu fut là, dans cette petite chambre morne, où il passait les heures sur une chaise, elle prit un air de gaieté, elle cria à Denise :

230 — Ne venez pas demain, c'est inutile. Mais, dimanche, je vous attends, vous resterez l'après-midi avec moi.

Le lendemain, à six heures, au petit jour, Geneviève expirait, après quatre heures d'un râle affreux. Ce fut un samedi que tomba l'enterrement, par un temps noir, un ciel de suie qui
235 pesait sur la ville frissonnante. Le *Vieil Elbeuf,* tendu de drap blanc, éclairait la rue d'une tache blanche ; et les cierges, brûlant dans le jour bas, semblaient des étoiles noyées de crépuscule. Des couronnes de perles, un gros bouquet de roses blanches, couvraient le cercueil, un cercueil étroit de fillette,
240 posé sur l'allée obscure de la maison, au ras du trottoir, si près du ruisseau, que les voitures avaient déjà éclaboussé les draperies. Tout le vieux quartier suait l'humidité, exhalait son odeur

moisie de cave, avec sa continuelle bousculade de passants sur le pavé boueux.

245 Dès neuf heures, Denise était venue, pour rester auprès de sa tante. Mais, comme le convoi allait partir, celle-ci, qui ne pleurait plus, les yeux brûlés de larmes, la pria de suivre le corps et de veiller sur l'oncle, dont l'accablement muet, la douleur imbécile inquiétait la famille. En bas, la jeune fille trouva la rue
250 pleine de monde. Le petit commerce du quartier voulait donner aux Baudu un témoignage de sympathie ; et il y avait aussi, dans cet empressement, comme une manifestation contre le *Bonheur des Dames,* que l'on accusait de la lente agonie de Geneviève. Toutes les victimes du monstre étaient là, Bédoré et sœur, les
255 bonnetiers de la rue Gaillon, les fourreurs Vanpouille frères, et Deslignières le bimbelotier [1], et Piot et Rivoire les marchands de meubles ; même M^{lle} Tatin, la lingère, et le gantier Quinette, balayés depuis longtemps par la faillite, s'étaient fait un devoir de venir, l'une des Batignolles, l'autre de la Bastille, où ils
260 avaient dû reprendre du travail chez les autres. En attendant le corbillard qu'une erreur attardait, ce monde vêtu de noir, piétinant dans la boue, levait des regards de haine sur le *Bonheur,* dont les vitrines claires, les étalages éclatants de gaieté, leur semblaient une insulte, en face du *Vieil Elbeuf,* qui attristait de
265 son deuil l'autre côté de la rue. Quelques têtes de commis curieux se montraient derrière les glaces ; mais le colosse gardait son indifférence de machine lancée à toute vapeur, inconsciente des morts qu'elle peut faire en chemin.

Denise cherchait des yeux son frère Jean. Elle finit par l'aper-
270 cevoir devant la boutique de Bourras, où elle le rejoignit pour lui recommander de marcher près de l'oncle et de le soutenir, s'il avait de la peine à marcher. Depuis quelques semaines, Jean était grave, comme tourmenté d'une préoccupation. Ce jour-là,

1. *Bimbelotier* : vendeur de bibelots, petits objets décoratifs.

serré dans une redingote noire, homme fait à cette heure et
275 gagnant des journées de vingt francs, il semblait si digne et si
triste, que sa sœur en fut frappée, car elle ne le soupçonnait pas
d'aimer à ce point leur cousine. Désireuse d'éviter à Pépé des
tristesses inutiles, elle l'avait laissé chez M{me} Gras, en se promet-
tant d'aller l'y chercher l'après-midi, pour lui faire embrasser
280 son oncle et sa tante.

Cependant, le corbillard n'arrivait toujours pas, et Denise, très
émue, regardait brûler les cierges, lorsqu'elle tressaillit, au son
connu d'une voix qui parlait derrière elle. C'était Bourras. Il avait
appelé d'un signe un marchand de marrons, installé en face, dans
285 une étroite guérite, prise sur la boutique d'un marchand de vin,
et il lui disait :

— Hein ? Vigoureux, rendez-moi ce service… Vous voyez, je
retire le bouton… Si quelqu'un venait, vous diriez de repasser.
Mais que ça ne vous dérange pas, il ne viendra personne.

290 Puis, il resta debout au bord du trottoir, attendant comme les
autres. Denise, gênée, avait jeté un coup d'œil sur la boutique.
Maintenant, il l'abandonnait, on ne voyait plus, à l'étalage,
qu'une débandade[1] pitoyable de parapluies mangés par l'air et
de cannes noires de gaz. Les embellissements qu'il y avait faits,
295 les peintures vert tendre, les glaces, l'enseigne dorée, tout
craquait, se salissait déjà, offrait cette décrépitude rapide et
lamentable du faux luxe, badigeonné sur des ruines. Pourtant,
si les anciennes crevasses reparaissaient, si les taches d'humidité
avaient repoussé sous les dorures, la maison tenait toujours,
300 entêtée, collée au flanc du *Bonheur des Dames,* comme une verrue
déshonorante, qui, bien que gercée et pourrie, refusait d'en
tomber.

— Ah ! les misérables, gronda Bourras, ils ne veulent même
pas qu'on l'emporte !

1. *Débandade* : désordre.

305 Le corbillard, qui arrivait enfin, venait d'être accroché par une voiture du *Bonheur,* dont les panneaux vernis filaient, jetant dans la brume leur rayonnement d'astre, au trot rapide de deux chevaux superbes. Et le vieux marchand lançait vers Denise un coup d'œil oblique, allumé sous la broussaille de ses sourcils.

310 Lentement, le convoi s'ébranla, pataugeant au milieu des flaques, dans le silence des fiacres et des omnibus brusquement arrêtés. Lorsque le corps drapé de blanc traversa la place Gaillon, les regards sombres du cortège plongèrent une fois encore derrière les glaces du grand magasin, où seules deux
315 vendeuses accourues regardaient, heureuses de cette distraction. Baudu suivait le corbillard, d'un pas lourd et machinal ; et il avait refusé d'un signe le bras de Jean, qui marchait près de lui. Puis, après la queue du monde, venaient trois voitures de deuil. Comme on coupait la rue Neuve-des-Petits-Champs,
320 Robineau accourut se joindre au cortège, très pâle, l'air vieilli.

 À Saint-Roch, beaucoup de femmes attendaient, les petites commerçantes du quartier, qui avaient redouté l'encombrement de la maison mortuaire. La manifestation tournait à l'émeute ; et, lorsque, après le service, le convoi se remit en marche, tous
325 les hommes suivirent de nouveau, bien qu'il y eût une longue course, de la rue Saint-Honoré au cimetière Montmartre. On dut remonter la rue Saint-Roch et passer une seconde fois devant le *Bonheur des Dames.* C'était une obsession, ce pauvre corps de jeune fille était promené autour du grand magasin,
330 comme la première victime tombée sous les balles, en temps de révolution. À la porte, des flanelles rouges claquaient au vent ainsi que des drapeaux, un étalage de tapis éclatait en une floraison saignante d'énormes roses et de pivoines épanouies.

 Denise, cependant, était montée dans une voiture, agitée de
335 doutes si cuisants, la poitrine serrée d'une telle tristesse, qu'elle n'avait plus la force de marcher. Il y eut justement un arrêt, rue du Dix-Décembre, devant les échafaudages de la nouvelle

façade, qui gênait toujours la circulation. Et la jeune fille
remarqua le vieux Bourras, resté en arrière, traînant la jambe,
340 dans les roues mêmes de la voiture où elle se trouvait seule.
Jamais il n'arriverait au cimetière. Il avait levé la tête, il la
regardait. Puis, il monta.

— Ce sont mes sacrés genoux, murmurait-il. Ne vous reculez
donc pas !… Est-ce que c'est vous qu'on déteste !

345 Elle le sentit amical et furieux, comme autrefois. Il grondait,
déclarait ce diable de Baudu joliment solide, pour aller quand
même, après de tels coups sur le crâne. Le convoi avait repris
sa marche lente ; et, en se penchant, elle voyait en effet l'oncle
s'entêter derrière le corbillard, de son pas alourdi, qui semblait
350 régler le train sourd et pénible du cortège. Alors, elle s'aban-
donna dans son coin, elle écouta les paroles sans fin du vieux
marchand de parapluies, au long bercement mélancolique de
la voiture.

— Si la police ne devrait pas débarrasser la voie publique !…
355 Il y a plus de dix-huit mois qu'ils nous encombrent, avec leur
façade, où un homme s'est encore tué l'autre jour. N'importe !
lorsqu'ils voudront s'agrandir désormais, il leur faudra jeter des
ponts par-dessus les rues… On dit que vous êtes deux mille sept
cents employés et que le chiffre d'affaires atteindra cent millions
360 cette année… Cent millions ! mon Dieu ! cent millions !

Denise n'avait rien à répondre. Le convoi venait de s'engager
dans la rue de la Chaussée-d'Antin, où des embarras de voitures
l'attardaient. Bourras continua, les yeux vagues, comme s'il eût
maintenant rêvé tout haut. Il ne comprenait toujours pas le
365 triomphe du *Bonheur des Dames,* mais il avouait la défaite de
l'ancien commerce.

— Ce pauvre Robineau est fichu, il a une figure d'homme qui
se noie… Et les Bédoré, et les Vanpouille, ça ne tient plus
debout, c'est comme moi, les jambes cassées. Deslignières
370 crèvera d'un coup de sang, Piot et Rivoire ont eu la jaunisse.

Ah! nous sommes tous jolis, un beau cortège de carcasses que nous faisons à la chère enfant! Ça doit être drôle, pour les gens qui regardent défiler cette queue de faillites… D'ailleurs, il paraît que le nettoyage va continuer. Les coquins créent des
375 rayons de fleurs, de modes, de parfumerie, de cordonnerie, que sais-je encore? Grognet, le parfumeur de la rue de Grammont, peut déménager, et je ne donnerais pas dix francs de la cordonnerie Naud, rue d'Antin. Le choléra souffle jusqu'à la rue Sainte-Anne, où Lacassagne, qui tient les plumes et les fleurs, et
380 M^me Chadeuil, dont les chapeaux sont pourtant connus, seront balayés avant deux ans… Après ceux-là, d'autres, et toujours d'autres! Tous les commerces du quartier y passeront. Quand des calicots[1] se mettent à vendre des savons et des galoches[2], ils peuvent bien avoir l'ambition de vendre des pommes de terre
385 frites. Ma parole, la terre se détraque!

Le corbillard traversait alors la place de la Trinité, et, du coin de la sombre voiture, où Denise écoutait la plainte du vieux marchand, bercée au train funèbre du convoi, elle put voir, en débouchant de la rue de la Chaussée-d'Antin, le corps qui
390 montait déjà la pente de la rue Blanche. Derrière l'oncle, à la marche aveugle et muette de bœuf assommé, il lui semblait entendre le piétinement d'un troupeau conduit à l'abattoir, toute la déconfiture des boutiques d'un quartier, le petit commerce traînant sa ruine, avec un bruit mouillé de savates,
395 dans la boue noire de Paris. Cependant, Bourras parlait d'une voix plus sourde, comme ralentie par la montée rude de la rue Blanche.

— Moi, j'ai mon compte… Mais je le tiens tout de même et je ne le lâche pas. Il a encore perdu en appel. Ah! ça m'a coûté
400 bon: près de deux ans de procès, et les avoués, et les avocats!

1. *Calicots*: commis dans un magasin de nouveautés. \ 2. *Galoches*: sabots en cuir à semelle de bois. Le terme est ici employé péjorativement.

N'importe, il ne passera pas sous ma boutique, les juges ont décidé qu'un tel travail n'avait point le caractère d'une réparation motivée. Quand on pense qu'il parlait de créer, là-dessous, un salon de lumières, pour juger la couleur des étoffes

405 au gaz, une pièce souterraine qui aurait relié la bonneterie à la draperie ! Et il ne dérage plus, il ne peut avaler qu'un vieux démoli de mon espèce lui barre la route, quand tout le monde est à genoux devant son argent... Jamais ! je ne veux pas ! c'est bien entendu. Possible que je reste sur le carreau. Depuis que

410 j'ai à me battre contre les huissiers, je sais que le gredin recherche mes créances [1], histoire sans doute de me jouer un vilain tour. Ça ne fait rien, il dit oui, je dis non, et je dirai non toujours, tonnerre de Dieu ! même lorsque je serai cloué entre quatre planches, comme la petite qui s'en va, là-bas.

415 Quand on arriva au boulevard de Clichy, la voiture roula plus vite, on entendit l'essoufflement du monde, la hâte inconsciente du cortège, pressé d'en finir. Ce que Bourras ne disait pas nettement, c'était la misère noire où il était tombé, la tête perdue dans les tracas du petit boutiquier qui sombre et qui s'entête pour

420 durer, sous la grêle des protêts [2]. Denise, au courant de sa situation, rompit enfin le silence, en murmurant d'une voix de prière :

— Monsieur Bourras, ne faites pas le méchant davantage...
Laissez-moi arranger les choses.

Il l'interrompit d'un geste violent.

425 — Taisez-vous, ça ne regarde personne... Vous êtes une bonne petite fille, je sais que vous lui rendez la vie dure, à cet homme qui vous croyait à vendre comme ma maison. Mais que répondriez-vous, si je vous conseillais de dire oui ? Hein ? vous m'enverriez coucher... Eh bien ! lorsque je dis non, ne mettez

430 pas votre nez là-dedans.

1. *Créances* : droit en vertu duquel une personne (le créancier) peut réclamer à une autre (le débiteur) une somme d'argent. \ 2. *Protêts* : actes par lesquels on fait constater que quelqu'un ne peut pas payer ses dettes.

Et, la voiture s'étant arrêtée à la route du cimetière, il descendit avec la jeune fille. Le caveau des Baudu se trouvait dans la première allée, à gauche. En quelques minutes, la cérémonie fut terminée. Jean avait écarté l'oncle, qui regardait le
435 trou d'un air béant. La queue du cortège se répandait parmi les tombes voisines, tous les visages de ces boutiquiers, appauvris de sang au fond de leurs rez-de-chaussée malsains, prenaient une laideur souffrante, sous le ciel couleur de boue. Quand le cercueil coula doucement, des joues éraflées de couperose pâli-
440 rent, des nez s'abaissèrent pincés d'anémie, des paupières jaunes de bile, meurtries par les chiffres, se détournèrent.

— Nous devrions tous nous coller dans ce trou, dit Bourras à Denise, qui était restée près de lui. Cette petite, c'est le quartier qu'on enterre… Oh! je me comprends, l'ancien commerce
445 peut aller rejoindre ces roses blanches qu'on jette avec elle.

Denise ramena son oncle et son frère, dans une voiture de deuil. La journée fut pour elle d'une tristesse noire. D'abord, elle commençait à s'inquiéter de la pâleur de Jean; et, quand elle eut compris qu'il s'agissait d'une nouvelle histoire de femme, elle
450 voulut le faire taire, en lui ouvrant sa bourse; mais il secouait la tête, il refusait, c'était sérieux cette fois, la nièce d'un pâtissier très riche, qui n'acceptait pas même des bouquets de violettes. Ensuite, l'après-midi, lorsque Denise alla chercher Pépé chez M^{me} Gras, celle-ci lui déclara qu'il devenait trop grand pour
455 qu'elle le gardât davantage; encore un tracas, il faudrait trouver un collège, éloigner l'enfant peut-être. Et elle eut enfin, en menant Pépé embrasser les Baudu, l'âme déchirée par la douleur morne du *Vieil Elbeuf*. La boutique était fermée, l'oncle et la tante se tenaient au fond de la petite salle, dont ils oubliaient d'allumer
460 le gaz, malgré l'obscurité complète de cette journée d'hiver. Il n'y avait plus qu'eux, ils demeuraient face à face, dans la maison vidée lentement par la ruine; et la mort de leur fille creusait davantage les coins de ténèbres, était comme le craquement

suprême qui allait faire se rompre les vieilles poutres mangées
465 d'humidité. Sous cet écrasement, l'oncle, sans pouvoir s'arrêter,
marchait toujours autour de la table, de son pas du convoi,
aveugle et muet ; tandis que la tante ne disait rien non plus,
tombée sur une chaise, avec la face blanche d'une blessée, dont
le sang s'épuisait goutte à goutte. Ils ne pleurèrent même pas,
470 lorsque Pépé mit de gros baisers sur leurs joues froides. Denise
étouffait de larmes.

Le soir, justement, Mouret fit demander la jeune fille, pour
causer d'un vêtement d'enfant qu'il voulait lancer, un mélange
d'écossais et de zouave. Et, toute frémissante de pitié, révoltée
475 de tant de souffrances, elle ne put se contenir ; elle osa d'abord
parler de Bourras, de ce pauvre homme à terre qu'on allait
égorger. Mais, au nom du marchand de parapluies, Mouret
s'emporta. Le vieux toqué, comme il l'appelait, désolait sa vie,
gâtait son triomphe, par son entêtement idiot à ne pas céder
480 sa maison, cette ignoble masure dont les plâtres salissaient le
Bonheur des Dames, le seul petit coin du vaste pâté échappé à la
conquête. L'affaire tournait au cauchemar ; tout autre que la
jeune fille, parlant en faveur de Bourras, aurait risqué d'être jeté
dehors, tellement Mouret était torturé du besoin maladif
485 d'abattre la masure à coups de pied. Enfin, que voulait-on qu'il
fît ? Pouvait-il laisser ce tas de décombres au flanc du *Bonheur* ?
Il fallait bien qu'il disparût, le magasin devait passer. Tant pis
pour le vieux fou ! Et il rappelait ses offres, il lui avait proposé
jusqu'à cent mille francs. N'était-ce pas raisonnable ? Certes,
490 il ne marchandait pas, il donnait l'argent qu'on exigeait ; mais,
au moins, qu'on eût un peu d'intelligence, qu'on le laissât finir
son œuvre ! Est-ce qu'on se mêlait d'arrêter les locomotives, sur
les chemins de fer ? Elle l'écoutait, les yeux baissés, ne trouvant
que des raisons de sentiment. Le bonhomme était si vieux, on
495 aurait pu attendre sa mort, une faillite le tuerait. Alors, il
déclara qu'il n'était même plus le maître d'empêcher les choses,

Bourdoncle s'en occupait, car le conseil avait résolu d'en finir. Elle n'eut rien à ajouter, malgré l'apitoiement douloureux de ses tendresses.

500 Après un silence pénible, ce fut Mouret lui-même qui parla des Baudu. Il commença par les plaindre beaucoup de la perte de leur fille. C'étaient de très bonnes gens, très honnêtes, et sur lesquels la mauvaise chance s'acharnait. Puis, il reprit ses arguments : au fond, ils avaient voulu leur malheur, on ne 505 s'obstinait pas de la sorte dans la baraque vermoulue de l'ancien commerce ; rien d'étonnant à ce que la maison leur tombât sur la tête. Vingt fois, il l'avait prédit ; même elle devait se souvenir qu'il l'avait chargée d'avertir son oncle d'un désastre fatal, si ce dernier s'attardait dans des vieilleries ridicules. Et 510 la catastrophe était venue, personne au monde ne l'empêcherait maintenant. On ne pouvait raisonnablement exiger qu'il se ruinât, afin d'épargner le quartier. Du reste, s'il avait eu la folie de fermer le *Bonheur,* un autre grand magasin aurait poussé de lui-même à côté, car l'idée soufflait des quatre points du 515 ciel, le triomphe des cités ouvrières et industrielles était semé par le coup de vent du siècle, qui emportait l'édifice croulant des vieux âges. Peu à peu, Mouret s'échauffait, trouvait une émotion éloquente pour se défendre contre la haine de ses victimes involontaires, la clameur des petites boutiques mori- 520 bondes, qu'il entendait monter autour de lui. On ne gardait pas ses morts, il fallait bien les enterrer ; et, d'un geste, il envoyait dans la terre, il balayait et jetait à la fosse commune le cadavre de l'antique négoce, dont les restes verdis et empestés deve- naient la honte des rues ensoleillées du nouveau Paris. Non, 525 non, il n'avait aucun remords, il faisait simplement la besogne de son âge, et elle le savait bien, elle qui aimait la vie, qui avait la passion des affaires larges, conclues au plein jour de la publi- cité. Réduite au silence, elle l'écouta longtemps, elle se retira, l'âme pleine de trouble.

530 Cette nuit-là, Denise ne dormit guère. Une insomnie, traversée de cauchemars, la retournait sous la couverture. Il lui semblait qu'elle était toute petite, et elle éclatait en larmes, au fond de leur jardin de Valognes, en voyant les fauvettes manger les araignées, qui elles-mêmes mangeaient les mouches. Était-

535 ce donc vrai, cette nécessité de la mort engraissant le monde, cette lutte pour la vie qui faisait pousser les êtres sur le charnier de l'éternelle destruction ? Ensuite, elle se revoyait devant le caveau où l'on descendait Geneviève, elle apercevait son oncle et sa tante, seuls au fond de leur salle à manger obscure. Dans le

540 profond silence, un bruit sourd d'écroulement traversait l'air mort : c'était la maison de Bourras qui s'effondrait, comme minée par les grandes eaux. Le silence recommençait, plus sinistre, et un nouvel écroulement retentissait, puis un autre, puis un autre : les Robineau, les Bédoré et sœur, les Vanpouille, craquaient et

545 s'écrasaient chacun à son tour, le petit commerce du quartier Saint-Roch s'en allait sous une pioche invisible, avec de brusques tonnerres de charrettes qu'on décharge. Alors, un chagrin immense l'éveillait en sursaut. Mon Dieu ! que de tortures ! des familles qui pleurent, des vieillards jetés au pavé, tous les drames

550 poignants de la ruine ! Et elle ne pouvait sauver personne, et elle avait conscience que cela était bon, qu'il fallait ce fumier de misères à la santé du Paris de demain. Au jour, elle se calma, une grande tristesse résignée la tenait les yeux ouverts, tournés vers la fenêtre dont les vitres s'éclairaient. Oui, c'était la part du sang,

555 toute révolution voulait des martyrs, on ne marchait en avant que sur des morts. Sa peur d'être une âme mauvaise, d'avoir travaillé au meurtre de ses proches, se fondait à présent dans une pitié navrée, en face de ces maux irrémédiables, qui sont l'enfantement douloureux de chaque génération. Elle finit par cher-

560 cher les soulagements possibles, sa bonté rêva longtemps aux moyens à prendre, pour sauver au moins les siens de l'écrasement final.

Mouret, maintenant, se dressait devant elle, avec sa tête passionnée, aux yeux caressants. Certes, il ne lui refusait rien, elle était sûre qu'il accorderait tous les dédommagements raisonnables. Et sa pensée s'égarait, tâchait de le juger. Elle connaissait sa vie, n'ignorait pas le calcul ancien de ses tendresses, sa continuelle exploitation de la femme, des maîtresses prises pour faire son chemin, et sa liaison avec M^{me} Desforges dans l'unique but de tenir le baron Hartmann, et toutes les autres, les Clara de rencontre, le plaisir acheté, payé, rejeté au trottoir. Seulement, ces débuts d'un aventurier de l'amour, dont le magasin plaisantait, finissaient par se perdre dans le coup de génie de cet homme, dans sa grâce victorieuse. Il était la séduction. Ce qu'elle ne lui aurait jamais pardonné, c'était son mensonge d'autrefois, sa froideur d'amant sous la comédie galante de ses prévenances. Mais elle se sentait sans rancune, aujourd'hui qu'il souffrait par elle. Cette souffrance l'avait grandi. Quand elle le voyait torturé, expiant si durement son dédain de la femme, il lui semblait racheté de ses fautes.

Dès ce matin-là, Denise obtint de Mouret les compensations qu'elle jugerait légitimes, le jour où les Baudu et le vieux Bourras succomberaient. Les semaines se passèrent, elle allait voir son oncle presque toutes les après-midi, s'échappant quelques minutes, apportant son rire, son courage de brave fille, pour égayer la sombre boutique. Sa tante surtout l'inquiétait, elle était restée dans une stupeur blême, depuis la mort de Geneviève ; il semblait que sa vie s'en allât un peu à chaque heure ; et, lorsqu'on l'interrogeait, elle répondait d'un air étonné qu'elle ne souffrait pas, qu'elle était comme prise de sommeil, simplement. Dans le quartier, on hochait la tête : la pauvre dame ne s'ennuierait pas longtemps de sa fille.

Un jour, Denise sortait de chez les Baudu, lorsque, au détour de la place Gaillon, elle entendit un grand cri. La foule se précipitait, un coup de panique soufflait, ce vent de peur et de pitié

qui ameute brusquement une rue. C'était un omnibus à caisse brune, une des voitures faisant le trajet de la Bastille aux Batignolles, dont les roues passaient sur le corps d'un homme, au débouché de la rue Neuve-Saint-Augustin, devant la fontaine.

600 Debout sur son siège, dans un mouvement furieux, le cocher retenait ses deux chevaux noirs, qui se cabraient ; et il jurait, il s'emportait en gros mots.

— Nom de Dieu ! nom de Dieu !... Faites donc attention, sacré maladroit !

605 Maintenant, l'omnibus était arrêté. La foule entourait le blessé, un sergent de ville se trouvait là par hasard. Toujours debout, appelant en témoignage les voyageurs de l'impériale [1], qui s'étaient levés, eux aussi, pour se pencher et voir le sang, le cocher s'expliquait avec des gestes exaspérés, la gorge étran-
610 glée d'une colère croissante.

— On n'a pas idée... Qui est-ce qui m'a fichu un particulier pareil ? Il était là comme chez lui. J'ai crié, et le voilà qui se fout sous les roues !

Alors, un ouvrier, un peintre en bâtiment, accouru avec
615 son pinceau d'une devanture voisine, dit d'une voix aiguë, au milieu des clameurs :

— Ne te fais donc pas de bile ! Je l'ai vu, il s'est collé dessous, parbleu !...Tiens ! il a piqué une tête comme ça. Encore un qui s'embêtait, faut croire !

620 D'autres voix s'élevèrent, on tombait d'accord sur l'idée d'un suicide, pendant que le sergent de ville verbalisait. Des dames, toutes pâles, descendaient vivement, emportaient, sans se retourner, l'horreur de la secousse molle dont l'omnibus leur avait remué les entrailles, en passant sur le corps. Cependant,
625 Denise s'approcha, attirée par la pitié active, qui la faisait se mêler de tous les accidents, des chiens écrasés, des chevaux

1. *Impériale* : galerie, parfois couverte, des omnibus.

abattus, des couvreurs tombés des toits. Et, sur le pavé, elle reconnut le malheureux, évanoui, la redingote souillée de boue.

— C'est M. Robineau! cria-t-elle, dans son douloureux éton-
630 nement.

Tout de suite, le sergent de ville interrogea cette jeune fille. Elle donna le nom, la profession, l'adresse. Grâce à l'énergie du cocher, l'omnibus avait fait un crochet, et les jambes seules de Robineau s'étaient trouvées engagées sous les roues. Seule-
635 ment, il y avait à craindre qu'elles ne fussent rompues l'une et l'autre. Quatre hommes de bonne volonté transportèrent le blessé chez un pharmacien de la rue Gaillon, pendant que l'omnibus reprenait lentement sa marche.

— Nom de Dieu! dit le cocher en enveloppant ses chevaux
640 d'un coup de fouet, j'ai fait ma journée.

Denise avait suivi Robineau chez le pharmacien. Celui-ci, dans l'attente d'un médecin, qu'on ne pouvait trouver, déclarait qu'il n'y avait aucun danger immédiat et que le mieux était de porter le blessé à son domicile, puisqu'il habitait le voisi
645 nage. Un homme était allé au poste de police demander un brancard. Alors, la jeune fille conçut la bonne pensée de partir en avant, afin de préparer M^{me} Robineau à ce coup affreux. Mais elle eut toutes les peines du monde à gagner la rue, au travers de la foule, qui s'écrasait devant la porte. Cette foule,
650 avide de mort, augmentait de minute en minute; des enfants, des femmes, se haussaient, tenaient bon dans les poussées brutales; et chaque nouveau venu inventait son accident, c'était à cette heure un mari que l'amant de sa femme avait jeté par la fenêtre.

655 Rue Neuve-des-Petits-Champs, Denise aperçut de loin M^{me} Robineau sur la porte de la spécialité de soies. Cela lui donna un prétexte pour s'arrêter, et elle causa un instant, en cherchant une façon d'amortir la terrible nouvelle. Le magasin sentait le désordre et l'abandon des luttes dernières, dans un

660 commerce qui se meurt. C'était le dénouement prévu de la grande bataille des deux soies rivales, le Paris-Bonheur avait écrasé la concurrence, à la suite d'une nouvelle baisse de cinq centimes : il ne se vendait plus que quatre francs quatre-vingt-quinze, la soie de Gaujean avait trouvé son Waterloo[1]. Depuis 665 deux mois, Robineau, réduit aux expédients, menait une vie d'enfer, pour empêcher une déclaration de faillite.

— J'ai vu passer votre mari sur la place Gaillon, murmura Denise, qui avait fini par entrer dans la boutique.

Mme Robineau, dont une sourde inquiétude semblait ramener 670 continuellement les regards vers la rue, dit vivement :

— Ah ! tout à l'heure, n'est-ce pas ?... Je l'attends, il devrait être ici. Ce matin, M. Gaujean est venu, et ils sont sortis ensemble.

Elle était toujours charmante, délicate et gaie ; mais une 675 grossesse avancée déjà la fatiguait, elle restait plus effarée, plus dépaysée que jamais, dans ces affaires, auxquelles sa nature tendre ne mordait pas, et qui tournaient mal. Comme elle le répétait souvent, pourquoi donc tout ça ? ne serait-ce pas plus gentil de vivre tranquille, au fond d'un petit logement, où l'on 680 ne mangerait que du pain ?

— Ma chère enfant, reprit-elle avec un sourire qui s'attristait, nous n'avons rien à vous cacher... Ça ne va pas bien, mon pauvre chéri n'en dort plus. Aujourd'hui encore, ce Gaujean l'a tourmenté, à propos de billets[2] en retard... Je me sentais 685 mourir d'inquiétude, à être là toute seule...

Et elle retournait sur la porte, lorsque Denise l'arrêta. Au loin, celle-ci venait d'entendre une rumeur de foule. Elle devina le brancard qu'on apportait, le flot de curieux qui n'avaient pas

1. *Waterloo* : commune de Belgique où Napoléon Ier fut défait par l'armée britannique de Wellington en 1815. \ 2. *Billets* : reconnaissances de dettes par lesquelles on s'engage à rembourser une somme à une date donnée.

lâché l'accident. Alors, la gorge sèche, ne trouvant pas les mots
690 consolateurs qu'elle aurait voulu, elle dut parler.

— Ne vous inquiétez pas, il n'y a pas de danger immédiat…
Oui, j'ai vu M. Robineau, il lui est arrivé un malheur… On
l'apporte, ne vous inquiétez pas, je vous en prie.

La jeune femme l'écoutait, toute blanche, sans comprendre
695 nettement encore. La rue s'était emplie de monde, les fiacres
arrêtés juraient, des hommes avaient posé le brancard devant
la porte du magasin, pour ouvrir les deux battants vitrés.

— C'est un accident, continuait Denise, résolue à cacher la
tentative de suicide. Il était sur le trottoir, et il a glissé sous les
700 roues d'un omnibus… Oh! les pieds seulement. On cherche un
médecin. Ne vous inquiétez pas.

Un grand frisson secouait M^{me} Robineau. Elle eut deux ou
trois cris inarticulés; puis, elle ne parla plus, elle s'abattit près
du brancard, dont elle écarta les toiles de ses mains trem-
705 blantes. Les hommes qui venaient de le porter, attendaient
devant la maison, pour le remporter, lorsqu'on aurait enfin
trouvé un médecin. On n'osait plus toucher à Robineau, qui
avait repris connaissance, et dont les souffrances devenaient
atroces, au moindre mouvement. Quand il vit sa femme, deux
710 grosses larmes coulèrent sur ses joues. Elle l'avait embrassé, et
elle pleurait, en le regardant de ses yeux fixes. Dans la rue, la
cohue continuait, les visages s'entassaient comme au spectacle,
avec des yeux luisants; des ouvrières, échappées d'un atelier,
menaçaient d'enfoncer les glaces des vitrines, pour mieux voir.
715 Afin d'échapper à cette fièvre de curiosité, et jugeant d'ailleurs
qu'il n'était pas convenable de laisser le magasin ouvert, Denise
eut l'idée de baisser le rideau métallique. Elle-même alla
tourner la manivelle, l'engrenage avait un cri plaintif, les
feuilles de tôle descendaient avec lenteur, ainsi qu'une draperie
720 lourde tombant sur le dénouement d'un cinquième acte. Et,
lorsqu'elle rentra et qu'elle eut fermé derrière elle la petite

porte ronde, elle retrouva M^me Robineau serrant toujours son
mari entre ses bras éperdus, sous le demi-jour louche qui venait
des deux étoiles découpées dans la tôle. La boutique ruinée
725 semblait glisser au néant, seules les deux étoiles luisaient
sur cette catastrophe rapide et brutale du pavé parisien. Enfin,
M^me Robineau recouvra la parole.

– Oh! mon chéri... oh! mon chéri!... Oh! mon chéri...
Elle ne trouvait que ces mots, et lui suffoqua, se confessa
730 dans une crise de remords, en la voyant ainsi agenouillée,
renversée, avec son ventre de mère qui s'écrasait contre le bran-
card. Lorsqu'il ne bougeait pas, il ne sentait que le plomb
brûlant de ses jambes.

– Pardonne-moi, j'ai dû être fou... Quand l'avoué m'a dit
735 devant Gaujean que les affiches seraient posées demain, il m'a
semblé que des flammes dansaient, comme si les murs avaient
brûlé... Et puis, je ne me souviens plus: je descendais la rue
de la Michodière, j'ai cru que les gens du *Bonheur* se fichaient
de moi, cette grande gueuse de maison m'écrasait... Alors,
740 quand l'omnibus a tourné, j'ai songé à Lhomme et à son bras,
je me suis jeté dessous...

Lentement, M^me Robineau tomba assise sur le parquet,
dans l'horreur de ces aveux. Mon Dieu! il avait voulu mourir.
Elle saisit la main de Denise, qui s'était penchée vers elle,
745 toute retournée par cette scène. Le blessé, que son émotion
épuisait, venait encore de perdre connaissance. Et ce médecin
qui n'arrivait pas! Deux hommes avaient déjà battu le quar-
tier, le concierge de la maison s'était mis en campagne à son
tour.

750 – Ne vous inquiétez pas, répétait Denise machinalement,
sanglotant elle aussi.

Alors, M^me Robineau, assise par terre, la tête à la hauteur du
brancard, la joue contre la sangle où gisait son mari, soulagea
son cœur.

755 — Oh! si je vous racontais… C'est pour moi qu'il a voulu mourir. Il me disait sans cesse : Je t'ai volée, l'argent venait de toi. Et, la nuit, il rêvait de ces soixante mille francs, il se réveillait en sueur, se traitait d'incapable. Quand on n'avait pas plus de tête, on ne risquait pas la fortune des autres… Vous 760 savez qu'il a toujours été nerveux, l'esprit tourmenté. Il finissait par voir des choses qui me faisaient peur, il m'apercevait dans la rue, en guenilles, mendiant, moi qu'il aimait si fort, qu'il désirait riche, heureuse…

Mais, en tournant la tête, elle le retrouva les yeux ouverts ; 765 et elle continua, de sa voix bégayante :

— Oh! mon chéri, pourquoi as-tu fait cela ?… Tu me crois donc bien vilaine ? Va, ça m'est égal, que nous soyons ruinés. Pourvu qu'on soit ensemble, on n'est pas malheureux… Laisse-les donc tout prendre. Allons-nous en quelque part, où tu n'en-770 tendras plus parler d'eux. Tu travailleras quand même, tu verras comme ce sera bon encore.

Son front était tombé près du visage pâle de son mari, tous deux se taisaient maintenant, dans l'attendrissement de leur angoisse. Il y eut un silence, la boutique semblait dormir, 775 engourdie par le crépuscule blafard qui la noyait ; tandis qu'on entendait, derrière la tôle mince de la fermeture, le fracas de la rue, la vie du plein jour passant avec le grondement des voitures et la bousculade des trottoirs. Enfin, Denise, qui allait, à chaque minute, jeter un coup d'œil par la petite porte ouvrant sur le 780 vestibule de la maison, revint en criant :

— Le médecin !

C'était un jeune homme, aux yeux vifs, que le concierge ramenait. Il préféra visiter le blessé avant qu'on le couchât. Une seule des jambes, la gauche, se trouvait cassée, au-dessus de la 785 cheville. La rupture était simple, aucune complication ne semblait à craindre. Et l'on se disposait à porter le brancard au fond, dans la chambre, lorsque Gaujean se présenta. Il venait

rendre compte d'une dernière démarche, dans laquelle du reste il avait échoué : la déclaration de faillite était définitive.

790 — Quoi donc ? murmura-t-il, qu'est-il arrivé ?

D'un mot, Denise le renseigna. Alors, il resta gêné. Robineau lui dit faiblement :

— Je ne vous en veux pas, mais tout cela est un peu de votre faute.

795 — Dame ! mon cher, répondit Gaujean, il fallait avoir des reins plus solides que les nôtres… Vous savez que je ne suis guère mieux portant que vous.

On soulevait le brancard. Le blessé trouva encore la force de dire :

800 — Non, non, des reins plus solides auraient plié tout de même… Je comprends que les vieux entêtés, comme Bourras et Baudu, y restent ; mais nous autres, qui étions jeunes, qui acceptions le nouveau train des choses !… Non, voyez-vous, Gaujean, c'est la fin d'un monde.

805 On l'emporta. M^{me} Robineau embrassa Denise, dans un élan où il y avait presque de la joie, à être enfin débarrassée du tracas des affaires. Et, comme Gaujean se retirait avec la jeune fille, il lui confessa que ce pauvre diable de Robineau avait raison. C'était imbécile de vouloir lutter contre le *Bonheur des Dames*. Lui, 810 personnellement, se sentait perdu, s'il ne rentrait pas en grâce. Déjà, la veille, il avait fait une démarche secrète auprès de Hutin, qui justement allait partir pour Lyon, Mais il désespérait, et il tâcha d'intéresser Denise, au courant sans doute de sa puissance.

— Ma foi ! répétait-il, tant pis pour la fabrication ! On se 815 moquerait de moi, si je me ruinais en bataillant davantage dans l'intérêt des autres, lorsque les gaillards se disputent à qui fabriquera le moins cher… Mon Dieu ! comme vous le disiez autrefois, la fabrication n'a qu'à suivre le progrès, par une meilleure organisation et des procédés nouveaux. Tout s'ar-820 rangera, il suffit que le public soit content.

Denise souriait. Elle répondit :

— Allez donc dire cela à M. Mouret lui-même… Votre visite lui fera plaisir, et il n'est pas homme à vous tenir rancune, si vous lui offrez seulement un bénéfice d'un centime par mètre.

825 Ce fut en janvier que M^me Baudu expira, par une claire après-midi de soleil. Depuis quinze jours, elle ne pouvait plus descendre à la boutique, qu'une femme de journée[1] gardait. Elle était assise au milieu de son lit, les reins soutenus par des oreillers. Seuls, dans son visage blanc, les yeux vivaient encore ; 830 et, la tête droite, elle les tournait obstinément vers le *Bonheur des Dames*, en face, à travers les petits rideaux des fenêtres. Baudu, souffrant lui-même de cette obsession, de la fixité désespérée de ces regards, voulait parfois tirer les grands rideaux. Mais, d'un geste suppliant, elle l'arrêtait, elle s'entêtait à voir, 835 jusqu'à son dernier souffle. Maintenant, le monstre lui avait tout pris, sa maison, sa fille ; elle-même s'en était allée peu à peu avec le *Vieil Elbeuf,* perdant de sa vie à mesure qu'il perdait de sa clientèle ; le jour où il râlait, elle n'avait plus d'haleine. Quand elle se sentit mourir, elle eut encore la force d'exiger de son mari 840 qu'il ouvrît les deux fenêtres. Il faisait doux, une nappe de gai soleil dorait le *Bonheur*, tandis que la chambre de l'antique logis frissonnait dans l'ombre. M^me Baudu demeurait les regards fixes, emplis de cette vision de monument triomphal, de ces glaces limpides, derrière lesquelles passait un galop de millions. 845 Lentement, ses yeux pâlissaient, envahis de ténèbres, et lorsqu'ils s'éteignirent dans la mort, ils restèrent grands ouverts, regardant toujours, noyés de grosses larmes.

Une fois encore, tout le petit commerce ruiné du quartier défila au convoi. On y vit les frères Vanpouille, blêmes de leurs 850 échéances de décembre, payées par un suprême effort qu'ils ne

1. *Femme de journée* : femme de ménage que l'on emploie à la journée, et qui, à la différence d'une bonne, n'est ni logée ni nourrie.

pourraient recommencer. Bédoré et sœur s'appuyait sur une canne, travaillé de tels soucis, que sa maladie d'estomac s'aggravait. Deslignières avait eu une attaque. Piot et Rivoire marchaient en silence, le nez à terre, en hommes finis. Et l'on
855 n'osait s'interroger sur les disparus, Quinette, M^{lle} Tatin, d'autres qui, du matin au soir, sombraient, roulés, emportés, dans le flot des désastres ; sans compter Robineau allongé sur son lit, avec sa jambe cassée. Mais on se montrait surtout, d'un air d'intérêt, les nouveaux commerçants atteints par la peste :
860 le parfumeur Grognet, la modiste M^{me} Chadeuil, et Lacassagne le fleuriste, et Naud le cordonnier, encore debout, pris seulement de l'anxiété du mal qui devait les balayer à leur tour. Derrière le corbillard, Baudu marchait du même pas de bœuf assommé, dont il avait accompagné sa fille ; tandis que, au fond
865 de la première voiture de deuil, on apercevait les yeux étincelants de Bourras, sous les broussailles de ses sourcils et de ses cheveux, d'un blanc de neige.

Denise eut un grand chagrin. Depuis quinze jours, elle était brisée de soucis et de fatigues. Il lui avait fallu mettre Pépé au
870 collège, et Jean la faisait courir, tellement amoureux de la nièce du pâtissier, qu'il avait supplié sa sœur de la demander en mariage. Ensuite, la mort de la tante, ces catastrophes répétées, venaient d'accabler la jeune fille. Mouret s'était de nouveau mis à sa disposition : ce qu'elle ferait pour son oncle et les autres,
875 serait bien fait. Un matin encore, elle eut un entretien avec lui, à la nouvelle que Bourras était jeté sur le pavé, et que Baudu allait fermer boutique. Puis, elle sortit après le déjeuner, avec l'espoir de soulager au moins ceux-là.

Dans la rue de la Michodière, Bourras était debout, planté
880 sur le trottoir, en face de sa maison, dont on l'avait expulsé la veille, à la suite d'un joli tour, une trouvaille de l'avoué : comme Mouret possédait des créances, il venait d'obtenir aisément la mise en faillite du marchand de parapluies, puis il avait

acheté cinq cents francs le droit au bail, dans la vente faite par
885 le syndic ; de sorte que le vieillard entêté s'était laissé prendre
pour cinq cents francs ce qu'il n'avait pas voulu lâcher pour
cent mille. D'ailleurs, l'architecte, qui arrivait avec sa bande de
démolisseurs, avait dû requérir le commissaire pour le mettre
dehors. Les marchandises étaient vendues, les chambres démé-
890 nagées ; lui, s'obstinait dans le coin où il couchait, et dont on
n'osait le chasser, par une pitié dernière. Même les démolisseurs
attaquèrent la toiture sur sa tête. On avait retiré les ardoises
pourries, les plafonds s'effondraient, les murs craquaient, et il
restait là, sous les vieilles charpentes à nu, au milieu des
895 décombres. Enfin, devant la police, il était parti. Mais, dès le
lendemain matin, il avait reparu sur le trottoir d'en face, après
avoir passé la nuit dans un hôtel meublé du voisinage.

— Monsieur Bourras, dit doucement Denise.

Il ne l'entendait pas, ses yeux de flamme dévoraient les
900 démolisseurs, dont la pioche entamait la façade de la masure.
Maintenant, par les fenêtres vides, on voyait l'intérieur, les
chambres misérables, l'escalier noir, où le soleil n'avait pas
pénétré depuis deux cents ans.

— Ah ! c'est vous, répondit-il enfin, quand il l'eut reconnue.
905 Hein ? ils en font une besogne, ces voleurs !

Elle n'osait plus parler, remuée par la tristesse lamentable de
la vieille demeure, ne pouvant elle-même détacher les yeux des
pierres moisies qui tombaient. En haut dans un coin du
plafond de son ancienne chambre, elle apercevait encore le nom
910 en lettres noires et tremblées : Ernestine, écrit avec la flamme
d'une chandelle ; et le souvenir des jours de misère lui revenait,
plein d'un attendrissement pour toutes les douleurs. Mais les
ouvriers, afin d'abattre d'un coup un pan de muraille, avaient
eu l'idée de l'attaquer à la base. Il chancelait.

915 — S'il pouvait les écraser tous ! murmurait Bourras d'une
voix sauvage.

On entendit un craquement terrible. Les ouvriers épouvantés se sauvèrent dans la rue. En s'abattant, la muraille ébranlait et emportait toute la ruine. Sans doute, la masure ne tenait plus,
920 au milieu des tassements et des gerçures : une poussée avait suffi pour la fendre du haut en bas. Ce fut un éboulement pitoyable, l'aplatissement d'une maison de fange[1], détrempée par les pluies. Pas une cloison ne resta debout, il n'y eut plus par terre qu'un amas de débris, le fumier du passé tombé à la borne.

925 — Mon Dieu ! avait crié le vieillard, comme si le coup lui eût retenti dans les entrailles.

Il demeurait béant, jamais il n'aurait cru que ce serait fini si vite. Et il regardait l'entaille ouverte, le creux libre enfin dans le flanc du *Bonheur des Dames*, débarrassé de la verrue qui le
930 déshonorait. C'était le moucheron écrasé, le dernier triomphe sur l'obstination cuisante de l'infiniment petit, toute l'île envahie et conquise. Des passants attroupés causaient très haut avec les démolisseurs, qui se fâchaient contre ces vieilles bâtisses, bonnes à tuer le monde.

935 — Monsieur Bourras, répéta Denise, en tâchant de l'emmener à l'écart, vous savez qu'on ne vous abandonnera pas. Il sera pourvu à tous vos besoins…

Il se redressa.

— Je n'ai pas de besoins… Ce sont eux qui vous envoient,
940 n'est-ce pas ? Eh bien ! dites-leur que le père Bourras sait encore travailler, et qu'il trouvera de l'ouvrage où il voudra… Vrai ! ce serait trop commode, de faire la charité aux gens qu'on assassine !

Alors, elle le supplia.

945 — Je vous en prie, acceptez, ne me laissez pas ce chagrin.
Mais il secouait sa tête chevelue.

— Non, non, c'est fini, bonsoir… Vivez donc heureuse, vous

1. *Fange* : boue.

456

qui êtes jeune, et n'empêchez pas les vieux de partir avec leurs idées.

950 Il jeta un dernier coup d'œil sur le tas des décombres, puis s'en alla, péniblement. Elle suivit son dos, au milieu des bousculades du trottoir. Le dos tourna l'angle de la place Gaillon, et ce fut tout.

Un instant, Denise resta immobile, les yeux perdus. Enfin, 955 elle entra chez son oncle. Le drapier était seul, dans la boutique sombre du *Vieil Elbeuf*. La femme de ménage ne venait que le matin et le soir, pour faire un peu de cuisine et pour aider à ôter et à mettre les volets. Il passait les heures, au fond de cette solitude, sans que personne souvent le dérangeât de la journée, 960 effaré et ne trouvant plus les marchandises, lorsqu'une cliente se risquait encore. Et là, dans le silence, dans le demi-jour, il marchait continuellement, il gardait le pas alourdi de ses deuils, cédant à un besoin maladif, à de véritables crises de marche forcée, comme s'il avait voulu bercer et endormir sa 965 douleur.

— Allez-vous mieux, mon oncle ? demanda Denise.

Il ne s'arrêta qu'une seconde, il repartit, allant de la caisse à un angle obscur.

— Oui, oui, très bien… Merci.

970 Elle cherchait un sujet consolant, des paroles gaies, et n'en trouvait point.

— Vous avez entendu ce bruit ? La maison est par terre.

— Tiens ! c'est vrai, murmura-t-il d'un air étonné, ce devait être la maison… J'ai senti le sol trembler… Moi, ce matin, en 975 les voyant sur le toit, j'avais fermé ma porte.

Et il eut un geste vague, pour dire que ces choses ne l'intéressaient plus. Chaque fois qu'il revenait devant la caisse, il regardait la banquette vide, cette banquette de velours usé, où sa femme et sa fille avaient grandi. Puis, lorsque son perpétuel piéti- 980 nement le ramenait à l'autre bout, il regardait les casiers noyés

d'ombre, dans lesquels achevaient de moisir quelques pièces de drap. C'était la maison veuve, ceux qu'il aimait partis, son commerce tombé à une fin honteuse, lui seul promenant son cœur mort et son orgueil abattu, au milieu de ces catastrophes. Il levait

985 les yeux vers le plafond noir, il écoutait le silence qui sortait des ténèbres de la petite salle à manger, le coin familial dont il aimait autrefois jusqu'à l'odeur enfermée. Plus un souffle dans l'antique logis, son pas régulier et pesant faisait sonner les vieux murs, comme s'il avait marché sur la tombe de ses tendresses.

990 Enfin, Denise aborda le sujet qui l'amenait.

— Mon oncle, vous ne pouvez rester ainsi. Il faudrait prendre une détermination.

Il répondit sans s'arrêter :

— Sans doute, mais que veux-tu que je fasse ? J'ai tâché de

995 vendre, personne n'est venu… Mon Dieu ! un matin, je fermerai la boutique, et je m'en irai.

Elle savait qu'une faillite n'était plus à craindre. Les créanciers avaient préféré s'entendre, devant un pareil acharnement du sort. Tout payé, l'oncle allait simplement se trouver à la rue.

1000 — Mais que ferez-vous ensuite ? murmura-t-elle, cherchant une transition pour arriver à l'offre qu'elle n'osait formuler.

— Je ne sais pas, répondit-il. On me ramassera bien.

Il avait changé son trajet, il marchait de la salle à manger aux vitrines de la devanture ; et, maintenant, il considérait

1005 chaque fois d'un regard morne ces vitrines lamentables, avec leur étalage oublié. Ses yeux ne se levaient même pas sur la façade triomphante du *Bonheur des Dames*, dont les lignes architecturales se perdaient à droite et à gauche, aux deux bouts de la rue. C'était un anéantissement, il ne trouvait plus la force de

1010 se fâcher.

— Écoutez, mon oncle, finit par dire Denise embarrassée, il y aurait peut-être une place pour vous…

Elle se reprit, elle bégaya :

— Oui, je suis chargée de vous offrir une place d'inspecteur.

1015 — Où donc ? demanda Baudu.

— Mon Dieu ! là, en face… Chez nous… Six mille francs, un travail sans fatigue.

Brusquement, il s'était arrêté devant elle. Mais, au lieu de s'emporter comme elle le craignait, il devenait très pâle, il 1020 succombait sous une émotion douloureuse, d'une amère résignation.

— En face, en face, balbutia-t-il à plusieurs reprises. Tu veux que j'entre en face ?

Denise elle-même était gagnée par cette émotion. Elle 1025 revoyait la longue lutte des deux boutiques, elle assistait aux convois de Geneviève et de M^{me} Baudu, elle avait sous les yeux le *Vieil Elbeuf* renversé, égorgé à terre par le *Bonheur des Dames*. Et l'idée de son oncle entrant en face, se promenant là en cravate blanche, lui faisait sauter le cœur de pitié et de révolte.

1030 — Voyons, Denise, ma fille, est-ce possible ? dit-il simplement, tandis qu'il croisait ses pauvres mains tremblantes.

— Non, non, mon oncle ! cria-t-elle dans un élan de tout son être juste et bon. Ce serait mal… Pardonnez-moi, je vous en supplie.

1035 Il avait repris sa marche, son pas ébranlait de nouveau le vide sépulcral de la maison. Et, quand elle le quitta, il allait, il allait toujours, dans cette locomotion entêtée des grands désespoirs, qui tournent sur eux-mêmes, sans pouvoir en sortir jamais.

Denise, cette nuit-là, eut encore une insomnie. Elle venait de 1040 toucher le fond de son impuissance. Même en faveur des siens, elle ne trouvait pas un soulagement. Jusqu'au bout, il lui fallait assister à l'œuvre invincible de la vie, qui veut la mort pour continuelle semence. Elle ne se débattait plus, elle acceptait cette loi de la lutte ; mais son âme de femme s'emplissait d'une 1045 bonté en pleurs, d'une tendresse fraternelle, à l'idée de l'humanité souffrante. Depuis des années, elle-même était prise entre

les rouages de la machine. N'y avait-elle pas saigné ? ne l'avait-on pas meurtrie, chassée, traînée dans l'injure ? Aujourd'hui encore, elle s'épouvantait parfois, lorsqu'elle se sentait choisie
1050 par la logique des faits. Pourquoi elle, si chétive ? pourquoi sa petite main pesant tout d'un coup si lourd, au milieu de la besogne du monstre ? Et la force qui balayait tout, l'emportait à son tour, elle dont la venue devait être une revanche. Mouret avait inventé cette mécanique à écraser le monde, dont le fonc-
1055 tionnement brutal l'indignait ; il avait semé le quartier de ruines, dépouillé les uns, tué les autres ; et elle l'aimait quand même pour la grandeur de son œuvre, elle l'aimait davantage à chacun des excès de son pouvoir, malgré le flot de larmes qui la soulevait, devant la misère sacrée des vaincus.

XIV

La rue du Dix-Décembre, toute neuve, avec ses maisons d'une blancheur de craie et les derniers échafaudages des quelques bâtisses attardées, s'allongeait sous un limpide soleil de février ; un flot de voitures passait, d'un large train de conquête, au
5 milieu de cette trouée de lumière qui coupait l'ombre humide du vieux quartier Saint-Roch ; et, entre la rue de la Michodière et la rue de Choiseul, il y avait une émeute, l'écrasement d'une foule chauffée par un mois de réclame, les yeux en l'air, bayant [1] devant la façade monumentale du *Bonheur des Dames*, dont l'inau-
10 guration avait lieu ce lundi-là, à l'occasion de la grande exposition de blanc.

1. *Bayant* : regardant bouche bée.

C'était, dans sa fraîcheur gaie, un vaste développement d'architecture polychrome[1], rehaussée d'or, annonçant le vacarme et l'éclat du commerce intérieur, accrochant les yeux comme un gigantesque étalage qui aurait flambé des couleurs les plus vives. Au rez-de-chaussée, pour ne pas tuer les étoffes des vitrines, la décoration restait sobre : un soubassement en marbre vert de mer ; les piles d'angle et les piliers d'appui recouverts de marbre noir, dont la sévérité s'éclairait de cartouches[2] dorés ; et le reste en glaces sans tain, dans les châssis de fer, rien que des glaces qui semblaient ouvrir les profondeurs des galeries et des halls au plein jour de la rue. Mais, à mesure que les étalages montaient, s'allumaient les tons éclatants. La frise du rez-de-chaussée déroulait des mosaïques, une guirlande de fleurs rouges et bleues, alternées avec des plaques de marbre, où étaient gravés des noms de marchandises, à l'infini, ceignant le colosse. Puis, le soubassement du premier étage, en briques émaillées, supportait de nouveau les glaces des larges baies, jusqu'à la frise, faite d'écussons dorés, aux armes des villes de France, et de motifs en terre cuite, dont l'émail répétait les teintes claires du soubassement. Enfin, tout en haut, l'entablement[3] s'épanouissait comme la floraison ardente de la façade entière, les mosaïques et les faïences reparaissaient avec des colorations plus chaudes, le zinc des chêneaux[4] était découpé et doré, l'acrotère[5] alignait un peuple de statues, les grandes cités industrielles et manufacturières, qui détachaient en plein ciel leurs fines silhouettes. Et les curieux s'émerveillaient surtout devant la porte centrale, d'une hauteur d'arc de triomphe, décorée elle aussi d'une profusion de mosaïques, de faïences, de terres cuites, surmontée d'un groupe

1. *Polychrome* : de plusieurs couleurs. \ **2.** *Cartouches* : ornements, sculptés ou dessinés, destinés à mettre en valeur une inscription. \ **3.** *Entablement* : saillie, au sommet des murs d'un bâtiment, qui supporte la charpente de la toiture. \ **4.** *Chêneaux* : gouttières. \ **5.** *Acrotère* : socle placé aux extrémités ou au sommet d'un fronton et servant de support à des statues ou à d'autres ornements.

40 allégorique dont l'or neuf rayonnait, la Femme habillée et baisée
par une volée rieuse de petits Amours.

Vers deux heures, un piquet d'ordre dut faire circuler la foule
et veiller au stationnement des voitures. Le palais était
construit, le temple élevé à la folie dépensière de la mode. Il
45 dominait, il couvrait un quartier de son ombre. Déjà, la plaie,
laissée à son flanc par la démolition de la masure de Bourras,
se trouvait si bien cicatrisée, qu'on aurait vainement cherché
la place de cette verrue ancienne ; les quatre façades filaient le
long des quatre rues, sans une lacune, dans leur isolement
50 superbe. Sur l'autre trottoir, depuis l'entrée de Baudu dans une
maison de retraite, le *Vieil Elbeuf* était fermé, muré ainsi qu'une
tombe, derrière les volets qu'on n'enlevait plus ; peu à peu, les
roues de fiacres les éclaboussaient, des affiches les noyaient, les
collaient ensemble, flot montant de la publicité, qui semblait
55 la dernière pelletée de terre jetée sur le vieux commerce ; et, au
milieu de cette devanture morte, salie des crachats de la rue,
bariolée des guenilles du vacarme parisien, s'étalait, comme un
drapeau planté sur un empire conquis, une immense affiche
jaune, toute fraîche, annonçant en lettres de deux pieds la
60 grande mise en vente du *Bonheur des Dames*. On eût dit que le
colosse, après ses agrandissements successifs, pris de honte et
de répugnance pour le quartier noir, où il était né modeste-
ment, et qu'il avait plus tard égorgé, venait de lui tourner le
dos, laissant la boue des rues étroites sur ses derrières, présen-
65 tant sa face de parvenu à la voie tapageuse et ensoleillée du
nouveau Paris. Maintenant, tel que le montrait la gravure des
réclames, il s'était engraissé, pareil à l'ogre des contes, dont les
épaules menacent de faire craquer les nuages. D'abord, au
premier plan de cette gravure, la rue du Dix-Décembre, les
70 rues de la Michodière et Monsigny, emplies de petites figures
noires, s'élargissaient démesurément, comme pour donner
passage à la clientèle du monde entier. Puis, c'étaient les bâti-

ments eux-mêmes, d'une immensité exagérée, vus à vol d'oi-
seau avec leurs corps de toitures qui dessinaient les galeries
75 couvertes, leurs cours vitrées où l'on devinait les halls, tout l'in-
fini de ce lac de verre et de zinc luisant au soleil. Au-delà, Paris
s'étendait, mais un Paris rapetissé, mangé par le monstre : les
maisons, d'une humilité de chaumières dans le voisinage,
s'éparpillaient ensuite en une poussière de cheminées indis-
80 tinctes ; les monuments semblaient fondre, à gauche deux traits
pour Notre-Dame, à droite un accent circonflexe pour les Inva-
lides, au fond le Panthéon, honteux et perdu, moins gros
qu'une lentille. L'horizon tombait en poudre, n'était plus qu'un
cadre dédaigné, jusqu'aux hauteurs de Châtillon, jusqu'à la
85 vaste campagne, dont les lointains noyés indiquaient l'escla-
vage.

Depuis le matin, la cohue augmentait. Aucun magasin
n'avait encore remué la ville d'un tel fracas de publicité. Main-
tenant, le *Bonheur* dépensait chaque année près de six cent mille
90 francs en affiches, en annonces, en appels de toutes sortes ; le
nombre des catalogues envoyés allait à quatre cent mille, on
déchiquetait plus de cent mille francs d'étoffes pour les échan-
tillons. C'était l'envahissement définitif des journaux, des
murs, des oreilles du public, comme une monstrueuse trom-
95 pette d'airain, qui, sans relâche, soufflait aux quatre coins de
la terre le vacarme des grandes mises en vente. Et, désormais,
cette façade, devant laquelle on s'écrasait, devenait la réclame
vivante, avec son luxe bariolé et doré de bazar, ses vitrines
larges à y exposer le poème entier des vêtements de la femme,
100 ses enseignes prodiguées, peintes, gravées, taillées, depuis les
plaques de marbre du rez-de-chaussée, jusqu'aux feuilles de
tôle arrondies en arc au-dessus des toits, déroulant l'or de leurs
banderoles, et où le nom de la maison se lisait en lettres couleur
du temps, découpées sur le bleu de l'air. Pour fêter l'inaugu-
105 ration, on avait ajouté des trophées, des drapeaux ; chaque étage

se trouvait pavoisé[1] de bannières et d'étendards aux armes des principales villes de France ; tandis que, tout en haut, les pavillons des peuples étrangers, hissés à des mâts, battaient au vent du ciel. En bas, enfin, l'exposition de blanc prenait, au
110 fond des vitrines, une intensité de ton aveuglante. Rien que du blanc, un trousseau complet et une montagne de draps de lit à gauche, des rideaux en chapelle et des pyramides de mouchoirs à droite, fatiguaient le regard ; et, entre les « pendus[2] » de la porte, des pièces de toile, de calicot, de mousseline, tombant en
115 nappe, pareilles à des éboulements de neige, étaient plantées debout des gravures habillées, des feuilles de carton bleuâtre, où une jeune mariée et une dame en toilette de bal, toutes deux de grandeur naturelle, vêtues de vraies étoffes, dentelle et soie, souriaient de leurs figures peintes. Un cercle de badauds se
120 reformait sans cesse, un désir montait de l'ébahissement de la foule.

Ce qui ameutait encore la curiosité autour du *Bonheur des Dames*, c'était un sinistre dont Paris entier causait, l'incendie des *Quatre Saisons*[3], le grand magasin que Bouthemont avait ouvert
125 près de l'Opéra, depuis trois semaines à peine. Les journaux débordaient de détails : le feu mis par une explosion de gaz pendant la nuit, la fuite épouvantée des vendeuses en chemise, l'héroïsme de Bouthemont qui en avait sauvé cinq sur ses épaules. Du reste, les pertes énormes se trouvaient couvertes, et
130 le public commençait à hausser les épaules, en disant que la réclame était superbe. Mais, pour le moment, l'attention refluait vers le *Bonheur*, enfiévrée des histoires qui couraient, occupée jusqu'à l'obsession de ces bazars dont l'importance prenait une si large place dans la vie publique. Toutes les chances, ce Mouret !

1. *Pavoisé* : décoré comme le sont les édifices publics les jours de fête. \ 2. *Pendus* : coupons de tissus attachés par un coin de manière à ce que l'autre bout pende ou flotte. \ 3. Zola fait ici référence à un fait divers réel, l'incendie du *Printemps*, survenu en mars 1881 (voir Dossier, « L'œuvre dans l'histoire », p. 523).

135 Paris saluait son étoile, accourait le voir debout, puisque les flammes maintenant se chargeaient de balayer à ses pieds la concurrence ; et l'on chiffrait déjà les gains de la saison, on estimait le flot élargi de cohue qu'allait faire couler, sous sa porte, la fermeture forcée de la maison rivale. Un instant, il avait

140 éprouvé des inquiétudes, troublé de sentir contre lui une femme, cette M^{me} Desforges, à laquelle il devait un peu sa fortune. Le dilettantisme financier du baron Hartmann, mettant de l'argent dans les deux affaires, l'énervait aussi. Puis, il était surtout exaspéré de n'avoir pas eu une idée géniale de Bouthemont : ce bon

145 vivant ne venait-il pas de faire bénir ses magasins par le curé de la Madeleine, suivi de tout son clergé[1] ! une cérémonie étonnante, une pompe religieuse promenée de la soierie à la ganterie, Dieu tombé dans les pantalons de femme et dans les corsets ; ce qui n'avait pas empêché le tout de brûler, mais ce qui valait un

150 million d'annonces, tellement le coup était porté sur la clientèle mondaine. Mouret, depuis ce temps, rêvait d'avoir l'archevêque.

Cependant, trois heures sonnaient à l'horloge qui surmontait la porte. C'était l'écrasement de l'après-midi, près de cent mille clientes s'étouffant dans les galeries et dans les halls. Dehors, des

155 voitures stationnaient, d'un bout à l'autre de la rue du Dix-Décembre ; et, du côté de l'Opéra, une autre masse profonde occupait le cul-de-sac, où devait s'amorcer la future avenue. De simples fiacres[2] se mêlaient aux coupés[3] de maître, les cochers attendaient parmi les roues, les rangées de chevaux hennissaient,

160 secouaient les étincelles de leurs gourmettes[4], allumées de soleil. Sans cesse, les queues se refaisaient, au milieu des appels des garçons, de la poussée des bêtes, qui, d'elles-mêmes, serraient la file, tandis que des voitures nouvelles, continuellement,

1. Ici encore, Zola s'inspire de faits réels : la veille de l'inauguration du *Printemps*, en 1874, le curé de la Madeleine était allé bénir le grand magasin. \ **2.** *Fiacres* : voiture à cheval louées à la course ou à l'heure. \ **3.** *Coupés* : voitures fermées à quatre roues. \ **4.** *Gourmettes* : chaînes qui fixent le mors dans la bouche du cheval.

s'ajoutaient aux autres. Les piétons s'envolaient sur les refuges
165 par bandes effarouchées, les trottoirs étaient noirs de monde,
dans la perspective fuyante de la voie large et droite. Et une
clameur montait entre les maisons blanches, ce fleuve humain
roulait sous l'âme de Paris épandue, un souffle énorme et doux,
dont on sentait la caresse géante.

170 Devant une vitrine, M^me de Boves, accompagnée de sa fille
Blanche, regardait avec M^me Guibal un étalage de costumes
mi-confectionnés [1].

— Oh! voyez donc, dit-elle, ces costumes de toile, pour dix-
neuf francs soixante-quinze!

175 Dans leurs cartons carrés, les costumes, noués d'une faveur,
étaient pliés de façon à présenter les garnitures seules, brodées
de bleu et de rouge; et, occupant l'angle de chaque carton, une
gravure montrait le vêtement tout fait, porté par une jeune
personne aux airs de princesse.

180 — Mon Dieu! ça ne vaut pas davantage, murmura
M^me Guibal! De vraies loques, dès qu'on a ça dans la main!

Maintenant, elles étaient intimes, depuis que M. de Boves
restait dans un fauteuil, cloué par des accès de goutte. La
femme supportait la maîtresse, préférant encore que la chose
185 eût lieu chez elle, car elle y gagnait un peu d'argent de poche,
des sommes que le mari se laissait voler, ayant lui-même besoin
de tolérance.

— Eh bien! entrons, reprit M^me Guibal. Il faut voir leur expo-
sition... Est-ce que votre gendre ne vous a pas donné rendez-
190 vous là-dedans?

M^me de Boves ne répondit pas, les regards perdus, l'air
absorbé par la queue des voitures, qui, une à une, s'ouvraient
et lâchaient toujours des clientes.

1. *Mi-confectionnés*: dont le tissu est coupé mais qui doivent encore être assemblés et sur
lesquels les garnitures doivent être cousues.

— Si, dit enfin Blanche de sa voix molle. Paul doit nous
195 prendre vers quatre heures dans la salle de lecture, après sa
sortie du ministère.

Ils étaient mariés depuis un mois, et Vallagnosc, à la suite
d'un congé de trois semaines, passé dans le Midi, venait de
rentrer à son poste. La jeune femme avait déjà la carrure de sa
200 mère, la chair soufflée et comme épaissie par le mariage.

— Mais c'est M^{me} Desforges, là-bas! s'écria la comtesse, les
yeux sur un coupé qui s'arrêtait.

— Oh! croyez-vous? murmura M^{me} Guibal. Après toutes ces
histoires… Elle doit encore pleurer l'incendie des *Quatre Saisons*.
205 C'était bien Henriette pourtant. Elle aperçut ces dames, elle
s'avança d'un air gai, cachant sa défaite sous l'aisance mondaine
de ses manières.

— Mon Dieu! oui, j'ai voulu me rendre compte. Il vaut
mieux savoir par soi-même, n'est-ce pas?… Oh! nous sommes
210 toujours bons amis avec M. Mouret, bien qu'on le dise furieux,
depuis que je me suis intéressée à cette maison rivale… Moi,
il n'y a qu'une chose que je ne lui pardonne pas, c'est d'avoir
poussé à ce mariage, vous savez? ce Joseph, avec ma protégée,
M^{lle} de Fontenailles.
215 — Comment! c'est fait? interrompit M^{me} de Boves. Quelle
horreur!

— Oui, ma chère, et uniquement pour mettre le talon sur
nous. Je le connais, il a voulu dire que nos filles du monde ne
sont bonnes qu'à épouser ses garçons de magasin.
220 Elle s'animait. Toutes quatre demeuraient sur le trottoir, au
milieu des bousculades de l'entrée. Peu à peu, cependant, le flot
les prenait; et elles n'eurent qu'à s'abandonner au courant, elles
passèrent la porte comme soulevées, sans en avoir conscience,
causant plus fort pour s'entendre. Maintenant, elles se deman-
225 daient des nouvelles de M^{me} Marty. On racontait que le pauvre
M. Marty, à la suite de violentes scènes de ménage, venait d'être

467

frappé du délire des grandeurs : il puisait à pleines mains dans les trésors de la terre, il vidait les mines d'or, chargeait des tombereaux de diamants et de pierreries.

230 — Pauvre bonhomme ! dit M^{me} Guibal, lui toujours si râpé, avec son humilité de coureur de cachet !... Et la femme ?

— Elle mange un oncle, à présent, répondit Henriette, un vieux brave homme d'oncle, qui s'est retiré chez elle, après son veuvage... D'ailleurs, elle doit être ici, nous allons la voir.

235 Une surprise immobilisa ces dames. Devant elles, s'étendaient les magasins, les plus vastes magasins du monde, comme disaient les réclames. À cette heure, la grande galerie centrale allait de bout en bout, ouvrait sur la rue du Dix-Décembre et sur la rue Neuve-Saint-Augustin ; tandis que, à droite et à gauche,

240 pareilles aux bas-côtés d'une église, la galerie Monsigny et la galerie Michodière, plus étroites, filaient elles aussi le long des deux rues, sans une interruption. De place en place, les halls élargissaient des carrefours, au milieu de la charpente métallique des escaliers suspendus et des ponts volants. On avait retourné la

245 disposition intérieure : maintenant, les soldes étaient sur la rue du Dix-Décembre, la soie se trouvait au milieu, la ganterie occupait, au fond, le hall Saint-Augustin ; et du nouveau vestibule d'honneur, lorsqu'on levait les yeux, on apercevait toujours la literie, déménagée d'une extrémité à l'autre du second étage. Le

250 chiffre énorme des rayons montait au nombre de cinquante ; plusieurs, tout neufs, étaient inaugurés ce jour-là ; d'autres, devenus trop importants, avaient dû être simplement dédoublés, afin de faciliter la vente ; et, devant cet accroissement continu des affaires, le personnel lui-même, pour la nouvelle saison, venait

255 d'être porté à trois mille quarante-cinq employés.

Ce qui arrêtait ces dames, c'était le spectacle prodigieux de la grande exposition de blanc. Autour d'elles, d'abord, il y avait le vestibule, un hall aux glaces claires, pavé de mosaïques, où les étalages à bas prix retenaient la foule vorace. Ensuite, les gale-

260 ries s'enfonçaient, dans une blancheur éclatante, une échappée
boréale[1], toute une contrée de neige, déroulant l'infini des
steppes tendues d'hermine, l'entassement des glaciers allumés
sous le soleil. On retrouvait le blanc des vitrines du dehors, mais
avivé, colossal, brûlant d'un bout à l'autre de l'énorme vaisseau,
265 avec la flambée blanche d'un incendie en plein feu. Rien que du
blanc, tous les articles blancs de chaque rayon, une débauche de
blanc, un astre blanc dont le rayonnement fixe aveuglait d'abord,
sans qu'on pût distinguer les détails, au milieu de cette blan-
cheur unique. Bientôt les yeux s'accoutumaient : à gauche, la
270 galerie Monsigny allongeait les promontoires blancs des toiles
et des calicots[2], les roches blanches des draps de lit, des
serviettes, des mouchoirs ; tandis que la galerie Michodière, à
droite, occupée par la mercerie, la bonneterie et les lainages,
exposait des constructions blanches en boutons de nacre, un
275 grand décor bâti avec des chaussettes blanches, toute une salle
recouverte de molleton blanc, éclairée au loin d'un coup de
lumière. Mais le foyer de clarté rayonnait surtout de la galerie
centrale, aux rubans et aux fichus, à la ganterie et à la soie. Les
comptoirs disparaissaient sous le blanc des soies et des rubans,
280 des gants et des fichus. Autour des colonnettes de fer, s'élevaient
des bouillonnés[3] de mousseline blanche, noués de place en place
par des foulards blancs. Les escaliers étaient garnis de draperies
blanches, des draperies de piqué[4] et de basin[5] alternées, qui
filaient le long des rampes, entouraient les halls, jusqu'au second
285 étage ; et cette montée du blanc prenait des ailes, se pressait et
se perdait, comme une envolée de cygnes. Puis, le blanc retom-
bait des voûtes, une tombée de duvet, une nappe neigeuse en
larges flocons : des couvertures blanches, des couvre-pieds blancs,

1. *Boréale* : qui évoque le pôle Nord. \ **2.** *Calicots* : toiles de coton grossières. \ **3.** *Bouillon-
nés* : ornements faits de bandes froncées sur leurs deux bords et posées en applique.
\ **4.** *Piqué* : tissu dont le tissage fait apparaître des formes géométriques. \ **5.** *Basin* : tissu
de fil et de coton.

battaient l'air, accrochés, pareils à des bannières d'église ; de longs
290 jets de guipure[1] traversaient, semblaient suspendre des essaims
de papillons blancs, au bourdonnement immobile ; des dentelles
frissonnaient de toutes parts, flottaient comme des fils de la Vierge
par un ciel d'été, emplissaient l'air de leur haleine blanche. Et
la merveille, l'autel de cette religion du blanc, était, au-dessus
295 du comptoir des soieries, dans le grand hall, une tente faite de
rideaux blancs, qui descendaient du vitrage. Les mousselines, les
gazes, les guipures d'art, coulaient à flots légers, pendant que des
tulles brodés, très riches, et des pièces de soie orientale, lamées
d'argent, servaient de fond à cette décoration géante, qui tenait
300 du tabernacle et de l'alcôve[2]. On aurait dit un grand lit blanc,
dont l'énormité virginale attendait, comme dans les légendes, la
princesse blanche, celle qui devait venir un jour, toute-puissante,
avec le voile blanc des épousées.

— Oh ! extraordinaire ! répétaient ces dames. Inouï !
305 Elles ne se lassaient pas de cette chanson du blanc, que chan-
taient les étoffes de la maison entière. Mouret n'avait encore
rien fait de plus vaste, c'était le coup de génie de son art de
l'étalage. Sous l'écroulement de ces blancheurs, dans l'apparent
désordre des tissus, tombés comme au hasard des cases éven-
310 trées, il y avait une phrase harmonique, le blanc suivi et déve-
loppé dans tous ses tons, qui naissait, grandissait, s'épanouis-
sait, avec l'orchestration compliquée d'une fugue[3] de maître,
dont le développement continu emporte les âmes d'un vol sans
cesse élargi. Rien que du blanc, et jamais le même blanc, tous
315 les blancs, s'enlevant les uns sur les autres, s'opposant, se
complétant, arrivant à l'éclat même de la lumière. Cela partait

1. *Guipure* : dentelle très ajourée. \ 2. *Tabernacle* : petite armoire placée au centre de l'autel
d'une église et qui renferme les hosties ; *alcôve* : enfoncement destiné au lit dans une chambre
et, par extension, lieu des rapports amoureux. \ 3. *Fugue* : composition musicale donnant
l'impression d'une fuite et d'une poursuite en raison de l'entrée successive des voix et de
la reprise d'un même thème.

des blancs mats du calicot et de la toile, des blancs sourds de
la flanelle et du drap ; puis, venaient les velours, les soies, les
satins, une gamme montante, le blanc peu à peu allumé, finis-
320 sant en petites flammes aux cassures des plis ; et le blanc s'en-
volait avec la transparence des rideaux, devenait de la clarté
libre avec les mousselines, les guipures, les dentelles, les tulles
surtout, si légers, qu'ils étaient comme la note extrême et
perdue ; tandis que l'argent des pièces de soie orientale chan-
325 tait le plus haut, au fond de l'alcôve géante.

Cependant, les magasins vivaient, du monde assiégeait les
ascenseurs, on s'écrasait au buffet et au salon de lecture, tout
un peuple voyageait au milieu de ces espaces couverts de neige.
Et la foule paraissait noire. On eût dit les patineurs d'un lac de
330 Pologne, en décembre. Au rez-de-chaussée, il y avait une houle
assombrie, agitée d'un reflux, où l'on ne distinguait que les
visages délicats et ravis des femmes. Dans les découpures des
charpentes de fer, le long des escaliers, sur les ponts volants,
c'était ensuite une ascension sans fin de petites figures, comme
335 égarées au milieu de pics neigeux. Une chaleur de serre, suffo-
cante, surprenait, en face de ces hauteurs glacées. Le bourdon-
nement des voix faisait un bruit énorme de fleuve qui charrie.
Au plafond, les ors prodigués, les vitres niellées[1] d'or et les
rosaces d'or semblaient un coup de soleil, luisant sur les Alpes
340 de la grande exposition de blanc.

— Voyons, dit M^me de Boves, il faut pourtant avancer. Nous
ne pouvons rester là.

Depuis qu'elle était entrée, l'inspecteur Jouve, debout près
de la porte, ne la quittait pas des yeux. Lorsqu'elle se retourna,
345 leurs regards se rencontrèrent. Puis, comme elle se remettait
en marche, il lui laissa quelque avance, et la suivit de loin, sans
paraître s'occuper d'elle davantage.

1. *Niellées* : incrustées d'émaux.

— Tiens ! dit M^{me} Guibal, en s'arrêtant encore devant la première caisse, au milieu des poussées, c'est une idée gentille, 350 ces violettes !

Elle parlait de la nouvelle prime du *Bonheur*, une idée de Mouret dont il menait tapage dans les journaux, de petits bouquets de violettes blanches, achetés par milliers à Nice et distribués à toute cliente qui faisait le moindre achat. Près 355 de chaque caisse, des garçons en livrée délivraient la prime, sous la surveillance d'un inspecteur. Et, peu à peu, la clientèle se trouvait fleurie, les magasins s'emplissaient de ces noces blanches, toutes les femmes promenaient un parfum pénétrant de fleur.

360 — Oui, murmura M^{me} Desforges d'une voix jalouse, l'idée est bonne.

Mais, au moment où ces dames allaient s'éloigner, elles entendirent deux vendeurs qui plaisantaient sur les violettes. Un grand maigre s'étonnait : ça se faisait donc, ce mariage du 365 patron avec la première des costumes ? tandis qu'un petit gras répondait qu'on n'avait jamais su, mais que les fleurs tout de même étaient achetées.

— Comment ! dit M^{me} de Boves, M. Mouret se marie ?

— C'est la première nouvelle, répondit Henriette qui jouait 370 l'indifférence. Du reste, il faut bien finir par là.

La comtesse avait lancé un vif regard à sa nouvelle amie. Maintenant, toutes deux comprenaient pourquoi M^{me} Desforges était venue au *Bonheur des Dames*, malgré les batailles de la rupture. Sans doute, elle cédait au besoin invincible de voir et de souffrir.

375 — Je reste avec vous, lui dit M^{me} Guibal, dont la curiosité s'éveillait. Nous retrouverons M^{me} de Boves au salon de lecture.

— Eh bien ! c'est cela, déclara celle-ci. Moi, j'ai affaire au premier… Viens-tu, Blanche ?

Et elle monta, suivie de sa fille, pendant que l'inspecteur 380 Jouve, toujours à sa suite, allait prendre un escalier voisin, pour

confier les vraies causes de son départ. Cette conversation dure, sans colère, la bouleversa davantage que la scène violente dont elle avait peur.

450 Pendant la semaine que Denise dut passer encore au magasin, Mouret garda sa pâleur rigide. Quand il traversait les rayons, il affectait de ne pas la voir ; jamais il n'avait semblé plus détaché, plus enfoncé dans le travail ; et les paris recommencèrent, les braves seuls osaient risquer un déjeuner sur la carte du mariage.

455 Cependant, sous cette froideur, si peu habituelle chez lui, Mouret cachait une crise affreuse d'indécision et de souffrance. Des fureurs lui battaient le crâne d'un flot de sang : il voyait rouge, il rêvait de prendre Denise d'une étreinte, de la garder, en étouffant ses cris. Ensuite, il voulait raisonner, il cherchait des moyens

460 pratiques, pour l'empêcher de franchir la porte ; mais il butait sans cesse contre son impuissance, avec la rage de sa force et de son argent inutiles. Une idée, cependant, grandissait au milieu de projets fous, s'imposait peu à peu, malgré ses révoltes. Après la mort de M^{me} Hédouin, il avait juré de ne pas se remarier,

465 tenant d'une femme sa première chance, résolu désormais à tirer sa fortune de toutes les femmes. C'était, chez lui, comme chez Bourdoncle, une superstition, que le directeur d'une grande maison de nouveautés devait être célibataire, s'il voulait garder sa royauté de mâle sur les désirs épandus de son peuple de

470 clientes : une femme introduite changeait l'air, chassait les autres, en apportant son odeur. Et il résistait à l'invincible logique des faits, il préférait en mourir que de céder, pris de soudaines colères contre Denise, sentant bien qu'elle était la revanche, craignant de tomber vaincu sur ses millions, brisé comme une paille par

475 l'éternel féminin, le jour où il l'épouserait. Puis, lentement, il redevenait lâche, il discutait ses répugnances : pourquoi trembler ? elle était si douce, si raisonnable, qu'il pouvait s'abandonner à elle sans crainte. Vingt fois par heure, le combat recommençait dans son être ravagé. L'orgueil irritait la plaie, il

480 achevait de perdre son peu de raison, lorsqu'il songeait que, même après cette soumission dernière, elle pouvait dire non, toujours non, si elle aimait quelqu'un. Le matin de la grande mise en vente, il n'avait encore rien décidé, et Denise partait le lendemain.

485 Justement, lorsque Bourdoncle, ce jour-là, entra dans le cabinet de Mouret, vers trois heures, selon son habitude, il le surprit les coudes sur le bureau, les poings sur les yeux, tellement absorbé, qu'il dut le toucher à l'épaule. Mouret leva sa face mouillée de larmes, tous deux se regardèrent, leurs mains se
490 tendirent, et il y eut une étreinte brusque, entre ces hommes qui avaient livré ensemble tant de batailles commerciales. Depuis un mois, l'attitude de Bourdoncle s'était du reste complètement modifiée : il pliait devant Denise, il poussait même sourdement le patron au mariage. Sans doute, il manœuvrait ainsi pour ne
495 pas être balayé par une force qu'il reconnaissait maintenant comme supérieure. Mais on aurait trouvé en outre, au fond de ce changement, le réveil d'une ambition ancienne, l'espoir effrayé et peu à peu élargi de manger à son tour Mouret, devant lequel il avait si longtemps courbé l'échine[1]. Cela était dans l'air
500 de la maison, dans cette bataille pour l'existence, dont les massacres continus chauffaient la vente autour de lui. Il était emporté par le jeu de la machine, pris de l'appétit des autres, de la voracité qui, de bas en haut, jetait les maigres à l'extermination des gras. Seule, une sorte de peur religieuse, la reli-
505 gion de la chance, l'avait empêché jusque-là de donner son coup de mâchoire. Et le patron redevenait enfant, glissait à un mariage imbécile, allait tuer sa chance, gâter son charme sur la clientèle. Pourquoi l'en aurait-il détourné ? lorsqu'il pourrait ensuite ramasser si aisément la succession de cet homme fini,
510 tombé aux bras d'une femme. Aussi était-ce avec l'émotion d'un

1. *Courbé l'échine* : s'était soumis.

adieu, la pitié d'une vieille camaraderie, qu'il serrait les mains de son chef, en répétant :

— Voyons, du courage, que diable !... Épousez-la, et que cela finisse.

515 Déjà Mouret avait honte de sa minute d'abandon. Il se leva, il protesta.

— Non, non, c'est trop bête... Venez, nous allons faire notre tour dans les magasins. Ça marche, n'est-ce pas ? Je crois que la journée sera magnifique.

520 Ils sortirent et commencèrent leur inspection de l'après-midi, au milieu des rayons encombrés de foule. Bourdoncle coulait vers lui des regards obliques, inquiet de cette énergie dernière, l'étudiant aux lèvres, pour y surprendre les moindres plis de douleur.

525 La vente, en effet, jetait son feu, dans un train d'enfer, dont la maison tremblait, d'une secousse de grand navire filant à pleine machine. Au comptoir de Denise, s'étouffait une cohue de mères, traînant des bandes de fillettes et de petits garçons, noyées sous les vêtements qu'on leur essayait. Le rayon avait sorti tous ses 530 articles blancs, et c'était là, comme partout, une débauche de blanc, de quoi vêtir de blanc une troupe d'Amours[1] frileux : des paletots en drap blanc, des robes en piqué, en nansouk[2], en cachemire blanc, des matelots et jusqu'à des zouaves blancs. Au milieu, pour le décor et bien que la saison ne fût pas venue, se 535 trouvait un étalage de costumes de première communion, la robe et le voile de mousseline blanche, les souliers de satin blanc, une floraison jaillissante, légère, qui plantait là comme un bouquet énorme d'innocence et de ravissement candide. M^me Bourdelais, devant ses trois enfants, assis par rang de taille, Madeleine, 540 Edmond, Lucien, se fâchait contre ce dernier, le plus petit, parce

1. *Amours* : personnifications mythologiques de l'amour. \ **2.** *Nansouk* : léger tissu de coton à l'aspect soyeux.

qu'il se débattait, tandis que Denise s'efforçait de lui passer une jaquette[1] de mousseline de laine.

— Tiens-toi donc tranquille !… Vous ne pensez pas, mademoiselle, qu'elle soit un peu étroite ?

545 Et, avec son regard clair de femme qu'on ne trompe pas, elle étudiait l'étoffe, jugeait la façon, retournait les coutures.

— Non, elle va bien, reprit-elle. C'est toute une affaire, quand il faut habiller ce petit monde… Maintenant, il me faudrait un manteau pour cette grande fille.

550 Denise avait dû se mettre à la vente, dans la prise d'assaut du rayon. Elle cherchait le manteau demandé, lorsqu'elle eut un léger cri de surprise.

— Comment ! c'est toi ! qu'y a-t-il donc ?

Son frère Jean, les mains embarrassées d'un paquet, se trou-
555 vait devant elle. Il était marié depuis huit jours, et le samedi, sa femme, une petite brune d'un visage tourmenté et charmant, avait fait une longue visite au *Bonheur des Dames*, pour des achats. Le jeune ménage devait accompagner Denise à Valognes : un vrai voyage de noces, un mois de vacances dans
560 les souvenirs d'autrefois.

— Imagine-toi, répondit-il, que Thérèse a oublié une foule d'affaires. Il y a des choses à changer, d'autres à prendre… Alors, comme elle est pressée, elle m'a envoyé avec ce paquet… Je vais t'expliquer…

565 Mais elle l'interrompit, en apercevant Pépé.

— Tiens ! Pépé aussi ! et le collège ?

— Ma foi, dit Jean, après le dîner, hier dimanche, je n'ai pas eu le courage de le reconduire. Il rentrera ce soir… Le pauvre enfant est assez triste de rester enfermé à Paris, lorsque nous
570 nous promènerons là-bas.

Denise leur souriait, malgré son tourment. Elle confia

1. *Jaquette* : veste cintrée à la taille.

Mᵐᵉ Bourdelais à une de ses vendeuses, elle revint vers eux, dans un coin du rayon, qui heureusement se dégarnissait. Les petits, ainsi qu'elle les nommait encore, étaient à cette heure
575 de grands gaillards. Pépé, à douze ans, la dépassait déjà, plus gros qu'elle, toujours muet et vivant de caresses, d'une douceur câline dans sa tunique de collégien ; tandis que Jean, carré des épaules, la dominant de toute la tête, gardait sa beauté de femme, avec sa chevelure blonde, envolée sous le coup de vent
580 des ouvriers artistes. Et elle, restée mince, pas plus grosse qu'une mauviette [1], comme elle disait, conservait entre eux son autorité inquiète de mère, les traitait en gamins qu'il faut soigner, reboutonnant la redingote de Jean pour qu'il n'eût pas l'air d'un coureur, s'assurant que Pépé avait un mouchoir
585 propre. Ce jour-là, quand elle vit les yeux gros de ce dernier, elle le sermonna doucement.

— Sois raisonnable, mon petit. On ne peut pas interrompre tes études. Je t'emmènerai aux vacances… As-tu envie de quelque chose, hein ? Tu préfères que je te laisse des sous, peut-être.

590 Puis, elle revint vers l'autre.

— Aussi, toi, petit, tu lui montes la tête, tu lui fais croire que nous allons nous amuser !… Tâchez donc d'avoir un peu de raison.

Elle avait donné à l'aîné quatre mille francs, la moitié de ses
595 économies, pour qu'il pût installer son ménage. Le cadet lui coûtait gros au collège, tout son argent allait à eux, comme autrefois. Ils étaient sa seule raison de vivre et de travailler, puisque, de nouveau, elle jurait de ne se marier jamais.

— Enfin, voici, reprit Jean. Il y a d'abord, dans ce paquet, le
600 paletot [2] havane que Thérèse…

Mais il s'arrêta, et Denise en se tournant pour voir ce qui l'intimidait, aperçut Mouret debout derrière eux. Depuis un instant,

1. *Mauviette* : personne de constitution chétive, délicate. \ 2. *Paletot* : manteau court.

il la regardait faire son ménage de petite mère, entre les deux gaillards, les grondant et les embrassant, les retournant comme des bébés qu'on change de linge. Bourdoncle était resté à l'écart, l'air intéressé par la vente ; et il ne perdait pas la scène des yeux.

— Ce sont vos frères, n'est-ce pas ? demanda Mouret, après un silence.

Il avait sa voix glacée, cette attitude rigide dont il lui parlait à présent. Denise elle-même faisait un effort, afin de rester froide. Son sourire s'effaça, elle répondit :

— Oui, monsieur… J'ai marié l'aîné, et sa femme me l'envoie, pour des emplettes.

Mouret continuait à les regarder tous les trois. Il finit par reprendre :

— Le plus jeune a beaucoup grandi. Je le reconnais, je me souviens de l'avoir vu aux Tuileries, un soir, avec vous.

Et sa voix, qui se ralentissait, eut un léger tremblement. Elle, suffoquée, se baissa, sous le prétexte d'arranger le ceinturon de Pépé. Les deux frères, devenus roses, souriaient au patron de leur sœur.

— Ils vous ressemblent, dit encore celui-ci.

— Oh ! cria-t-elle, ils sont plus beaux que moi !

Un moment, il sembla comparer les visages. Mais il était à bout de forces. Comme elle les aimait ! Et il fit quelques pas ; puis, il revint lui dire à l'oreille :

— Montez à mon cabinet, après la vente. Je veux vous parler, avant votre départ.

Cette fois, Mouret s'éloigna et reprit son inspection. La bataille recommençait en lui, car ce rendez-vous donné l'irritait maintenant. À quelle poussée avait-il donc cédé, en la voyant avec ses frères ? C'était fou, puisqu'il ne trouvait plus la force d'avoir une volonté. Enfin, il en serait quitte pour lui dire un mot d'adieu. Bourdoncle, qui l'avait rejoint, semblait moins inquiet, tout en l'étudiant encore de minces coups d'œil.

Cependant, Denise était revenue près de M^me Bourdelais.

— Et ce manteau, va-t-il ?

— Oui, oui, très bien… Pour aujourd'hui, en voilà assez. C'est une ruine que ces petits êtres !

640 Alors, pouvant s'esquiver, Denise écouta les explications de Jean, puis l'accompagna dans les comptoirs, où il aurait certainement perdu la tête. C'était d'abord le paletot havane, que Thérèse, après réflexion, voulait changer contre un paletot de drap blanc, même taille, même coupe. Et la jeune fille, ayant 645 pris le paquet, se rendit aux confections, suivie de ses deux frères.

Le rayon avait exposé ses vêtements de couleur tendre, des jaquettes et des mantilles[1] d'été, en soie légère, en lainage de fantaisie. Mais la vente se portait ailleurs, les clientes y étaient 650 relativement clairsemées. Presque toutes les vendeuses se trouvaient nouvelles. Clara avait disparu depuis un mois, enlevée selon les uns par le mari d'une acheteuse, tombée à la débauche de la rue, selon les autres. Quant à Marguerite, elle allait enfin retourner prendre la direction du petit 655 magasin de Grenoble, où son cousin l'attendait. Et, seule, M^me Aurélie restait là, immuable, dans la cuirasse ronde de sa robe de soie, avec son masque impérial, qui gardait l'empâtement jaunâtre d'un marbre antique. Pourtant, la mauvaise conduite de son fils Albert la ravageait, et elle se 660 serait retirée à la campagne, sans les brèches faites aux économies de la famille par ce vaurien, dont les dents terribles menaçaient même d'emporter, morceau à morceau, la propriété des Rigolles. C'était comme la revanche du foyer détruit, pendant que la mère avait recommencé ses parties 665 fines entre femmes, et que le père, de son côté, continuait à jouer du cor. Déjà Bourdoncle regardait M^me Aurélie d'un air

1. *Mantilles* : écharpes de soie ou de dentelle.

mécontent, surpris qu'elle n'eût pas le tact de prendre sa retraite : trop vieille pour la vente ! ce glas allait sonner bientôt, emportant la dynastie des Lhomme.

670 — Tiens ! c'est vous, dit-elle à Denise, avec une amabilité exagérée. Hein ? vous voulez qu'on change ce paletot ? Mais tout de suite… Ah ! voilà vos frères. De vrais hommes, à présent !

Malgré son orgueil, elle se serait mise à genoux pour faire sa
675 cour. On ne causait, aux confections, comme dans les autres comptoirs, que du départ de Denise ; et la première en était toute malade, car elle comptait sur la protection de son ancienne vendeuse. Elle baissa la voix.

— On dit que vous nous quittez… Voyons, ce n'est pas
680 possible ?

— Mais si, répondit la jeune fille.

Marguerite écoutait. Depuis qu'on avait fixé son mariage, elle promenait sa face de lait tourné, avec des mines plus dégoûtées encore. Elle s'approcha, en disant :

685 — Vous avez bien raison. L'estime de soi avant tout, n'est-ce pas ?… Je vous adresse mes adieux, ma chère.

Des clientes arrivaient. M^{me} Aurélie la pria durement de veiller à la vente. Puis, comme Denise prenait le paletot, pour faire elle-même le « rendu », elle se récria et appela une auxi-
690 liaire. Justement, c'était une innovation soufflée par la jeune fille à Mouret, des femmes de service chargées de porter les articles, ce qui soulageait la fatigue des vendeuses.

— Accompagnez mademoiselle, dit la première, en lui remettant le paletot.

695 Et, revenant à Denise :

— Je vous en prie, réfléchissez… Nous sommes tous désolés de votre départ.

Jean et Pépé, qui attendaient, souriants au milieu de ce flot débordé de femmes, se remirent à suivre leur sœur. Mainte-

700 nant, il s'agissait d'aller aux trousseaux[1], pour reprendre six chemises, pareilles à la demi-douzaine, que Thérèse avait achetée le samedi. Mais, dans les comptoirs de lingerie, où l'exposition de blanc neigeait de toutes les cases, on étouffait, il devenait très difficile d'avancer.

705 D'abord, aux corsets, une petite émeute attroupait la foule. Mᵐᵉ Boutarel, tombée cette fois du Midi avec son mari et sa fille, sillonnait les galeries depuis le matin, en quête d'un trousseau pour cette dernière, qu'elle mariait. Le père était consulté, cela n'en finissait plus. Enfin, la famille venait d'échouer aux 710 comptoirs de lingerie ; et, pendant que la demoiselle s'absorbait dans une étude approfondie des pantalons, la mère avait disparu, ayant elle-même le caprice d'un corset. Lorsque M. Boutarel, un gros homme sanguin, lâcha sa fille, effaré, à la recherche de sa femme, il finit par retrouver cette dernière dans 715 un salon d'essayage, devant lequel on offrit poliment de le faire asseoir. Ces salons étaient d'étroites cellules, fermées de glaces dépolies, et où les hommes, même les maris, ne pouvaient entrer, par une exagération décente de la direction. Des vendeuses en sortaient, y rentraient vivement, laissant chaque 720 fois deviner, dans le battement rapide de la porte, des visions de dames en chemise et en jupon, le cou nu, les bras nus, des grasses dont la chair blanchissait, des maigres au ton de vieil ivoire. Une file d'hommes attendaient sur des chaises, l'air ennuyé. Et M. Boutarel, quand il avait compris, s'était fâché 725 carrément, criant qu'il voulait sa femme, qu'il entendait savoir ce qu'on lui faisait, qu'il ne la laisserait certainement pas se déshabiller sans lui. Vainement, on tâchait de le calmer ; il semblait croire qu'il se passait là-dedans des choses inconvenantes. Mᵐᵉ Boutarel dut reparaître pendant que la foule 730 discutait et riait.

1. *Trousseaux* : assortiments de linge.

Alors, Denise put passer avec ses frères. Tout le linge de la femme, les dessous blancs qui se cachent, s'étalait dans une suite de salles, classé en divers rayons. Les corsets et les tournures[1] occupaient un comptoir, les corsets cousus, les corsets à taille
735 longue, les corsets cuirasses, surtout les corsets de soie blanche, éventaillés de couleur, dont on avait fait ce jour-là un étalage spécial, une armée de mannequins sans tête et sans jambes, n'alignant que des torses, des gorges de poupée aplaties sous la soie, d'une lubricité troublante d'infirme; et, près de là, sur
740 d'autres bâtons, les tournures de crin et de brillanté prolongeaient ces manches à balai en croupes énormes et tendues, dont le profil prenait une inconvenance caricaturale. Mais, ensuite, le déshabillé galant commençait, un déshabillé qui jonchait les vastes pièces, comme si un peuple de jolies filles s'étaient dévê-
745 tues de rayon en rayon, jusqu'au satin nu de leur peau. Ici, les articles de lingerie fine, les manchettes et les cravates blanches, les fichus et les cols blancs, une variété infinie de fanfreluches[2] légères, une mousse blanche qui s'échappait des cartons et montait en neige. Là, les camisoles[3], les petits corsages, les robes
750 du matin, les peignoirs, de la toile, du nansouk, des dentelles, de longs vêtements blancs, libres et minces, où l'on sentait l'étirement des matinées paresseuses, au lendemain des soirs de tendresse. Et les dessous apparaissaient, tombaient un à un: les jupons blancs de toutes les longueurs, le jupon qui bride les
755 genoux et le jupon à traîne dont la balayeuse[4] couvre le sol, une mer montante de jupons, dans laquelle les jambes se noyaient; les pantalons en percale[5], en toile, en piqué, les larges pantalons blancs où danseraient les reins d'un homme; les chemises enfin, boutonnées au cou pour la nuit, découvrant la poitrine le jour,

1. *Tournures* : rembourrage que l'on plaçait sous la robe, au bas du dos, pour donner l'impression que l'on avait des fesses rebondies. \ **2.** *Fanfreluches* : ornements de la toilette ou de l'ameublement (pompons, volants, rubans…). \ **3.** *Camisoles* : vêtements courts, portés sur la chemise. \ **4.** *Balayeuse* : traîne. \ **5.** *Percale* : fin tissu de coton.

760 ne tenant plus que par d'étroites épaulettes, en simple calicot, en toile d'Irlande, en batiste[1], le dernier voile blanc qui glissait de la gorge, le long des hanches. C'était, aux trousseaux, le déballage indiscret, la femme retournée et vue par le bas, depuis la petite bourgeoise aux toiles unies, jusqu'à la dame riche
765 blottie dans les dentelles, une alcôve[2] publiquement ouverte, dont le luxe caché, les plissés, les broderies, les valenciennes[3], devenait comme une dépravation sensuelle, à mesure qu'il débordait davantage en fantaisies coûteuses. La femme se rhabillait, le flot blanc de cette tombée de linge rentrait dans
770 le mystère frissonnant des jupes, la chemise raidie par les doigts de la couturière, le pantalon froid et gardant les plis du carton, toute cette percale et toute cette batiste mortes, éparses sur les comptoirs, jetées, empilées, allaient se faire vivantes de la vie de la chair, odorantes et chaudes de l'odeur de l'amour, une nuée
775 blanche devenue sacrée, baignée de nuit, et dont le moindre envolement, l'éclair rose du genou aperçu au fond des blancheurs, ravageait le monde. Puis, il y avait encore une salle, les layettes, où le blanc voluptueux de la femme aboutissait au blanc candide de l'enfant : une innocence, une joie, l'amante qui
780 se réveille mère, des brassières en piqué pelucheux, des béguins[4] en flanelle, des chemises et des bonnets grands comme des joujoux, et des robes de baptême, et des pelisses[5] de cachemire, le duvet blanc de la naissance, pareil à une pluie fine de plumes blanches.

785 — Tu sais, ce sont des chemises à coulisse, dit Jean, que ce déshabillé, cette crue de chiffons où il enfonçait, ravissait d'aise.

Aux trousseaux, Pauline accourut tout de suite, quand elle aperçut Denise. Et, avant même de savoir ce que celle-ci

1. *Batiste* : très fine toile de lin. \ 2. *Alcôve* : enfoncement destiné au lit dans une chambre et, par extension, lieu des rapports amoureux. \ 3. *Valenciennes* : dentelles fabriquées à Valenciennes. \ 4. *Béguins* : bonnets s'attachant par une bride, sous le menton. \ 5. *Pelisses* : vêtements ornés ou doublés de fourrure.

désirait, elle lui parla bas, très émue des bruits dont causait le
790 magasin entier. À son rayon, deux vendeuses s'étaient même
querellées, l'une affirmant, l'autre niant le départ.

— Vous nous restez, j'ai parié ma tête… Que deviendrais-je,
moi ?

Et, comme Denise répondait qu'elle partait le lendemain :
795 — Non, non, vous croyez ça, mais je sais le contraire…
Dame ! à présent que j'ai un bébé, il faut bien que vous me
nommiez seconde. Baugé y compte, ma chère.

Pauline souriait d'un air convaincu. Ensuite, elle donnait les
six chemises ; et, Jean ayant dit qu'ils allaient maintenant aux
800 mouchoirs, elle appela aussi une auxiliaire, pour porter ces
chemises et le paletot laissé par l'auxiliaire des confections. La
fille qui se présenta était M^{lle} de Fontenailles, mariée récemm-
ment à Joseph. Elle venait d'obtenir par faveur ce poste de
servante, elle avait une grande blouse noire, marquée à l'épaule
805 d'un chiffre en laine jaune.

— Suivez mademoiselle, dit Pauline.

Puis, revenant et baissant la voix de nouveau :

— Hein ? je suis seconde, c'est entendu !

Denise promit en riant, pour plaisanter à son tour. Et elle s'en
810 alla, elle descendit avec Pépé et Jean, accompagnés tous les trois
de l'auxiliaire. Au rez-de-chaussée, ils tombèrent dans les
lainages, un coin de galerie entièrement tendu de molleton
blanc et de flanelle blanche. Liénard, que son père rappelait
vainement à Angers, y causait avec le beau Mignot, devenu
815 courtier[1], et qui osait reparaître effrontément au *Bonheurs des
Dames*. Sans doute ils parlaient de Denise, car tous deux se
turent pour la saluer d'un air empressé. Du reste, à mesure
qu'elle avançait au travers des rayons, les vendeurs s'émotion-
naient et s'inclinaient, dans le doute de ce qu'elle serait le lende-

1. *Courtier* : intermédiaire entre le vendeur et ses clients.

820 main. On chuchotait, on la trouvait triomphante ; et les paris en reçurent un nouveau contrecoup, on se remit à risquer sur elle du vin d'Argenteuil et des fritures. Elle s'était engagée dans la galerie du blanc, pour atteindre les mouchoirs, qui étaient au bout. Le blanc défilait : le blanc de coton, les madapolams [1], les
825 basins, les piqués, les calicots ; le blanc de fil, les nansouks, les mousselines, les tarlatanes [2] ; puis venaient les toiles, en piles énormes, bâties à pièces alternées comme des cubes de pierres de taille, les toiles fortes, les toiles fines, de toutes largeurs, blanches ou écrues, en lin pur, blanchies sur le pré [3] ; puis, cela
830 recommençait, des rayons se succédaient pour chaque sorte de linge, le linge de maison, le linge de table, le linge d'office, un éboulement continu de blanc, des draps de lit, des taies d'oreiller, des modèles innombrables de serviettes, de nappes, de tabliers et de torchons. Et les saluts continuaient, on se
835 rangeait sur le passage de Denise, Baugé s'était précipité aux toiles pour lui sourire, comme à la bonne reine de la maison. Enfin, après avoir traversé les couvertures, une salle pavoisée de bannières blanches, elle entra aux mouchoirs, dont la décoration ingénieuse faisait pâmer la foule : ce n'était que colonnes
840 blanches, que pyramides blanches, que châteaux blancs, une architecture compliquée, uniquement construite avec des mouchoirs, en linon [4], en batiste de Cambrai, en toile d'Irlande, en soie de Chine, chiffrés, brodés au plumetis, garnis de dentelle, avec des ourlets à jour et des vignettes tissées, toute
845 une ville en briques blanches d'une variété infinie, se découpant dans un mirage sur un ciel oriental, chauffé à blanc.

— Tu dis encore une douzaine ? demanda Denise à son frère. Des Cholet, n'est-ce pas ?

1. *Madapolams* : étoffes de coton, fortes et lourdes. \ 2. *Tarlatanes* : étoffes de coton très légères. \ 3. *Blanchir sur le pré* : technique traditionnelle pour donner au linge une blancheur éclatante. \ 4. *Linon* : toile fine et transparente, en lin ou en coton.

— Oui, je crois, les pareils à celui-ci, répondit-il en montrant
850 un mouchoir dans le paquet.

Jean et Pépé n'avaient pas quitté ses jupes, se serrant toujours
contre elle, comme autrefois, lorsqu'ils étaient débarqués à Paris,
brisés du voyage. Ces vastes magasins, où elle se trouvait chez elle,
finissaient par les troubler ; et ils s'abritaient à son ombre, ils se
855 remettaient sous la protection de leur petite mère, par un réveil
instinctif de leur enfance. On les suivait des yeux, on souriait de
ces deux grands gaillards filant sur les pas de cette fille mince
et grave, Jean effaré avec sa barbe, Pépé, éperdu dans sa tunique,
tous les trois du même blond aujourd'hui, un blond qui faisait
860 chuchoter sur leur passage, d'un bout à l'autre des comptoirs :

— Ce sont ses frères… Ce sont ses frères…

Mais, pendant que Denise cherchait un vendeur, il y eut une
rencontre. Mouret et Bourdoncle entraient dans la galerie ; et,
comme le premier s'arrêtait de nouveau en face de la jeune fille,
865 sans lui adresser du reste la parole, M^{me} Desforges et M^{me} Guibal
passèrent. Henriette réprima le tressaillement dont toute sa chair
avait frémi. Elle regarda Mouret, elle regarda Denise. Eux-mêmes
l'avaient regardée, ce fut le dénouement muet, la fin commune
des gros drames du cœur, un coup d'œil échangé dans la bous-
870 culade d'une foule. Déjà Mouret s'était éloigné, tandis que Denise
se perdait au fond du rayon, accompagnée de ses frères, toujours
à la recherche d'un vendeur libre. Alors, Henriette, ayant reconnu
M^{lle} de Fontenailles dans l'auxiliaire qui suivait, avec son chiffre
jaune à l'épaule et son masque épaissi et terreux de servante, se
875 soulagea, en disant d'une voix irrité à M^{me} Guibal :

— Voyez ce qu'il a fait de cette malheureuse… N'est-ce pas
blessant ? une marquise ! Et il la force à suivre comme un chien
les créatures ramassées par lui, sur le trottoir !

Elle tâcha de se calmer, elle affecta d'ajouter d'un air indif-
880 férent :

— Allons donc à la soie voir leur étalage.

Le rayon des soieries était comme une grande chambre d'amour, drapée de blanc par un caprice d'amoureuse à la nudité de neige, voulant lutter de blancheur. Toutes les pâleurs laiteuses 885 d'un corps adoré se retrouvaient là, depuis le velours des reins, jusqu'à la soie fine des cuisses et au satin luisant de la gorge. Des pièces de velours étaient tendues entre les colonnes, des soies et des satins se détachaient, sur ce fond de blanc crémeux, en draperies d'un blanc de métal et de porcelaine ; et il y avait encore, 890 retombant en arceaux, des poults de soie[1] et des siciliennes[2] à gros grain, des foulards et des surahs[3] légers, qui allaient du blanc alourdi d'une blonde de Norvège au blanc transparent, chauffé de soleil, d'une rousse d'Italie ou d'Espagne.

Justement, Favier métrait du foulard blanc pour la « jolie 895 dame », cette blonde élégante, une habituée du comptoir, que les vendeurs ne désignaient que par ces mots. Depuis des années, elle venait, et on ne savait toujours rien d'elle, ni sa vie, ni son adresse, ni même son nom. Aucun, du reste, ne tâchait de savoir, bien que tous, à chacune de ses apparitions, se permissent des 900 hypothèses, simplement pour causer. Elle maigrissait, elle engraissait, elle avait bien dormi ou elle devait s'être couchée tard, la veille ; et chaque petit fait de sa vie inconnue, événements du dehors, drames de l'intérieur, avait de la sorte un contre-coup, longuement commenté. Ce jour-là, elle paraissait très gaie. 905 Aussi, lorsque Favier revint de la caisse où il l'avait conduite, communiqua-t-il ses réflexions à Hutin.

— Peut-être bien qu'elle se remarie.

— Elle est donc veuve ? demanda l'autre.

— Je ne sais pas… Seulement, vous devez vous rappeler, la 910 fois qu'elle était en deuil… À moins qu'elle n'ait gagné de l'argent à la Bourse.

1. *Poults de soie* : étoffes de soie unie et mate. \ **2.** *Siciliennes* : soieries de Sicile. \ **3.** *Surahs* : tissus de soie d'une légèreté et d'une finesse remarquables.

Un silence régna. Ensuite, il conclut :

— Ça la regarde… Si l'on tutoyait toutes les femmes qui viennent ici !

915 Mais Hutin se montrait songeur. Il avait eu, l'avant-veille, une explication vive avec la direction, et il se sentait condamné. Après la grande mise en vente, son renvoi était certain. Depuis longtemps, sa situation craquait ; au dernier inventaire, on lui avait reproché d'être resté au-dessous du chiffre d'affaires fixé

920 d'avance ; et c'était encore, c'était surtout la lente poussée des appétits qui le mangeait à son tour, toute la guerre sourde du rayon le jetant dehors, dans le branle même de la machine. On entendait le travail obscur de Favier, un gros bruit de mâchoires, étouffé sous terre. Celui-ci avait déjà la promesse d'être nommé

925 premier. Hutin, qui savait ces choses, au lieu de gifler son ancien camarade, le regardait maintenant comme très fort. Un garçon si froid, l'air obéissant, dont il s'était servi pour user Robineau et Bouthemont ! ça le frappait d'une surprise où il entrait du respect.

930 — À propos, reprit Favier, vous savez qu'elle reste. On vient de voir le patron jouer de la prunelle… Je vais en être pour une bouteille de champagne, moi.

Il parlait de Denise. D'un comptoir à l'autre, les commérages soufflaient plus fort, au travers du flot sans cesse épaissi

935 des clientes. La soie surtout était en révolution, car on y pariait des choses chères.

— Sacrédié ! lâcha Hutin, s'éveillant comme d'un rêve, ai-je été bête de ne pas coucher avec !… C'est aujourd'hui que je serais chic !

940 Puis, il rougit de cet aveu, en voyant rire Favier. Et il feignit de rire également, il ajouta, pour rattraper sa phrase, que c'était cette créature qui l'avait perdu dans l'esprit de la direction. Cependant, un besoin de violence le prenait, il finit par s'emporter contre les vendeurs débandés sous l'assaut de la clien-

945 tèle. Mais, tout d'un coup, il se remit à sourire : il venait d'apercevoir M^me Desforges et M^me Guibal traversant le rayon avec lenteur.

— Il ne vous faut rien aujourd'hui, madame ?

— Non, merci, répondit Henriette. Vous voyez, je me
950 promène, je ne suis venue qu'en curieuse.

Quand il l'eut arrêtée, il baissa la voix. Tout un plan germait dans sa tête. Et il la flatta, il dénigra la maison : lui, en avait assez, il préférait s'en aller, que d'assister davantage à un pareil désordre. Elle l'écoutait, ravie. Ce fut elle qui, croyant l'enlever
955 au *Bonheur*, lui offrit de le faire engager par Bouthemont comme premier à la soie, lorsque les magasins des *Quatre Saisons* seraient réinstallés. L'affaire fut conclue, tous deux chuchotaient très bas, tandis que M^me Guibal s'intéressait aux étalages.

960 — Puis-je vous offrir un de ces bouquets de violettes ? reprit Hutin tout haut, en montrant sur une table trois ou quatre des bouquets primes, qu'il s'était procurés à une caisse, pour des cadeaux personnels.

— Ah ! non, par exemple ! s'écria Henriette, avec un mouve-
965 ment de recul. Je ne veux pas être de la noce.

Ils se comprirent, ils se séparèrent en riant de nouveau, avec des coups d'œil d'intelligence.

Comme M^me Desforges cherchait M^me Guibal, elle s'exclama, en l'apercevant avec M^me Marty. Cette dernière, suivie
970 de sa fille Valentine, était depuis deux heures emportée à travers les magasins, par une de ces crises de dépense, dont elle sortait brisée et confuse. Elle avait battu le rayon des meubles qu'une exposition de mobiliers blancs laqués changeait en vaste chambre de jeune fille, les rubans et les fichus dressant des
975 colonnades blanches tendues de vélums [1] blancs, la mercerie et

1. *Vélums* : grandes pièces d'étoffe tendues de façon à tamiser la lumière.

la passementerie [1] aux effilés blancs qui encadraient d'ingé-
nieux trophées patiemment composés de cartes à boutons et de
paquets d'aiguilles, la bonneterie où l'on s'étouffait cette
année-là, pour voir un motif de décoration immense, le nom
980 resplendissant du *Bonheur des Dames*, des lettres de trois mètres
de haut, faites de chaussettes blanches, sur un fond de chaussettes
rouges. Mais M^me Marty était surtout enfiévrée par les rayons
nouveaux ; on ne pouvait ouvrir un rayon sans qu'elle l'inaugurât ;
elle s'y précipitait, achetait quand même. Et elle avait passé une
985 heure aux modes, installée dans un salon neuf du premier étage,
faisant vider les armoires, prenant les chapeaux sur les champi-
gnons de palissandre [2] qui garnissaient deux tables, les essayant
tous, à elle et à sa fille, les chapeaux blancs, les capotes [3] blanches,
les toques blanches. Puis, elle était redescendue à la cordonnerie,
990 au fond d'une galerie du rez-de-chaussée, derrière les cravates,
un comptoir ouvert de ce jour-là, dont elle avait bouleversé les
vitrines, prise de désirs maladifs devant les mules de soie blanche
garnies de cygne, les souliers et les bottines de satin blanc montés
sur de grands talons Louis XV.
995 — Oh ! ma chère, bégayait-elle, vous ne vous doutez pas ! Ils
ont un assortiment de capotes extraordinaire. J'en ai choisi une
pour moi et une pour ma fille… Et les chaussures, hein ? Valen-
tine.
— C'est inouï ! ajoutait la jeune fille, avec sa hardiesse de
1000 femme. Il y a des bottes à vingt francs cinquante, ah ! des bottes !
Un vendeur les suivait, traînant l'éternelle chaise, où s'en-
tassait déjà tout un amoncellement d'articles.
— Comment va M. Marty ? demanda M^me Desforges.
— Pas mal, je crois, répondit M^me Marty, effarée par cette
1005 brusque question, qui tombait méchamment dans sa fièvre

1. *Passementerie* : rayon dans lequel on vend des franges et des galons pour orner des vête-
ments ou des meubles. \ **2.** *Palissandre* : bois exotique. \ **3.** *Capotes* : chapeaux de femme
en tissu plissé.

dépensière. Il est toujours là-bas, mon oncle a dû aller le voir ce matin…

Mais elle s'interrompit, elle eut une exclamation d'extase.

— Voyez donc, est-ce adorable !

1010 Ces dames, qui avaient fait quelques pas, se trouvaient devant le nouveau rayon des fleurs et plumes, installé dans la galerie centrale, entre la soierie et la ganterie. C'était, sous la lumière vive du vitrage, une floraison énorme, une gerbe[1] blanche, haute et large comme un chêne. Des piquets de fleurs

1015 garnissaient le bas, des violettes, des muguets, des jacinthes, des marguerites, toutes les blancheurs délicates des plates-bandes. Puis, des bouquets montaient, des roses blanches, attendries d'une pointe de chair, de grosses pivoines blanches, à peine teintées de carmin, des chrysanthèmes blancs, en fusées

1020 légères, étoilées de jaune. Et les fleurs montaient toujours, de grands lis mystiques, des branches de pommier printanières, des bottes de lilas embaumé, un épanouissement continu que surmontaient, à la hauteur du premier étage, des panaches de plumes d'autruche, des plumes blanches qui étaient comme le

1025 souffle envolé de ce peuple de fleurs blanches. Tout un coin étalait des garnitures et des couronnes de fleurs d'oranger. Il y avait des fleurs métalliques, des chardons d'argent, des épis d'argent. Dans les feuillages et dans les corolles, au milieu de cette mousseline, de cette soie et de ce velours, où des gouttes

1030 de gomme faisaient des gouttes de rosée, volaient des oiseaux des Îles pour chapeaux, les Tangaras de pourpre à queue noire, et les Septicolores[2] au ventre changeant, couleur de l'arc-en-ciel.

— J'achète une branche de pommier, reprit M^me Marty.

1035 N'est-ce pas ? c'est délicieux… Et ce petit oiseau, regarde donc, Valentine. Oh ! je le prends !

1. *Gerbe* : bouquet de fleurs à très longues tiges. \ **2.** *Tangaras, Septicolores* : oiseaux exotiques.

Cependant, M^me Guibal s'ennuyait, à rester immobile, dans les remous de la foule. Elle finit par dire :

— Eh bien ! nous vous laissons à vos achats. Nous montons, nous autres.

— Mais non, attendez-moi ! cria l'autre. Je remonte aussi… Il y a là-haut la parfumerie. Il faut que j'aille à la parfumerie.

Ce rayon, créé de la veille, se trouvait à côté du salon de lecture. M^me Desforges, pour éviter l'encombrement des escaliers, parla de prendre l'ascenseur ; mais elles durent y renoncer, on faisait queue à la porte de l'appareil. Enfin, elles arrivèrent, elles passèrent devant le buffet public, où la cohue devenait telle, qu'un inspecteur devait refréner les appétits, en ne laissant plus entrer la clientèle gloutonne que par petits groupes. Et, du buffet même, ces dames commencèrent à sentir le rayon de parfumerie, une odeur pénétrante de sachet enfermé, qui embaumait la galerie. On s'y disputait un savon, le savon Bonheur, la spécialité de la maison. Dans les comptoirs à vitrines, et sur les tablettes de cristal des étagères, s'alignaient les pots de pommades et de pâtes, les boîtes de poudres et de fards, les fioles d'huiles et d'eaux de toilette ; tandis que la brosserie fine, les peignes, les ciseaux, les flacons de poche, occupaient une armoire spéciale. Les vendeurs s'étaient ingéniés à décorer l'étalage de tous leurs pots de porcelaine blanche, de toutes leurs fioles de verre blanc. Ce qui ravissait, c'était, au milieu, une fontaine d'argent, une bergère debout sur une moisson de fleurs, et d'où coulait un filet continu d'eau de violette, qui résonnait musicalement dans la vasque de métal. Une senteur exquise s'épandait alentour, les dames en passant trempaient leurs mouchoirs.

— Voilà ! dit M^me Marty, lorsqu'elle se fut bourrée de lotions, de dentifrices, de cosmétiques. Maintenant, c'est fini, je suis à vous. Allons rejoindre M^me de Boves.

Mais, sur le palier du grand escalier central, le Japon l'arrêta encore. Ce comptoir avait grandi, depuis le jour où Mouret s'était

1070 amusé à risquer, au même endroit, une petite table de proposition, couverte de quelques bibelots [1] défraîchis, sans prévoir lui-même l'énorme succès. Peu de rayons avaient eu des débuts plus modestes, et maintenant il débordait de vieux bronzes, de vieux ivoires, de vieilles laques, il faisait quinze cent mille francs d'af-
1075 faires chaque année, il remuait tout l'Extrême-Orient, où des voyageurs fouillaient pour lui les palais et les temples. D'ailleurs, les rayons poussaient toujours, on en avait essayé deux nouveaux en décembre, afin de boucher les vides de la morte-saison d'hiver : un rayon de livres et un rayon de jouets d'enfant, qui devaient
1080 certainement grandir aussi et balayer encore des commerces voisins. Quatre ans venaient de suffire au Japon pour attirer toute la clientèle artistique de Paris.

Cette fois, M^me Desforges elle-même, malgré sa rancune qui lui avait fait jurer de ne rien acheter, succomba devant un ivoire
1085 d'une finesse charmante.

— Envoyez-le moi, dit-elle rapidement, à une caisse voisine. Quatre-vingt-dix francs, n'est-ce pas ?

Et, voyant M^me Marty et sa fille enfoncées dans un choix de porcelaines de camelote, elle reprit, en emmenant M^me Guibal :
1090 — Vous nous retrouverez au salon de lecture… J'ai vraiment besoin de m'asseoir un peu.

Au salon de lecture, ces dames durent rester debout. Toutes les chaises étaient prises, autour de la grande table couverte de journaux. De gros hommes lisaient, renversés, étalant des
1095 ventres, sans avoir l'idée aimable de céder la place. Quelques femmes écrivaient, le nez dans leurs phrases, comme pour cacher le papier sous les fleurs de leurs chapeaux. Du reste, M^me de Boves n'était pas là, et Henriette s'impatientait, lorsqu'elle aperçut Vallagnosc, qui cherchait aussi sa femme et sa
1100 belle-mère. Il salua, il finit par dire :

1. *Bibelots* : petits objets décoratifs.

— Elles sont pour sûr aux dentelles, on ne peut les en arracher… Je vais voir.

Et il eut la galanterie de leur procurer deux sièges, avant de s'éloigner.

1105 L'écrasement, aux dentelles, croissait de minute en minute. La grande exposition de blanc y triomphait, dans ses blancheurs les plus délicates et les plus chères. C'était la tentation aiguë, le coup de folie du désir, qui détraquait toutes les femmes. On avait changé le rayon en une chapelle blanche. Des tulles, des 1110 guipures tombant de haut, faisaient un ciel blanc, un de ces voiles de nuages dont le fin réseau pâlit le soleil matinal. Autour des colonnes, descendaient des volants de malines et de valenciennes, des jupes blanches de danseuse, déroulées en un frisson blanc, jusqu'à terre. Puis, de toutes parts, sur tous les comptoirs, 1115 le blanc neigeait, les blondes espagnoles légères comme un souffle, les applications de Bruxelles avec leurs fleurs larges sur les mailles fines, les points à l'aiguille et les points de Venise aux dessins plus lourds, les points d'Alençon et les dentelles de Bruges d'une richesse royale et comme religieuse. Il semblait 1120 que le dieu du chiffon eût là son tabernacle[1] blanc.

M^{me} de Boves, après s'être longtemps promenée avec sa fille, rôdant devant les étalages, ayant le besoin sensuel d'enfoncer les mains dans les tissus, venait de se décider à se faire montrer du point d'Alençon par Deloche. D'abord, il avait sorti de 1125 l'imitation ; mais elle avait voulu voir de l'Alençon véritable, et elle ne se contentait pas des petites garnitures à trois cents francs le mètre, elle exigeait les hauts volants à mille, les mouchoirs et, les éventails à sept et huit cents. Bientôt le comptoir fut couvert d'une fortune. Dans un coin du rayon 1130 l'inspecteur Jouve, qui n'avait pas lâché M^{me} de Boves, malgré

1. *Tabernacle* : petite armoire placée au centre de l'autel d'une église et qui renferme les hosties.

l'apparente flânerie de cette dernière, se tenait immobile au milieu des poussées, l'attitude indifférente, l'œil toujours sur elle.

— Et avez-vous des berthes [1] en point à l'aiguille ? demanda la comtesse à Deloche. Faites voir, je vous prie.

Le commis, qu'elle tenait depuis vingt minutes, n'osait résister, tellement elle avait grand air, avec sa taille et sa voix de princesse. Cependant, il fut pris d'une hésitation, car on recommandait aux vendeurs de ne pas amonceler ainsi les dentelles précieuses, et il s'était laissé voler dix mètres de malines, la semaine précédente. Mais elle le troublait, il céda, abandonna un instant le tas de point d'Alençon, pour prendre derrière lui, dans une case, les berthes demandées.

— Regarde donc, maman, disait Blanche qui fouillait, à côté, un carton plein de petites valenciennes à bas prix, on pourrait prendre de ça pour les oreillers.

M{me} de Boves ne répondait pas. Alors la fille, en tournant sa face molle, vit sa mère, les mains au milieu des dentelles, en train de faire disparaître, dans la manche de son manteau, des volants de point d'Alençon. Elle ne parut pas surprise, elle s'avançait pour la cacher d'un mouvement instinctif, lorsque Jouve, brusquement, se dressa entre elles. Il se penchait, il murmurait à l'oreille de la comtesse, d'une voix polie :

— Madame, veuillez me suivre.

Elle eut une courte révolte.

— Mais pourquoi, monsieur ?

— Veuillez me suivre, madame, répéta l'inspecteur, sans élever le ton.

Le visage ivre d'angoisse, elle jeta un rapide coup d'œil autour d'elle. Puis, elle se résigna, elle reprit son allure hautaine, marchant près de lui comme une reine qui daigne se confier aux

1. *Berthes* : larges cols de forme arrondie.

bons soins d'un aide de camp. Pas une des clientes entassées là ne s'était même aperçue de la scène. Deloche, revenu devant le comptoir avec les berthes, la regardait emmener, bouche béante :
1165 comment ? celle-là aussi ! cette dame si noble ! c'était à les fouiller toutes ! Et Blanche, qu'on laissait libre, suivit de loin sa mère, s'attardait au milieu de la houle des épaules, livide, partagée entre le devoir de ne pas l'abandonner et la terreur d'être gardée avec elle. Elle la vit entrer dans le cabinet de Bour-
1170 doncle, elle se contenta de rôder devant la porte.

Justement, Bourdoncle, dont Mouret venait de se débarrasser, était là. D'habitude, il prononçait sur ces sortes de vols, commis par des personnes honorables. Depuis longtemps, Jouve qui guettait celle-ci, lui avait fait part de ses doutes ; aussi ne fut-il pas
1175 étonné, lorsque l'inspecteur le mit au courant d'un mot ; du reste, des cas si extraordinaires lui passaient par les mains, qu'il déclarait la femme capable de tout, dès que la rage du chiffon l'emportait. Comme il n'ignorait pas les rapports mondains du directeur avec la voleuse, il montra lui aussi une politesse parfaite.
1180 — Madame, nous excusons ces moments de faiblesse… Je vous en prie, considérez où un pareil oubli de vous-même pourrait vous conduire. Si quelque autre personne vous avait vue glisser ces dentelles…

Mais elle l'interrompit avec indignation. Elle, une voleuse !
1185 pour qui la prenait-il ? Elle était la comtesse de Boves, son mari, inspecteur général des haras, allait à la cour.

— Je sais, je sais, madame, répétait paisiblement Bourdoncle. J'ai l'honneur de vous connaître… Veuillez d'abord rendre les dentelles que vous avez sur vous…
1190 Elle se récria de nouveau, elle ne lui laissait plus dire une parole, belle de violence, usant jusqu'aux larmes de la grande dame outragée. Tout autre que lui, ébranlé, aurait craint quelque méprise déplorable, car elle le menaçait de s'adresser aux tribunaux, pour venger une telle injure.

1195 — Prenez garde, monsieur ! mon mari ira jusqu'au ministre.

— Allons, vous n'êtes pas plus raisonnable que les autres, déclara Bourdoncle, impatienté. On va vous fouiller, puisqu'il le faut.

Elle ne broncha pas encore, elle dit avec son assurance superbe :

1200 — C'est ça, fouillez-moi… Mais, je vous en avertis, vous risquez votre maison.

Jouve alla chercher deux vendeuses des corsets. Quand il revint, il avertit Bourdoncle que la demoiselle de cette dame, laissée libre, n'avait pas quitté la porte, et il demandait s'il

1205 fallait l'empoigner, elle aussi, bien qu'il ne l'eût rien vue prendre. L'intéressé, toujours correct, décida, au nom de la morale, qu'on ne la ferait pas entrer, pour ne point forcer une mère à rougir devant sa fille. Cependant, les deux hommes se retirèrent dans une pièce voisine, tandis que les vendeuses

1210 fouillaient la comtesse et lui ôtaient même sa robe, afin de visiter sa gorge et ses hanches. Outre les volants de point d'Alençon, douze mètres à mille francs, cachés au fond d'une manche, elles trouvèrent, dans la gorge, aplatis et chauds, un mouchoir, un éventail, une cravate, en tout pour quatorze mille

1215 francs de dentelles environ. Depuis un an, M^{me} de Boves volait ainsi, ravagée d'un besoin furieux, irrésistible. Les crises empiraient, grandissaient, jusqu'à être une volupté nécessaire à son existence, emportant tous les raisonnements de prudence, se satisfaisant avec une jouissance d'autant plus âpre, qu'elle

1220 risquait, sous les yeux d'une foule, son nom, son orgueil, la haute situation de son mari. Maintenant que ce dernier lui laissait vider ses tiroirs, elle volait avec de l'argent plein sa poche, elle volait pour voler, comme on aime pour aimer, sous le coup de fouet du désir, dans le détraquement de la névrose que ses

1225 appétits de luxe inassouvis avaient développée en elle, autrefois, à travers l'énorme et brutale tentation des grands magasins.

— C'est un guet-apens ! cria-t-elle, lorsque Bourdoncle et Jouve rentrèrent. On a glissé ces dentelles sur moi, oh ! devant
1230 Dieu, je le jure !

À présent, elle pleurait des larmes de rage, tombée sur une chaise, suffoquant dans sa robe mal rattachée. L'intéressé renvoya les vendeuses. Puis, il reprit de son air tranquille :

— Nous voulons bien, madame, étouffer cette fâcheuse affaire,
1235 par égard pour votre famille. Mais, auparavant, vous allez signer un papier ainsi conçu : « J'ai volé des dentelles au *Bonheur des Dames* », et le détail des dentelles, et la date du jour… Du reste, je vous rendrai ce papier, dès que vous m'apporterez deux mille francs pour les pauvres.

1240 Elle s'était relevée, elle déclara dans une révolte nouvelle :

— Jamais je ne signerai cela, j'aime mieux mourir.

— Vous ne mourrez pas, madame. Seulement, je vous préviens que je vais envoyer chercher le commissaire de police.

Alors, il y eut une scène affreuse. Elle l'injuriait, elle
1245 bégayait que c'était lâche à des hommes de torturer ainsi une femme. Sa beauté de Junon, son grand corps majestueux se fondait dans une fureur de poissarde [1]. Puis, elle voulut essayer de l'attendrissement, elle les suppliait au nom de leurs mères, elle parlait de se traîner à leurs pieds. Et, comme ils restaient
1250 froids, bronzés par l'habitude, elle s'assit tout d'un coup, écrivit d'une main tremblante. La plume crachait ; les mots : J'ai volé, appuyés rageusement, faillirent crever le papier mince, tandis qu'elle répétait, la voix étranglée

— Voilà, monsieur, voilà, monsieur… Je cède à la force…

1255 Bourdoncle prit le papier, le plia soigneusement, l'enferma devant elle dans un tiroir, en disant :

— Vous voyez qu'il est en compagnie, car ces dames, après avoir parlé de mourir plutôt que de les signer, négligent géné-

1. *Poissarde* : femme du peuple, qui s'exprime familièrement.

ralement de venir reprendre leurs billets doux… Enfin, je le tiens
à votre disposition. Vous jugerez s'il vaut deux mille francs.

Elle achevait de rattacher sa robe, elle retrouvait toute son
arrogance, maintenant qu'elle avait payé.

— Je puis sortir ? demanda-t-elle d'un ton bref.

Déjà Bourdoncle s'occupait d'autre chose. Sur le rapport de
Jouve, il décidait le renvoi de Deloche : ce vendeur était stupide,
il se laissait continuellement voler, jamais il n'aurait d'autorité
sur les clientes. M^{me} de Boves répéta sa question, et comme ils
la congédiaient d'un signe affirmatif, elle les enveloppa tous
deux d'un regard d'assassin. Dans le flot de gros mots qu'elle
renfonçait, un cri de mélodrame lui vint aux lèvres.

— Misérables ! dit-elle en faisant claquer la porte.

Cependant, Blanche ne s'était pas éloignée du cabinet. Son
ignorance de ce qui se passait là-dedans, les allées et venues de
Jouve et des deux vendeuses, la bouleversaient, évoquaient les
gendarmes, la cour d'assises, la prison. Mais elle resta béante :
Vallagnosc était devant elle, ce mari d'un mois dont le tutoie-
ment la gênait encore ; et il la questionnait en s'étonnant de sa
stupeur.

— Où est ta mère ?… Vous vous êtes perdues ? Voyons,
réponds-moi, tu m'inquiètes.

Pas un mensonge raisonnable ne lui venait aux lèvres. Dans
sa détresse, elle dit tout à voix basse.

— Maman, maman… Elle a volé…

Comment ! volé ! Enfin, il comprit. La face bouffie de sa
femme, ce masque blême, ravagé par la peur, l'épouvantait.

— De la dentelle, comme ça, dans sa manche, continuait-elle
à balbutier.

— Tu l'as donc vue, tu regardais ? murmura-t-il, glacé de la
sentir complice.

Ils durent se taire, des personnes déjà tournaient la tête. Une
hésitation pleine d'angoisse tint Vallagnosc immobile un

moment. Que faire ? et il se décidait à entrer chez Bourdoncle, lorsqu'il aperçut Mouret, qui traversait la galerie. Il ordonna à sa femme de l'attendre, il saisit le bras de son vieux camarade, qu'il 1295 mit au courant, en paroles entrecoupées. Celui-ci s'était hâté de le mener dans son cabinet, où il le tranquillisa sur les suites possibles. Il lui assurait qu'il n'avait pas besoin d'intervenir, il expliquait de quelle façon les choses allaient certainement se passer, sans paraître lui-même s'émouvoir de ce vol, comme s'il 1300 l'avait prévu depuis longtemps. Mais Vallagnosc, lorsqu'il ne craignit plus une arrestation immédiate, n'accepta pas l'aventure avec cette belle tranquillité. Il s'était abandonné au fond d'un fauteuil, et maintenant qu'il pouvait raisonner, il se répandait en lamentations sur son propre compte. Était-ce possible ? voilà qu'il était 1305 entré dans une famille de voleuses ! Un mariage stupide qu'il avait bâclé, afin d'être agréable au père ! Surpris de cette violence d'enfant maladif, Mouret le regardait pleurer, en se rappelant l'ancienne pose de son pessimisme. Ne lui avait-il pas entendu soutenir vingt fois le néant final de la vie, où il ne trouvait que le 1310 mal d'un peu drôle ? Aussi, pour le distraire, s'amusa-t-il une minute à lui prêcher l'indifférence, sur un ton de plaisanterie amicale. Et, du coup, Vallagnosc se fâcha : il ne pouvait décidément rattraper sa philosophie compromise, toute son éducation bourgeoise repoussait en indignations vertueuses contre sa belle-1315 mère. Dès que l'expérience tombait sur lui, au moindre effleurement de la misère humaine, dont il ricanait à froid, le sceptique fanfaron s'abattait et saignait. C'était abominable, on traînait dans la boue l'honneur de sa race, le monde semblait en craquer.

— Allons, calme-toi, conclut Mouret pris de pitié. Je ne te 1320 dirai plus que tout arrive et que rien n'arrive, puisque cela n'a pas l'air de te consoler en ce moment. Mais je crois que tu devrais aller donner ton bras à M^{me} de Boves, ce qui serait plus sage que de faire un scandale… Que diable ! toi qui professais le flegme du mépris, devant la canaillerie universelle !

1325 — Tiens ! cria naïvement Vallagnosc, quand ça se passe chez les autres !

Cependant, il s'était levé, il suivit le conseil de son ancien condisciple. Tous deux retournaient dans la galerie, lorsque M^{me} de Boves sortit de chez Bourdoncle. Elle accepta
1330 avec majesté le bras de son gendre, et comme Mouret la saluait d'un air galamment respectueux, il l'entendit qui disait :

— Ils m'ont fait des excuses. Vraiment, ces méprises sont épouvantables.

1335 Blanche les avait rejoints, et elle marchait derrière eux. Ils se perdirent lentement dans la foule.

Alors, Mouret, seul et songeur, traversa de nouveau les magasins. Cette scène, qui l'avait distrait du combat dont il était déchiré, augmentait sa fièvre maintenant, déterminait en
1340 lui la lutte suprême. Tout un rapport vague s'élevait dans son esprit : le vol de cette malheureuse, cette folie dernière de la clientèle conquise abattue aux pieds du tentateur, évoquait l'image fière et vengeresse de Denise, dont il sentait sur sa gorge le talon victorieux. Il s'arrêta en haut de l'escalier central,
1345 il regarda longtemps l'immense nef, où s'écrasait son peuple de femmes.

Six heures allaient sonner, le jour qui baissait au-dehors se retirait des galeries couvertes, noires déjà, pâlissait au fond des halls, envahis de lentes ténèbres. Et, dans ce jour mal
1350 éteint encore, s'allumaient, une à une, des lampes électriques, dont les globes d'une blancheur opaque constellaient de lunes intenses les profondeurs lointaines des comptoirs. C'était une clarté blanche, d'une aveuglante fixité, épandue comme une réverbération d'astre décoloré, et qui
1355 tuait le crépuscule. Puis, lorsque toutes brûlèrent, il y eut un murmure ravi de la foule, la grande exposition de blanc prenait une splendeur féerique d'apothéose, sous cet

éclairage nouveau [1]. Il sembla que cette colossale débauche de blanc brûlait elle aussi, devenait de la lumière. La chanson
1360 du blanc s'envolait dans la blancheur enflammée d'une aurore. Une lueur blanche jaillissait des toiles et des calicots de la galerie Monsigny, pareille à la bande vive qui blanchit le ciel la première du côté de l'Orient ; tandis que, le long de la galerie Michodière, la mercerie et la passementerie, les
1365 articles de Paris et les rubans, jetaient des reflets de coteaux éloignés, l'éclair blanc des boutons de nacre, des bronzes argentés et des perles. Mais la nef centrale surtout chantait le blanc trempé de flammes : les bouillonnés de mousseline blanche autour des colonnes, les basins et les piqués blancs
1370 qui drapaient les escaliers, les couvertures blanches accrochées comme des bannières, les guipures et les dentelles blanches volant dans l'air, ouvraient un firmament du rêve, une trouée sur la blancheur éblouissante d'un paradis, où l'on célébrait les noces de la reine inconnue. La tente du hall
1375 des soieries en était l'alcôve géante, avec ses rideaux blancs, ses gazes blanches, ses tulles blancs, dont l'éclat défendait contre les regards la nudité blanche de l'épousée. Il n'y avait plus que cet aveuglement, un blanc de lumière où tous les blancs se fondaient, une poussière d'étoiles neigeant dans la
1380 clarté blanche.

Et Mouret regardait toujours son peuple de femmes, au milieu de ces flamboiements. Les ombres noires s'enlevaient avec vigueur sur les fonds pâles. De longs remous brisaient la cohue, la fièvre de cette journée de grande vente passait comme un
1385 vertige, roulant la houle désordonnée des têtes. On commençait à sortir, le saccage des étoffes jonchait les comptoirs, l'or sonnait dans les caisses ; tandis que la clientèle, dépouillée, violée, s'en

1. Il s'agit d'un anachronisme : les grands magasins ne sont pas encore éclairés à l'électricité au moment de l'action. Zola veut ainsi susciter l'admiration du lecteur pour le *Bonheur des Dames*.

allait à moitié défaite, avec la volupté assouvie et la sourde honte d'un désir contenté au fond d'un hôtel louche. C'était lui qui les 1390 possédait de la sorte, qui les tenait à sa merci, par son entassement continu de marchandises, par sa baisse des prix et ses rendus, sa galanterie et sa réclame. Il avait conquis les mères elles-mêmes, il régnait sur toutes avec la brutalité d'un despote, dont le caprice ruinait des ménages. Sa création apportait une 1395 religion nouvelle, les églises que désertait peu à peu la foi chancelante étaient remplacées par son bazar, dans les âmes inoccupées désormais. La femme venait passer chez lui les heures vides, les heures frissonnantes et inquiètes qu'elle vivait jadis au fond des chapelles : dépense nécessaire de passion nerveuse, lutte 1400 renaissante d'un dieu contre le mari, culte sans cesse renouvelé du corps, avec l'au-delà divin de la beauté. S'il avait fermé ses portes, il y aurait eu un soulèvement sur le pavé, le cri éperdu des dévotes auxquelles on supprimerait le confessionnal et l'autel. Dans leur luxe accru depuis dix ans, il les voyait, malgré 1405 l'heure, s'entêter au travers de l'énorme charpente métallique, le long des escaliers suspendus et des ponts volants. M^{me} Marty et sa fille, emportées au plus haut, vagabondaient parmi les meubles. Retenue par son petit monde, M^{me} Bourdelais ne pouvait s'arracher des articles de Paris. Puis, venait la bande, 1410 M^{me} de Boves toujours au bras de Vallagnosc, et suivie de Blanche, s'arrêtant à chaque rayon, osant regarder encore les étoffes de son air superbe. Mais, de la clientèle entassée, de cette mer de corsages gonflés de vie, battant de désir, tous fleuris de bouquets de violettes, comme pour les noces populaires de 1415 quelque souveraine, il finit par ne plus distinguer que le corsage nu de M^{me} Desforges, qui s'était arrêtée à la ganterie avec M^{me} Guibal. Malgré sa rancune jalouse, elle aussi achetait, et il se sentit le maître une dernière fois, il les tenait à ses pieds, sous l'éblouissement des feux électriques ainsi qu'un bétail dont il 1420 avait tiré sa fortune.

D'un pas machinal, Mouret suivit les galeries, tellement absorbé, qu'il s'abandonnait à la poussée de la foule. Quand il leva la tête, il était dans le nouveau rayon des modes, dont les glaces donnaient sur la rue du Dix-Décembre. Et là, le front
1425 contre le verre, il fit encore une halte, il regarda la sortie. Le soleil couchant jaunissait le faîte des maisons blanches, le ciel bleu de cette belle journée pâlissait, rafraîchi d'un grand souffle pur ; tandis que, dans le crépuscule qui noyait déjà la chaussée, les lampes électriques du *Bonheur des Dames* jetaient cet éclat fixe
1430 des étoiles allumées sur l'horizon, au déclin du jour. Vers l'Opéra et vers la Bourse, s'enfonçait le triple rang des voitures immobiles, gagnées par l'ombre, et dont les harnais gardaient des reflets de vive lumière, l'éclair d'une lanterne, l'étincelle d'un mors argenté. À chaque seconde, un appel de garçon en
1435 livrée retentissait, et un fiacre avançait, un coupé se détachait, prenait une cliente, puis s'éloignait d'un trot sonore. Les queues diminuaient maintenant, six voitures roulaient de front, d'un bord à l'autre, au milieu des battements de portières, des claquements de fouet, du bourdonnement des piétons qui débordaient
1440 parmi les roues. Il y avait comme un élargissement continu, un rayonnement de la clientèle, remportée aux quatre points de la cité, vidant les magasins avec la clameur ronflante d'une écluse. Cependant, les voitures du *Bonheur*, les grandes lettres d'or des enseignes, les bannières hissées en plein ciel, flambaient toujours
1445 au reflet de l'incendie, du couchant, si colossales dans cet éclairage oblique, qu'elles évoquaient le monstre des réclames, le phalanstère[1] dont les ailes, multipliées sans cesse, dévoraient les quartiers, jusqu'aux bois lointains de la banlieue. Et l'âme épandue de Paris, un souffle énorme et doux, s'endormait dans
1450 la sérénité du soir, courait en longues et molles caresses sur les

1. *Phalanstère* : association de travailleurs vivant en communauté. Ce système a été conçu par le socialiste utopique Fourier (1772-1837).

dernières voitures, filant par la rue peu à peu déblayée de foule, tombée au noir de la nuit.

Mouret, les regards perdus, venait de sentir passer en lui quelque chose de grand ; et, dans ce frisson du triomphe dont
1455 tremblait sa chair, en face de Paris dévoré et de la femme conquise, il éprouva une faiblesse soudaine, une défaillance de sa volonté, qui le renversait à son tour, sous une force supérieure. C'était un besoin irraisonnable d'être vaincu, dans sa victoire, le non-sens d'un homme de guerre pliant sous le
1460 caprice d'un enfant, au lendemain de ses conquêtes. Lui qui se débattait depuis des mois, qui le matin encore jurait d'étouffer sa passion, cédait tout d'un coup, saisi du vertige des hauteurs, heureux de faire ce qu'il croyait être une sottise. Sa décision, si rapide, avait pris d'une minute à l'autre une telle énergie,
1465 qu'il ne voyait plus qu'elle d'utile et de nécessaire dans le monde.

Le soir, après la dernière table, il attendit dans son cabinet. Frémissant comme un jeune homme qui va jouer son bonheur, il ne pouvait rester en place, il retournait sans cesse à la porte,
1470 pour prêter l'oreille aux rumeurs des magasins, où les commis faisaient le déplié[1], enfoncés jusqu'aux épaules dans le saccage de la vente. À chaque bruit de pas, son cœur battait. Et il eut une émotion, il se précipita, car il avait entendu au loin un lourd murmure, peu à peu grossi.

1475 C'était l'approche lente de Lhomme, chargé de la recette. Ce jour-là, elle pesait si lourd, il y avait tellement du cuivre et de l'argent, dans le numéraire[2] encaissé, qu'il s'était fait accompagner par deux garçons. Derrière lui, Joseph et un de ses collègues pliaient sous les sacs, des sacs énormes, jetés comme
1480 des sacs de plâtre sur leurs dos ; tandis que, marchant le

1. *Faisaient le déplié* : repliaient et rangeaient les vêtements sortis pour être présentés aux clientes. \ 2. *Numéraire* : monnaie.

premier, il portait les billets et l'or, un portefeuille gonflé de papiers, deux sacoches pendues à son cou, dont le poids le tirait à droite, du côté de son bras coupé. Et, lentement, suant et soufflant, il venait du fond des magasins, à travers l'émotion
1485 grandissante des vendeurs. Les gants et la soie s'étaient offerts en riant pour le soulager, la draperie et les lainages souhaitaient un faux pas, qui aurait semé l'or aux quatre coins des rayons. Puis, il avait dû monter un escalier, s'engager sur un pont volant, monter encore, tourner dans les charpentes, où les
1490 regards du blanc, de la bonneterie, de la mercerie, le suivaient, bayant d'extase devant cette fortune voyageant en l'air. Au premier, les confections, la parfumerie, les dentelles, les châles, s'étaient rangés avec dévotion, comme sur le passage du bon Dieu. De proche en proche, le brouhaha s'élevait, devenait une
1495 clameur de peuple saluant le veau d'or [1].

Cependant, Mouret avait ouvert la porte. L'homme parut, suivi des deux garçons, qui chancelaient ; et, hors d'haleine, il eut encore la force de crier :

— Un million, deux cent quarante-sept francs, quatre-vingt-
1500 quinze centimes !

Enfin, c'était le million, le million ramassé en un jour, le chiffre dont Mouret avait longtemps rêvé ! Mais il eut un geste de colère, il dit avec impatience, de l'air déçu d'un homme dérangé dans son attente par un importun :

1505 — Un million, eh bien ! mettez-le là.

L'homme savait qu'il aimait ainsi à voir sur son bureau les fortes recettes, avant qu'on les déposât à la caisse centrale. Le million couvrit le bureau, écrasa les papiers, faillit renverser l'encre ; et l'or, et l'argent, et le cuivre, coulant des sacs, crevant
1510 des sacoches, faisaient un gros tas, le tas de la recette brute, telle

1. Les Hébreux, en l'absence de Moïse, parti chercher les Tables de la Loi au sommet du mont Sinaï, avaient fondu leurs bijoux pour façonner une idole d'or, un veau, qu'ils adorèrent jusqu'au retour de Moïse.

qu'elle sortait des mains de la clientèle, encore chaude et vivante.

Au moment où le caissier se retirait, navré de l'indifférence du patron, Bourdoncle arriva, en criant gaiement:

1515 — Hein! nous le tenons, cette fois!... Il est décroché, le million!

Mais il remarqua la préoccupation fébrile de Mouret, il comprit et se calma. Une joie avait allumé son regard. Après un court silence, il reprit:

1520 — Vous vous êtes décidé, n'est-ce pas? Mon Dieu! je vous approuve.

Brusquement, Mouret s'était planté devant lui, et de sa voix terrible des jours de crise:

— Dites donc, mon brave, vous êtes trop gai... N'est-ce pas?
1525 vous me croyez fini, et les dents vous poussent. Méfiez-vous, on ne me mange pas, moi!

Décontenancé par la rude attaque de ce diable d'homme qui devinait tout, Bourdoncle balbutia:

— Quoi donc? vous plaisantez? moi qui ai tant d'admiration
1530 pour vous!

— Ne mentez pas! reprit Mouret plus violemment. Écoutez, nous étions stupides, avec cette superstition, que le mariage devait nous couler. Est-ce qu'il n'est pas la santé nécessaire, la force et l'ordre mêmes de la vie!... Eh bien! oui mon cher. Je
1535 l'épouse, et je vous flanque tous à la porte, si vous bougez. Parfaitement! vous passerez comme un autre à la caisse, Bourdoncle!

D'un geste, il le congédiait. Bourdoncle se sentit condamné, balayé dans cette victoire de la femme. Il s'en alla. Denise
1540 entrait justement, et il s'inclina dans un salut profond, la tête perdue.

— Enfin! c'est vous! dit Mouret, doucement.

Denise était pâle d'émotion. Elle venait d'éprouver un dernier

chagrin, Deloche lui avait appris son renvoi ; et, comme elle
1545 essayait de le retenir, en offrant de parler en sa faveur, il s'était
obstiné dans sa malchance, il voulait disparaître : à quoi bon
rester ? pourquoi aurait-il gêné les gens heureux ? Denise lui avait
dit un adieu fraternel, gagnée par les larmes. Elle-même n'aspi-
rait-elle pas à l'oubli ? Tout allait finir, elle ne demandait plus à
1550 ses forces épuisées que le courage de la séparation. Dans quelques
minutes, si elle était assez vaillante pour s'écraser le cœur, elle
pourrait s'en aller seule, pleurer au loin.

— Monsieur, vous avez désiré me voir, dit-elle de son air calme.
Du reste, je serais venue vous remercier de toutes vos bontés.

1555 En entrant, elle avait aperçu le million sur le bureau, et l'éta-
lage de cet argent la blessait. Au-dessus d'elle, comme s'il eût
regardé la scène, le portrait de M^{me} Hédouin, dans son cadre
d'or, gardait l'éternel sourire de ses lèvres peintes.

— Vous êtes toujours résolue à nous quitter ? demanda Mouret,
1560 dont la voix tremblait.

— Oui, monsieur, il le faut.

Alors, il lui prit les mains, il dit dans une explosion de
tendresse, après la longue froideur qu'il s'était imposée :

— Et si je vous épousais, Denise, partiriez-vous ?

1565 Mais elle avait retiré ses mains, elle se débattait comme sous
le coup d'une grande douleur.

— Oh ! monsieur Mouret, je vous en prie, taisez-vous ! Oh !
ne me faites pas plus de peine encore !… Je ne peux pas ! je ne
peux pas… Dieu est témoin que je m'en allais pour éviter un
1570 malheur pareil !

Elle continuait de se défendre par des paroles entrecoupées.
N'avait-elle pas trop souffert déjà des commérages de la
maison ? Voulait-il donc qu'elle passât aux yeux des autres et
à ses propres yeux pour une gueuse ? Non, non, elle aurait de
1575 la force, elle l'empêcherait bien de faire une telle sottise. Lui,
torturé, l'écoutait, répétait avec passion :

— Je veux… je veux…

— Non, c'est impossible… Et mes frères ? j'ai juré de ne point me marier, je ne puis vous apporter deux enfants, n'est-ce pas ?

— Ils seront aussi mes frères… Dites oui, Denise.

— Non, non, oh ! laissez-moi, vous me torturez !

Peu à peu, il défaillait, ce dernier obstacle le rendait fou. Eh quoi ! même à ce prix, elle se refusait encore ! Au loin, il entendait la clameur de ses trois mille employés, remuant à pleins bras sa royale fortune. Et ce million imbécile qui était là ! il en souffrait comme d'une ironie, il l'aurait poussé à la rue.

— Partez donc ! cria-t-il dans un flot de larmes. Allez retrouver celui que vous aimez… C'est la raison, n'est-ce pas ? Vous m'aviez prévenu, je devrais le savoir et ne pas vous tourmenter davantage.

Elle était restée saisie, devant la violence de ce désespoir. Son cœur éclatait. Alors, avec une impétuosité d'enfant, elle se jeta à son cou, sanglota elle aussi, en bégayant :

— Oh ! monsieur Mouret, c'est vous que j'aime !

Une dernière rumeur monta du *Bonheur des Dames*, l'acclamation lointaine d'une foule. Le portrait de M^me Hédouin souriait toujours, de ses lèvres peintes. Mouret était tombé assis sur le bureau, dans le million, qu'il ne voyait plus. Il ne lâchait pas Denise, il la serrait éperdument sur sa poitrine, en lui disant qu'elle pouvait partir maintenant, qu'elle passerait un mois à Valognes, ce qui fermerait la bouche du monde, et qu'il irait ensuite l'y chercher lui-même, pour l'en ramener à son bras, toute-puissante.

DOSSIER

LIRE L'ŒUVRE

QUESTIONNAIRE DE LECTURE

LE TITRE

1. Quel est l'horizon d'attente évoqué par le titre qu'a choisi Zola ?

▨ Pour répondre

L'horizon d'attente est l'image que le lecteur se fait du roman à partir du titre (ou des premiers chapitres). Pour mieux saisir la portée du titre, vous pouvez comparer le nom du magasin de nouveautés d'Octave Mouret avec ceux de grands magasins ayant réellement existé, comme *Le Bon Marché*, *Le Louvre* ou encore *Au Paradis des Dames* [1], ou avec ceux des petites boutiques qui entourent le *Bonheur des Dames*, *Le Vieil Elbeuf* en particulier.

LA STRUCTURE

2. Quels sont les événements commerciaux du *Bonheur des Dames* qui scandent le roman ? À quels épisodes de l'intrigue sont-ils associés ?

3. Du point de vue de l'intrigue, quel est le chapitre central du roman ? Justifiez précisément votre réponse.

L'ESPACE ET LE TEMPS

4. Comparez le *Vieil Elbeuf* et le *Bonheur des Dames*.

▨ Pour répondre

Au chapitre I, Denise, arrivant à Paris, découvre simultanément la boutique de son oncle (« La maison enduite d'un badigeon rouillé […] les ténèbres humides d'une cave » ; « Ils se rassuraient […] l'humidité du plancher » ; « Mais la salle obscure […] c'était plus triste encore ») et le grand magasin qui lui fait face (« Il y avait là, au plein air de la rue […] révolutionner le commerce des nouveautés » ; « Mais de l'autre côté de la chaussée […] fièvre du voyage »). Quelles oppositions pouvez-vous relever entre ces deux descriptions ?

5. Quelle est la durée de chacun des chapitres ? Appuyez-vous sur des indices textuels précis pour la déterminer. Commentez les effets produits.

▨ Pour répondre

Certains chapitres ne durent qu'une journée (par exemple, le chapitre I commence alors que « huit heures sonnaient à Saint-Roch » et s'achève quand « la nuit [se fait] »). D'autres, comme le chapitre VII, couvrent une période beaucoup plus longue (« Ce furent d'abord deux mois de terrible gêne », « En septembre », « Trois mois se passèrent. Le printemps revenait »,

1. Voir document iconographique, p. 565.

« Juillet »). Quel est l'effet produit par cette disparité ? Comparez la longueur du chapitre avec la durée de l'intrigue. Sont-elles liées ?

LES PERSONNAGES

6. Qu'est-ce qui fait la force de Denise ? Comment parvient-elle à conquérir tout son entourage ?

▪ Pour répondre

Relisez les chapitres ɪɪ et ɪv qui évoquent les débuts douloureux de Denise au *Bonheur des Dames*. Comparez-les avec l'évocation de la toute-puissance de Denise à partir du chapitre x (« C'était une victoire inespérée […] titres antérieurs », chap. x ; « Longtemps, il s'était révolté […] dans ses heures de révolte », « Du reste, Denise était maintenant au sommet […] être emporté dans le désastre », chap. xɪɪ ; « Denise pourtant […] si elle agissait autrement », chap. xɪv).

7. Chacune des clientes du *Bonheur des Dames* agit différemment : quel est le trait distinctif de Henriette Desforges, de Mᵐᵉ de Boves, de Mᵐᵉ Marty, de Mᵐᵉ Bourdelais et de Mᵐᵉ Guibal ?

▪ Pour répondre

Relisez les chapitres ɪv, ɪx et xɪv qui correspondent aux grandes ventes du *Bonheur des Dames* : par quoi chacune des clientes est-elle attirée ? Comment gère-t-elle ses dépenses ?

LES TECHNIQUES NARRATIVES

8. Les descriptions, notamment les descriptions de lieux, sont nombreuses dans le roman. Comment s'y insèrent-elles ? Constituent-elles une pause dans la narration ? Quelle est leur fonction ? Vous appuierez votre réponse sur un exemple précis.

▪ Pour répondre

Vous pouvez par exemple construire votre réponse à partir de la première description du *Bonheur des Dames* (chap. ɪ).

LES THÈMES PRINCIPAUX

9. Quelles sont les principales innovations commerciales instituées par Octave Mouret ?

▪ Pour répondre

Vous pouvez vous appuyer à la fois sur les explications de Mouret lui-même, défendant avec feu son point de vue devant Bourdoncle (chap. ɪɪ) ou le baron Hartmann (chap. ɪɪɪ), ou au contraire sur les critiques de Baudu (chap. ɪ, chap. vɪɪɪ).

L'ŒUVRE DANS L'HISTOIRE

Afin d'écrire son roman sur le haut commerce, Zola consacre plusieurs mois à ses recherches, hante *Le Bon Marché*, *Le Louvre* et *La Place Clichy*, interroge le secrétaire général du *Bon Marché*, rencontre un ancien chef de comptoir du *Louvre*, un chef de rayon du *Bon Marché* et une vendeuse du magasin *Saint-Joseph*. Son dossier préparatoire est prêt en mai 1882. Il entreprend alors la rédaction du *Bonheur des Dames* dont la publication, sous forme de feuilleton dans le journal *Gil Blas*, commence en décembre 1882. Zola termine son roman le 25 janvier 1883 et le 2 mars, dès la fin de la publication en feuilleton, *Au Bonheur des Dames* paraît en volume chez l'éditeur Charpentier. Zola compose donc sous la Troisième République. Toutefois, son roman est situé entre octobre 1864 et février 1869, sous le Second Empire. Cet écart suscite un certain nombre d'anachronismes.

LE CONTEXTE POLITIQUE, ÉCONOMIQUE ET SOCIAL

DU SECOND EMPIRE À LA IIIᵉ RÉPUBLIQUE

Zola veut faire de *Au Bonheur des Dames* « le poème de l'activité moderne », ce qui implique un « changement complet de philosophie : plus de pessimisme d'abord, ne pas conclure à la bêtise et à la mélancolie de la vie, conclure au contraire à son perpétuel labeur » (Ébauche). Dès lors, l'auteur engagé, qui a peint la bêtise de l'empereur (*La Curée*) ou les vices de la bourgeoisie (*Pot-Bouille*), tait ses rancœurs et le roman ne contient quasiment aucune allusion à la vie politique. Pourtant, entre 1864 et 1869, dans la deuxième décennie du Second Empire, les crises se multiplient et le régime est attaqué de toutes parts.

Le Second Empire

À la suite du coup d'état du 2 décembre 1851, le président de la République s'empare du pouvoir et se fait proclamer empereur sous le nom de

Napoléon III, le 2 décembre 1852. Le Second Empire met ainsi fin à la Deuxième République. L'empereur jouit d'un pouvoir immense. D'après l'article 3 de la Constitution, il gouverne au moyen des ministres, des conseillers d'état, des sénateurs et des députés. Les ministres eux-mêmes ne sont que « les instruments de [la politique] de l'empereur ». Les députés, qui siègent au Corps législatif, sont élus au suffrage universel. Mais ce dernier est faussé par le principe de la « candidature officielle » maintenu jusqu'en 1869 : sous prétexte de venir en aide aux électeurs encore novices, le gouvernement désigne le candidat qui lui semble le plus apte. Même si le principal objectif de Zola dans ce roman n'est pas de critiquer l'Empire, on notera une touche ironique : dans la salle de lecture du *Bonheur des Dames*, « [u]n vieux monsieur s'était endormi sur le *Moniteur* » (chap. IX)... C'est dire l'intérêt que le romancier prête au journal officiel du régime !

Le Second Empire est le premier régime à s'être fixé des objectifs d'ordre économique. Dans une lettre à son ministre d'État, Fould, publiée dans *Le Moniteur* du 15 janvier 1860, Napoléon III affirme la nécessité de « multiplier les moyens d'échange pour rendre le commerce florissant ; [...] sans commerce, l'industrie est stationnaire et conserve des prix élevés qui s'opposent aux progrès de la consommation ; [...] sans une industrie prospère qui développe les capitaux, l'agriculture elle-même demeure dans l'enfance ». Il faut donc relancer le commerce et l'industrie, ce qui implique la modernisation de l'outillage et la transformation des réseaux de communication qui doivent devenir plus performants (c'est sous le Second Empire que le réseau ferroviaire français se développe). Pour servir les objectifs de l'empereur, l'État ne recule devant aucune dépense et recourt largement au crédit, invoquant des « dépenses productives ». La politique de l'État est souvent critiquée et son bilan est mitigé. Il est toutefois incontestable que, sur le plan économique, le Second Empire apparaît comme une période innovatrice et dynamique.

La fin de l'Empire et les débuts de la IIIᵉ République

À partir de 1866, le régime impérial traverse une période de crise. L'empereur, vieillissant, constate en 1867 : « Des points noirs ont surgi à l'horizon et l'assombrissent. » Les difficultés se multiplient, tant sur le plan intérieur que sur le plan extérieur. À l'intérieur, l'empereur doit faire face

à une opposition grandissante, qui lui arrache des réformes une à une, liberté de la presse, liberté de réunion, tandis que l'économie manifeste ses premiers signes de faiblesse (le Crédit mobilier des frères Pereire connaît une grave crise en 1866-1867). À l'extérieur, la situation est trouble. On reproche à l'empereur la coûteuse expédition française au Mexique. Entreprise en 1861, elle avait pour but de protéger les intérêts français. Elle prend fin en 1866-1867, lorsque Napoléon III fait procéder à l'évacuation des troupes et que l'archiduc Maximilien est exécuté. Zola y fait allusion en présentant la famille Baudu : « le cinquième [fils] venait de partir pour le Mexique, comme capitaine » (chap. I). Ce personnage ne reparaît pas dans le roman, il est d'emblée considéré comme perdu. L'alliance entre la Prusse et l'Italie laisse présager l'intervention de la France dans un grand conflit européen. La situation devient plus problématique encore quand les Prussiens l'emportent sur les Autrichiens à Sadowa (3 juillet 1866), sans que l'empereur n'ait pu imposer une médiation armée. Se pose alors la question des compensations réclamées au vainqueur, question qui ne sera réglée qu'avec la guerre contre la Prusse dans laquelle s'engage la France le 19 juillet 1870.

À la suite de la défaite militaire contre la Prusse, le 2 septembre 1870 à Sedan, la France connaît une période de troubles marquée notamment par la proclamation de la Commune de Paris (18 mars-29 mai 1871), au cours de laquelle les ouvriers et les artisans s'emparent du pouvoir. La Commune ne parvient pas à s'étendre au-delà de Paris, et cet épisode révolutionnaire s'achève dans le sang. Thiers est chargé de signer le traité de paix avec la Prusse, selon lequel l'Alsace et la Lorraine deviennent des territoires prussiens. Thiers prend la tête du pays et organise la reconstruction jusqu'en 1873. Il est alors remplacé par le général Mac-Mahon, qui veut favoriser la restauration de la monarchie avec l'appui de l'Église et déclare, dans un discours à l'Assemblée nationale : « Avec l'aide de Dieu, nous continuerons le rétablissement de l'ordre moral dans notre pays. » La tentative de restauration monarchique échoue et la constitution de la Troisième République est finalement votée en 1875. Dès lors, le régime républicain tend à s'affirmer. Lorsque Zola entreprend la rédaction de *Au Bonheur des Dames*, certaines des lois les plus marquantes de la Troisième République, comme les lois Ferry sur l'éducation (1881), ont d'ores et déjà été adoptées.

L'ESSOR DES GRANDS MAGASINS

Les conditions de développement

C'est en 1784 que naît le premier magasin de nouveautés, *Le Tapis rouge*. Viennent ensuite *La Belle Jardinière*, en 1824, *Aux Trois Quartiers*, en 1829, et *Le Petit Saint-Thomas* en 1830. La révolution de 1848 marque un frein dans le développement des grands magasins, qui connaît un second souffle sous le Second Empire. En effet, le règne de Napoléon III réunit un certain nombre de conditions favorables à leur essor : les progrès de l'industrie textile (invention de la peigneuse mécanique, adoption des métiers à filer automatiques, développement des teintures artificielles, moins coûteuses que les teintures naturelles), la croissance des grandes villes et les travaux urbains, l'émergence d'un nouveau système bancaire, et enfin le triomphe de la bourgeoisie.

• Les grands travaux haussmanniens

Au cours de la seconde moitié du XIXe siècle, la population urbaine, et plus précisément la population des grandes villes, augmente. Des travaux d'urbanisation deviennent nécessaires. Napoléon III prend l'initiative d'une politique de grands travaux dans Paris. Il a alors plusieurs objectifs. Il s'agit d'abord de favoriser la circulation et l'échange, de façon à adapter la ville au nouvel ordre économique. C'est pourquoi il souhaite la percée de larges avenues qui, en outre, rendent plus difficile la construction de barricades et amenuisent les risques de révolte populaire. Il s'agit ensuite d'améliorer l'hygiène, notamment par des parcs et des jardins et par l'installation d'un réseau efficace de distribution et d'évacuation des eaux . Il s'agit enfin de créer une capitale européenne susceptible d'éblouir les pays voisins.

C'est le baron Haussmann (dont le nom rappelle celui du banquier Hartmann), préfet de la Seine, qui est chargé de ces travaux. La première tranche est consacrée à deux axes : le boulevard de Sébastopol, inauguré par l'empereur en 1858, prolongé par le boulevard de Strasbourg au nord et le boulevard Saint-Michel au sud, constitue l'axe nord-sud. Quant à la rue de Rivoli, elle constitue l'axe est-ouest. Le *Louvre*, grand magasin créé en 1855, s'installe sur cette dernière. Les travaux prennent ensuite une plus grande ampleur, surtout lorsque, le 1er janvier 1860, la surface de Paris double, grâce à l'annexion de dix-huit communes de la « petite banlieue » et que

la ville passe de douze arrondissements à vingt. Nombreux sont les travaux qui ont lieu autour du nouvel Opéra (Opéra Garnier), dont la construction est décidée le lendemain de l'attentat dont est victime l'empereur (le 14 janvier 1858), sur les lieux mêmes du drame. Octave Mouret spécule sur les travaux haussmanniens afin d'agrandir le *Bonheur des Dames* (« il parla de la nouvelle voie, du prolongement de la rue de Réaumur, dont on allait ouvrir une section, sous le nom de la rue du Dix-Décembre, entre la place de la Bourse et la place de l'Opéra », chap. III). La plupart des grands magasins s'installent sur la rive droite, sauf *Le Bon Marché*, et nombreux sont ceux qui se regroupent aux abords de l'Opéra, à l'instar du *Printemps*, créé en 1865 par Jaluzot. Les agrandissements conçus par Mouret rappellent ceux du *Bon Marché* : Boucicaut, son fondateur, parvient en effet à acheter les maisons qui l'entourent afin qu'il envahisse tout un pâté de maison, entre la rue de Sèvres, la rue du Bac et la rue de Babylone.

• Le rôle des banques

Le développement du haut commerce a également partie liée avec l'émergence d'un nouveau système bancaire. La politique économique du Second Empire appelle en effet la mise en place de nouveaux rouages de crédit et de nouveaux établissements bancaires, établissements par actions. Le plus célèbre d'entre eux est le Crédit mobilier des frères Pereire. Zola s'en est inspiré pour créer le Crédit immobilier, dirigé par le baron Hartmann. Ce dernier favorise le développement du *Bonheur des Dames* et celui des *Quatre Saisons*, à l'image des frères Pereire qui appuient financièrement le *Louvre*.

• Le triomphe de la bourgeoisie

La Bourse, les nouveaux établissements bancaires, les spéculations, une conjoncture économique favorable contribuent à l'émergence d'une nouvelle bourgeoisie, mais surtout permettent à de vieilles dynasties d'accroître considérablement leur fortune. *Au Bonheur des Dames* évoque ce triomphe de la bourgeoisie sur l'aristocratie jadis dominante. En effet, « la dernière des Fontenailles, vieille noblesse du Poitou » (chap. X) devient, grâce à la protection de M^{me} Desforges, « employée à l'échantillonnage ». Si les nouveaux riches tendent à dépenser leur argent sans retenue en se lançant dans la fête impériale chantée par Offenbach (« Du plaisir à perdre haleine, / Oui, voilà la vie parisienne », *La Vie Parisienne*, 1866), les bour-

geois bien établis se montrent beaucoup plus parcimonieux. Ce sont eux que visent les grands magasins : les ouvrières sont trop pauvres pour prétendre s'y approvisionner ; quant aux grandes bourgeoises, elles leur préfèrent le sur-mesure. Ainsi, M^me^ Desforges se fait faire ses robes chez sa couturière, M^me^ Sauveur (« il n'y a qu'elle à Paris qui sache faire un corsage… », chap. II).

Les innovations commerciales

Toutefois, au-delà de cette conjoncture favorable, c'est aux innovations commerciales de leur directeur que les grands magasins doivent leur succès. Zola attribue à Mouret beaucoup des idées d'Aristide Boucicaut, fondateur du *Bon Marché*. Les magasins de nouveautés instaurent d'abord le prix marqué, qui met fin au marchandage : Denise, à son arrivée à Paris, est ainsi frappée par la vitrine du *Bonheur des Dames*, dans laquelle se tiennent des « belles femmes à vendre, et qui port[ent] des prix en gros chiffres, à la place des têtes » (chap. I). Le prix fixe est le moteur de la concurrence : une fois les prix connus, les clientes sont attirées par les plus bas prix (« le flot des clientes, obéissant au bon marché », chap. VII). La bataille que se livrent Robineau et Mouret est à cet égard remarquable. Les deux hommes acceptent de vendre à perte afin d'allécher la clientèle. L'essentiel pour les grands magasins est en effet de vendre beaucoup (« Vous vendez bon marché pour vendre beaucoup, et vous vendez beaucoup pour vendre bon marché », chap. III), quitte à réduire la marge bénéficiaire : ainsi, en 1852, les boutiquiers se ménagent une marge de 41 % quand le *Bon Marché* se contente de 13,5 %. Dès lors, tous les moyens sont bons pour augmenter les ventes : les prix sacrifiés, qui permettent d'épuiser les stocks (seule la pragmatique M^me^ Bourdelais sait attendre la baisse des prix : « Vous avez bien tort de vous presser. Dans un mois, vous l'[*l'ombrelle que M^me^ Marty vient d'acheter pour quatorze francs cinquante*] auriez eu pour dix francs », chap. IX) et de renouveler la marchandise, donc de susciter de nouveaux achats ; les « rendus » qui donnent à « la femme qui résist[e] […] une dernière excuse » (chap. IX) ; et surtout la publicité (« Maintenant, le *Bonheur* dépensait chaque année près de six cent mille francs en affiches, en annonces, en appels de toutes sortes », chap. XIV). De plus, les rayons se diversifient, de manière à toucher une clientèle de plus en plus diversifiée : ainsi, Mouret installe un salon oriental qui vise « la haute clientèle de l'art » (chap. IV).

Simultanément, on voit apparaître un nouveau type de vendeur, le « calicot », bien différent du garçon de boutique. Si les vendeurs et les vendeuses des grands magasins ont la vie dure, travaillant seize heures par jour, portant des rouleaux de tissus très lourds, leurs conditions de vie s'améliorent progressivement. Les améliorations soufflées par Denise à Mouret font penser à celles que M^me Boucicaut instaure au *Bon Marché* et que Zola évoque dans un article intitulé « La jeunesse française contemporaine » (*Le Messager de l'Europe*, juin 1878) : « *Le Bon Marché* embauche, paraît-il, plus de 1 200 commis. C'est une ville entière et sa population a ses propres coutumes. Ils déjeunent dans la maison, ils ont un langage particulier ; ils ont créé des caisses d'épargne, un orchestre, une école. » Il ne faudrait pas croire cependant que ce sont des initiatives isolées : Jaluzot, au *Printemps*, gère par exemple la « Caisse de Prévoyance des dames et des demoiselles du Commerce ».

Les anachronismes de Au Bonheur des Dames

Zola est fasciné par les grands magasins, auxquels, dès 1868, il songe à consacrer un volet des *Rougon-Macquart*. Dans une lettre du 18 mai 1882 à Frantz Jourdain, futur architecte de *La Samaritaine*, qui envoie au romancier un projet architectural, Zola refuse tout anachronisme : « Votre rêve superbe d'un grand bazar moderne ne s'applique pas à mon magasin, mes scènes se passent avant 1870 et je ne puis faire d'anachronisme sans ameuter toute la critique. » Mais cette pétition de principe se heurte à un certain nombre d'exigences romanesques : comment susciter chez le lecteur qui vient de découvrir un *Printemps* conçu par Paul Sédille en fer et en verre, un *Printemps* entièrement éclairé à l'électricité, une admiration égale à celle des clients qui découvraient le *Printemps* de 1865 ? Comment rendre compte du développement des grands magasins qui s'étend sur une trentaine d'années (le chiffre d'affaire du *Bon Marché* passe de cinq cent mille francs en 1852 à soixante-douze millions en 1877) sans lasser le lecteur ? Zola, qui affirme : « voir n'est pas tout, il faut rendre », prend donc des libertés par rapport à l'Histoire.

Si l'éclairage électrique (« s'allumaient une à une, des lampes électriques, dont les globes d'une blancheur opaque constellaient de lunes intenses les profondeurs lointaines des comptoirs », chap. xiv), l'architecture qui laisse entrer librement « l'air et la lumière » (chap. ix) ou encore l'im-

portation de tapis d'Orient (« il venait d'acheter dans le Levant, à des conditions excellentes, une collection de tapis anciens et de tapis neufs », chap. x) sont anachroniques, c'est pour « rendre » le caractère exceptionnel des grands magasins sous le Second Empire. Si le romancier fait progresser le chiffre d'affaire du *Bonheur des Dames* de « quatre-vingt mille sept cent quarante-deux francs » (chap. IV) à « un million deux cent quarante-sept francs » (chap. XIV) en l'espace de cinq ans à peine, c'est pour créer un effet de concentration qui rend la progression du *Bonheur des Dames* plus extraordinaire que celle de tous les magasins connus des Parisiens. Enfin, est anachronique l'agonie des petits commerçants. En effet, en 1866, pour 700 000 patrons, on ne compte encore que 244 000 employés, ce qui signifie que la plupart des commerçants travaillent dans de modestes échoppes sans salariés. Là, le romancier est sans doute influencé par l'actualité. En effet, si les petits commerçants installés dans le deuxième arrondissement, où est situé le *Bonheur des Dames*, se réjouissent d'abord du pouvoir d'attraction exercé par les grands magasins sur la clientèle, ils s'inquiètent ensuite de sa désertion. Ainsi, en 1881, 3 000 habitants de cet arrondissement se réunissent à l'Alcazar pour exiger des lois contre les grands magasins.

Ainsi, Zola est séduit par l'univers des grands magasins, auxquels il consacre plusieurs articles et s'il s'autorise quelques écarts par rapport au réel, ce n'est pas par ignorance mais au nom de l'illusion romanesque.

LE CONTEXTE LITTÉRAIRE ET CULTUREL

RÉALISME ET NATURALISME :
LE MOUVEMENT DANS LE SIÈCLE

Les temps forts du mouvement

La révolution de février 1848 inaugure l'âge d'or du socialisme utopique en France. On conçoit de nouvelles sociétés, fondées sur des principes de justice et d'égalité, et un certain nombre d'artistes se lancent dans la politique et participent au gouvernement, à l'instar de Lamartine. Lorsqu'ils sont évincés et que, dès 1850, des lois viennent restaurer la toute-puissance des notables, la déception est grande. Désormais, les artistes,

s'ils ne choisissent pas de se réfugier dans une tour d'ivoire, estiment devoir asseoir la littérature sur l'observation du réel.

En 1849, *L'Après-dînée à Ornans*, tableau de Courbet dont le mot d'ordre est : « Fais ce que tu vois, ce que tu sens, ce que tu voudras », fait scandale. Il représente en effet une scène de la vie quotidienne des paysans, sans chercher à lui donner un sens symbolique. On qualifie alors son œuvre de « réaliste », terme très vite repris pour caractériser certaines œuvres littéraires. Duranty crée une revue intitulée *Réalisme* (novembre 1856-mai 1857) pour défendre les artistes réalistes.

1857 est un autre temps fort du mouvement. Le procès intenté au roman de Flaubert, *Madame Bovary*, est l'occasion de nouvelles réflexions et de nouveaux débats. *Madame Bovary* ne fait d'ailleurs pas l'unanimité dans les rangs réalistes. En effet, si l'on s'accorde pour proscrire les envolées lyriques et les débordements d'imagination de la génération romantique, on hésite encore sur la place à donner au corps et sur la possibilité de substituer la sensation au sentiment. Le terme de « réalisme » a alors une valeur très négative et on l'associe souvent à la grossièreté. Ainsi, en 1863, le critique Castagnery lui préfère le terme de « naturalisme » :

> L'école naturaliste affirme que l'art est l'expression de la vie sous tous ses modes et à tous ses degrés, et que son but unique est de reproduire la nature en l'amenant à son maximum de puissance et d'intensité.

1865 marque une nouvelle étape dans l'histoire du mouvement réaliste. Claude Bernard publie l'*Introduction à la médecine expérimentale* que les romanciers lisent comme une invitation à appliquer les découvertes et les méthodes de la médecine à la littérature. Les frères Goncourt publient *Germinie Lacerteux*, qui met en scène une domestique, et affirment la possibilité de faire entrer toutes les classes sociales en littérature. Ce sont alors les grandes années du naturalisme. Zola apparaît souvent comme le chef de ce mouvement parce qu'il en est le théoricien principal. Les dissensions entre les auteurs naturalistes deviennent importantes après 1880.

Les principes naturalistes : de la représentation du réel à l'illusion du réel

Le romancier naturaliste « prétend nous donner une image exacte de la vie », « nous forcer à penser, à comprendre le sens profond et caché des événements » (Maupassant, *Pierre et Jean*, Préface). Il s'inspire donc du réel et son travail de composition commence par une véritable enquête. Ainsi, nous avons conservé les dossiers préparatoires des romans de Zola : on y trouve le récit de ses voyages, de ses rencontres, des coupures de presse, des commentaires sur l'actualité… Le romancier a même la folle ambition de l'exhaustivité : il aimerait tout voir pour ensuite tout montrer. Ainsi, Zola ne se contente pas de décrire le grand magasin et son fonctionnement, mais il tente d'établir une typologie des acheteuses qui le fréquentent.

Pourtant la littérature ne peut pas rendre compte exactement de la réalité, les romanciers ne sont pas des photographes. Tout d'abord, le romancier voit « à travers un tempérament » : il ne peut voir et analyser le réel qui l'entoure en éludant son origine sociale, sa culture, ses goûts, ses passions… Zola formule ce principe dans sa « Lettre à la jeunesse » :

> On nous répète cet argument stupide que nous ne reproduisons pas la nature dans son exactitude. Eh ! sans doute, nous y mêlerons toujours notre humanité, notre façon de rendre.

De plus, le romancier n'est pas seulement un « observateur », il est aussi un « expérimentateur », c'est-à-dire qu'il doit faire « mouvoir les personnages dans une histoire particulière, pour y montrer que la succession des faits y sera telle que l'exige le déterminisme des phénomènes mis à l'étude ». Autrement dit, le romancier invente une histoire, même s'il cache cette dernière sous le réel. Les auteurs naturalistes sont donc des « illusionnistes » (Maupassant), qui donnent l'illusion de la réalité.

L'influence du développement scientifique sur l'écriture romanesque

La seconde moitié du XIXe siècle est marquée par des découvertes scientifiques fondamentales. Parallèlement, la diffusion du savoir scientifique connaît un essor spectaculaire, grâce au développement de la presse à grand tirage, du livre bon marché ou encore au succès des expositions universelles qui se tiennent à Londres en 1851, à Paris en 1855 et 1867.

Parmi les innovations qui influencent le plus les auteurs naturalistes, on peut mentionner le positivisme et la physiologie. Dans son *Cours de philosophie positive* (1830-1842), Auguste Comte souligne le rôle du progrès de la raison dans l'histoire de l'humanité et propose d'appliquer les méthodes des sciences expérimentales à un objet pourtant complexe et mouvant : la société humaine. Cette idée est reprise par Zola dans son *Roman expérimental* (1880). Pour ce qui est de la physiologie, les naturalistes s'intéressent surtout aux théories sur l'hérédité forgées après la publication de l'ouvrage de Darwin, *De l'origine des espèces* (1859). Dans sa lignée, des médecins, comme le docteur Lucas (*Traité philosophique et physiologique de l'hérédité naturelle*, 1868), mettent en évidence l'influence du milieu et la transmission héréditaire de caractères acquis. C'est à partir de ces travaux que Zola construit l'arbre généalogique des Rougon-Macquart :

> Je veux expliquer comment une famille, un petit groupe d'êtres, se comporte dans une société, en s'épanouissant pour donner naissance à dix, à vingt individus, qui paraissent, au premier coup d'œil, profondément dissemblables, mais que l'analyse montre intimement liés les uns aux autres (Préface de *La Fortune des Rougon*, 1870).

Ainsi, dans *Au Bonheur des dames*, Geneviève apparaît comme la victime du milieu dans lequel elle a grandi, elle est une véritable « fleur de cave » (chap. i) tandis que Colomban subit les lois de l'hérédité (« Ça devait être dans le sang, le père est mort l'été dernier d'avoir trop couru la gueuse », chap. xiii). Zola applique également les théories de Darwin sur la lutte entre les individus pour leur survie, afin décrire le comportement des « calicots » et les relations qu'entretiennent les vendeurs du *Bonheur des Dames* : « Cette application nouvelle de la lutte pour l'existence l'enchantait, il [*Mouret*] avait le génie de la mécanique administrative, il rêvait d'organiser la maison de manière à exploiter les appétit des autres, pour le contentement tranquille et complet de ses propres appétits » (chap. ii). Enfin, le romancier naturaliste, qui se targue de porter un regard scientifique sur le monde, ose considérer le corps humain. Ainsi, la maladie de Geneviève est décrite sans complaisance : « Ses maigres bras, brûlés de la fièvre ardente des phtisiques, avait un perpétuel mouvement de recherche anxieuse et inconsciente » (chap. xiii).

Le romancier moraliste

D'autres caractéristiques de l'écriture naturaliste apparaissent dans *Au Bonheur des Dames*. Le romancier naturaliste jette en effet un regard lucide sur la société qui l'entoure et sur les mœurs de son époque. Même si Zola ne veut pas placer la dépravation au centre de son roman, estimant que « *Pot-Bouille* et les autres suffisent pour montrer la médiocrité et les avortements de l'existence » (Ébauche), il ne peut s'empêcher de suggérer la généralisation de l'immoralité. Elle touche tous les milieux : ainsi, les vendeuses sont contraintes de prendre des amants pour survivre (« vous ne vous en sortirez pas [...] Prenez quelqu'un, ce sera beaucoup mieux », chap. v) ; quant aux bourgeoises, elles font du *Bonheur des Dames* un lieu de rendez-vous (« Depuis un an, la dame [*M^{me} Guibal*] tirait de ce dernier [*M. de Boves*] l'argent et le plaisir qu'elle pouvait, n'écrivant jamais, lui donnant rendez-vous dans des lieux publics », chap. ix).

Le thème de l'argent occupe aussi une large place dans le roman. Le « moraliste expérimentateur » qu'est Zola montre son influence sur les mœurs. Le désir d'argent est le principal moteur de plusieurs commis (« Il me faut cent francs pour dimanche, reprit Hutin. Si je ne me fais pas mes douze francs par jour en moyenne, je suis flambé », chap. iv). Il dévore aussi M. Marty qui ne sait comment faire face aux besoins de sa femme, animée d'une véritable fièvre de dépenses (« Chaque nouveau bout de dentelle était pour lui un désastre, d'amères journées de professorat englouties », chap. ii).

LE CONTEXTE BIOGRAPHIQUE

L'ENFANCE ET L'ADOLESCENCE (1840-1860)

Émile Zola naît à Paris le 2 avril 1840. Son père, François Zola, ingénieur d'origine italienne, est un fervent défenseur du progrès, qu'il sert en participant à l'élaboration du réseau ferré européen et en construisant des barrages pour approvisionner les villes en eau. Il transmet son culte du progrès à son fils. En 1843, la famille emménage à Aix-en-Provence, où François Zola est chargé de construire un barrage. Il meurt d'une pneu-

monie le 25 mars 1847, laissant sa famille dans un grand dénuement. Ce fervent défenseur du progrès est sans doute l'un des lointains modèles d'Octave Mouret, à qui il a transmis « son enthousiasme de Provençal » (chap. III).

Émile Zola est élevé par sa mère et sa grand-mère. Il entre comme boursier au collège Bourbon d'Aix-en-Provence en octobre 1852, mais les études ne l'intéressent guère. En 1858, la mère de Zola décide de retourner à Paris. Mais les difficultés financières sont importantes et Zola, par deux fois, échoue au baccalauréat. Il arrête alors ses études et commence à travailler.

À PARIS : DES DÉBUTS LABORIEUX (1860-1870)

Dans un premier temps, Zola peine à trouver sa voie : ses premiers essais littéraires ne sont pas concluants, le pénible travail d'employé aux docks qu'il exerce pendant deux mois ne lui rapporte que 60 francs par mois, la vie de bohème le séduit mais ne le nourrit pas. Finalement, il entre à la maison Hachette en février 1862, maison qui est en pleine expansion et qui profite du percement du boulevard Saint-Germain pour occuper tout un pâté de maisons, comme le *Bonheur des Dames* qui s'étend grâce au percement de la rue du Dix-Décembre. Pendant quatre ans, Zola est chef de la publicité : il peut donc observer le fonctionnement et l'efficacité de la réclame, pour laquelle « *Le Bonheur* dépense chaque année près de six cent mille francs » (chap. XIV). Zola, devenu romancier, exploitera d'ailleurs la publicité à son avantage. De plus, si son salaire est modeste, cet emploi lui offre de nombreuses opportunités : il lit beaucoup, découvre par exemple le *Traité philosophique et physiologique de l'hérédité* du docteur Lucas, et fait des rencontres.

Il publie, en 1864, *Contes à Ninon* et entreprend parallèlement une carrière de journaliste en collaborant à diverses revues. Il quitte la maison Hachette en 1866 pour se consacrer à l'écriture : journaliste, il écrit de nombreux articles en faveur des peintres impressionnistes (les descriptions de *Au Bonheur des Dames*, toujours attentives aux jeux de lumière et de couleurs, trahissent l'intérêt de Zola pour leur technique) ; romancier, il publie, le 7 décembre 1867, *Thérèse Raquin*, « roman historique contemporain », qui lui vaut la reconnaissance des Goncourt, et la haine des défenseurs de l'ordre moral.

LES *ROUGON-MACQUART* (1871-1893)

Dès 1868, Zola envisage d'écrire le vaste cycle romanesque des *Rougon-Macquart*, qui raconterait « l'histoire d'une famille sous le Second Empire ». Dans cette optique, il multiplie les lectures, de *La Comédie humaine* de Balzac aux traités sur l'hérédité. En 1869, il signe un contrat avec l'éditeur Lacroix, à qui il a présenté le plan de ses dix premiers romans : il songe d'ores et déjà à un roman sur le haut commerce. En juin 1870, le journal *Le Siècle* entreprend la publication du premier volume, *La Fortune des Rougon*. Ce grand œuvre littéraire ne l'empêche pas de poursuivre son activité journalistique : nombreux sont les articles dans lesquels il en appelle à une plus grande justice sociale. *Au Bonheur des Dames* garde trace de cet engagement : à travers le personnage de Denise, le romancier plaide pour l'amélioration des conditions de vie des commis et fait un éloge de « l'embryon des vastes sociétés ouvrières du vingtième siècle » (chap. XII).

En septembre 1870, à la chute de l'Empire, Zola, qui vient de se marier, part pour Marseille, puis pour Bordeaux, où se tient le gouvernement de Défense nationale, et essaie d'obtenir un poste de sous-préfet. Il devient chroniqueur parlementaire. En mars 1871, il rentre à Paris et s'occupe de la publication de *La Fortune des Rougon* en volume. Parallèlement, le journal *La Cloche* entreprend la publication de *La Curée*, mais le Parquet l'interrompt pour immoralité. La Commune de Paris retarde les travaux du romancier. *La Curée* paraît à son tour en volume le 30 janvier 1872. Zola écrit alors chaque jour et publie, à un rythme soutenu, les romans qui constituent le cycle des *Rougon-Macquart*. La plupart de ces publications sont attaquées mais le plus grand scandale éclate avec *L'Assommoir* en 1877. C'est à cette époque que Zola achète une maison à Médan, dans laquelle il réunit les auteurs naturalistes qui font parti de son cercle : Alexis, Maupassant, Céard, Huysmans s'y retrouvent régulièrement. Le romancier se fait alors théoricien et publie notamment, en 1880, *Le Roman expérimental* et, en 1881, *Les Romanciers naturalistes.*

La mort de Flaubert, en 1880, qui coïncide avec celle de la mère de Zola, plonge le romancier dans une période de troubles au cours de laquelle il est tenté par le pessimisme de Schopenhauer. Au même moment, le cercle des soirées de Médan se disloque, certains auteurs naturalistes aspirant à une nouvelle forme d'écriture, d'autres jalousant la gloire de

Zola. Pourtant, dès 1882, il reprend son cycle romanesque avec *Pot-Bouille*, qui porte la marque des troubles nerveux qui agitent le romancier. *Au Bonheur des Dames* apparaît dans cette perspective comme une sorte d'exutoire (« Donc changement complet de philosophie : plus de pessimisme d'abord », Ébauche). En 1893, le cycle s'achève avec la publication du *Docteur Pascal*.

LE TEMPS DES UTOPIES (1894-1902)

Afin de saisir « l'âme de la société moderne », Zola entreprend la trilogie des *Trois Villes* (*Lourdes*, *Rome* et *Paris*), qui affirme à nouveau la foi de l'auteur dans le progrès et dans la science. Dès 1898, il conçoit une cité idéale, dont les quatre piliers sont : *Fécondité, Travail, Vérité, Justice*, c'est-à-dire les quatre *Évangiles* selon Zola, qui n'a le temps de composer que les trois premiers.

Alors qu'il rédige son œuvre utopique, Zola est brutalement ramené au journalisme par l'affaire Dreyfus. Le capitaine Dreyfus est arrêté, jugé pour espionnage et condamné le 22 décembre 1894 à la dégradation militaire et à la déportation à vie. Zola est persuadé que Dreyfus a été condamné par antisémitisme et il prend la plume pour le défendre (trois articles sont publiés dans *Le Figaro*). En 1897, convaincu de l'innocence du capitaine et de la culpabilité d'Esterhazy, Zola écrit une lettre ouverte au président Félix Faure, dans *L'Aurore*. Les conséquences de ce *J'accuse* sont très lourdes : condamné à une peine de prison et à une très lourde amende, le romancier est contraint à l'exil en Angleterre, dont il ne rentre qu'en juin 1899.

Le 29 septembre 1902, Zola meurt mystérieusement, asphyxié par une cheminée qui tire mal : s'agit-il d'un accident ? d'un acte de malveillance ? Il est enterré le 5 octobre 1902 au cimetière Montmartre et 50 000 personnes suivent son cortège.

LA RÉCEPTION DE L'ŒUVRE

À LA PARUTION

Les étapes de la publication

Le roman paraît d'abord sous forme de feuilleton dans le journal *Gil Blas*, entre le 17 décembre 1882 et le 1er mars 1883. Il est annoncé en des termes très élogieux, le 23 novembre 1883 :

> Une œuvre nouvelle du grand romancier contemporain est toujours un événement considérable non seulement pour le monde littéraire, mais encore pour le public innombrable qui lit, en France aussi bien qu'à l'étranger. L'auteur de *La Curée*, de *L'Assommoir* et de *Nana* a imposé, par sa personnalité puissante, la lecture de ses œuvres à des millions de lecteurs, à un degré que n'ont connu ni Balzac, ni même le plus populaire des romanciers modernes, Alexandre Dumas père.

Au Bonheur des Dames paraît dès le 3 mars en volume et bénéficie d'un tirage important, qui suggère que l'éditeur de Zola, Charpentier, avait anticipé le succès du roman.

Un immense succès

Au Bonheur des Dames connaît un immense succès et les critiques le célèbrent unanimement. Si l'on n'est guère surpris de l'enthousiasme de Paul Alexis, ami de Zola et admirateur fidèle (« Un récit ? Non ! Les quatorze chapitres du livre sont plutôt les quatorze chants du poème du nouveau commerce », *Le Réveil*, 4 mars 1883), on est plus étonné de découvrir que les ennemis de Zola et du naturalisme saluent aussi la parution du roman. Ainsi, Édouard Drumont, écrivain nationaliste et antisémite, qui s'oppose à Zola aussi bien sur le plan artistique que sur le plan politique, reconnaît : « Même avec ses taches, avec ses quelques manques de goût, *Au Bonheur des Dames* reste une œuvre d'une indiscutable valeur » (*La Liberté*, 23 mars 1883). Louis Desprez, toutefois, ami de Zola, émet quelques restrictions dans une lettre qu'il lui adresse le 4 mars 1883 :

On vous a reproché, non sans raison parfois, de donner trop de relief aux laideurs ; je trouve aujourd'hui votre Denise trop idéale, trop lumineuse, je voudrais qu'elle eût, comme toute créature humaine, quelques ombres. Elle est, il me semble, plutôt née de la logique que de l'observation ; c'est une idée incarnée, bien plus qu'un type pris dans la rue ; et par suite, elle paraît vivre plutôt qu'elle ne vit.

LA POSTÉRITÉ

Le succès du roman ne se dément pas. Pourtant, la remarque isolée de Louis Desprez tend à rencontrer plus d'écho : on reproche au romancier son optimiste volontariste qui le conduit à un certain aveuglement, on se moque du dénouement, jugé trop fleur bleue. Ainsi, Paul Valéry ironise-t-il dans ses *Mauvaises pensées* : « Faut-il être naïf pour apercevoir une différence entre un roman réaliste et un conte bleu ! » Les adaptations cinématographiques du *Bonheur des Dames* sont relativement peu nombreuses : à celle de Julien Duvivier (1930), qui transpose le roman dans les années 1930 au prix de nombreuses modifications, succède celle d'André Cayatte (1943).

GROUPEMENT DE TEXTES : LE COMMERCE DANS LES ROMANS RÉALISTES ET NATURALISTES

Après avoir lu l'ensemble des textes ci-dessous, vous répondrez aux questions posées, en prenant soin de justifier précisément vos réponses par des citations.

1. En quoi la façade de la « maison du chat-qui-pelote » (texte 1) s'apparente-t-elle à celle du *Vieil Elbeuf* ?

2. Quelles sont les stratégies mises en œuvre par César Birotteau (texte 2) et Lisa Quenu (texte 3) pour favoriser leur commerce ? Octave Mouret recourt-il aux mêmes procédés ?

3. À quel mouvement littéraires ces trois textes appartiennent-ils ? Justifiez précisément votre réponse.

<u>**TEXTE 1**</u> . **Honoré de Balzac, *La Maison du chat-qui-pelote* (1829)**

Au milieu de la rue Saint-Denis, presque au coin de la rue du
Petit-Lion, existait une de ces maisons précieuses qui donnent
aux historiens la facilité de reconstruire par analogie l'ancien
Paris. Les murs menaçants de cette bicoque semblaient avoir été
5 bariolés d'hiéroglyphes. Quel autre nom le flâneur pouvait-il
donner aux X et aux V que traçaient sur la façade les pièces de
bois transversales ou diagonales dessinées dans le badigeon par
de petites lézardes parallèles ? Évidemment, au passage de la plus
légère voiture, chacune de ces solives¹ s'agitait dans sa mortaise².
10 Ce vénérable édifice était surmonté d'un toit triangulaire dont
aucun modèle ne se verra bientôt plus à Paris. Cette couverture,
tordue par les intempéries du climat parisien s'avançait de trois
pieds sur la rue, autant pour garantir des eaux pluviales le seuil
de la porte que pour abriter le mur d'un grenier et sa lucarne sans
15 appui. Ce dernier étage était construit en planches clouées l'une
sur l'autre comme des ardoises, afin sans doute de ne pas charger
cette frêle maison.

Par une matinée pluvieuse, au mois de mars, un jeune homme,
soigneusement enveloppé dans son manteau, se tenait sous
20 l'auvent d'une boutique en face de ce vieux logis, qu'il exami-
nait avec un enthousiasme d'archéologue. À la vérité, ce débris
de la bourgeoisie du seizième siècle offrait à l'observateur plus
d'un problème à résoudre. À chaque étage sa singularité : au
premier, quatre fenêtres longues, étroites, rapprochées l'une
25 de l'autre, avaient des carreaux de bois dans leur partie inférieure,
afin de produire ce jour douteux, à la faveur duquel un habile
marchand prête aux étoffes la couleur souhaitée par ses chalands.

<u>**TEXTE 2**</u> . **Honoré de Balzac, *Histoire de la grandeur et de la décadence de César Birotteau* (1837)**

Il s'est retrouvé, non sans peine, un exemplaire de ce prospectus dans
la maison Popinot et compagnie, droguistes, rue des Lombards.

1. *Solives* : pièces de charpente qui supportent plancher et plafond. \ **2.** *Mortaise* : entaille faite
dans une pièce de bois afin d'y fixer une autre pièce.

Cette pièce curieuse est au nombre de celles que, dans un cercle plus élevé, les historiens intitulent *pièces justificatives*. La voici donc :

5 DOUBLE PÂTE DES SULTANES ET EAU CARMINATIVE
 DE CÉSAR BIROTTEAU,
 DÉCOUVERTE MERVEILLEUSE
 APPROUVÉE PAR L'INSTITUT DE FRANCE !

Depuis longtemps une pâte pour les mains et une eau pour le visage,
10 *donnant un résultat supérieur à celui obtenu par l'Eau de Cologne dans*
l'œuvre de la toilette, étaient généralement désirées par les deux sexes en
Europe. Après avoir consacré de longues veilles à l'étude du derme et de
l'épiderme chez les deux sexes, qui, l'un comme l'autre, attachent avec
raison le plus grand prix à la douceur, à la souplesse, au brillant, au
15 *velouté de la peau, le sieur Birotteau, parfumeur avantageusement connu*
dans la capitale et à l'étranger, a découvert une Pâte et une Eau à juste
titre nommées, dès leur apparition, merveilleuses par les élégants et par
les élégantes de Paris. En effet, cette Pâte et cette Eau possèdent d'éton-
nantes propriétés pour agir sur la peau, sans la rider prématurément,
20 *effet immanquable des drogues employées inconsidérément jusqu'à ce*
jour et inventées par d'ignorantes cupidités. Cette découverte repose sur
la division des tempéraments qui se rangent en deux grandes classes
indiquées par la couleur de la Pâte et de l'Eau, lesquelles sont roses pour
le derme et l'épiderme des personnes de constitution lymphatique, et
25 *blanches pour ceux des personnes qui jouissent d'un tempérament sanguin.*

Cette Pâte est nommée Pâte des Sultanes, *parce que cette découverte*
avait déjà été faite pour le sérail par un médecin arabe. Elle a été
approuvée par l'Institut sur le rapport de notre illustre chimiste
VAUQUELIN, *ainsi que l'Eau établie sur les principes qui ont dicté la*
30 *composition de la Pâte.*

Cette précieuse Pâte, qui exhale les plus doux parfums, fait donc
disparaître les taches de rousseur les plus rebelles, blanchit les épidermes
les plus récalcitrants, et dissipe les sueurs de la main dont se plaignent
les femmes non moins que les hommes.

35 *L'Eau carminative enlève ces légers boutons qui, dans certains*
moments, surviennent inopinément aux femmes, et contrarient leurs
projets pour le bal, elle rafraîchit et ravive les couleurs en ouvrant ou
fermant les pores selon les exigences du tempérament ; elle est si connue

déjà pour arrêter les outrages du temps que beaucoup de dames l'ont,
40 *par reconnaissance, nommée* L'AMIE DE LA BEAUTÉ [...].

TEXTE 3 • Émile Zola, *Le Ventre de Paris* (1873)

Ce fut lui [*Quenu, charcutier*] qui reparla à sa femme de son idée
de déménagement. Elle s'était occupée, sans rien dire, de la
nouvelle boutique ; elle en avait trouvé une, à deux pas, rue
Rambuteau, située merveilleusement. Les Halles centrales, qu'on
5 trouvait en face, tripleraient la clientèle, feraient connaître la
maison des quatre coins de Paris. Quenu se laissa entraîner à des
dépenses folles ; il mit plus de trente mille francs en marbres, en
glaces et en dorures. Lisa [*la femme de Quenu*] passait des heures
avec les ouvriers, donnait son avis sur les plus minces détails.
10 Quand elle put enfin s'installer dans son comptoir, on vint en
procession acheter chez eux, uniquement pour voir la boutique.
Le revêtement des murs était tout en marbre blanc ; au plafond,
une immense glace carrée s'encadrait dans un large lambris doré
et très orné, laissant pendre, au milieu, un lustre à quatre
15 branches ; et, derrière le comptoir, tenant le panneau entier, à
gauche encore, et au fond, d'autres glaces, prises entre les plaques
de marbre, mettaient des lacs de clarté, des portes qui semblaient
s'ouvrir sur d'autres salles, à l'infini, toutes emplies des viandes
étalées. À droite, le comptoir, très grand, fut surtout trouvé d'un
20 beau travail ; des losanges de marbre rose y dessinaient des
médaillons symétriques. À terre, il y avait, comme dallage, des
carreaux blancs et roses, alternés, avec une grecque [1] rouge sombre
pour bordure. Le quartier fut fier de sa charcuterie, personne ne
songea plus à parler de la cuisine de la rue Pirouette, où il y avait
25 eu un mort [2]. Pendant un mois, les voisines s'arrêtèrent sur le trot-
toir, pour regarder Lisa, à travers les cervelas et les crépines de l'éta-
lage. On s'émerveillait de sa chair blanche et rosée, autant que des
marbres. Elle parût l'âme, la clarté vivante, l'idole saine et solide
de la charcuterie ; et on ne la nomma plus que la belle Lisa.

1. *Grecque* : ornement fait de lignes en angles droits. \ **2.** L'ancien propriétaire de la charcuterie,
sise rue Pirouette, était mort dans la cuisine, ce qui faisait fuir les clients.

L'ŒUVRE DANS UN GENRE

AU BONHEUR DES DAMES, ONZIÈME VOLET DES *ROUGON-MACQUART*

Un roman est une œuvre d'imagination en prose, assez longue, qui met en scène dans un cadre spatiotemporel précisément esquissé des personnages donnés pour vrais. *Au Bonheur des Dames* est donc bien un roman. Zola fait l'éloge de ce genre qui lui semble s'imposer aux naturalistes : « Aujourd'hui, le roman s'est emparé de toute la place, il a absorbé tous les genres. Son cadre si simple embrasse l'universalité des connaissances. Il est la poésie et il est la science » (« Les romanciers contemporains », *Le Messager de l'Europe*, 1878).

Toutefois, ce roman doit être situé dans son contexte. En effet, il s'agit du onzième volet du cycle des *Rougon-Macquart*, « Histoire naturelle et sociale d'une famille sous le Second Empire ». Dans ce vaste ensemble, qui compte vingt romans, Zola fait le récit de la vie des descendants d'Adélaïde Fouque, mariée à Rougon et maîtresse de Macquart. À travers l'histoire de cette famille, le romancier entend faire la peinture de son temps : « la bousculade des ambitions et des appétits » (*Notes générales sur la marche de l'œuvre*). Chaque roman est centré autour de l'un de ses descendants. Octave Mouret présente la particularité d'être le premier personnage à descendre des deux branches de la famille. En effet, il est le fils de François Mouret, fils d'Ursule Macquart, et de Marthe Rougon, fille de Pierre Rougon. Ursule Macquart et Pierre Rougon sont deux des enfants d'Adélaïde Fouque.

LA POÉTIQUE DU ROMAN DANS *AU BONHEUR DES DAMES* : CONSTANTES ET SPÉCIFICITÉS

LE NARRATEUR

Narrateur interne ou externe

Dans un roman, le narrateur raconte l'histoire. Deux cas de figure peuvent se présenter : il peut être un personnage de l'histoire qui participe, de près ou de loin, à l'action. Il peut aussi être externe à l'histoire : dans ce cas, ce n'est pas un personnage et il ne participe pas à l'action. Il s'exprime alors de manière anonyme à la troisième personne. Il ne doit toutefois pas être confondu avec le romancier, celui qui écrit. Zola rappelle d'ailleurs que « le romancier naturaliste affecte de disparaître complètement derrière l'action qu'il raconte » (*Les Romanciers naturalistes*).

Dans *Au Bonheur des Dames*, le narrateur est externe, il ne se confond avec aucun des personnages. Ce choix narratif peut s'expliquer par la volonté de prendre de la distance par rapport au sujet traité. Zola s'applique en effet à montrer l'influence de l'hérédité et du milieu sur ses personnages. Dès lors, le narrateur, tel le scientifique qui prend note des résultats de ses recherches expérimentales, ne doit pas s'impliquer directement par l'emploi de la première personne, mais au contraire maintenir une distance, nécessaire à l'objectivité. Le choix d'un narrateur externe prévient également l'identification irraisonnée du lecteur au personnage principal, afin de lui permettre à son tour d'adopter un regard objectif, voire scientifique, sur l'univers décrit.

Les focalisations

Le narrateur externe peut adopter différents points de vue ou focalisations. La *focalisation zéro* lui permet d'afficher sa maîtrise de la matière narrative : disposant d'un savoir exhaustif sur ses personnages, le narrateur en explicite les comportements à l'usage du lecteur, il conduit une expérience dont il organise et détaille les phases successives. La *focalisation interne* lui permet d'épouser le point de vue d'un personnage. La *focalisation externe*, enfin, lui permet de prendre ses distances vis-à-vis d'événements rapportés avec la sécheresse et l'absence d'apprêts d'un témoignage extérieur.

La position du narrateur évolue donc sans cesse, et le jeu avec les focalisations, dont on donne ci-dessous quelques exemples, est un élément de la variété esthétique du roman.

- Focalisation zéro

On parle de focalisation zéro quand le narrateur est omniscient, c'est-à-dire lorsqu'il sait tout sur tous les personnages : leur passé, leur présent, leur avenir, leurs rêves, leurs pensées, etc. Il peut alors expliquer le comportement des personnages, expliciter leurs motivations secrètes, mais également juger du bien-fondé de leurs actions.

Ainsi, le narrateur omniscient intervient dans la présentation des personnages. Lorsque Bourdoncle, au début du chapitre II, pénètre dans le bureau d'Octave Mouret, le narrateur évoque son passé : « Bourdoncle, fils d'un fermier pauvre des environs de Limoges, avait débuté jadis au *Bonheur des Dames* en même temps que Mouret, lorsque le magasin occupait l'angle de la place Gaillon. Très intelligent, très actif, il semblait alors devoir supplanter aisément son camarade. » Ces informations, que nul autre personnage ne pourrait apporter (on peut imaginer que Mouret connaît le passé de son bras droit, mais il n'avouerait certainement pas la médiocrité de ses débuts parisiens), permettent au lecteur de mieux comprendre les relations entre le directeur du *Bonheur des Dames* et son principal lieutenant. Le narrateur omniscient peut même rapporter les pensées des personnages les plus insignifiants : ainsi, il explique ce qui pousse les hommes à poursuivre Denise de leurs assiduités lorsqu'elle s'est réfugiée chez Bourras (« et les hommes la poursuivaient au fond de l'allée noire, encouragés par l'aspect sordide de la maison », chap. VII).

- Focalisation interne

Lorsqu'il adopte une focalisation interne, le narrateur anonyme adopte le point de vue d'un personnage. Il rapporte alors sa version des événements de manière subjective. Rien n'interdit au narrateur d'adopter successivement le point de vue de plusieurs personnages.

La focalisation interne présente plusieurs intérêts pour le romancier naturaliste. Elle plonge dans le cœur même des personnages, laisse entendre leurs pensées, dévoile leurs motivations, sans qu'on puisse soupçonner le romancier-obervateur de quelque manipulation malhonnête des faits. Ainsi, pour poser en toute objectivité le conflit entre grand magasin et

petit commerce, Zola juxtapose la vision de Denise et celle de son oncle. La première est admirative (« Et jamais elle n'avait vu cela, une admiration la clouait sur le trottoir », chap. I) et son expérience de vendeuse chez Cornaille lui permet de d'apprécier la richesse et la variété des dentelles exposées au *Bonheur des Dames* (« Au fond, une grande écharpe en dentelle de Bruges, d'un prix considérable », *ibid.*). Le second le regarde avec colère (« Il était là, le sang aux yeux, la bouche contractée », *ibid.*) et tristesse (« et pendant que Baudu étranglait de rancune rentrée, les yeux de M^{me} Baudu s'étaient emplis de larmes, silencieusement », *ibid.*). Il est alors sensible non pas à la splendeur des dentelles mais à la confusion d'un « bazar », tenu par des « godelureaux ».

De plus, la focalisation interne éclaire le lecteur sur le fonctionnement du grand magasin et fait l'économie d'un développement théorique. Ainsi, pour exposer l'effet de l'intéressement des vendeurs à la vente, la rivalité qui s'ensuit, Zola nous fait partager leurs réflexions : « C'était une dame couperosée, avec un chapeau jaune et une robe rouge. Tout de suite, Hutin devina la femme qui n'achèterait pas » (chap. IV). Hutin désire en effet consacrer son temps et son énergie à de grosses acheteuses qui lui rapporteront une guelte [1] importante. Il devient dès lors un fin observateur.

Enfin, la focalisation interne, qui ne dévoile qu'un point de vue subjectif et faillible, produit un certain suspens. Ainsi, au chapitre IV, consacré à la grande vente des nouveautés d'hiver, Mouret observe d'abord le *Bonheur des Dames* avec inquiétude (« En faisant le tour des rayons, il venait de les trouver vides et la possibilité d'une défaite s'était brusquement dressée dans sa foi entêtée à la fortune »). Parce que le lecteur perçoit la vente à travers le regard du directeur, son succès lui paraît compromis et il cherche, comme Mouret des indices de sa chute. Il faut attendre la seconde moitié du chapitre pour que le succès s'affirme. Aux inquiétudes de Mouret répondent alors des chants de victoire (« La campagne était donc définitivement gagnée, le petit commerce du quartier mis en pièce, Hartmann conquis avec ses millions et ses terrains »).

Zola recourt donc très fréquemment à la focalisation interne.

1. *Guelte* : pourcentage accordé au vendeur sur les ventes qu'il réalise.

• Focalisation externe

Le narrateur, lorsqu'il adopte une focalisation externe, essaie d'être le plus objectif possible. Il décrit la scène comme le ferait un témoin extérieur, comme s'il ne connaissait rien des personnages, de leurs sentiments ou motivations. C'est au lecteur d'interpréter ce qui lui est présenté. Cette focalisation, qui interdit tout jugement, toute explication, n'est pas facile à tenir pour un auteur aussi engagé que l'est Zola. Toutefois, certains brefs passages relèvent bien d'une focalisation externe.

Ainsi, à la fin du chapitre XIII, alors que la mort de Geneviève et de sa mère semble sonner le glas du petit commerce, Bourras s'en va, sans un mot. Sa démarche reste inexpliquée (« Il jeta un dernier coup d'œil sur le tas des décombres, puis il s'en alla péniblement »). Le narrateur évite l'écueil d'une page pathétique et laisse au lecteur le soin d'imaginer la destinée du vieil homme. La focalisation externe est donc une invitation à une lecture participative.

LES DESCRIPTIONS ET LEURS FONCTIONS

Narration et description

Narration et description sont deux formes différentes du discours : la narration se caractérise par des verbes d'action, par l'emploi des temps du récit (passé simple et présent de narration en particulier) et des connecteurs de temps. La description se reconnaît, pour sa part, à l'emploi des verbes d'état, de l'imparfait et des connecteurs de lieu.

Ces deux formes du discours se mêlent constamment dans le roman en général et dans *Au Bonheur des Dames* en particulier, qui insère les descriptions dans la narration sans effet de rupture. La description intervient le plus souvent lorsqu'un personnage fait une pause pour contempler ce qui l'entoure. Elle rend alors compte de sa vision.

Les descriptions qui donnent à voir le milieu dans lequel évoluent les personnages ont plusieurs fonctions.

Fonction réaliste

Elles ont tout d'abord une fonction réaliste, c'est-à-dire qu'elles ancrent la narration dans le réel. Elles mettent alors en jeu tous les sens, de manière à donner l'impression au lecteur de pénétrer dans l'espace décrit.

Ainsi, Zola décrit précisément le dîner de Denise, Pauline et Baugé à Joinville (chap. v). Il s'agit en effet d'exposer la vie des calicots à l'extérieur du magasin, de manière à compléter le portrait de cette nouvelle classe sociale. Le romancier fait alors appel à tous les sens : la vue (« le jour pâlissait, un crépuscule verdâtre »), l'ouïe (« le bruit était assourdissant »), l'odorat et le goût (« l'odeur des viandes »), et le toucher (« petits souffles glacés »).

Fonction symbolique

La description a une fonction symbolique lorsqu'elle dévoile, à travers l'évocation du paysage ou d'un objet, un élément du caractère ou des émotions du personnage. Ainsi, au lieu d'énoncer les traits de caractère de ce personnage dans une énumération arbitraire, le narrateur les fait comprendre au lecteur en lui faisant partager sa vision des choses : c'est à travers le regard du personnage sur les objets, les paysages ou les êtres que l'on apprend à mieux le connaître.

M. de Boves et M^{me} Guibal, sa maîtresse, se donnent rendez-vous dans le salon de lecture du *Bonheur des Dames*. Or, Vallagnosc, gendre du comte, fait remarquer à ce dernier, au chapitre IX, la présence de sa femme. Troublé, le comte ne sait quelle attitude adopter : « Le comte ne put retenir un sursaut en jetant un regard oblique sur M^{me} Guibal ». Le romancier n'explicite pas le sens de ce regard, mais la description qui suit est lourde de connotations érotiques (« On eût dit que toutes les séductions des magasins aboutissaient à cette tentation suprême, que c'était là l'alcôve reculée de la chute »). C'est la description qui suggère l'émoi de M. de Boves.

Fonction narrative

Les descriptions ont une fonction narrative lorsqu'elles sont chargées d'annoncer la suite du récit. Les connotations des termes employés, les images utilisées dans la description font alors pressentir au lecteur la suite de l'intrigue. La fonction narrative de la description est couramment utilisée dans le genre romanesque, et il ne faut pas s'étonner d'en relever des exemples dans le roman de Zola.

Ainsi, chacune des descriptions du *Vieil Elbeuf* ou des boutiques environnantes contient une image morbide qui annonce simultanément la mort de Geneviève et l'agonie du petit commerce : « le *Vieil Elbeuf* semblait mort, derrière ses vitrines noires » (chap. VII) ; « une détresse

tombait de la façade entière, plombée et comme amaigrie » (chap. VIII).
Ces descriptions ont une dimension prophétique.

Fonction esthétique

Enfin, les descriptions peuvent avoir une fonction esthétique : il s'agit alors
d'embellir le réel, de le transformer en une véritable œuvre d'art. Il est bon,
dans cette optique, de rappeler que Zola entretenait des relations d'amitié
avec les peintres impressionnistes. En effet, à partir de 1866 – il se fait alors
le héraut des tableaux très controversés de Manet, *Le Déjeuner sur l'herbe*
et *Olympia* – et jusqu'en 1880, il rédige des comptes rendus des « Salons »
de peinture et construit une œuvre critique importante dans laquelle il fait
la louange du modernisme en peinture. Il partage un certain nombre de prin-
cipes avec les impressionnistes : l'attirance pour la ville moderne (Paris et
ses transformations sont au cœur du roman) ; la volonté d'observation, qui
pousse les artistes en dehors de leurs ateliers, en plein air, et conduit Zola à
accumuler des pages de notes lors de ses enquêtes de terrain ; le goût pour
les séries, qui traduisent la variété des points de vue (n'oublions pas que Zola
affirme que les réalistes doivent voir le monde « à travers un tempérament »).

Ainsi, la description des étalages dressés par Mouret et Hutin s'apparente
à un véritable tableau impressionniste. Les touches de couleur y sont
harmonieuses (« tons nacrés d'eau de source », « vert Nil, ciel indien, rose
de mai, bleu Danube », chap. IV) et travaillées de façon à donner une impres-
sion de mouvement (« ruissellement », « jaillissaient ») grâce au jeu des
textures. Zola semble en effet jouer avec sa plume comme avec un pinceau,
choisissant tantôt d'étaler la peinture (« les soies légères, aux transpa-
rences de cristal »), tantôt de la déposer en touches plus épaisses (« les
étoffes lourdes, un lit profond de velours »). Dans sa dimension artistique,
la description prend une valeur esthétique.

LES FORMES DU DISCOURS RAPPORTÉ ET LEUR EMPLOI DANS LE ROMAN

Le discours direct

Le narrateur laisse la parole aux personnages, dont il rapporte les paroles
exactement, entre guillemets : c'est le discours direct. Le lecteur est alors
témoin direct du dialogue entre les personnages, sans médiateur.

Le discours direct fait entendre la voix des personnages. Il contribue donc à un effet de réel. Le lecteur entend les personnages s'exprimer comme s'ils s'adressaient à lui et il a l'impression d'assister à la scène. De plus, le discours direct contribue à la caractérisation des personnages, qui prennent corps. Ainsi, on peut distinguer le niveau de langue familier des petits boutiquiers Baudu (« court la gueuse », chap. I), Vinçart (« c'est jouer de guignon », *ibid*.), Bourras (« Tonnerre de Dieu », chap. VII) du niveau de langue des apprentis bourgeois que sont les commis du *Bonheur des Dames*, tour à tour obséquieux (« Oh! à la perfection, madame! répétait Mignot. Le six trois quart serait trop grand pour une main comme la vôtre », chap. IV) ou vulgaires (« quelle désossée! », chap. II). Toutefois, le discours direct reste très proche de l'écriture théâtrale. Dès lors, le roman court le risque de se transformer en une succession de scènes, juxtaposées les unes aux autres. Zola mêle donc à cette forme de discours rapporté le discours indirect et le discours indirect libre.

Le discours indirect

Le narrateur peut aussi inclure les paroles des personnages dans son propre discours, grâce à l'emploi du discours indirect. Dans ce cas, les paroles ne sont pas placées entre guillemets : elles sont subordonnées à un verbe de parole, ce qui entraîne un certain nombre de modifications grammaticales [1]. Le narrateur peut aussi avoir recours au discours indirect libre : dans ce cas, les paroles des personnages subissent les mêmes modifications grammaticales que dans le discours indirect, mais elles ne sont plus subordonnées à un verbe de parole [2]. Le discours indirect, peut-être en raison de sa lourdeur grammaticale, est rarement employé dans *Au Bonheur des Dames* et chacune de ses occurrences est très brève. Les passages au discours indirect libre sont au contraire plus nombreux et plus longs. D'ailleurs ils prolongent parfois le discours indirect (« il expliquait que l'argent ne venait pas de lui ; c'était sa femme qui avait hérité de soixante mille francs », chap. I).

Le discours indirect et le discours indirect libre ont pour principale fonction de rapporter les pensées intimes d'un personnage. Ainsi, lors de sa première

1. Discours direct : le message disait : « Je te retrouverai demain. » Discours indirect : Le message disait qu'il le retrouverait le lendemain. \ **2.** Discours indirect libre : Il le retrouverait le lendemain.

journée au *Bonheur des Dames*, Denise est désorientée et n'a personne à qui se confier. C'est donc par le discours indirect libre que Zola nous invite à partager ses émotions (« Allait-on l'empêcher de vendre ? », chap. iv).

Le romancier peut également jouer sur la variété des formes du discours rapporté et mêler discours direct, discours indirect et discours indirect libre. Ainsi, le discours direct peut mettre en évidence une réplique importante. Baudu présente à sa nièce Colomban, son premier commis, son futur gendre, au discours indirect libre (« Un gros travailleur, qui, depuis dix années trimait dans la boutique et qui avait gagné ses grades rondement ! », chap. i). Cette présentation se clôt sur une phrase au discours direct : « Si le père boit et court la gueuse, le fils a su apprendre ici le prix de l'argent. » La rupture du discours indirect libre par le passage au discours direct attire l'attention du lecteur, suggère la naïveté de Baudu et annonce la fuite de Colomban au chapitre xiii. L'emploi simultané de ces deux formes de discours rapporté permet également de rendre compte de la complexité des sentiments amoureux de Denise et de Mouret, dont les paroles, au discours direct, ne s'accordent pas toujours avec les pensées, au discours indirect libre. Le directeur du *Bonheur des Dames*, au chapitre xii, cherche des paroles dures pour s'adresser à sa vendeuse (« Mademoiselle, dit-il enfin, en tâchant de garder une sévérité froide, il y a des choses ici que nous ne pouvons tolérer »), tandis que l'homme s'interroge sur ses sentiments (« Eh quoi ! c'était ce garçon qu'elle aimait, ce misérable vendeur, la risée de son comptoir ! »).

LES PERSONNAGES

Les personnages de roman prennent corps grâce aux indications directement fournies par le narrateur (identité, portrait physique ou moral), mais aussi grâce au récit qui les met en scène et permet au lecteur de se familiariser avec eux au travers de leurs actions. Souvent, la cohérence entre ces informations directes et indirectes contribue à faire du personnage un type psychologique ou social. Les personnages sont nombreux dans *Au Bonheur des Dames*, mais la plupart ne sont définis que par un trait physique (M^me Aurélie et son visage qui a « l'enflure d'un masque empâté de César », Clara et son « allure de cheval échappé ») ou moral (M^me Marty et sa « fièvre de dépense », M^me Bourdelais qui sait « profit[er] de[s] véritables occasions »). Deux personnages se distinguent pourtant et font l'objet d'une analyse plus approfondie : Octave Mouret et Denise Baudu.

« Mon Octave est excellent » *(Ébauche)*

- Un de « ces garçons qui ont compris l'activité moderne » (Ébauche)

Tous, ennemis et amis, s'accordent pour considérer Octave Mouret comme un homme à la fois inventif et audacieux. Baudu le présente comme « un homme à idées, un brouillon dangereux qui bouleversera le quartier si on le laisse faire » (chap. I) ; le baron Hartmann, alors que Mouret vient de lui présenter son projet d'agrandissement, ne peut s'empêcher de s'exclamer : « Quelle imagination ! » (chap. III) ; quant à Bourdoncle, il s'incline devant son ancien collègue car il a conscience de n'apporter ni « le coup de génie de ce Provençal passionné, ni son audace, ni sa grâce victorieuse » (chap. II). En effet, Mouret ne cesse d'innover : il invente d'abord le bon marché et le prix marqué, puis il instaure un petit cahier à souches pour les notes de débit afin de calculer la guelte qui revient à chaque vendeur, il imagine enfin « les rendus »... Il fait preuve de la même imagination dans l'installation des étalages : il mêle les tissus avec talent afin de séduire et de choquer tout à la fois (« Mais pourquoi cherchez-vous à ménager l'œil ? dit-il. N'ayez donc pas peur, aveuglez-le », chap. II). Cette force créative fait en quelque sorte de Mouret un double du romancier et l'on ne peut s'étonner qu'il fasse du commerce en « poète » (chap. II, III et XI) ou qu'il conçoive ses ventes comme des « coups de théâtre » (chap. IX).

L'autre caractéristique de Mouret est son « enthousiasme ». S'il s'oppose en effet à Bourdoncle par son génie commercial, à Robineau et à Bouthemont par sa réussite, il est également la parfaite antithèse du pessimiste Paul de Vallagnosc. Lorsque le directeur du *Bonheur des Dames* retrouve son ancien camarade de classe, le jeune aristocrate adopte une pose négative (« Mais je ne deviens rien », « Rien n'est drôle », chap. III) : il refuse d'agir et se complaît dans une « médiocrité vaniteuse ». Mouret, par contraste, exalte « toute la joie de l'action, toute la gaieté de l'existence ». Il parle haut et fort : les phrases exclamatives (« Calicot, en plein ! ») et les interjections (« Alors, mon Dieu ! », « Ma foi ! ») manifestent sa fierté (« il faudra que je te montre ma machine en branle, tu verras que ce n'est pas si bête »).

Ainsi, Mouret « se jette dans les affaires avec *gaieté* et *vigueur* » (Ébauche) et son enthousiasme séduit. Pourtant, au-delà de sa bonhomie, on peut déceler une indifférence aux autres, qui peut aller jusqu'à la cruauté, cruauté à l'égard de ses vendeurs, licenciés à la morte saison (« Arrangez-

vous, six vendeurs doivent vous suffire… Vous en reprendrez en octobre, il en traîne assez dans les rues », chap. VI), cruauté à l'égard des petits commerçants (« Mouret avait inventé cette mécanique à écraser le monde […], il avait semé le quartier de ruines », chap. XIII). Ainsi, seule son alliance avec Denise, qui promet de faire de lui « un brave homme », peut humaniser sa fièvre commerciale.

- « Son côté femme, sa science de la femme » (Ébauche)

La véritable force de Mouret est en réalité sa connaissance de la femme (« il lui tendait les pièges les plus savants, il l'analysait en grand moraliste », chap. IX). La structure du chapitre III est à cet égard remarquable : dans un premier temps, Mouret y expose son enthousiasme à Paul de Vallagnosc. Puis il dévoile ses ambitions commerciales au baron, qui reste sceptique. Dans un dernier temps, il se mêle aux femmes, conquises par « ce roi despotique du chiffon ». Alors seulement le banquier comprend que Mouret connaît très bien sa proie et qu'elle ne peut échapper à ses filets, et qu'il a donc intérêt à s'allier avec lui. Par la suite, le directeur du *Bonheur des Dames* ne le déçoit pas : il « grise […] [*la femme*] d'attentions galantes », lui offre des violettes ou des ballons, il « trafique […] ses désirs » en métamorphosant ses rayons en véritable labyrinthe, en l'attirant par toutes sortes de réclames. De plus, Mouret est séduisant (« grand, la peau blanche, la barbe soignée [*avec*] des yeux couleurs de vieil or, d'une douceur de velours », chap. II) et fait de ce pouvoir une arme : elle lui permet par exemple d'exploiter Henriette Desforges (« Elle devinait sans doute que Mouret s'était simplement servi d'elle pour se rapprocher du baron », chap. III). Seule Denise échappe à la stratégie de Mouret : elle exige de l'estime (chap. VII) et de l'amour (chap. XIV). Elle est celle « qui devait venir et qui vengerait les autres ».

Ainsi, si Octave Mouret fait parfois penser à son oncle Aristide Saccard, héros de *La Curée* et de *L'Argent*, par son enthousiasme de Provençal et son audace dans les affaires, il s'en distingue par une plus grande lucidité et par la sincérité de son amour qui lui rend son humanité.

Denise, « un type superbe de grâce et d'honnêteté » (Ébauche)

• Un personnage qui évolue : « une victoire inespérée » (chap. x)

Contrairement à Octave Mouret, qui est d'emblée au sommet de sa gloire, Denise évolue tout au long du roman. D'une part, elle subit une véritable métamorphose physique : à son entrée au *Bonheur des Dames*, elle « par[aît] bien chétive et elle [a] le visage triste », ce que Hutin résume en un mot : c'est une « désossée » (chap. II). Quand elle revient, après son exil chez les petits boutiquiers du quartier, elle « s'[est] affinée, la peau blanche, l'air délicat et grave. Son insignifiance chétive d'autrefois dev[ient] un charme d'une discrétion pénétrante ». D'autre part, elle affirme sa position dans le grand magasin. À son arrivée, elle est repoussée par tous : « C'étaient des mots blessants, des inventions cruelles, une mise à l'écart qui la frappait au cœur, dans son besoin de tendresse » (chap. v). À la fin du roman, au contraire, elle a conquis tous ses anciens ennemis : « Denise prenait une autorité, qui étonnait et pliait les plus hostiles » (chap. x) ; « Lorsque Denise faisait acte de force, sans élever le ton, pas une ne résistait » (chap. XIII). Elle a surtout séduit Octave Mouret qui décide de l'épouser, malgré la différence sociale et malgré la superstition selon laquelle « le directeur d'une grande maison de nouveautés devait être célibataire, s'il voulait garder sa royauté mâle sur les désirs épandus de son peuple de clientes » (chap. XIV). Denise ne doit pas sa formidable ascension à sa ruse ou à ses calculs : ce sont sa douceur, sa féminité qui l'ont propulsée au sommet : « Elle apportait tout ce qu'on trouve de bon chez une femme, le courage, la gaieté, la simplicité » (chap. XII).

• « Un amour instinctif de la logique et de la vie » (chap. VII)

Cette douceur de femme, qui emplit Denise d'une « bonté en pleurs, d'une tendresse fraternelle à l'idée de l'humanité souffrante » (chap. XIII), n'étouffe pas dans « sa tête raisonneuse et avisée de Normande » (chap. XII) le sens du commerce. En effet, elle croit, comme Mouret, en « l'évolution naturelle du commerce » (chap. VII). Son mariage programmé avec le directeur du grand magasin est donc avant tout l'alliance de deux conceptions complémentaires du commerce. Denise est sans cesse « travaillée du besoin de mettre de l'ordre, d'améliorer le mécanisme » (chap. XII). Elle se préoccupe donc de l'amélioration des conditions de vie des commis afin de supprimer « toute une déperdition de force » : ainsi, les chambres

des vendeuses deviennent plus agréables, on ouvre au *Bonheur des Dames* une bibliothèque, un salon de coiffure ou encore une infirmerie…

Denise allie donc douceur féminine et sens du commerce. Ce personnage qui, par certains aspects, fait penser à M^me Boucicaut, dont les innovations sociales marquèrent le *Bon Marché*, devient le type de la femme idéale, bien différente des précédentes héroïnes zoliennes.

LE TRAITEMENT DU TEMPS

La chronologie du roman

Alors que Zola joue avec les références historiques et multiplie les anachronismes, la chronologie de *Au Bonheur des Dames* est assez facile à repérer et les indicateurs temporels scandent le récit. D'après le dossier préparatoire, le roman commence au mois d'octobre 1864, alors que se font sentir « les premiers frissons de l'hiver » (chap. II). Denise reste au *Bonheur des Dames* jusqu'au 20 juillet (chap. VI). Deux chapitres suffisent à évoquer les dix-huit mois d'exil de Denise, ses difficultés financières et ses emplois chez Bourras puis chez Robineau (chap. VII et VIII). Elle rentre au *Bonheur des Dames* au mois de février 1867 (chap. IX) et le roman s'achève un lundi, au début de l'année 1869 (chap. XIV). Ainsi, on constate que Zola s'intéresse essentiellement aux périodes où Denise travaille au *Bonheur des Dames*. De plus, il attire l'attention sur quelques temps forts de la vie du grand magasin. En effet, rares sont les dates précises : la chronologie est établie en fonction des périodes favorables ou non à la vente (« on arrivait alors à la morte-saison d'hiver qui va de décembre à février », chap. V ; « Quand la morte-saison d'été fut venue », chap. VI) et si le romancier consacre un chapitre entier aux journées de fortes ventes (chap. IV, IX et XIV), un chapitre suffit aussi à décrire plusieurs mois où la vente se fait au ralenti (chap. XII). Zola applique ici le principe rappelé par Maupassant dans la préface de *Pierre et Jean* : « Raconter tout serait impossible, car il faudrait alors un volume au moins par journée, pour énumérer les multiples incidents insignifiants qui emplissent notre existence. Un choix s'impose donc. »

Zola dédaigne pour l'essentiel les analepses (retours en arrière) et les prolepses (les effets d'annonce). On ne rencontre dans le roman que quelques analepses très courtes. Elles visent à apporter une information

ponctuelle et facilitent la compréhension. Ainsi, Baudu fait un bref historique du *Bonheur des Dames* (« Le *Bonheur des Dames* avait été fondé en 1822, par les frères Deleuze », chap. I), ce qui permet au romancier de faire l'économie d'une longue exposition. Le narrateur recourt également à l'analepse au chapitre IX (« Dès les premiers jours de février, Denise était entrée au *Bonheur* ») et au chapitre XI (« L'année précédente, ce dernier s'était pris d'une brusque tendresse pour Bouthemont »). Dans ces deux cas, il s'agit d'informer le lecteur tout en respectant la hiérarchie des événements : en effet, ces deux chapitres qui relatent respectivement la vente des nouveautés d'été, laquelle s'achève sur le refus de Denise de se faire acheter par Mouret, et le drame de la jalousie mis en scène par Henriette Desforges, sont capitaux pour l'intrigue. L'insertion d'informations annexes sous forme d'analepses laisse à ces deux épisodes toute leur importance au lieu de les dissoudre dans une masse trop conséquente.

Scènes, sommaires, ellipses

Après avoir étudié l'ordre de la narration, il convient de considérer le rapport entre le temps de la narration et celui du récit. Tantôt, le temps de la narration semble coïncider avec celui du récit : le lecteur a alors l'impression que l'épisode se déroule sous ses yeux et qu'il le suit en temps réel : c'est ce qu'on appelle une *scène*. Tantôt, le temps de la narration est plus bref que celui du récit. Deux cas de figure sont alors envisageables : soit le narrateur résume une série d'épisodes, et on parle de *sommaire* ; soit il en passe certains sous silence, et c'est le procédé de *l'ellipse*.

Dans *Au Bonheur des Dames*, scènes, sommaires et ellipses alternent. Les sommaires et les ellipses visent à souligner l'importance des scènes, qui apparaissent comme des temps forts dans la vie des personnages principaux. Ainsi, le chapitre II est marqué par la première rencontre entre Denise et Octave : leur entretien, capital puisque c'est au directeur que Denise doit d'être choisie pour le poste de vendeuse, est rapporté sous forme de scène (« Cependant, Mouret [...] On vous écrira »). Suit une ellipse : on ne retrouve Denise qu'à son entrée au *Bonheur des Dames* quelques jours plus tard. On ignore comment elle a occupé ces quelques journées (combien ?) de liberté. De même, au chapitre VII, les difficultés financières de Denise sont évoquées par un sommaire (« Ce furent d'abord deux mois de terrible gêne »), de manière à souligner l'importance de sa

rencontre avec Mouret aux Tuileries (« Un soir, comme elle se dirigeait vers les marronniers [...] Bonsoir, monsieur »). La scène a donc d'autant plus de valeur qu'elle émerge de l'ombre des sommaires et des ellipses.

L'ÉCRITURE DE *AU BONHEUR DES DAMES* : LA QUÊTE DU DYNAMISME

« Aller avec le siècle, exprimer le siècle, qui est un siècle d'action et de conquête, d'efforts dans tous les sens » : tel est le but que se propose Zola dans l'Ébauche de son roman. Dès lors, il adopte une écriture à l'image du siècle qu'il veut évoquer, une écriture du dynamisme.

DIVERSITÉ ET UNITÉ

La première source de vitalité dans l'écriture zolienne du *Bonheur des Dames* est le jeu entre la diversité et l'unité. En effet, pour sans cesse surprendre le lecteur et maintenir son attention en éveil, Zola cultive la variété. La variété des points de vue est l'une des caractéristiques de la poétique du roman : le *Bonheur des Dames*, par exemple, est vu tantôt par son directeur, tantôt par les boutiquiers qui le haïssent, tantôt par les clientes qui le vénèrent, ce qui suscite une grande diversité d'images. Pour Octave, le magasin est « une machine qu'il a [...] réglée lui-même » (chap. XII) ; ses victimes le perçoivent comme un « monstre », un « colosse » (chap. XIII), qui se livre à une « consommation effroyable de chair » (chap. XII) ; pour ses clientes, il devient une « cathédrale » (chap. IX). On peut également noter dans le roman le très grand nombre de personnages : boutiquiers, vendeurs, clientes et maris de ces dernières, tous hantent le grand magasin.

Cette variété pourrait disperser l'attention du lecteur. Le romancier contre-balance donc cette variété par la concentration du cadre spatiotemporel. En effet, à une exception près (au chapitre V, Denise, Pauline et Baugé se rendent à Joinville), l'ensemble du roman se déroule dans le grand magasin ou dans ses abords immédiats (chez Baudu, Bourras, Robineau ou M^me Desforges). Il semble même que tout personnage qui quitte cette sphère est exclu de la narration : ainsi, on ignore ce que deviennent Colomban ou Bourras dès qu'ils s'éloignent du *Bonheur des Dames*. De même, le magasin de nouveautés réalise une croissance spectaculaire en

cinq ans seulement, alors qu'il en a fallu une trentaine au *Bon Marché*. Zola lui-même souligne la rapidité de cette croissance lorsqu'il mentionne les travaux d'agrandissement : « En septembre, l'architecte, craignant de ne pas être prêt, se décida à faire travailler la nuit » (chap. VIII). Ainsi, s'instaure une tension entre la concentration et la variété, qui donne une impression de foisonnement et contribue au dynamisme de l'écriture.

LES CONTRASTES

Autre source de vitalité dans l'écriture du *Bonheur des Dames* : les contrastes. Le roman est en effet tout entier bâti sur l'opposition entre le grand magasin, qui n'est que lumière et chaleur (« flamboiement », « foyer d'ardente lumière », « éclat de fournaise », « la lumière et la vie », chap. I) et les petites boutiques, froides et obscures (« obscurité », « enfumé », « sombres », « ténèbres », « ombre », *ibid.*). Les personnages s'organisent également en réseaux antithétiques : ainsi, Denise s'oppose à Geneviève, incarnation de l'agonie du petit commerce, à Pauline, qui consent à prendre un amant pour améliorer son quotidien, à Clara, qui se laisse acheter par Mouret. Ces oppositions tissent des liens dans le roman et invitent le lecteur à observer comment s'orchestre la lutte entre des univers antagonistes.

UNE PÉDAGOGIE EN ACTES

Enfin, Zola évite systématiquement les développements théoriques afin de préserver le dynamisme de son écriture. Ainsi, dans le premier plan détaillé du chapitre I, il s'exhorte à « expliquer le petit commerce par des faits et des conversations ». De fait, on découvre la boutique de Baudu à travers le regard de Denise et son fonctionnement par Baudu lui-même qui l'explique à sa nièce. De même, afin d'esquiver l'ennui que pourrait susciter de trop longues explications, Zola dissémine les informations au fil du roman. Ainsi, il commence à évoquer les conditions de vie des vendeuses au chapitre IV en décrivant rapidement la chambre de Denise (« C'était une étroite cellule mansardée, ouvrant sur le toit par une fenêtre à tabatière »). La description reste succincte mais le romancier y revient au chapitre suivant (« un froid terrible y tombait du zinc de la toiture »). Ainsi, en lieu et place de longues et monotones descriptions

didactiques, on trouve de rapides évocations disséminées tout au long du roman.

Une écriture dynamique s'imposait au romancier de l'activité moderne d'autant plus qu'elle est un rempart contre l'ennui du lecteur.

GROUPEMENT DE TEXTES : L'ÉCRITURE ROMANESQUE DANS *AU BONHEUR DES DAMES*

TEXTE 4 . *Au Bonheur des Dames,* chapitre I

Denise était venue [...] jeter son trop-plein à la rue.

> PAGES 5-7, LIGNES 1-76

L'incipit

Il s'agit de l'incipit (c'est-à-dire du début) du roman. L'incipit, comme la scène d'exposition au théâtre, doit informer le lecteur (présenter le cadre spatiotemporel, les personnages, l'intrigue ; présenter le genre, le style de l'œuvre) et le séduire, lui donner envie de lire la suite (créer une attente, suggérer un conflit à venir).

1. Qu'apprend le lecteur dans cet incipit ? Relevez et classez les informations. Quelles hypothèses le lecteur peut-il formuler pour la suite du roman ?

2. Quels sont les moyens mis en œuvre par le *Bonheur des Dames* pour attirer les clientes ?

TEXTE 5 . *Au Bonheur des Dames,* chapitre III

Mouret salua ces dames [...] de peur d'être volée.

> PAGES 74-76, LIGNES 65-127

Des portraits

1. Analysez la construction du passage (insertion des portraits ? organisation des portraits ?...).

2. Quelles sont les fonctions de cette galerie de portraits ?

TEXTE 6 • *Au Bonheur des Dames,* **chapitre** iv

> Lentement, la foule diminuait [...] des soirs de carnage.

> PAGES 142-143, LIGNES 1152-1194

Une description

1. Autour de quelle image cette description est-elle construite ?

2. Quel est le registre du texte ? Quel est l'effet produit ?

TEXTE 7 • *Au Bonheur des Dames,* **chapitre** xi

> En entrant, Mouret avait trouvé Denise [...] son amour.

> PAGES 377-381, LIGNES 537-675

Une scène

1. Donnez le plan du passage.

2. Commentez l'emploi du discours direct et du discours indirect libre.

3. Comparez ce passage avec la première rencontre de Denise et Henriette (« Mais il aperçut Denise [...] Ce fut le comble », chap. iii).

TEXTE 8 • *Au Bonheur des Dames,* **chapitre** xiv

> Cependant, Mouret avait ouvert [...] toute-puissante.

> PAGES 508-511, LIGNES 1496-1604

Le dénouement

C'est la fin du roman. Le dénouement peut se présenter sous la forme d'une clôture (le sort des personnages est réglé, le nœud de l'intrigue est dénoué) ou, au contraire, sous la forme d'une ouverture (le nœud principal est réglé, mais les personnages voient s'ouvrir devant eux de nouvelles perspectives que le lecteur est invité à explorer par son imagination). La qualité principale d'un dénouement est de laisser une impression forte dans l'esprit du lecteur qui referme le livre.

1. Comment Zola parvient-il à maintenir le suspens jusqu'aux dernières lignes ?

2. Quel rôle joue le portrait de M^me Hédouin ?

VERS L'ÉPREUVE

ARGUMENTER, COMMENTER, RÉDIGER

L'étude de l'argumentation dans l'œuvre intégrale privilégie deux objets :

■ **L'argumentation dans l'œuvre.** *Chaque genre littéraire, chaque œuvre intégrale exprime un point de vue sur le monde. Un roman, une pièce de théâtre, un recueil de poésies peuvent défendre des thèses à caractère esthétique, politique, social, philosophique, religieux, etc. Ordonner les épisodes d'une œuvre intégrale, élaborer le système des personnages, recourir à tel ou tel procédé de style, c'est aussi, pour un auteur, se donner les moyens d'imposer un point de vue ou d'en combattre d'autres. Ce premier aspect est étudié dans une présentation synthétique, adaptée à la particularité de l'œuvre considérée.*

■ **L'argumentation sur l'œuvre.** *Après publication, les œuvres suscitent des sentiments qui s'expriment dans des lettres, des articles de presse, des ouvrages savants... Chaque réaction exprime donc un point de vue sur l'œuvre, loue ses qualités, blâme ses défauts ou ses excès, éclaire ses enjeux. Une série d'exercices permet d'analyser des réactions publiées à différentes époques, dans lesquelles les lecteurs de l'œuvre, à leur tour, entendent faire partager leurs enthousiasmes, leurs doutes ou leurs réserves. Quelle vision du monde, quelles valeurs une œuvre véhicule-t-elle, et comment se donne-t-elle les moyens de les diffuser ?*

Quelles réactions a-t-elle suscitées, et comment les lecteurs successifs ont-ils voulu imposer leurs points de vue ? L'étude de l'argumentation dans l'œuvre et à propos de l'œuvre permet de répondre à cette double série de questions.

L'ARGUMENTATION DANS *AU BONHEUR DES DAMES*

UN HYMNE AU PROGRÈS

Dans l'Ébauche du roman, Zola affiche explicitement la philosophie qui règne sur *Au Bonheur des Dames* :

> Je veux dans *Au Bonheur des Dames* faire le poème de l'activité moderne. Donc changement complet de philosophie : plus de pessimisme d'abord, ne pas conclure à la bêtise et à la mélancolie de la vie, conclure au contraire à son perpétuel labeur, à la puissance et à la gaieté de son enfantement. En un mot, aller avec le siècle, exprimer le siècle, qui est un siècle d'action et de conquête, d'efforts dans tous les sens.

La victoire de « l'activité moderne »

Les trois grandes ventes des chapitres IV, IX et XIV marquent trois paliers vers l'éclatante victoire du *Bonheur des Dames* sur le petit commerce. L'image récurrente de l'eau sert à la fois à décrire la foule qui se presse dans le magasin (« Une houle compacte de têtes roulait sous les galeries, s'élargissant en fleuve débordé au milieu du hall », chap. IV ; « Le bourdonnement des voix faisait un bruit énorme de fleuve qui charrie », chap. XIV) et la quantité de marchandises qui y circulent (« mais on avait dû l'[*la glissoire*] élargir, elle avait maintenant un lit de fleuve, où le continuel flot des marchandises roulait avec la voix haute des grandes eaux », chap. XII). Désormais, nul ne peut contester les prévisions enthousiastes de Mouret qui affirmait dès le chapitre III : « On vend ce qu'on veut, lorsqu'on sait vendre ». Ainsi, ce commerce de nouveautés, dont la modernité s'exprime dans les multiples métaphores qui l'assimilent à une machine à vapeur (« la sensation d'une machine fonctionnant à haute pression », chap. I), remporte une franche victoire sur le commerce du passé (« À cette époque, le *Vieil Elbeuf*, qui existait depuis plus de soixante ans, était déjà tel que tu le vois aujourd'hui », *ibid.*).

Une réussite ambiguë

Toutefois, cette réussite est ambiguë. En effet, elle va de pair avec l'agonie du petit commerce, symbolisée par la mort de Geneviève Baudu puis par celle

de sa mère. La cruauté monstrueuse du *Bonheur des Dames* se lit d'ailleurs dans la métamorphose qu'elle impose au *Vieil Elbeuf* : la boutique de Baudu devient une réclame pour son rival (« au milieu de cette devanture morte, […] une immense affiche jaune, toute fraîche, annonçant en lettres de deux pieds, la grande mise en vente du *Bonheur des Dames* », chap. xiv). Si Mouret est certain du bien-fondé de sa cause (« raisonnable » et « raisonnablement » reviennent sans cesse dans son discours), conscient qu'il participe à un mouvement qui le dépasse (« le triomphe des cités ouvrières et industrielles était semé par le coup de vent du siècle, qui emportait l'édifice croulant des vieux âges », chap. xiii), Denise, en véritable porte-parole du romancier, s'interroge sur le progrès et ses conséquences (« Était-ce donc vrai, cette nécessité de la mort engraissant le monde […] ? », chap. xiii).

Elle finit pourtant par conclure à son tour que l'on ne peut faire barrage au progrès, que les morts qu'il charrie sont naturelles, à l'image des mouches qui nourrissent les araignées qui alimentent à leur tour les fauvettes dans les jardins de Valognes, et nécessaires (« Oui, c'était la part du sang, toute révolution voulait des martyrs », chap. xiii). Dès lors, il ne convient plus de se demander si le progrès est acceptable mais de chercher les moyens de le rendre tel.

Un mariage utopique

C'est alors que le mariage de Denise et Octave Mouret devient inéluctable. D'aucuns ont reproché à Zola le caractère fleur bleue de son dénouement. Mais le dénouement du roman est double : il allie la victoire commerciale du magasin et le mariage de son directeur (« Mouret était tombé assis sur le bureau, dans le million, qu'il ne voyait plus. Il ne lâchait pas Denise, il la serrait éperdument sur sa poitrine », chap. xiv). Ces deux aspects ne doivent pas être dissociés : Zola suggère la nécessaire alliance de l'innovation commerciale, de la modernité, incarnées par Mouret, et de la sensibilité, de l'humanité, personnifiées par Denise. Cette dernière a en effet séduit Mouret par ses suggestions et sa conception du commerce (« elle s'animait, citait des exemples, se montrait au courant de la question [*la lutte des grands magasins contre les petits commerces*], remplie même d'idées larges et nouvelles. Lui, ravi, l'écoutait avec surprise », chap. vii), plus encore que par son physique. Le romancier remet en cause les rouages traditionnels de l'intrigue amoureuse dans laquelle la femme éblouit par

sa beauté un homme qui en fait l'objet de sa convoitise, pour proposer l'alliance de deux visions du progrès, qui, dans le regard optimiste de Zola, fait du « monstre » un phalanstère des temps modernes : « C'était l'embryon des vastes sociétés ouvrières du vingtième siècle » (chap. xii). Le grand magasin offre une meilleure situation à ses employés tout en améliorant le quotidien de ses clientes (« les nouveaux magasins augmentaient le bien-être des ménages de la bourgeoisie moyenne », chap. iii).

On peut s'étonner du contraste entre l'optimisme de ce roman et le pessimisme de l'analyse sociale d'autres romans de Zola, comme *L'Assommoir*. Une remarque dans les *Notes générales sur la marche de l'œuvre* éclaire sur cette apparente discordance :

> Il faut *absolument* remarquer ceci : je ne nie pas la grandeur de l'effort de l'élan moderne, je ne nie pas que nous puissions aller plus ou moins à la liberté, à la justice. Seulement, ma croyance est que les hommes sont toujours des hommes, des animaux bons ou mauvais selon les circonstances. Si mes personnages n'arrivent pas au bien, c'est que nous débutons dans la *perfectibilité*.

Denise apparaît dans *Au Bonheur des Dames* comme un « type superbe de grâce et d'honnêteté », comme un personnage parfait, susceptible de conduire les autres sur la voie de la perfection.

L'ARGENT COMME VALEUR SUPRÊME

Quelle que soit leur classe sociale, tous les personnages du roman, à l'exception de Denise, sont fascinés par l'argent : les amies de M^me Desforges passent de longues après-midi à discuter du prix d'un éventail (chap. iii), les vendeurs ont pour unique objectif de remporter une guelte conséquente (chap. iv) et tous sont prêts à être achetés… Zola fait donc le portrait d'une société dans laquelle l'argent est une préoccupation constante.

« La cathédrale du commerce moderne »

Sa verve satirique s'élève pour suggérer que l'argent a remplacé toutes les autres valeurs. Ainsi, le commerce prend la place de la religion. Zola se moque de l'Église qui se déconsidère en parrainant *Les Quatre Saisons*, magasin de nouveautés dans lequel les femmes habillent leurs corps et cultivent leur sensualité. Cette bénédiction apparaît donc comme contraire aux principes

défendus par l'Église, ce que le romancier dénonce dans une antithèse entre le champ lexical de la religion et celui du vêtement :

> [...] ce bon vivant [*Bouthemont*] ne venait-il pas de faire bénir ses magasins par le curé de la Madeleine, suivi de tout son clergé ! une cérémonie étonnante, une pompe religieuse promenée de la soierie à la ganterie, Dieu tombé dans les pantalons de femmes et dans les corsets (chap. XIV).

Toute l'ironie de la situation se révèle à la fin de la phrase, dans la protase : « [...] ce qui n'empêcha pas le tout de brûler » (*ibid.*). L'Église qui, de fait, avait béni les magasins du *Printemps* en 1874, apporte donc sa reconnaissance au grand magasin, qui excite la passion de l'argent et suscite des besoins toujours plus importants. Dès lors, les femmes, que les passions rendent fragiles aux yeux du romancier naturaliste, sont fondées à faire du *Bonheur des Dames* un nouveau dieu : « La femme venait passer chez lui [*Mouret*] les heures vides, les heures frissonnantes et inquiètes qu'elle vivait jadis au fond des chapelles » (*ibid.*).

Une vision satirique de la société de consommation

De plus, l'argent remplace la morale. Ainsi, Pauline suggère qu'il est à la fois logique et raisonnable de se vendre (« Les chiffres sont là [...] Prenez quelqu'un, ce sera beaucoup mieux », chap. V), si logique et si raisonnable que cela ne saurait en rien heurter la morale (« Je ne vous dis pas de vous mal conduire, au moins », chap. V). Ce qui serait immoral, selon Pauline, serait de prendre un amant sans en avoir financièrement besoin, à l'instar de Clara. C'est également pour des raisons financières que M^me de Boves accepte la présence de la maîtresse de son mari, M^me Guibal (« Le femme supportait la maîtresse, préférant encore que la chose eût lieu chez elle, car elle y gagnait un peu d'argent de poche », chap. XIV). Cet argent n'est toutefois pas suffisant puisqu'elle est réduite au vol.

En effet, si l'argent anéantit la morale, il détruit également la raison. M^me de Boves sombre dans la folie : « Les crises empiraient, grandissaient, jusqu'à être une volupté nécessaire à son existence, emportant tout raisonnement de prudence » (chap. XIV). De même, M. Marty, qui défendait devant Mouret l'épargne des ménages, est « frappé du délire des grandeurs », puisant « à pleines mains dans les trésors de la terre » (chap. XIV).

L'argent, que les clientes du grand magasin convoitent, détruit donc tous les rouages de la société, qui menace de se disloquer. Seule Denise, qui refuse l'argent que lui offre Mouret, échappe à cette folie.

GROUPEMENT DE TEXTES : JUGEMENTS CRITIQUES

TEXTE 9 . Jean Richepin, « Le Calicot », *Gil Blas*, 21 novembre 1881

Zola conservait dans le dossier préparatoire du *Bonheur des Dames* l'article dont est extrait le texte ci-dessous.

Encore un type à refondre [*le calicot*], pourtant ! Encore un personnage à refaire de pied en cap dans le panorama contemporain, où il tient une place considérable, où il n'a pas sa physionomie exacte et mise au point !

5 Qui se chargera de cette retouche ? Qui est capable de l'exécuter ? En tout cas, le besoin, comme on dit, s'en fait sentir. L'étude est dans l'air. Il paraît que Zola et Daudet travaillent, chacun de son côté, à un roman sur les grands magasins. Ou je me trompe fort, ou ce sera là du vrai neuf.

10 Pourvu, toutefois, que ces deux maîtres peintres y voient autre chose qu'un prétexte à tableau, à description, à virtuosisme [1] ! Le danger, devant ce sujet, ce sera d'être ébloui par l'étalage, et de se borner à faire chatoyer les adjectifs, papilloter les verbes, froufrouter les phrases. Le danger ce sera de se noyer dans la faille [2], le satin,

15 le velours, les dentelles, les tapis, les costumes, les falbalas [3], les lumières, les couleurs comme *Le Ventre de Paris* [4] s'est enlisé dans les légumes et les fromages.

Le danger ce sera de traiter les grands magasins en nature morte, au lieu d'y chercher un portrait, c'est-à-dire au lieu d'en saisir l'âme.

20 Car ils ont une âme ; et cette âme, c'est le calicot.

1. *Virtuosisme* : le terme n'existe pas. Le journaliste accole au mot « virtuosité », le suffixe *-isme* utilisé entre autres pour les opinions et les systèmes. Il se moque des artistes qui veulent faire montre de leur talent. \ **2.** *Faille* : épais tissu de soie. \ **3.** *Falbalas* : volants qui ornent une robe. \ **4.** *Le Ventre de Paris* : roman de Zola paru en 1873 (voir « L'œuvre dans l'histoire »).

1. Sur quelle antithèse le texte repose-t-il ?

2. À quel art le journaliste assimile-t-il l'écriture ? L'écriture du *Bonheur des Dames* vous semble-t-elle justifier ce rapprochement ?

3. Quels sont les procédés de la persuasion mis en œuvre ?

TEXTE 10 . Joris-Karl Huysmans, lettre à Zola, mars 1883

J.-K. Huysmans participe d'abord aux soirées de Médan puis il s'en dégage pour composer son chef-d'œuvre, *À rebours* (1884). Il écrit cette lettre à Zola lors de la publication du *Bonheur des Dames* en volume.

[…] Après une première et rapide lecture, ce qui poigne, c'est la force de reins qu'il faut avoir pour bâtir un pareil édifice – et j'ajouterai la puissance incomparable de clarté que vous possédez pour expliquer d'une façon aussi nette, aussi visible, les rouages d'un tel
5 colosse. Or à ce point de vue, le fonctionnement du *Bonheur des Dames* est une vraie merveille de lucidité et Mouret, en haut de l'escalier, comme un commandant de steamer quand la machine gronde, s'empreint certainement d'une certaine grandeur ; toute cette trépidation de machine en branle, broyant tout, est stupéfiante et vos pauvres
10 boutiques de l'ancien commerce, Bourras et Baudu, en repoussoir, sont vraiment peintes avec un sens de Paris bien vivant et bien spécial. À propos de Baudu, l'enterrement est superbe – ce défilé de victimes est admirablement fait – vous avez trouvé là de vraies belles pages.

Quant à la partie plastique du monstre – la foule, les étalages, vous
15 pouvez croire que je les ai savourés. Je ne sais pas comment diable vous faites, pour arriver à ces variétés sur des sujets qui n'en semblent pas comporter ; car enfin, c'était le diable que de représenter ce magasin toujours en ébullition sans répéter les effets et je sentais chaque fois un casse-cou, avec l'étonnement de le voir toujours évité. C'est égal,
20 il a fallu une habileté vraiment extraordinaire pour conduire cette progression du déballage jusqu'à l'incendie final du blanc, un feu d'artifice, un éblouissement singulier qui fait comme une apothéose de féerie sur les ruines du quartier en cendres.

Vous pouvez avoir la conscience d'un tour de force, où tout autre
25 que vous se serait cassé les reins – il est vrai que les halles[1] étaient

1. Zola les place au centre de son roman *Le Ventre de Paris*.

aussi difficiles et que vous en avez fait aussi une merveille. Mais ici c'était pourtant plus dur encore car vous aviez créé – et c'est réalisé, suivant vos intentions – le commencement d'un magasin allant toujours en s'amplifiant, jusqu'à ce qu'il emplisse toute une partie
30 de ville, tandis que les halles étaient immobiles, sans commencement, sans marche nouvelle, sans fin.

Quant aux amours de Mouret et de Denise, ils sont dans cette terrible poussière qui emplit les halls et cette danse de l'argent qui comble le livre d'une fraîcheur toute singulière. […]

1. Quelle est la thèse de Huysmans ? Quels sont ses arguments ?

2. Quels sont les procédés de la persuasion mis en œuvre ?

3. Quels sont les signes linguistiques de l'intimité entre Huysmans et Zola ?

TEXTE 11 ● Joris-Karl Huysmans, *À rebours*, Préface écrite vingt ans après le roman (1903)

© Éditions Gallimard, coll. « Folio », 1977

La somme des observations que chacun [des auteurs naturalistes] avait emmagasinée, en les prenant sur soi-même ou sur les autres, commençait à s'épuiser. Zola, qui était un beau décorateur de théâtre, s'en tirait en brossant des toiles plus ou moins précises ; il suggérait très bien l'illusion du mouvement de la vie ; ses héros étaient dénués d'âme, régis tout bonnement par des impulsions et des instincts, ce qui simplifiait le travail de l'analyse. Ils remuaient, accomplissaient quelques actes sommaires, peuplaient d'assez franches silhouettes des décors qui devenaient les personnages principaux de ses drames. Il célébrait de la sorte les halles, les magasins de nouveautés, les chemins de fer, les mines[1], et les êtres humains égarés dans ces milieux n'y jouaient plus que le rôle d'utilités[2] et de figurants ; mais Zola était Zola, c'est-à-dire un artiste, un peu massif, mais doué de puissants poumons et de gros poings.

1. Quelle est désormais la thèse de Huysmans ?

2. Lequel de ces deux points de vue vous semble le plus juste ? Justifiez votre réponse dans un développement argumenté.

1. Les halles dans *Le Ventre de Paris*, les magasins de nouveautés dans *Au Bonheur des dames*, les chemins de fer dans *La Bête humaine*, les mines dans *Germinal*. \ **2.** Rôle subalterne au théâtre.

TEXTE 12 • Guy de Maupassant, « Le Roman », Préface de *Pierre et Jean* (1888)

Éditions Hatier, coll. « Classiques et Cie », 2004, p. 13-14

Mais en se plaçant du point de vue même de ces artistes réalistes, on doit discuter et contester leur théorie qui semble pouvoir être résumée par ces mots : « Rien que la vérité et toute la vérité. »

Leur intention étant de dégager la philosophie de certains faits
5 constants et courants, ils devront souvent corriger les événements au profit de la vraisemblance et au détriment de la vérité, car *le vrai peut quelquefois n'être pas vraisemblable*.

Le réaliste, s'il est un artiste, cherchera, non pas à nous montrer la photographie banale de la vie, mais à nous en donner la vision
10 plus complète, plus saisissante, plus probante que la réalité même.

Raconter tout serait impossible, car il faudrait alors un volume au moins par journée, pour énumérer les multitudes d'incidents insignifiants qui emplissent notre existence.

Un choix s'impose donc – ce qui est une première atteinte à la
15 théorie de toute la vérité.

1. Quelle est la thèse défendue par Maupassant ?

2. Quelles nuances Maupassant apporte-t-il à la théorie réaliste du « rien que la vérité et toute la vérité » ?

3. *Au Bonheur des Dames* vous semble-t-il une bonne illustration de cette théorie ?

SUJETS

INVENTION ET ARGUMENTATION

Sujet 1

En vous inspirant de l'affiche publicitaire *À l'œil* (p. 567) et de la description du fonctionnement du *Bonheur des Dames* dans le roman de Zola, écrivez un discours dans lequel vous fustigerez les grands magasins.

■ Indications pour traiter le sujet

Pour mener à bien un sujet d'invention, il convient de prendre conscience des contraintes imposées par le sujet. Elles sont de plusieurs ordres :

– la forme : un discours ;

– le registre : le registre de votre écrit n'est pas précisé explicitement ; vous pouvez donc employer le registre satirique (antiphrases et ironie, hyperboles…) ou le registre polémique (attaques directes, apostrophes, hyperboles, exclamatives qui disent la colère) ;

– l'argumentation : recensez d'abord tous vos arguments, en vous appuyant sur votre lecture du *Bonheur des Dames* (les grands magasins sont des machines à enrichir leur propriétaire ; pour cela tous les moyens sont bons : exploitation des vendeurs, sous-payés et mal traités, manipulation des clientes. Les grands magasins sont des temples élevés au mauvais goût : on n'y trouve pas d'articles de qualité), puis classez-les, du moins important au plus important, et illustrez chacun d'eux par un exemple.

Sujet 2

Le *Bonheur des Dames* est fréquenté par des clientes de province, comme M^me Boutarel. Imaginez la lettre que l'une d'elles pourrait envoyer à une amie afin de faire l'éloge des magasins de nouveautés. Vous vous appuierez sur votre lecture du roman de Zola et sur l'affiche publicitaire du *Paradis des Dames* (ci-contre). Sur cette affiche, d'élégantes clientes bourgeoises choisissent des étoffes, tandis qu'une foule se presse à l'entrée du magasin. L'encadrement des lourds rideaux et les angelots au phylactère transforment ce magasin en lieu de rêve. Ainsi Rouchon invente-t-il déjà, avec cette mise en scène de l'acte d'acheter et du succès public, des « arguments » qui seront plus tard largement repris.

▫ Indications pour traiter le sujet

Les contraintes imposées par le sujet sont :

– la forme : une lettre (n'oubliez pas d'indiquer en haut, à droite, le lieu et la date ; dans le cours de la lettre, adressez-vous directement à votre destinataire ; concluez par une formule de politesse) ;

– la situation d'énonciation : une cliente s'adresse à une amie (à l'époque, on vouvoie ses amis) ;

– le registre : pour faire l'éloge des magasins de nouveautés, le scripteur emploie le registre lyrique (première personne, vocabulaire des sentiments, phrases exclamatives, images) ;

– les arguments : recensez d'abord tous vos arguments, en vous appuyant sur le document iconographique et sur votre lecture du *Bonheur des Dames* (les grands magasins ne sont fréquentés que par des bourgeoises ; on peut y faire des affaires car on y pratique le bon marché et le prix marqué protège de la malhonnêteté des vendeurs ; on peut rendre les articles que l'on regrette d'avoir achetés ; on y trouve de tout), puis classez-les, du moins important au plus important, et illustrez chacun d'eux par un exemple.

Au Paradis des Dames
Affiche publicitaire (1856), Jean-Alexis Rouchon (1794-1878) imprimeur, Paris, BNF.
ph © Bridgeman-Giraudon.

COMMENTAIRES

Sujet 3

TEXTE 13 • *Au Bonheur des Dames*, chapitre I

Et elle parla de monter [...] fièvre du voyage.

> PAGES 35-37, LIGNES 937-990

Après avoir répondu aux questions suivantes, vous rédigerez un commentaire de cet extrait. Vous pourrez, par exemple, étudier comment se construit l'opposition entre les boutiques et le grand magasin, puis comment la description réaliste devient fantastique. Enfin, vous vous demanderez en quoi cet extrait est annonciateur de la suite du roman.

1. Relevez les réseaux antithétiques qui structurent le passage.

2. Commentez les métaphores qui décrivent le *Bonheur des Dames*.

3. Analysez la focalisation dans cet extrait : qui voit la scène ? Quel est l'effet produit ?

Sujet 4

TEXTE 14 • *Au Bonheur des Dames*, chapitre III

Et elles l'entouraient [...] son admiration grandir.

> PAGES 96-98, LIGNES 744-799

Après avoir répondu aux questions suivantes, vous rédigerez un commentaire de cet extrait. Vous pourrez notamment mettre en évidence le pouvoir qu'exerce Mouret sur les femmes et la dimension satirique de l'extrait.

1. Pourquoi, dans cette scène, Mouret conquiert-il le baron Hartmann que ses tirades enthousiastes avaient laissé dubitatif ?

2. En quoi Zola se moque-t-il des femmes ?

Sujet 5

TEXTE 15 • *Au Bonheur des Dames*, chapitre XII

Non toujours, dans tous les comptoirs [...] le mépris de l'argent.

> PAGES 399-400, LIGNES 344-386

À l'œil, 8 rue de Rivoli… On donne à l'œil une belle redingote
Affiche publicitaire (1864), Jean-Alexis Rouchon (1794-1878) imprimeur, Paris, BNF.
ph © Paris, BNF.

Après avoir répondu aux questions suivantes, vous rédigerez un commentaire de cet extrait, dans lequel vous pourrez, par exemple, montrer comment se construit l'opposition entre la réussite commerciale de Mouret et ses déceptions amoureuses.

1. Par quels procédés s'exprime la puissance commerciale du *Bonheur des Dames* ?

2. Montrez que Mouret subit une véritable métamorphose.

DISSERTATIONS

Sujet 6

Dans *Le Roman expérimental*, Zola affirme que « l'imagination n'est plus la qualité maîtresse du romancier ». Vous discuterez cette affirmation en vous appuyant sur des exemples précis tirés de *Au Bonheur des Dames* ou de vos lectures personnelles.

▨ Indications pour traiter le sujet
– analyse des mots clés : « l'imagination » : l'invention de l'écrivain qui compose des intrigues et crée des personnages, et qui s'oppose à la documentation, à l'information à partir desquelles travaille l'historien ; « n'est plus » : Zola expose ici la révolution imposée au roman par le mouvement naturaliste ;
– type de sujet : il s'agit de commenter une affirmation ;
– reformulation de la thèse contenue dans le sujet : les romanciers réalistes n'inventent rien, ce sont des observateurs ;
– formulation de la problématique : les romanciers naturalistes sont-ils des observateurs ou des créateurs ?

Sujet 7

« Nous voulons essayer de camper sur leurs pieds des êtres en chair et en os », écrit Huysmans, dans *Émile Zola et L'Assommoir*, en 1877. Vous discuterez cette affirmation en vous appuyant sur vos lectures personnelles et sur *Au Bonheur des Dames* en particulier.

▨ Indications pour traiter le sujet
– analyse des mots clés : « Nous » : en 1877, Huysmans est encore proche de Zola et des écrivains naturalistes qui fréquentent les soirées de Médan ; la formule désigne donc les romanciers naturalistes. « [D]es êtres en chair et en os » : des personnes et non des personnages, des héros de roman qui ressemblent à s'y méprendre aux personnes qui peuplent le quotidien du lecteur ;
– type de sujet : il s'agit de commenter une affirmation ;
– reformulation de la thèse contenue dans le sujet : les personnages d'un roman doivent ressembler aux personnes que l'on croise dans la rue ;
– formulation de la problématique : le personnel romanesque est-il nécessairement exceptionnel ou peut-il être banal et quotidien ?

BIBLIOGRAPHIE

Éditions de Au Bonheur des Dames

ZOLA Émile, *Au Bonheur des Dames*, in *Les Rougon-Macquart*, tome III, Gallimard, « Bibliothèque de la Pléiade », 1964, édition dirigée par Armand Lanoux.

ZOLA Émile, *Au Bonheur des Dames*, in *Les Rougon-Macquart*, tome III, Robert Lafont, collection « Bouquins », 1992, édition présentée par Colette Becker.

ZOLA Émile, *Au Bonheur des Dames*, Gallimard, collection « Folio Classique », 1980, édition de Henri Mittérand.

Zola et le naturalisme

BECKER Colette, *Lire le réalisme et le naturalisme*, Dunod, 1992.

BORIE Jean, *Zola et les mythes*, Le Seuil, coll. « Pierres vives », 1971.

DE LANGENHAGEN M.-A., GUISLAIN G., *Zola*, Studyrama, 2005.

GENGEMBRE Gérard, *Réalisme et naturalisme*, Le Seuil, coll. « Mémo », 1997.

HAMON Pierre, *Le Personnel du roman, le système des personnages dans les Rougon-Macquart*, Droz, 1993.

MITTERAND Henri, *Zola et le naturalisme*, PUF, coll. « Que sais-je ? », 1986.

Contexte historique

PLESSIS A., *De la fête impériale au mur des fédérés, 1852-1871*, Points Seuil, « Nouvelle Histoire de la France contemporaine », 1979.

Études sur Au Bonheur des Dames

BECKER Colette et GAILLARD Jacques, *Au Bonheur des Dames*, Hatier, coll. « Profil d'une œuvre », 1982.

BERTRAND-JENNINGS C., *L'Éros et la femme chez Zola*, Klincksieck, 1977.

Adaptations cinématographiques

DUVIVIER Julien, *Au Bonheur des Dames*, 1930.

CAYATTE André, *Au Bonheur des Dames*, 1943.

Site internet

On consultera avec profit le site de la Bibliothèque nationale de France (http://www.expositions.bnf.fr/zola/index.htm) sur lequel on peut effectuer une visite virtuelle de l'exposition consacrée à Zola en 2002 pour le centenaire de sa mort : de très nombreux documents iconographiques sont disponibles.

PAPIER À BASE DE
FIBRES CERTIFIÉES

Hatier s'engage pour l'environnement en réduisant l'empreinte carbone de ses livres. Celle de cet exemplaire est de : **1.5 kg éq. CO_2** Rendez-vous sur www.hatier-durable.fr

Achevé d'imprimer par L.E.G.O. S.p.A. - Lavis (TN) - Italie
Dépôt légal: 96227-1/05 - Août 2015